Novo mundo nos trópicos

Gilberto Freyre

Novo mundo nos trópicos

3ª edição revista

APRESENTAÇÃO DE PETER BURKE
BIOBIBLIOGRAFIA DE EDSON NERY DA FONSECA
ÍNDICES ELABORADOS POR GUSTAVO HENRIQUE TUNA

São Paulo
2011

© by Fundação Gilberto Freyre, 2010/Recife-Pernambuco-Brasil

1ª EDIÇÃO, COMPANHIA EDITORA NACIONAL, 1971
2ª EDIÇÃO, TOPBOOKS, 2000
3ª EDIÇÃO, GLOBAL EDITORA, SÃO PAULO 2011

Diretor-Editorial
Jefferson L. Alves

Editor-Assistente
Gustavo Henrique Tuna

Gerente de Produção
Flávio Samuel

Coordenadora-Editorial
Dida Bessana

Assistente-Editorial
Tatiana F. Souza

Revisão
Fátima Cesare
Tatiana Y. Tanaka

Ilustrações de capa e quarta capa
Detalhes de aquarelas de Jean-Baptiste Debret entre 1823 e 1827. Museu Castro Maya, Rio de Janeiro.

Capa
Victor Burton

Editoração Eletrônica
Tathiana A. Inocêncio

Dados Internacionais de Catalogação na Publicação (CIP)
(Câmara Brasileira do Livro, SP, Brasil)

Freyre, Gilberto, 1900-1987.
 Novo mundo nos trópicos / Gilberto Freyre ; apresentação de Peter Burke ; biobibliografia de Edson Nery da Fonseca ; índices elaborados por Gustavo Henrique Tuna. – 3. ed. rev. – São Paulo : Global, 2011.

Bibliografia.
ISBN 978-85-260-1538-8

1. Brasil - Civilização. I. Burke, Peter. II. Fonseca, Edson Nery da. III. Tuna, Gustavo Henrique. IV. Título.

10-12668   CDD-981

Índices para catálogo sistemático:

1. Brasil : Civilização   981

Direitos Reservados

GLOBAL EDITORA E DISTRIBUIDORA LTDA.

Rua Pirapitingui, 111 – Liberdade
CEP 01508-020 – São Paulo – SP
Tel.: (11) 3277-7999 – Fax: (11) 3277-8141
e-mail: global@globaleditora.com.br
www.globaleditora.com.br

Obra atualizada conforme o
Novo Acordo Ortográfico da Língua Portuguesa

Colabore com a produção científica e cultural.
Proibida a reprodução total ou parcial desta obra
sem a autorização do editor.

Nº de Catálogo: **3223**

Para
HEITOR VILLA-LOBOS,
meu amigo.

Gilberto Freyre, fotografado por Pierre Verger, 1945.
Acervo da Fundação Gilberto Freyre.

Sumário

Brasil para estrangeiros – *Peter Burke* 11

Prefácio à primeira edição em língua portuguesa 19

Introdução 31

I. Antecedentes europeus da história brasileira 67

II. Fronteiras e plantações 95

III. Unidade e diversidade, nação e região 123

IV. Condições étnicas e sociais do Brasil moderno 145

V. O Brasil como civilização europeia nos trópicos 173

VI. A política exterior do Brasil e os fatores sociais e étnicos
    que a condicionam 199

VII. Escravidão, monarquia e o Brasil moderno 227

VIII. A literatura moderna do Brasil considerada em alguns dos seus
    aspectos sociais 243

IX. A moderna arquitetura brasileira: "moura" e "romana" 265

X. Por que China tropical? 291

Biobibliografia de Gilberto Freyre 319

Índice remissivo 357

Índice onomástico 371

Brasil para estrangeiros

Em uma entrevista concedida à TV Cultura, Gilberto Freyre se descreveu não como uma personalidade única, mas como uma personalidade múltipla, "um conjunto de eus". De maneira similar, pode-se descrever *Novo mundo nos trópicos* não como um livro único, mas como uma combinação de dois estudos, escritos por dois diferentes Gilbertos em duas décadas diferentes e em dois contextos diferentes. O primeiro é *Brazil: an Interpretation*, uma série de seis conferências publicadas pela primeira vez em inglês em 1945; o segundo, *New World in the Tropics*, publicado em inglês em 1959, reproduz as seis conferências, mas acrescenta quatro novos capítulos. Estes dois estudos, ambos traduzidos para o português logo após sua publicação original, merecem ser discutidos aqui um por um e recolocados ambos tanto em seu contexto original quanto no posterior em espaço e tempo.

I

Em 1944, quando Freyre foi convidado para proferir as Patten Lectures na Universidade de Indiana em Bloomington, ele tinha 44 anos de idade. Já havia adquirido uma reputação no Brasil uma década antes com a publicação de *Casa-grande & senzala* (1933), mas ainda não era importante no cenário internacional – embora *Casa-grande* tenha sido traduzido para o espanhol em 1942, a tradução inglesa só foi lançada em 1946, a francesa em 1953 e a italiana em 1958.

No entanto, Freyre já tinha alguns contatos acadêmicos nos Estados Unidos, pelo fato de ter estudado lá de 1918 a 1922 e ter ocupado o cargo de professor-visitante na Universidade de Stanford em 1931, uma época em que os estudos latino-americanos nos Estados Unidos estavam "atingindo sua maturidade".[1] Os americanos passaram a exibir um interesse crescente no Brasil após sua entrada na Segunda Guerra Mundial em 1942 do lado anglo-americano. Foi nesse ano que Blanche Knopf, esposa do editor Alfred Knopf, visitou a América do Sul em busca de autores para traduzir, enquanto a Universidade de Chicago Press publicou uma tradução de *Os sertões* em 1944.

Quanto a Bloomington, esta pequena cidade no meio-oeste estava apenas começando a se tornar um importante centro acadêmico, graças pelo menos em parte às doações de um ex-aluno, William T. Patten, que fez sua fortuna em negócios imobiliários. Suas doações incluíam um legado estabelecendo as conferências Patten anuais, iniciadas em 1937 e mantidas até hoje – Freyre sem dúvida teria ficado satisfeito em saber que o conferencista de 2010 foi Henry Louis Gates, um especialista em estudos afro-americanos. As conferências contaram com intelectuais de prestígio, tais como o biólogo britânico Julian Huxley, o historiador de ciências belga George Sarton e o pensador político britânico Harold Laski, enquanto o famoso Kinsey Institute para o estudo do comportamento sexual seria fundado ali em 1947. Como o autor de *Casa-grande*, Kinsey chocou muitos leitores por sua franca discussão sobre sexo, e Freyre se referiu à pesquisa de Kinsey em *New World in the Tropics*.

Freyre usou a oportunidade proporcionada por estas seis conferências para esboçar uma interpretação geral do Brasil, de sua história e sua cultura, destinada principalmente a um público norte-americano. Sua abordagem foi interdisciplinar: histórica, sociológica, e às vezes também ecológica e psicológica. O capítulo sobre literatura, escrito de

---

1 M.T. Berger, *Under Northern Eyes: Latin American studies and U.S. hegemony in the Americas, 1898-1990*, Bloomington: Indiana University Press, 1995, p. 48.

um ponto de vista sociológico, convida a uma comparação com a igualmente sociológica *Formação da literatura brasileira* (1959) de Antonio Candido. Os dois estudos podem ser descritos como opostos complementares. Enquanto Candido estava preocupado em colocar a literatura brasileira em seu contexto social, Freyre estava mais interessado em interpretar a literatura como evidência de atitudes sociais.

Visando seus ouvintes e leitores norte-americanos, Freyre fez referências ao que lhes seria familiar – aos sociólogos americanos William G. Sumner e Franklin Giddings, por exemplo; ao historiador Frederick Jackson Turner, famoso por seu estudo da fronteira; e para vários visitantes norte-americanos ao Brasil, estendendo-se desde C.S. Stewart até o Presidente Theodore Roosevelt. Escrevendo sobre literatura brasileira para uma audiência que não estava familiarizada com ela, ele evocou seu amigo José Lins do Rego, "espécie de William Faulkner brasileiro" e descreveu José de Alencar como o "Cooper brasileiro" (James Fenimore Cooper, autor de *O Último dos Moicanos*, 1826, e de outras novelas românticas sobre os índios americanos). Discutindo a história do Brasil, Freyre apontou tanto similaridades quanto contrastes com os Estados Unidos, particularmente com as plantações e os escravos do sul. "Os elementos que compuseram o conjunto social nos engenhos ou nas fazendas patriarcais no Brasil", escreveu ele, "foram, praticamente, os mesmos que caracterizaram o conjunto patriarcal e quase feudal nas plantações do sul dos Estados Unidos". Por outro lado, o preconceito social era mais leve no Brasil.

Foi certamente para atrair os ouvintes e leitores norte-americanos que Freyre fez tantas referências à democracia em suas conferências – à democracia étnica e social, e também à política. Ele já havia usado estes termos antes. O prefácio original de *Casa-grande* usou a expressão "democratização social", enquanto um artigo publicado em *O Jornal* em 1943 empregou o termo "democracia étnica" (ele só veio a mencionar "democracia racial" em 1949, em um artigo publicado em inglês para leitores norte-americanos).[2] Entretanto, as expressões recorreram como uma espécie de *leitmotiv* em *Brazil: an Interpretation*. Pode-se dizer que elas fizeram parte da estratégia de Freyre para

---

2   L. Cruz, "Democracia racial", *http://www.fundaj.gov.br/tdp/128.html*.

vender o Brasil para um público americano, mais óbvia talvez no capítulo sobre política externa, em que ele discute planos para uma aliança entre os Estados Unidos e o Brasil. Com este objetivo ele estava preparado, como foi recentemente sugerido, para "mitificar" o Brasil "para anglo-saxão ouvir".[3]

O estilo destas conferências é simples, sem as imagens poéticas, os coloquialismos e a sintaxe pouco comum das obras que Freyre escreveu em português. De certa forma isto foi uma perda, mas de outra um ganho, tornando o livro acessível a um público mais amplo. Quanto ao conteúdo, Freyre retorna a algumas de suas ideias favoritas, mas as desenvolve mais. Os leitores de *Casa-grande*, por exemplo, reconheceriam o argumento de que os escravos eram relativamente bem tratados nas plantações brasileiras; a ideia de um equilíbrio de antagonismos; o uso de polaridades como aventura e rotina, unidade e diversidade, apolíneo ou dionisíaco ou "a dupla personalidade do Dr. Jekyll-Mr.Hyde" (referência a uma história escrita pelo escritor escocês Robert Louis Stevenson); e acima de tudo a ênfase na miscigenação e na mistura cultural na história do Brasil, como naquela de Portugal medieval. Freyre também se inspirou em *Sobrados e mucambos* (1936), onde ele trata do Brasil no início do século XIX; em *Nordeste* (1937), para discutir ecologia; e em *Região e tradição* (1941), para falar sobre regionalismo, sem mencionar o seu uso de artigos curtos que ele havia escrito sobre o Carnaval, por exemplo, ou sobre o futebol brasileiro ("O jogo brasileiro de futebol é como se fosse dança").

O que era particularmente novo em *Brazil: an Interpretation* era a discussão do autor sobre a Primeira República, tema de um volume que já estava em preparação, embora só tenha sido publicado em 1959, *Ordem e progresso*. Freyre também tinha algo a dizer sobre o regime de Vargas, que ele criticava pela centralização excessiva e pela perseguição de indivíduos, enquanto elogiava o próprio Vargas como sendo "um político sagaz" e um líder que estava "ao lado do povo" e "contra convenções estéreis e contra grupos plutocráticos poderosos". Outra relativa novidade nestas conferências era a preocupação de Freyre em comparar e contrastar Portugal com a Espanha e o Brasil

---

3 M.L.G. Pallares-Burke, *Gilberto Freyre: um vitoriano dos trópicos*, São Paulo, UNESP, 2005, p. 376.

com a América Espanhola, preocupação constante encorajada por sua visita à Argentina, Uruguai e Paraguai em 1941. São Paulo, por exemplo, é descrito como "uma espécie de Catalunha do Brasil", enquanto o Brasil é elogiado por não ter o "caudilhismo" dos países hispano-americanos. Comparações deste tipo seriam elaboradas em um estudo posterior de Freyre, *O brasileiro entre os outros hispanos* (1975). O Brasil também foi comparado à Rússia. Seguindo Hans Kohn, um centro-europeu que se tornou professor nos Estados Unidos, Freyre elogiava a União Soviética por sua ausência de preconceito racial – acrescentando cautelosamente que "Não estive nunca na União Soviética e por isso não posso confirmar com depoimento pessoal o que assevera o professor Kohn".

II

Quatorze anos depois da primeira edição, em 1959, *Brazil: an Interpretation* foi republicado por Alfred Knopf sob um novo título, *New World in the Tropics: the culture of modern Brazil*. Como o autor explicou em uma introdução escrita para esta nova versão, ela era muito ampliada para ser considerada um novo livro. Além da introdução, havia quatro novos capítulos. Um destes capítulos elaborava o argumento de Freyre de que a escravidão assumiu uma forma mais leve no Brasil do que nos Estados Unidos e em outros lugares, discutindo alguns estudos que surgiram desde a publicação de *Casa Grande*, entre eles *The Mind of the South* (1941) de W.J. Cash e *Colour and Culture in South Africa* (1953) de Sheila Patterson.

Um segundo capítulo descrevia o Brasil como uma "civilização européia nos trópicos" e resumia duas idéias que o autor havia apresentado em *Um brasileiro em terras portuguesas* (1953), livro que registra as impressões do autor sobre as colônias portuguesas na África e na Ásia, que ele havia visitado por convite do ditador Antonio Salazar. Uma idéia, desde o início controversa, era aquela do "luso-tropicalismo" – em outras palavras, a declaração de que os portugueses estavam mais bem adaptados para a tarefas de colonização do que outros europeus, e também que tratavam os habitantes indígenas de suas colônias melhor do que outras potências imperiais. A segunda idéia era aquela da "tropicologia", uma disciplina planejada ou cruzamento entre disciplinas, destinada a compensar o fato de que as teorias sociais produzidas pelos norte-europeus e pelos norte-americanos eram muito frequentemente baseadas em sua própria experiência de vida limitada em zonas temperadas. Por isso a sociologia, por exemplo – segundo Freyre – precisava ser "tropicalizada".

Embora um terceiro capítulo fosse intitulado "uma China tropical", o propósito de Freyre não era realizar uma comparação séria entre a China e o Brasil. Era antes advertir seus leitores americanos sobre o perigo de se acharem superiores à América Latina como se portaram em relação à China, e também informá-los sobre a ascensão das atitudes anti-americanas na Ásia, na África e na América Latina. Neste estágio da sua carreira, com quase sessenta anos, com *Ordem e progresso* finalmente publicado, Freyre estava se afastando dos estudos históricos e se dedicando mais à teoria social e à futurologia. Vestígios desta virada teórica podem ser encontrados neste capítulo, especialmente no contraste do autor entre as atitudes em relação ao tempo na América do Norte e na América do Sul.

Um quarto capítulo, aquele com a maior parte de material novo, estava preocupado com a arquitetura brasileira moderna. A arquitetura era um tema que há muito interessava o autor de *Casa-grande*. No início da década de 1920 ele já discutia a arquitetura como uma expressão de cultura em um artigo no *Diário de Pernambuco*, que recomendava interpretar os prédios como se fossem textos literários de Milton, por exemplo, ou de Dante. Como o norte-americano Lewis Mumford, que se tornou um de seus heróis, Freyre combinava crítica arquitetônica com crítica cultural. Elogiava Lúcio Costa, Oscar Niemeyer e Roberto Burle Marx por tropicalizarem com sucesso Le Corbusier – em outras palavras, por combinarem o desenho moderno com as tradições regionais mais bem adaptadas a um ambiente tropical. Entretanto, após uma viagem a Brasília, Freyre mudaria de opinião e criticaria Costa e Niemeyer por sacrificarem os estilos regionais à modernidade.[4] Estranhamente, no entanto, o capítulo sobre literatura brasileira permanecia virtualmente o mesmo em *New World in the Tropics* em 1959 que fora na conferência sobre o tema proferida pelo autor em 1944. Os nomes de Drummond de Andrade, Guima-

---

4 G. Freyre, *Brasis, Brasil, Brasília*, Lisboa, Livros do Brasil, 1960.

rães Rosa e Veríssimo foram acrescentados à lista dos autores, mas nada foi dito sobre sua obra. Até mesmo a discussão sobre o amigo de Freyre, Jorge Amado, ainda estava confinada às suas obras iniciais.

Publicado no ano da revolução cubana, em uma época em que o governo dos Estados Unidos estava exibindo um interesse crescente no Brasil e na América Latina (um Comitê sobre Estudos Latino-Americanos foi fundado em 1959), *New World in the Tropics* ia além de *Brazil: an Interpretation* na venda do Brasil aos leitores anglófonos. Por exemplo, a introdução dizia que "A América Latina não é um espaço geográfico que os anglo-americanos, ou os europeus ocidentais, possam se dar ao luxo de desconhecer". Freyre também escreveu sobre o "talento para o compromisso" dos brasileiros e "a quase perfeita igualdade de oportunidade" no Brasil "para todos os homens, independente de raça ou cor" (frases que se tornariam mais fracas na tradução portuguesa), assim como declarando que as mulheres brasileiras eram tratadas virtualmente iguais aos homens.

III

Primeiro dirigido aos leitores americanos e publicado em duas versões em dois momentos bem diferentes, *Novo mundo nos trópicos* foi também apresentado ao público brasileiro em duas fases. As seis conferências originais foram publicadas em 1947 em uma tradução portuguesa do escritor e crítico amigo de Freyre, Olívio Montenegro. A versão ampliada foi publicada em português em 1969 – ou seja, cinco anos depois do golpe militar que Freyre apoiou desde o primeiro dia, contradizendo sua condenação anterior do *caudilhismo* e rompendo com antigos amigos como Sérgio Buarque de Holanda. *Novo mundo* não era apenas "um livro novo", como observou Freyre, era um livro escrito por um novo eu.

Brazil: an Interpretation foi a obra de um eu mais jovem, mais radical. Na verdade, o livro foi publicado nos Estados no ano em que seu autor foi eleito deputado federal na Assembléia Constituinte, seu partido sendo a União Democrática Nacional, oposição a Getúlio Vargas. A eleição de Freyre seguiu uma campanha em que seus oponentes o caricaturavam como um comunista, usando uma faixa no braço exibindo uma foice e um martelo, enquanto ele era descrito pela *Folha da*

Manhã (de propriedade do conservador Agamemnon Magalhães) como o "Antonio Conselheiro de Apipucos". Este foi o Freyre lembrado por Antonio Cândido como "um mestre de radicalidade".[5]

New World in the Tropics, por outro lado, foi escrito por um eu mais velho, mais conservador. A passagem citada anteriormente em elogio à União Soviética foi mantida, mas os novos capítulos incluem uma referência à União Soviética como "um poder francamente imperialista" e aos comunistas como "tão ativos atualmente no Brasil". Foi precisamente como uma defesa contra o comunismo que Freyre elogiaria o novo regime militar em 1964, declarando em uma palestra proferida em 10 de abril daquele ano que "Brasileiro nenhum ... admite que sobre sua pátria desça aquela noite terrível em que só brilham ... estrelas sinistramente vermelhas".

Faz agora sessenta e seis anos desde as conferências de Freyre em Bloomington. Ainda assim, *Novo mundo* certamente merece ser reeditado. As conferências originais apresentam a mais equilibrada das muitas análises do autor sobre a economia, a sociedade, a política e a cultura do seu país, discutindo Minas Gerais, Rio Grande do Sul e São Paulo, assim como Bahia e Pernambuco, e também colocando o Brasil em um contexto sul-americano mais amplo. Escrito no auge da capacidade do autor, o livro transcende as circunstâncias em que foi escrito e oferece a melhor síntese disponível do pensamento de Freyre sobre vários tópicos.

Peter Burke

Professor Emérito de História Cultural da Universidade de Cambridge e membro do Emmanuel College. Já publicou mais de vinte e cinco livros, a maioria deles traduzida para o português, incluindo *Popular Culture in Early Modern Europe* (1978), *The Fabrication of Louis XIV* (1992), *History and Social Theory* (1992), *A Social History of Knowledge from Gutenberg to Diderot* (2000) e, com sua esposa Maria Lúcia G. Pallares-Burke, *Gilberto Freyre: Social Theory in the Tropics* (2008).

(Tradução de Magda Lopes)

---

5   A. Candido, *Recortes*, São Paulo, Companhia das Letras, 1993, p. 82-4.

Prefácio à primeira edição em língua portuguesa

Este livro aparece em língua portuguesa, depois de ter surgido há anos na inglesa – na qual foi escrito pelo autor brasileiro – e na japonesa. Em língua portuguesa, apareceram apenas alguns dos seus capítulos: os que constaram do livro anterior, publicado com o título em inglês – língua em que esses capítulos foram escritos – de *Brazil, an Interpretation* e, em português, de *Interpretação do Brasil*. Livro – *Interpretação do Brasil* – publicado também em espanhol e em italiano.

Ao aparecer, porém, em língua inglesa, com o título de *New world in the tropics*, já não era, senão em parte mínima, *Brazil, an Interpretation*; e sim um novo, um diferente, um outro livro. Um livro mais amplo que aquele com quatro novos capítulos e uma longa introdução também nova; e mais compreensivo. Mais compreensivo em sua tentativa de interpretar não apenas o Brasil, como tal, porém como expressão pioneira de um novo tipo de cultura e de civilização – civilização moderna ao mesmo tempo que ecológica – em desenvolvimento em espaço ou dentro de ambiente tropical.

Tomando a iniciativa de publicar, em língua portuguesa, *New world in the tropics*, a Companhia Editora Nacional – tão cheia de serviços valiosos à cultura brasileira – dá ao autor de livro até hoje, em grande parte, desconhecido no seu próprio país, a oportunidade de um contato com seus compatriotas em torno de problemas que interessam os destinos não só nacionais como transnacionais do Brasil, que é um contato que lhe estava faltando. Pela concessão dessa oportunidade o autor agradece ao eficiente editor Octalles Marcondes Ferreira. A ele e ao diretor da Coleção Brasiliana, o admirável *scholar* que é Américo Jacobina Lacombe.

Do primeiro livro do autor publicado no Brasil – o intitulado *Casa-grande & senzala* – escreveu o mais autorizado dos seus críticos – o felizmente, naqueles dias, ainda vivo e lúcido João Ribeiro, que tanto o louvou – ser um livro sem conclusões: "não conclui". Crítica que lhe fez também o insigne escritor Ribeiro Couto: chegara, desapontado, à última página do mesmo livro sem ter encontrado conclusões. De onde seu reparo a lápis vermelho: "Que propõe?".

O autor estava então, de fato, em fase principalmente analítica ou indagadora, em face do assunto já, naqueles dias, de sua máxima preocupação: o Brasil como país – e como cultura – situado em espaço, quase todo, tropical; o Brasil como cultura, quase toda, mestiça: eurotropical, hispano-tropical, luso-tropical; o Brasil como gente ou povo quase todo mestiço: mestiço de branco e ameríndio; mestiço de branco-ameríndio-africano. O que mais buscou naquele livro foi analisar, compreender, fixar sob nova perspectiva, uma situação complexa da qual, como brasileiro, se sentia parte e sobre a qual, como antropólogo e como sociólogo e um tanto historiador, se sentia no dever científico de ser, quanto possível, objetivo. Daí uma perspectiva empática, ao mesmo tempo que objetiva, de análise. Um tanto, já, de análise interpretativa. Mas não ainda de síntese, propriamente dita; nem de conclusão. Nem mesmo de sugestões, menos, ainda, de proposições.

Essa outra perspectiva do mesmo assunto só a vem tentando aplicar àquele sujeito-objeto de estudo em trabalhos mais recentes; e à base de um possível saber acrescentado daquela vivência que só se adquire com a experiência, com a intimidade, com a crescente combinação de empatia e de objetividade. Daí conclusões a que, sobre essa base, se tem aventurado.

Desse modo é que se vêm alongando sua possível ciência de analista e sua possível arte de observador do comportamento humano, em geral, e do brasileiro, em particular, numa também possível filosofia. E essa filosofia – se existe – implicaria já um pequeno conjunto, e até uma suma, senão de sínteses ou de conclusões, de sugestões ou de interpretações. De interpretações e de sugestões com alguma coisa de sínteses e de conclusões: as que estão à base da justificativa que, do ponto de vista brasileiro, o autor vem oferecendo para a formação de uma Tropicologia geral dentro da qual se desenvolvessem uma Hispano-tropicologia e uma Luso-tropicologia para estudos específicos de situações humanas, também específicas, condicionadas por ambientes ou por influências tropicais. Quer situações gerais, quer situações que se apresentem sob aspectos simbióticos – o hispano-tropical e, especialmente, o luso-tropical – particulares.

Essa filosofia vem sendo discutida: aceita por uns, impugnada por outros. E é natural que assim aconteça desde que não lhe faltam projeções políticas que se chocam com expressões de sociologias ou de antropologias intituladas "objetivas", ou com pretensões a "estritamente científicas" e, como tais, neutras. Neutralidade que, quase sempre, vem significando a manutenção de um *status quo* ou o desenvolvimento de uma dinâmica que associe objetividade com umas tantas projeções políticas dessas mesmas sociologias, ou antropologias, ditas "objetivas" ou "científicas". O certo é que essa objetividade, ou cientificidade, o que vem é principalmente correspondendo a interesses econômicos, de *status quo*, ou ideológicos, de dinâmica, que em grande parte vêm representando, uns e outros, imperialismos de potências não tropicais com relação a espaços, recursos, populações e culturas tropicais. Daí se arrepiarem os campeões dessa "objetividade" e dessa "cientificidade" em face de sociologias e de antropologias que, alongando-se em filosofias dessas ciências, levantam novas perspectivas de situações tropicais e, sobretudo, de relações dessas situações, entre si, e com as atuais potências não tropicais.

A verdade, porém, é que não vêm faltando entre europeus e anglo-americanos sociólogos e antropólogos de um novo tipo para os quais situações não europeias e não anglo-americanas, em geral, e tropicais, em particular, são situações humanas, em geral, socioculturais, especificamente, que, pelos seus condicionamentos ecológicos, se apresentam de tal modo diferentes das tidas ou havidas por outros sociólogos e antropólogos europeus e anglo-americanos –

principalmente os psicanalistas e os marxistas também ortodoxos – como universais, que exigem análises novas, estudos novos e, à base dessas análises e desses estudos, reinterpretações em profundidade. Recordem-se dentre os sociólogos e antropólogos que, europeus ou anglo-americanos, vêm, entretanto, reconhecendo a necessidade dessas novas análises e dessas reinterpretações um Boas e um Malinowski, um Redfield; e, dentre os atuais, um Balandier, um Berger, um Duvignaud, um Tannenbaum, um Roger Bastide, um Mason. Dentre os não europeus: um Mukerjee, já antigo, e dentre os atualíssimos, um Takder.

O fenômeno de socialismos como os que vêm aparecendo na África e no Oriente, diferentes dos europeus e até em oposição a esses europeísmos socialistas, como o russo-soviético, vem sendo precedido por umas como revoluções sociológicas no mesmo sentido, em que antropólogos e sociólogos de países tropicais estão se constituindo filósofos dessas ciências com o propósito de abrirem aos estudos cientificamente antropológicos e sociológicos, nesses países, perspectivas que, não sendo antieuropeias, sejam não europeias ou coeuropeias; e não subeuropeias. E quando aqui se diz europeu inclui-se, nessa classificação, o anglo-americano.

A perspectiva de situações socioculturais tropicais que, diferentes das europeias, precisam ser consideradas nas suas diferenças, em vez de ser vistas e analisadas e interpretadas como subeuropeias, vem sendo uma dessas revoluções. E não há dúvida de que, com seus altos e baixos, é uma revolução que está partindo, atualmente, mais do Brasil do que de qualquer outro país tropical. Mais dos tropicologistas brasileiros do que de outros sociólogos, antropólogos, ecologistas que, entretanto, noutras partes da América, na África e no Oriente tropicais, estão igualmente considerando sob novos critérios ecológicos e ecoculturais – problemas que certo imperialismo sociológico de origem europeia ou anglo-americana vinha impondo a sociólogos e antropólogos de países tropicais como se as sociedades e culturas desses países fossem passivamente subeuropeias.

Essa revolução mais do que intelectual do brasileiro de hoje – revolução tão de dentro para fora que é como se fosse uma revolta contra a sociologia que lhe tem sido imposta de fora para dentro, embora a essa sociologia de fora para dentro, o brasileiro crescentemente consciente de ser membro de uma sociedade e de uma cultura em grande parte tropicais, mestiças e não europeias, seja devedor de preciosos estímulos e informes intelectuais – é uma das afirmações mais vigorosas de que esse mesmo brasileiro já encontrou o caminho para a identificação sociológica da sua situação psicocultural. Essa identificação implica o reconhecer-se ele homem, ainda que herdeiro de cultura europeia, situado no trópico; imerso ecologicamente no trópico; ligado ao trópico fisiologicamente, mesmo quando em sua étnica não haja sangue ameríndio ou negro africano: ausência quase sempre compensada pela grande presença, no seu ser psicocultural, desse ameríndio e desse africano teluricamente tropicais.

Mais: essa consciência, esse reconhecimento, essa volúpia, até – em alguns casos – de ser homem situado no trópico e sua civilização uma civilização em desenvolvimento em espaço tropical, vem dando, nos últimos anos, ao brasileiro, juntamente com uma reconciliação de sua condição de tropical com a realidade tropical, aquela coragem, aquele gosto e, mesmo, aquela volúpia, de procurar ver essa sua condição e essa realidade, para além das fachadas como que oficiais que a vinham escondendo dos seus olhos. Em outras palavras: vem lhe dando a capacidade de "seeing through façades", a que se refere Peter L. Berger nas páginas admiráveis em que propõe e justifica uma perspectiva humanística para a moderna sociologia. Como acrescenta o prof. Berger, "the façades must be penetrated by one's own inquisitive intrusions".

Outra coisa não vem procurando fazer o autor deste livro desde os seus estudos de mocidade sobre o Brasil tropical e mestiço senão isto: reconhecer nesses dois adjetivos – tropical e mestiço – a realidade de sua influência decisiva sobre o substantivo. Vê-los para além das fachadas com que o Brasil vinha, por algumas das suas principais instituições oficiais de governo e de cultura – o Itamaraty; a Marinha; as academias – procurando dissimular essa realidade. E sem nunca desprezar o que lhe vêm revelando suas pesquisas, suas indagações, sua curiosidade a respeito das origens, da formação, das possibilidades atuais e futuras do Brasil como sociedade e como cultura condicionadas, em grande parte, pela sua tropicalidade e pelo caráter mestiço da maioria dessa sociedade e do essencial nessa cultura, vem o autor procurando destacar, nessa formação, nessas origens, nessas possibilidades, além do positivo, o válido; e além do válido, o valioso. Inclusive quanto ao aproveitamento de valores tropicais, desde o século XVI, pelo brasileiro pré-nacional continuado, desde o século XIX, pelo nacional.

Também quanto à relativa benignidade nas relações, no Brasil, entre os vários grupos étnicos-culturais. São grupos que, interpenetrando-se, vêm concorrendo, através de considerável mobilidade social, quer horizontal, quer vertical, para favorecer, nesta parte da América, sob a forma de uma civilização moderna em ambiente tropical, uma democracia dinamicamente étnico-cultural com o mérito pessoal tendendo, cada vez mais, a superar desvantagens tanto de etnia quanto de classe que possam prejudicar indivíduos: sua ascensão social ou socioeconômica; a afirmação dos seus talentos; a utilização de suas possibilidades.

Daí a ênfase que o autor vem procurando dar, por um lado, ao fenômeno da ascensão, dessa espécie de mestiços e, menos ostensivamente, de indivíduos e de grupos ainda de etnias puras e de condições cultural e socialmente desprestigiosas, agora já, em parte, reabilitadas: inclusive a própria condição de escravo; por outro lado, à crescente tropicalização e importando por vezes em africanização ou em amerindianização – de valores, de técnicas e de usos, na sociedade e na cultura brasileiras, provenientes de civilizações europeias e de que foram introdutores, no país, europeus na maioria caucasoides com pretensões, alguns deles, a civilizadores absolutos de terras e de populações "inferiormente tropicais", situadas no espaço brasileiro.

Verifica-se, atualmente, no Brasil, uma revolução não só nos seus estudos sociológicos, crescentemente situacionais ou ecológicos, como à margem, ou fora desses estudos, no sentido da valorização do que, na sociedade e na cultura brasileiras, é tropical, ecológico, não europeu, inclusive com relação ao tempo. Essa valorização, entretanto, não importa em repúdio sistemático a valores e a técnicas de origens europeia, anglo-americana, japonesa, suscetíveis de ser combinados – quando possível – com os valores e as técnicas tropicais, ou de ser adaptados – quando impossível tal combinação – às condições brasileiras básicas de vivência e de convivência, que são as tropicais. De modo algum. Não é o Brasil de agora um país de gente antieuropeia. Não há, entre os brasileiros, nenhum movimento de sentido radicalmente antieuropeu. O que se verifica, talvez, na maioria deles, é um orgulho novo – e o orgulho dessa espécie é um daqueles componentes de situações sociais que, segundo Thomas já advertia, sobrepõem-se até à realidade – do que na etnia de muitos e na cultura de quase todos é tropical, não europeu e como que telúrico. Orgulho do que é tropical na sua morenidade de vários graus, na música de vários tipos – da de Villa-Lobos aos sambas de morro – na sua culinária também múltipla: nos carurus e nos doces delicados tanto quanto nos rústicos quibebes e nas rudes paçocas. Orgulho de origens não europeias de etnias e de culturas: origens, outrora, escondidas ou dissimuladas por muitos. Orgulho também, da mesma espécie sociologicamente válida, do que supõem venham a ser projeções, no futuro, desses seus valores tropicais e mistos de agora que já começam, na verdade, a ser reconhecidos como importantes por estudiosos não tropicais do assunto: um Marston Bates, entre outros.

Escreveu de situações sociais o austríaco Alfred Schultz – citado por Peter L. Berger, no seu *Invitation to Sociology*, como "filósofo da escola fenomenológica" cuja obra, a ser breve publicada em língua inglesa, será, quando assim divulgada, um acontecimento intelectual – que em cada situação – dessas em que qualquer indivíduo-pessoa se encontre – é uma situação não só definida pelos seus contemporâneos como predefinida pelos seus predecessores. Pode-se acrescentar que é também uma situação por antecipação definida pelos pósteros: sobretudo tratando-se de sociedades e de culturas em desenvolvimento como as do Brasil: com imenso futuro diante delas. Futuros mais amplos que seus passados socioculturais, embora esses não devam ser tidos como cronologicamente limitados pelo ano de 1500.

Se Fontenelle disse um dia serem os mortos mais poderosos do que os vivos em sua influência sobre uma sociedade ou uma cultura – conceito sistematizado pela sociologia filosófica de Auguste Comte – é justo, entretanto, opor-se a essa generalização, até certo ponto sociologicamente válida, essa outra: que em sociedades e culturas em desenvolvimento é também considerável a influência dos pósteros sobre os contemporâneos; do tempo futuro sobre o atual. E dos trópicos o que mais se diz atualmente é que são as regiões do futuro; que o futuro humano está principalmente nos trópicos; que nos trópicos, quase virgens de civilização moderna, é de esperar-se que o homem civilizado e moderno se projete de modo surpreendentemente novo, tais as novas possibilidades de cultura a emergirem do seu encontro com essa ecologia quase desconhecida ou quase inexplorada.

Espaço ou ecologia, sobre o qual está grande parte do Brasil: aquela parte do todo brasileiro ainda por afirmar-se como expressão de um mundo – o situado no trópico – mais do futuro que do presente ou do passado, a admitirmos a divisão convencional do tempo em três tempos que, entretanto, só aparentemente serão assim distintos. Porque o que no Brasil é novo, e o que será o futuro brasileiro não deixam de ser um novo e um futuro condicionados por uma reinterpretação de passados dos quais o brasileiro é parte; ou que são parte – juntamente com o tempo atual – do brasileiro. Pois o homem é tempo tanto quanto é espaço: sofre pressões de tempo quanto de espaço que o condicionam, embora não determinem seu ser ou – como diria um discípulo de Ortega – seu "estar sendo".

Os que reconhecemos a importância do passado – ou da tradição – no desenvolvimento de uma cultura, seja ela nacional ou transregional, podemos repetir, desse desenvolvimento, com o professor Américo Castro: "Hay que *hacerce* con la propia historia, no *dehacerse* de ella frivolamente". Nenhuma sociedade consegue deitar no lixo a totalidade do seu passado para ser de todo nova e entregar-se de todo a um presente ou a um futuro considerados autônomos.

Precisamente a propósito daquela filosofia de história levantada por Américo Castro é que Miguel Enguidanos, em depoimento sobre sua própria experiência de espanhol com relação à Espanha – experiência que nele adquiriu intensidade dramática ao nascer como que de novo fora da Espanha –, escreveu, em "Américo Castro y el futuro de los espanoles" (*Cuadernos*, Paris, n. 40, enero-feb. de 1960), ter refeito sua vida, fora da Espanha, descobrindo-se na plenitude do seu ser espanhol, diz ele hispânico; poderia ter dito a "conciente y doliente de serlo". De sê-lo com relação ao passado e com relação ao presente e ao futuro; com relação a si próprio e com relação aos demais.

E aqui se ergue um problema de difícil solução: o de continuar um espanhol ou um português ou um brasileiro a fazer-se – em vez de se considerar definitivamente feito – sem desfazer-se; o de assimilar valores novos, decorrentes de situações novas, sem repudiar o essencial na tradição de valores dentro da qual nasceu; o de americanizar-se ou africanizar-se ou tropicalizar-se sem desispanizar--se ou deslusitanizar-se ou deseuropeizar-se; o de modernizar-se sem desispanizar-se ou deslusitanizar-se ou desbrasileirar-se; o de tropicalizar-se sem desispanizar-se ou deslusitanizar-se ou desbrasileirar-se; o de tecnocratizar-se sem desispanizar-se ou deslusitanizar-se ou desbrasileirar-se; o de atualizar suas tradições suscetíveis de atualização – inclusive sua tradição de lazer, de ócio, de tempo desocupado, para o qual se acham despreparados tantos povos progressistas, até agora ativistas, e já vítimas de uma sobrecarga de tempo desocupado que precisam aprender com hispano-tropicais – principalmente, talvez, com brasileiros – a transformar em tempo lúdico contemplativo, recreativo, inútil. Tempo desprendido de preocupações de dinheiro, de compensação monetária, de correção monetária. Tempo impregnado ecologicamente de trópico embora retendo, de suas ligações com ambientes europeus, aqueles mitos, por um lado, e aquelas implicações lógicas, por outro lado, suscetíveis de ganharem novas expressões em ambientes tropicais.

Em livro recente, em que o pensar e o sentir do seu autor, Nestor dos Santos Lima, em vários pontos coincidem com os do autor de *New world in the tropics*, neste e noutros dos ensaios em que vem tentando caracterizar a situação do Brasil como a de um sistema de civilização eurotropical destinado a desempenhar, em escala mundial, papel criador, ou criativo – papel que, aliás, já começa a desempenhar com a sua música, a sua culinária e a sua arquitetura – o sociólogo Nestor dos Santos Lima lucidamente destaca vir se verificando, no nosso país, o que chama "sensível fusão da arquitetura religiosa luso-brasileira com a estrutura da casa residencial e familiar, à qual às vezes só acrescenta o frontispício e a cruz..." É o que se lê à página 111 de *Uma terceira América. Ensaio sobre a individualidade continental brasileira* (Rio de Janeiro, 1967).

Desse reparo talvez se possa dizer que coincide com sugestões que o autor de *New world in the tropics* vem procurando esboçar desde páginas mais remotas que as de *New world in the tropics*. Pois desde a mocidade vem observando, no nosso país, a assimilação de característicos arquitetônicos de casas-grandes por igrejas, ao lado da assimilação de característicos arquitetônicos de conventos por casas-grandes, numa reciprocidade porventura peculiar à formação brasileira. Como peculiar à formação brasileira parece ser o fato de não se terem erguido, no Brasil, catedrais da mesma grandiosidade das do México e do Peru: expressões de um poder episcopal ou teocrático que, na América portuguesa, arquitetônica e socialmente crescida, de modo considerável, em torno de casas-grandes de engenho, de fazenda e de estância – casas-grandes completadas por capelas – não se apresentou, nunca, nem tão incisivo nem tão absorvente. Bispos, abades, provinciais de ordens religiosas tiveram, no Brasil – ao contrário do que se passou na América espanhola –, um contrapeso, não esporádico, como o dos *caudillos*, porém constante e até sistemático, no poder entre nós representado, quer no período pré-nacional, quer na primeira fase do já nacional, pelos senhores das casas-grandes. O que confirma a tese de ser, no Brasil, a chave principal para a interpretação de sua formação socioeconômica, a familista ou patriarcalista. O poder daqueles senhores e a influência dos complexos representados triangularmente pelas suas casas (com capelas), suas senzalas e seus engenhos de açúcar ou suas fazendas de café e de cacau ou seus campos de criação de gado, foram, entre nós, poderes e influências superiores ao dos representantes del-Rei, ao dos governos centrais, ao dos bispos, ao dos jesuítas.

Foi como o Brasil se desenvolveu em civilização em espaço tropical – desenvolvimento que continua: com essa singularidade. Mas, por outro lado, com não poucas coincidências com o desenvolvimento de civilizações de origem, como a do Brasil, principalmente europeia, potencialmente hispânica, especificamente portuguesa, que vem ocorrendo noutros espaços tropicais; e formando, no seu conjunto, um novo mundo nos trópicos.

* * *

Desnecessário parece ao autor deste livro recordar que nele, como nos seus demais trabalhos – nos que vem escrevendo há anos, quer em língua inglesa, quer na portuguesa –, o critério seguido, de tentativa de interpretação do homem situado no trópico, não é nem o exclusivamente sociológico nem o apenas econômico ou, mesmo, ecológico, porém outro, porventura mais compreensivo, em que a essas perspectivas, por muitos consideradas insuficientes, vem juntando a antropologia – de onde sua "antropologia tropical", considerada científica e filosoficamente válida pelos mestres da Sorbonne – a histórico-social, e psicocultural. Daí a satisfação com que leu há pouco as excelentes páginas em que Carlos Delgado, no número de janeiro, de 1969, de *Aportes* (Genebra), depois de opor restrições ao pan-economismo por que se vêm orientando, em ensaios antissociológicos – Delgado chega a referir-se ao empenho de alguns economistas marxistas, e mesmo não marxistas, no sentido de uma como dessocialização dos estudos sociais –, autores como, entre outros, os brasileiros Celso Furtado e Fernando H. Cardoso, o primeiro em *Desenvolvimento e subdesenvolvimento* e *Dialética do desenvolvimento* – que cita em edições em língua espanhola –, Cardoso, em seu *Cuestiones de sociología del desarrollo en América Latina* – publicado em Santiago do Chile. Carlos Delgado repele a teoria de que o simples desenvolvimento econômico, que se afirme em "elevadas estatísticas do produto *per capita*", signifique "desarrollo social" e possa ser identificado – do modo por que o identificou José Medina Echavarría, em *Consideraciones sociológicas sobre el desarrollo económico* (Buenos Aires, 1954) – como "progresso humano" – o próprio Echavarría reconhecido em tempo, "la obsolecencia de la filosofía del progreso en el mundo contemporáneo": progresso cuja "limitación al campo de lo puramente técnico" é destacada por Karl Jaspers e, de diferente ponto de vista, por Herbert Marcuse.

O que Carlos Romero salienta no seu "El desarrollo social reconsiderado", num pronunciamento que particularmente interessa ao autor de *New world in the tropics*, por coincidir com um seu já antigo critério de tentativa de análise e de interpretação de civilizações modernas em desenvolvimento nos trópicos, é o repúdio dele e outros estudiosos do assunto, quer a uma economia, quer a uma sociologia que, como ciências horizontais, se julguem suficientes para essas e outras análises e interpretações. Daí proclamar, referindo-se à América Latina, "la necesidad de desentrañar el verdadero y más profundo sentido de la historia latino-americana para buscar en ella la raíz primigenia a partir de la cual se ha moldeado en el espacio y en el tiempo la forma de ser del hombre y la cultura en América Latina". Mais: para conseguir ir a essas raízes o sociólogo "debe apelar al historiador, al antropólogo, al filósofo de la historia, es decir, a quienes... indagan por el quehacer humano en el espacio y en el tiempo y tratar de descubrir el sentido recóndito del hombre como hacedor de cultura y de historia".

Precisamente o empenho que tem animado o autor de *New world in the tropics* em estudos que, partindo da tentativa da análise e da interpretação da cultura e da sociedade brasileira, como sociedade e cultura situadas no tempo e no espaço, vêm se estendendo a maiores audácias: à formulação de uma antropologia do homem situado no trópico, que vá da antropologia biológica à filosófica. E que considere o desenvolvimento social, em conexão com tais sociedades e com esse homem situado, além do seu simples desenvolvimento econômico e independente do mito de progresso contínuo e indefinido a que a recente e involuntária charlatanice – charlatanice filosófico-científica – do aliás angélico Teilhard de Chardin veio dar novo, embora transitório, vigor. Tão transitório que não vem resistindo sequer aos contragolpes da filosofia anarquista – sob vários aspectos extremamente sugestiva – de Herbert Marcuse; nem superando Jacques Maritain.

Santo Antônio de Apipucos, 1969

G. F.

Introdução

Esta é a edição revista de um livro sobre o Brasil escrito e publicado em inglês em 1945 sob o título *Brazil, an Interpretation*, e desde então com várias edições na mesma língua e uma na italiana. Mas não se trata somente dessa edição revista e sim tão aumentada que veio a transformar-se (ainda em língua inglesa) em um livro novo, com mais quatro capítulos e longa introdução também nova: *New world in the tropics*. Parte desse novo material foi antes publicado nos Estados Unidos em *The Atlantic Monthly*, *Foreign Affairs* e *The Encyclopedia Americana*, em *Civilizations* (Bruxelas); em *Progress* e *The Listener* (ambos de Londres), no *Year Book of Education*, da Universidade de Londres; e em *Lontinent* (Viena). Meus agradecimentos aos editores das referidas publicações pelo uso, em livro, do referido material: livro, assim aumentado, intitulado na língua inglesa *New world in the tropics*, e com várias edições nessa língua e uma na japonesa.

No momento, nenhum país da América Latina parece atrair a atenção dos anglo-americanos com a mesma intensidade com que o fazem certos países da Europa, da Ásia e da África. Contudo, a América Latina não é um espaço geográfico que os anglo-americanos, ou os europeus ocidentais, possam dar-se ao luxo de desconhecer devido a amores ou entusiasmos novos. Trata-se de uma região por demais europeia e ocidental para poder ser considerada inteiramente exótica do ponto de vista europeu ou ocidental; e, por outro lado, por demais exótica para ser tratada como mera extensão europeia na América – principalmente nos trópicos; ou mesmo como simples apêndice "latino" da Anglo-América.

É completamente diferente. Por sua vez, o Brasil é, dentro da América Latina, tão diferente da América espanhola, que merece tratamento especial, quer do ponto de vista antropológico, quer do sociológico. Sua maneira de ser "latino e "americano" ao mesmo tempo é tão especificamente brasileira que já uma vez eu próprio sugeri a sua singularidade: uma singularidade que lembra a da China ou a da Rússia, podendo até ser descrito como China tropical ou Rússia americana.

Os meios de transporte de nossa época, que tornam as viagens tão rápidas, fazem que os países pareçam muito menos singulares ou misteriosos e diferentes uns dos outros do que eram até há meio século. Porém, num mundo que passa por um processo de intensa estandardização na maneira de vestir, na arquitetura, nos modos de comer e mesmo nos de beber, algumas dessas diferenças persistem. Continuam existindo.

Houve tempo em que o estrangeiro, ao chegar à própria capital do Brasil, sentia-se em meio completamente estranho. Paralelamente, por seu lado despertava a curiosidade dos brasileiros menos sofisticados, tal como se tivesse vindo de outro planeta.

Até que ponto o intruso era humano? E até que ponto cristão? Naquele tempo os brasileiros acreditavam que os ingleses, hereges sob o ponto de vista do catolicismo ortodoxo, fossem verdadeiros diabos, com pés de bode ou de pato, disfarçados em seres humanos. E, dos estrangeiros, alguns imaginavam que estavam chegando a um país pagão ou bárbaro. Tanto que alguns missionários protestantes, mais ortodoxos, esperavam encontrar aqui uma população não somente pagã mas sub-humana: necessitadíssima dos seus préstimos evangélicos e civilizadores.

A verdade, porém, é que os brasileiros não só vinham sendo humanos como cristãos desde os primórdios da colonização portuguesa de seu país, no século XVI. É claro que era possível encontrar sinais da sobrevivência de paganismo em sua civilização, tal como acontece na própria Europa, onde às formas mais puras do cristianismo, praticado pelo povo em geral, se juntam ainda hoje umas tantas sobrevivências pagãs.

Sociologicamente, o desenvolvimento brasileiro, encarado em conjunto, pode ser considerado como predominantemente cristão. Como expressão "humana" da cultura americana, ele pode ser caracterizado pelo desejo tipicamente brasileiro de cada um viver sua vida, saborear seu peixe bem temperado, fumar seu bom charuto, gozar sua música de violão. Dar a tolerância em relação aos outros. De modo que a luta pelos bens materiais ou as conquistas de caráter altamente intelectual – as quais poderiam resultar deletérias para um ritmo de existência lento e lúdico – têm sido menos intensas que noutros países.

Dos europeus familiarizados com o Brasil durante o período colonial (do século XIV até o princípio do XIX), vários mostraram-se surpreendidos com o pouco interesse dos brasileiros em relação a livros, estudos de história natural, as ciências e mesmo as artes. A não ser a música de violões, por vezes tocados por alguma mulher de belos olhos negros, tendo como audiência reverente o marido ou o pai. Outras vezes, por trovadores de rua.

As restrições impostas pela Inquisição, que limitava a leitura apenas a livros religiosos da Igreja Católica, talvez seja a explicação para o fato de que o estudo dos livros ficasse restrito a poucos: a raros, mesmo. Mas apesar desse estado de coisas, a literatura começou a aparecer no Brasil logo no início do século XVI. Naqueles dias, ser militar era motivo de grande distinção, mas também o era ser erudito, usar óculos, ler em latim ou escrever bem a língua portuguesa, sendo que um dos primeiros governadores de Pernambuco, aristocrata português dos bons, foi, ao mesmo tempo, soldado e letrado. O comércio, a indústria e qualquer outra forma de trabalho manual não eram tão altamente considerados, e, desde os primórdios do período colonial, os brasileiros de alguns recursos deixaram a administração dos negócios nas mãos dos portugueses de origem humilde ou na de outros europeus, ficando o trabalho manual para os negros escravos ou os mulatos livres. Por seu lado, adotavam os ademanes e a vida da nobreza campestre, dando ordens aos escravos do alto de seus cavalos ou do interior de suas luxuosas redes, onde passavam o dia em relativo estado de ócio. Por seu lado, os que não fossem donos de terras satisfaziam-se em possuir alguns escravos para o seu serviço: para viverem como senhores.

Essa generalizada falta de ambição pelo ganho material, ou pelo desenvolvimento intelectual, foi característica do Brasil daqueles dias. Contudo, tinha sua compensação numa disposição, tipicamente brasileira, também generalizada, para desfrutar a vida e o lazer. Disposição, essa, inexistente em países mais enérgicos e progressistas nos quais os escravos industriais substituíram os agrários, e os barões feudais foram substituídos pelos magnatas industriais, muitos perdendo, nesses processos, a capacidade de apreciar a música e a arte, saborear lentamente um bom jantar (a não ser a ceia de Natal!), sentir o inebriante aroma de uma xícara de café, ou de um cálice de vinho do Porto, ou de um charuto da Bahia, ou cheirar uma pitada de rapé.

Os brasileiros coloniais também possuíam um particular amor pelo luxo, usando em público roupas "bordadas e rendadas" de acordo com o depoimento de um escritor dos começos do século XIX. Mas, quando no recesso do lar, vestiam-se com a maior simplicidade, os homens, apenas calça e camisa, as mulheres, camisolas de fina musselina sobre camisas bordadas, antecipando-se, assim, a trajarem de acordo com o clima tropical, isto é, a reduzirem o vestuário caseiro a um mínimo higiênico. Na verdade, àquela gente poderia ser atribuído o crédito de ter "humanizado" o vestuário – o caseiro, apenas, é verdade, para os trópicos, a despeito do fato de continuarem a copiar passivamente os trajes europeus para uso externo, em funções públicas, sofrendo – o que viria a suceder no nosso próprio século – o martírio das cartolas, das sobrecasacas e das peles para senhoras.

Hábitos tropicais – hábitos característicos de nativos dos trópicos – já seguidos pela população indígena, e pelos africanos importados para o Brasil, desde o início do século XVI, como dormir em redes, usar vasilhame de barro para manter a água fresca e cozer o peixe em leite de coco, foram alguns deles adotados e melhorados pelos portugueses e seus descendentes no Brasil. Assimilaram eles vários costumes, estilos de vida e valores nativos. Devido a essa sua atitude, a sua arte em combinar valores civilizados com indígenas, conseguiram, talvez mais do que qualquer outro povo de origem predominantemente europeia, adaptar sua civilização aos trópicos. Fizeram de uma considerável área tropical, lugar no qual atualmente florescem, adaptados aos trópicos, valores europeus e onde homens de cultura europeia podem viver, gozar a vida e prosperar.

Em cidades como o Rio de Janeiro e Santos, os brasileiros derrotariam dois terríveis inimigos tropicais dos europeus: a febre amarela e a peste bubônica. O Instituto Oswaldo Cruz do Rio tornou-se um dos maiores centros de estudos contra as doenças tropicais. Nas áreas mais rústicas, os perigos da malária e da ancilostomíase estão sendo dominados; e no Instituto Butantã de São Paulo, cientistas brasileiros, seguindo o exemplo do Dr. Vital Brazil, vêm lutando há longos anos contra os venenos de cobra com soros cuidadosamente preparados, que se tornaram modelos para outros países.

Essas grandes vitórias brasileiras na humanização dos trópicos vêm contribuindo muitíssimo para destruir a ideia europeia de serem tais perigos inseparáveis das condições de vida nas regiões tropicais. Os triunfos brasileiros nesse setor e em escala continental têm assim um largo interesse humano e não apenas nacional.

O segredo do sucesso do Brasil em construir uma civilização humana, predominantemente cristã e crescentemente moderna, na América tropical, vem da capacidade do brasileiro em transigir. Enquanto os ingleses, mais do que qualquer outro povo, possuem tal capacidade na esfera política – seu sistema político é magistral combinação de valores aparentemente antagônicos –, os brasileiros vêm conseguindo ainda maiores triunfos, aplicando essa capacidade à esfera cultural e social, na maior amplitude. Daí sua relativa democracia étnica: a ampla, embora não perfeita, oportunidade dada no Brasil a todos os homens, independente de raça ou cor, para se afirmarem brasileiros plenos. A mistura vitoriosa e quase livre de diferentes culturas também pode ser observada na assimilação de valores diversos tais como o futebol inglês e o gosto pela pastelaria francesa, a adoção do arroz característico das Índias Ocidentais e a máquina de costura norte-americana, a rede ameríndia e o palito português, o prato norte-africano chamado "cuscuz" e o teto das casas em estilo chinês. Mas não se trata de imitações passivas, pois os jogadores de futebol brasileiros dançam com a bola como se estivessem sambando, o cuscuz é feito com produtos locais (mandioca e milho) em lugar dos ingredientes puramente norte-africanos, enquanto que a máquina de costura sempre foi usada para produzir roupas em estilo tradicionalmente brasileiro, e não apenas imitadas de figurinos franceses. A velha arte dos bordados à mão continua a ter quem a cultive no Brasil. Moças educadas em conventos ainda hoje aprendem a fazer renda, ao lado de outros trabalhos manuais, tal como acontecia nos dias coloniais. Apesar de, no último meio século, certas regiões do Brasil virem atravessando intenso processo de anglo ou norte-americanização, o brasileiro típico tem profunda aversão à estandardização. Inclusive a étnica.

A mistura de raças produziu populações, em certas regiões, que são surpresas constantes para o europeu, devido a sua variedade em cor e em forma. Uma grande família no Nordeste, ou no Brasil Central, pode apresentar três ou quatro tipos antropológicos diferentes, inclusive em relação à cor da pele, devido ao casamento do pai, primeiro com uma ameríndia, posteriormente com uma negra. E, embora cada filho possa ser pela cor dos olhos, pelo tipo do cabelo ou pela forma do nariz, quase de todo diferente dos outros, eles tendem a amar-se como irmãos. Essa é, ou tem sido, a situação familiar em vários casos. Há, entretanto, famílias brasileiras que podem orgulhar-se de sua origem exclusivamente branca. O que, entretanto, é típico da população brasileira é o fato de não poucas famílias se apresentarem tocadas de sangue ameríndio ou negro. A diferenciação étnica não se impõe, no Brasil, de modo violento. Não que inexista preconceito de cor ou de raça juntamente com preconceitos contra a mistura de classes no Brasil. Existe. Mas ninguém pensaria em ter igrejas somente para brancos, assim como não pensaria em leis contra os casamentos inter-raciais; ou em banir os negros dos teatros ou dos bairros residenciais de uma cidade. O espírito generalizado de fraternidade humana é mais forte entre os brasileiros do que os preconceitos de raça ou de cor, de classe ou de religião.

É verdade que a igualdade racial nem é perfeita no Brasil nem se tornou absoluta com a abolição da escravidão, em 1888. Mas também é verdade que mesmo antes da lei de 1888 as relações entre brancos e pretos, entre senhores e escravos, já chamavam a atenção dos observadores estrangeiros por serem particularmente cordiais. Mesmo antes da citada lei a miscigenação já existia, praticada livremente entre o povo em geral e, em ocasiões mais raras, nas camadas mais altas da população: quando acontecia um membro de importante família branca, ou branco-ameríndia, casar fora de sua casta ou de sua cor.

Conforme disse ilustre historiador e sociólogo brasileiro, nossa solução para a questão racial foi certamente mais inteligente, mais promissora e, acima de tudo, mais humana do que qualquer outra que se tenha baseado na segregação ou na discriminação racial. Sugere o mesmo intelectual – Oliveira Lima – que, devido às relações fraternais entre os indivíduos de diferentes raças, existe certa "felicidade" brasileira apesar de, como bom filósofo, recusar terminantemente concordar com Américo Vespúcio, quando esse localizou o Paraíso Terrestre no Brasil. Evidentemente não existe paraíso na terra. Mas, quanto às relações raciais, a situação brasileira provavelmente é a que mais se aproxima daquilo que se imagine como um paraíso nesse setor.

A felicidade brasileira, contudo, é relativa, pois para a maior parte da população persistem, senão a miséria, a pobreza, e uma série de doenças – fatores provavelmente responsáveis pela tônica de tristeza expressada na música folclórica brasileira ou nas melodias para violão. Até certo ponto, essa tristeza também pode estar ligada a certo trauma causado no passado social de grande parte da população pela escravidão. O escravo, mesmo quando bem tratado, sentia-se vagamente nostálgico de sua condição tribal, o que tornava suas canções tristes apesar de suas danças – uma contradição – serem geralmente alegres. Dos lusitanos, os brasileiros herdaram a muito conhecida nostalgia do marinheiro, que vive constantemente longe do lar; e esse sentimento é expressado pela palavra *saudade*, típica da língua portuguesa.

Num país onde a mulher vive sempre oprimida pelo homem, alguns hipercríticos estrangeiros consideram pura ficção falar em "democracia social". Mas a verdade é que, há longos anos, as mulheres brasileiras já se encontram, em muitos casos, em situação igual à dos homens tanto quanto os negros, também em muitos casos, em condição igual à dos brancos, e os nativos, igualmente em numerosos casos, em estado igual ao dos europeus. A primeira mulher a governar Estado ou Colônia no continente americano foi Dona Brites, em Pernambuco, no século XVI; e, tanto no período colonial como nos dias do Império, inúmeras viúvas dirigiram, como senhoras de engenho ou fazendeiras, grandes plantações e foram socialmente aceitas como verdadeiros substitutos de seus maridos.

No Brasil moderno as mulheres gozam de maior liberdade de expressão do que em qualquer outro país da América Latina e, hoje em dia, qualquer mulher de talento pode ser médica, escritora, funcionária pública, enfermeira, música ou advogada, e mesmo cônsul ou embaixatriz. Rachel de Queiroz, notável autora brasileira, escreve hoje em dia com o mesmo vigor e independência, denunciando a corrupção política e os abusos de poder econômico com que o fazia, há meio século, o brilhante publicista mulato, Antônio Torres. Aliás, Torres terminaria seus dias como cônsul do Brasil na Alemanha quase nazista, onde ganhou o respeito até mesmo dos alemães, a despeito de sua independência de pontos de vista em inúmeras questões.

O Itamaraty – Ministério das Relações Exteriores do Brasil – vem sendo, talvez, a última fortaleza do "racismo" ou de "arianismo" brasileiro assim como foi – durante algum tempo – da crença de que a função pública é privilégio exclusivo dos indivíduos do sexo chamado forte. Mas, mesmo o Itamaraty já apresenta sinais de rendição ante tendência brasileira em proporcionar oportunidades iguais para todos: mulheres e homens, pessoas de cor e brancos. Mulatos como Torres, por exemplo, e negros retintos nomeados cônsules ou secretários de delegações, têm chegado a altos postos diplomáticos e numerosas mulheres vêm, nos últimos anos, ingressando no serviço diplomático e chegando à categoria de cônsul, à de ministro, à de embaixador.

Por outro lado, já algumas mulheres se elegeram para o Parlamento Nacional, para a Câmara Municipal do Rio de Janeiro. Uma mulher já foi competentíssima diretora do Museu Nacional de História Natural.

Existe elevado número de homens de cor nas repartições públicas, embora a proverbial cortesia brasileira prefira designá-los não como "negros" (como são chamados nos Estados Unidos indivíduos praticamente nórdicos com apenas uma gota de sangue africano nas veias) mas sim como "morenos", ou seja, pessoas de pele mais ou menos escura. Mesmo durante o Império, grande número de notáveis estadistas, membros do Gabinete Imperial e do Senado do Império, diplomatas, juízes e deputados, eram "morenos".

Sabe-se de Dom Pedro II ter sido estritamente puritano em relação à moral pública e privada dos estadistas cuja ascensão na vida política dependesse, até certo ponto, de sua aprovação pessoal ou oficial, como imperador investido do chamado "poder moderador". O monarca usava um lápis vermelho para vetar os nomes dos homens cuja conduta na vida familiar ou como servidor público ele desaprovasse. Mas, provavelmente, jamais usou o lápis contra um homem simplesmente porque este fosse "moreno", no sentido de negroide, ou por ter sangue africano nas veias. Ao contrário, possuía entre seus amigos pessoais homens como Rebouças, que era mulato escuro. Conta-se que em certa ocasião, durante um elegante baile na corte ao qual Rebouças estava presente, esse sentiu-se muito contrafeito e deslocado entre uma aristocracia predominantemente "ariana". Dom Pedro II teria então pedido a sua própria filha, a princesa Isabel, que dançasse uma quadrilha com Rebouças. Foi essa princesa – Isabel – quem assinou a lei da abolição, em 1888, durante a ausência do imperador que se encontrava na Europa em tratamento de saúde. A princesa era esposa do príncipe Gastão d'Orleans, conde d'Eu; e teria sucedido seu pai no trono, se a República não tivesse sido proclamada em 1889, por um grupo de brasileiros ansiosos por uma política "democrática" de feitio anglo-americano ou de inspiração positivista. A verdade é que o regime imperial no Brasil foi uma felicíssima combinação de monarquia com democracia, juntamente com um sistema de seleção aristocrática baseado não tanto nos méritos do nascimento, da raça, de cor ou da classe dos indivíduos, mas sim na sua capacidade individual, ou no seu mérito pessoal. O Império deu ao Brasil uma tradição de qualidade, em oposição ao simples democratismo quantitativo, característico, aliás, tanto das plutocracias como das demagogias eleitorais. Tal tradição talvez explique por que, mesmo em nossos dias, a vida pública atraia, ou retenha alguns dos mais direitos e cultos brasileiros ocupantes de altas posições políticas, enquanto em outros países americanos – nos próprios Estados Unidos, com exceções notáveis – os homens mais capazes tendem a se transformar antes em líderes comerciais ou industriais, do que em políticos. Apesar de os críticos mais pessimistas julgarem que os homens de melhor qualidade venham sendo derrotados, no Brasil, nos últimos anos, por outros cujo poder deriva do dinheiro, da demagogia ou de "votos controlados", esses pessimistas exageram o lado sombrio das coisas. A verdade é que durante anos a República brasileira permaneceu fiel àquela tradição da monarquia: a de qualidade na vida pública. Mas é preciso também não esquecer que tal tradição nunca foi incompatível com uma larga tendência para a equalização, de oportunidades para todos. Daí o considerável número de homens de origem humilde que, durante o Império, se tornaram barões, condes e viscondes, alcançando também altas posições durante a República. Essa combinação talvez única – pelo menos na América – de democracia com aristocracia parece explicar por que o Brasil é, como nação americana, ao mesmo tempo tão "velho" e tão "novo", tão conservador e tão liberal, tão ligado ao seu passado e, contudo, pronto a fazer qualquer experiência em relação ao desenvolvimento social ou técnico.

O Brasil pode mesmo ser considerado, sob certos aspectos, um dos países mais pitorescamente arcaicos do continente americano, devido, por exemplo, aos seus gaúchos, que conservam costumes mouros no seu vestuário de *cowboys* e no trato dos cavalos; a algumas de suas mulatas ou negras, vestidas como "baianas" com turbantes e muitas saias e joias, como na época colonial; a alguns dos seus produtos transportados, das velhas lavouras do interior, até a costa, em barcaças primitivas, pelos rios, ou em carros de boi pelas estradas; a dois pretendentes ao trono nacional, um deles vivendo como um príncipe num palácio de Petrópolis, pronto a ser transformado no terceiro imperador do Brasil sob o nome de Dom Pedro III; o outro, sem deixar de admitir essa possibilidade, vivendo vida rústica de fazendeiro, e tendo um filho, também príncipe, oficial da Marinha de Guerra do Brasil. Mas apesar de todos esses arcaísmos, o Brasil é, sob outros aspectos, um dos países social, cultural e tecnicamente mais avançados do mundo.

Em relação à aviação, à arquitetura, à música, a algumas ciências, a algumas artes, à própria literatura, o Brasil já tem lugar de relevo no mundo moderno. O brasileiro Santos Dumont, como pioneiro da aviação, foi um dos primeiros homens, senão o primeiro, a voar em avião – aparelho de sua invenção: feito que os franceses já reconheceram publicamente, erigindo um monumento em sua honra. Hoje em dia a aviação comercial está mais desenvolvida no Brasil do que em qualquer outro país da América Latina.

O Brasil também é pioneiro na arquitetura funcional. Edifícios públicos, fábricas e residências particulares, recentemente construídos em São Paulo e no Rio, são considerados por arquitetos estrangeiros exemplos de um método realmente novo de construção e alguns, felizes soluções de problemas enfrentados pelo arquiteto moderno nos trópicos. Em Heitor Villa-Lobos,[1] há pouco falecido, o Brasil teve um compositor tão moderno e experimental como qualquer outro, dentre os mais avançados, da Europa. Seu trabalho é, porém, tipicamente brasileiro, combinando a alegria e a tristeza de sua gente.

A pintura brasileira – com Portinari, Di Cavalcanti, Cícero Dias, Cardoso Ayres, Brennand, os irmãos Rego Monteiro, Pancetti, Rosa Maria e outros – é considerada por alguns críticos, tanto brasileiros como estrangeiros, inferior apenas à mexicana, pela sua expressão e sentimento artístico avançado; e a escultura brasileira, inspirada pelo vigoroso trabalho de um escultor mulato do seculo XVIII cujas está-

---

1   Reconhecendo a importância do regional para a interpretação do Brasil, Villa-Lobos convidou-me a colaborar com ele numa "síntese literomusical da cultura brasileira" sob critério pedagógico, de vez que tal cultura se expressava de várias maneiras diferentes, nas várias regiões do país, do Amazonas ao Rio Grande do Sul. Seria uma aliança da música interpretativa com literatura interpretativa. Uma tentativa para criar uma síntese do Brasil na qual seriam levadas em conta tanto a unidade quanto a diversidade.

Quanto a mim procurei sempre a colaboração de artistas plásticos em algumas de minhas interpretações da vida e da cultura brasileira, como o mapa desenhado pelo pintor Cícero Dias, de acordo com indicações minhas, para *Casa-grande & senzala*, e os desenhos de Lula Cardoso Ayres para *Sobrados e mucambos* e os de M. Bandeira para *Olinda*.

O projeto de Villa-Lobos, com a minha colaboração, teria incluído sugestões para um *ballet* representativo do Brasil, como cultura a um só tempo unitária e diversificada.

tuas e decorações monumentais podem ser vistas nas igrejas de Minas Gerais, é outra expressão de criatividade brasileira.

Do ponto de vista do vigor artístico e também pela sua significação humana, a literatura brasileira não cede o primeiro lugar a nenhuma outra na América Latina. O poeta Manuel Bandeira é grande em todos os sentidos, sendo sua única possível deficiência o fato de escrever em português: um idioma que os brasileiros mais pessimistas às vezes descrevem como "clandestino". Outro moderno poeta brasileiro de alto nível é Carlos Drummond de Andrade. Ainda outros João Cabral de Melo Neto e Mauro Mota. Grandes também o foram Machado de Assis e Lima Barreto, prosadores brasileiros do final do século XIX e princípio do século XX, que vêm tendo continuação, em nossos dias, em romancistas como José Lins do Rego, Graciliano Ramos, Jorge Amado, Permínio Asfora, Gastão Cruls, Antônio Callado, Rachel de Queiroz, Erico Verissimo, Mário Palmério, e principalmente um Guimarães Rosa. Assis e Barreto eram ambos mulatos, sendo que o primeiro jamais tocava no assunto enquanto que Barreto, por vezes, dramatizava sua condição de "negro" e "plebeu" de modo de certa forma não brasileiro. O ensaísmo brasileiro – do qual Assis, Joaquim Nabuco, Euclides da Cunha e Rui Barbosa foram mestres – é considerado, por alguns críticos estrangeiros, como a mais original expressão da literatura brasileira, talvez pelo fato de combinar o cunho filosófico e social com o artístico e literário, transformando-se assim em mais do que apenas *belles-lettres*. Parece referendar uma tradição, que tem suas raízes nas letras luso-brasileiras do século XVII, com padre Antônio Vieira – um verdadeiro gênio cujos sermões parecem mais ensaios modernos do que peças ortodoxas da oratória sacra – dominando as mesmas letras com a sua figura, para aquela época, pós-moderna. Não nos esqueçamos, porém, de que além da poesia, da ficção como novela, do ensaio, a literatura brasileira vem se afirmando também no teatro: gênero em que atualmente se destacam Nelson Rodrigues e Ariano Suassuna.

O Brasil também sente orgulho de suas realizações no campo da indústria e, na verdade, muito foi feito, nesse setor, no último meio século. É interessante observar que, durante o Império, o desenvolvimento industrial esteve intimamente ligado a um notável pioneiro, o visconde de Mauá, homem de grande energia criadora; em nossos dias ele foi sucedido pelo conhecido publicista e industrial, há pouco falecido, Assis Chateaubriand, cujas atividades foram espantosamente múltiplas.

Contudo não seria acertado tomar tais personalidades, dinâmicas na arte, nas letras, e na indústria como verdadeiramente representativas do ritmo brasileiro de atividade, o qual se expressa mais tipicamente em uma combinação de trabalho e de lazer. É imenso o número de feriados civis e religiosos pelos quais o Brasil é famoso e que ilustra muito bem essa afirmativa.

Acontece que, sendo latinos, os brasileiros são livres – talvez até livres demais – do preconceito contra o lazer. Sob o ponto de vista protestante, que encara o lazer como vício, os brasileiros são, por essa tendência, lamentáveis pecadores. Reconhecendo-se, porém, a importância do lazer como antídoto às atividades ligadas tão somente à aquisição de dinheiro, que reduzem o homem a mera entidade econômica, a gente do Brasil não é, nem tem sido, tão pecadora.

Os dois povos trabalhadores de nossos dias (refiro-me aos Estados Unidos e à Rússia) encaram o lazer como algo a ser desfrutado no futuro. Mas por que deixar as delícias do repouso só para o futuro? Por que esperarmos por máquinas messiânicas que favoreçam, nesse futuro, a tradição brasileira de lazer? Quando Elihu Root, o famoso secretário de Estado norte-americano, chegou ao Brasil, pela primeira vez, em 1906, ficou encantado com Salvador da Bahia e com o suave ritmo de existência da gente baiana: uma gente que revelava então a capacidade de gozar o lazer sem ser propriamente indolente, sendo considerada, por alguns observadores, a mais requintadamente culta do Brasil.

Nessa feliz combinação de trabalho e de lazer, um otimista veria valiosa contribuição do Brasil ao bem-estar da humanidade em vésperas de desfrutar imenso tempo livre ou ocioso. Mas acontece que certos aspectos da atitude brasileira em relação ao lazer não são inteiramente felizes, sendo um deles a suposição de que, nas atuais circunstâncias, o Estado existe para garantir o referido lazer. É coisa comum em certos departamentos do governo, por exemplo, existir excesso de pessoal em relação ao trabalho a ser feito, sendo que os excedentes não passam de elementos parasitários.

A combinação sistemática dos dois extremos, trabalho e descanso, é uma das mais sérias tarefas enfrentadas pela legislação social no Brasil, à medida que o país muda da economia agrária para a industrial. Trabalho e descanso para todos, seria a solução ideal, mas isso só poderá ser alcançado de forma gradual. Aliás, os brasileiros detestam particularmente as soluções violentas. É preciso lembrar que a pena capital e o duelo foram abolidos no país há muito tempo por serem considerados bárbaros: não puderam ser tolerados por um povo tão humano como o brasileiro. As revoluções, seja a da Independência de Portugal, ou a da República, em 1889, foram "brancas", e não sanguinolentas. A abolição da escravidão foi feita sem violência. Por outro lado, o Brasil sempre procurou resolver suas questões de fronteira com as vizinhas repúblicas de língua espanhola pela arbitragem, em lugar de recorrer à guerra.

É verdade que recentemente o Brasil surpreendeu o mundo com a morte violenta – pelo suicídio – de seu presidente. O suicídio de Getúlio Vargas pode ser considerado como atitude não brasileira da parte de um político. Uma explicação para drama tão surpreendente talvez esteja no fato de ter Vargas nascido e crescido muito perto da América espanhola. Apesar de profundamente brasileiro em sua maneira de pensar e sentir, pode ter sido influenciado, até certo ponto, pelos métodos dramáticos de lidar com a política, característica dos homens da América espanhola – tais métodos incluíam o duelo, o suicídio e o assassinato, de forma quase desconhecida no Brasil, isto é, entre os líderes políticos de nosso país. Nisso, como em outros aspectos, a monarquia parece ter preservado o Brasil do excessivo romantismo da América espanhola, inclusive da mística, da violência, que parece ser um método mais romântico do que clássico, usado pelos estadistas ou pelos povos, para lidar com problemas críticos, apesar de haver situações que o homem tem que enfrentar tragicamente, sejam suas inclinações clássicas ou românticas. Afinal de contas, a tragédia grega é clássica, e não romântica, e o fim de Vargas parece ter sido marcado mais por um toque de tragédia do que inteiramente causado pelo romantismo latente, oculto em homem tão sóbrio, silencioso e aparentemente frio. Antirromântico, até realista, muita gente pensa que ele teria sido levado ao suicídio não tanto pelos seus oponentes políticos, como pelos amigos e parentes que, gozando de sua irrestrita e completa confiança, teriam agido deslealmente em relação ao chefe ainda semipatriarcal.

Seja como for, a reação dos brasileiros a um acontecimento tão inesperado e tão pouco brasileiro como o suicídio de Vargas foi mais clássica do que romântica. O Exército, a Força Aérea e a Marinha agiram de uma maneira inesperada, tratando-se de um país da América Latina, mas que foi quase normal quando examinada em relação a um passado, a uma tradição, a uma psicologia ou a um "ethos" – como dizem os sociólogos – brasileiros. Nenhum líder militar mostrou qualquer vaga tendência para se aproveitar da situação, que permitisse uma aventura napoleônica, ou seja, a imediata tomada do poder por um "homem forte". As três forças militares – Exército, Força Aérea e Marinha – agiram como um bloco único, sem se julgarem um elemento messiânico e pensando somente em sua responsabilidade perante a nação.

Há muitos anos um famoso publicista, estadista e diplomata brasileiro, Joaquim Nabuco, escreveu que, no Brasil, o Exército, depois de ter assumido o controle do país em 1889, quando foi estabelecida a República, transformou-se numa espécie de herdeiro do papel constitucional que, durante muitos anos, tinha sido representado pela Coroa, ou pelo imperador, no sistema político brasileiro: o papel, em dias críticos, de um poder que agia acima dos partidos políticos e dos grupos de interesses particulares, e a favor da nação como um todo. A crise brasileira, após o suicídio de Vargas, parece ter confirmado a teoria de Nabuco: o Exército, a Força Aérea e a Marinha agiram como se sua missão fosse representar o papel que um monarca constitucional – mas não ausente ou fraco – teria representado face a qualquer crise dramática para a vida da nação. O vice-presidente Café Filho assumiu a presidência e tudo continuou normalmente até que foram realizadas eleições para a escolha de um novo presidente. Novamente, alguns dos mais preeminentes líderes militares consideraram de seu dever agir de forma a garantir o acesso ao poder de Juscelino Kubitschek, médico e político de Minas Gerais que fora eleito por pequena diferença de votos contra seu oponente, um general do Exército.

Parece que o Exército e as outras forças militares continuam prontas a agir, no Brasil, como elementos suprapartidários sempre que tal ação se torne necessária a fim de garantir a paz e a ordem nacionais contra interesses particulares, sectários – políticos ou econômicos – apesar de alguns brasileiros civis temerem os elementos estritamente "nacionalistas" que estão se tornando, segundo esses civis, por demais poderosos dentro do Exército brasileiro.

O Brasil realmente difere de outras nações de sua idade e tamanho não somente na América do Sul, mas em qualquer outra parte por várias das constantes de seu comportamento, quer em dias comuns, quer nos dias de crise. Não deixa, por isso, de ser membro de um grupo de nações – as nações americanas com as quais possui, decerto, grandes semelhanças. Grandes, mas não totais. O Brasil é latino, americano, católico-romano e uma república, mas também é Brasil. O Brasil pode ser chamado Rússia americana, ou denominado China tropical. E existem, com efeito, grandes semelhanças entre o Brasil e a Rússia e entre o Brasil e a China. Mas não tão grandes a ponto de desfigurar a personalidade do Brasil como nação única, singular, diferente das vizinhas. Tem uma contribuição muito sua a fazer à civilização. E essa contribuição torna-se cada dia mais evidente aos olhos dos outros povos, com o crescimento em importância dos trópicos para a Europa, os Estados Unidos, o Canadá e o Japão, a Rússia, o mundo eslavo, as nações escandinavas.

Pois é como um moderno estilo de civilização nos trópicos que o Brasil se torna mais significativo, sob o aspecto de um tipo de civilização predominantemente europeia, mas não subeuropeia. Uma civilização nascida e desenvolvida nos trópicos por uma população em cuja composição étnica o número de não europeus é considerável e a quantidade de mistura racial é ainda mais considerável. E é como uma moderna civilização tropical que sua originalidade criadora se torna mais conspícua, na arquitetura como na música, e na culinária, assim como na paisagem de seus jardins.

Outro trabalho pioneiro de alto interesse, não só científico como prático, que vem sendo feito pelos brasileiros em benefício de seu país, e também do desenvolvimento da civilização moderna nos trópicos – outros países tropicais como a Venezuela, o Paraguai, a África portuguesa se têm beneficiado da experiência brasileira – é o novo tipo de gado especialmente adaptado aos trópicos que os brasileiros já obtiveram, graças ao cruzamento do zebu, importado da Índia, com animais descendentes daqueles que vieram de Portugal nos tempos de Colônia. Quando os fazendeiros anglo-americanos começaram a mostrar interesse no Brasil, sob o ponto de vista das grandes indústrias frigoríficas dos Estados Unidos, julgaram que o nosso país necessitava introduzir em suas pastagens o gado *Hereford* puro-sangue, que seria cruzado com o gado nativo ou "gado crioulo". Mas de acordo com um observador britânico que esteve no Brasil durante a Primeira Grande Guerra, e estudou minuciosamente o problema – o sr. J. O. P. Bland –, apesar dos resultados obtidos em fazendas experimentais com o gado importado justificar a experiência, brasileiros mais práticos argumentaram que o gado puro-sangue nativo renderia muito mais, dada sua maior imunidade a insetos nocivos, peculiares ao clima tropical, o que não aconteceria com os animais importados e não adaptados ao clima, e que sucumbiriam facilmente. E o observador britânico concordou com os brasileiros práticos nesse ponto: que o clima e os insetos do Brasil são fatores a ser considerados, tratando-se de problema que não poderia ser resolvido com a aplicação da experiência adquirida no Texas ou na Argentina.

Esse é o ponto sempre importante: o Brasil é um país tão essencialmente tropical em sua situação física – na sua situação física quase total – que sua agricultura, pecuária, arquitetura, hábitos alimentares, maneira de trajar e hábitos recreativos têm que corresponder a essa situação, tão diferente da europeia. Aquilo que faz o Brasil moderno particularmente interessante como experiência social de civilização moderna em um ambiente não europeu é o fato de que os brasileiros conseguiram, vencendo grandes dificuldades, desenvolver certo número de valores essencialmente europeus num ambiente essencialmente não europeu. Para conseguir esse fim, adotaram a política de desenvolver novos meios existenciais que fizessem tal desenvolvimento possível em lugar de macaquear a maneira europeia de viver e vestir, os hábitos alimentares, a arquitetura, os métodos de agricultura e de criação de gado dos europeus. Nações sul-americanas, como a Argentina, o Uruguai e, talvez, o Chile podem imitar a Europa, mas o Brasil tem que encontrar sua própria maneira de combinar a civilização moderna com um ambiente tropical. Não é tarefa fácil. Mas proporciona asas à criatividade. E exige dos brasileiros aquilo que alguns deles gostariam de evitar: um esforço constante em busca de novas soluções, de soluções originais ou mistas, para problemas de relações de homens civilizados com a natureza; e também para problemas de relações de homens civilizados com outros homens, ainda numerosos no Brasil, portadores de culturas não civilizadas e cujos costumes, valores e experiência cultural, em lugar de serem radicalmente repudiados, precisam ser analisados e examinados cuidadosamente, e cuidadosamente utilizados para uma possível nova síntese de cultura a qual será, por sua vez, ao mesmo tempo europeia e tropical.

Seguindo essa política os brasileiros empregam na América tropical velho método usado pelos portugueses ao lidar com povos e culturas não europeias em áreas tropicais da Ásia e África. Às vezes essa política social difere – ou tem diferido – totalmente dos métodos usados por outras potências europeias nos trópicos. De acordo com Guy Wint, autor britânico que se especializou no estudo de assuntos tropicais do Oriente, mesmo a Inglaterra, apesar de adotar, em relação aos problemas políticos, uma atitude "respeitável no seu conjunto (...) muitas vezes não alcançou os objetivos a que se propunha, pelo fato de encarar com indiferença a cultura dos povos orientais". E isso – acrescenta o referido autor – "transformou-se em motivos de queixa dos povos orientais". Indiferença – a britânica – às culturas não europeias no Oriente tropical. As culturas indígenas dos trópicos, que se tornaram parte da moderna civilização brasileira, jamais foram desprezadas pelos líderes políticos do Brasil ou pela sua "elite", apesar desses líderes poderem ser considerados nórdicos, quanto à raça ou ao sangue, como qualquer líder britânico.

O Brasil tornou-se nação americana independente, mantendo não só a forma de governo monárquico e europeu que os brasileiros coloniais conheceram, mas também a família real europeia que conheciam de longa data como família regente. Ao mesmo tempo, desenvolveram uma nobreza cujos títulos foram tomados, não da língua portuguesa, ou de qualquer outro idioma europeu, mas do linguajar ameríndio dominante entre os verdadeiros nativos do país. Nomes tupis de rios, montanhas, árvores. Nomes telúricos. Nomes tropicais. E nunca houve a menor hesitação, desde os começos do Brasil como nação independente, em estender os títulos de nobreza a descendentes de ameríndios e até de africanos. Ao contrário: quando esses descendiam de chefes ameríndios, ou caciques, eram considerados essencialmente nobres. Mesmo durante os dias da Colônia os portugueses já pensavam assim. E isso explica por que o marquês de Pombal, homem que tinha em suas veias sangue ameríndio, tornou-se o político mais poderoso do mundo português de seu tempo – o século XVIII – sem sofrer a menor restrição à sua posição de nobre, apesar de seu sangue ameríndio. Isso também explica o fato de que a escolha, que fez o papa, do homem que seria o primeiro cardeal da América Latina, em antiga e aristocrática família do Brasil – velha família com sangue nobre ameríndio –, tenha sido tão bem recebida pelos brasileiros. Foi como se a Igreja Católica Romana, através dessa escolha – feita há cerca de meio século – aprovasse publicamente a política brasileira de tentar desenvolver nos trópicos uma civilização ao mesmo tempo europeia e ameríndia, e consequentemente de fato universal em sua finalidade e em suas técnicas.

Em suas técnicas, sim, porque aquilo que vem acontecendo com a criação de gado e a agricultura acontece no Brasil em relação a outras atividades humanas que são parte integrante de uma civilização ou de uma cultura: a atividade como a arte da jardinagem, por exemplo. Através do uso dos mesmos métodos ou técnicas resultantes da combinação da experiência tropical com a ciência europeia, o Brasil vem também desenvolvendo seu estilo próprio de jardins ornamentais complementadores de seus estilos próprios em parte extraeuropeus, na arquitetura. Aqui, como em outros assuntos, os brasileiros concordam com os modernos cientistas europeus, que descobriram ter os homens europeus, apesar de sua capacidade e poder de domar a natureza, aprendido apenas a cultivar solo europeu em climas europeus.

Eis por que alguns estudiosos atualizados desses e de outros problemas relativos à expansão da civilização europeia em áreas não europeias acham que precisa ser criada nova ciência para lidar com tais problemas, sob um ponto de vista complementar ao ponto de vista europeu ou boreal, que dominou, até agora, na ciência e na tecnologia. Por que não uma ciência especial a fim de lidar com a adaptação da ciência e da tecnologia europeia à situação tropical, chegando mesmo à invenção de novas técnicas para resolver problemas peculiares aos trópicos? Problemas não só da criação de gado, agricultura, arquitetura, urbanização, e planejamento regional, mas também da psicologia ligada à educação, de organização política, de higiene mental, pois tudo indica que o comportamento do homem nos trópicos tem que ser considerado, em alguns de seus aspectos, em relação a situações e condições peculiares ao ambiente que o cerca; ao fato, por exemplo, de que o clima tropical favorece o contato informal, nas praças públicas, das multidões com seus líderes políticos, sem a necessidade de reuniões no interior de prédios, de atmosfera favorável a exclusivismos partidários ou ideológicos. A música, a representação teatral, a dança como bailado artístico, o drama, os ritos religiosos podem ser afetados da mesma forma pelas condições climáticas tropicais; e poderão ser desenvolvidas, nesses setores, novas formas através de uma relação psicológica e social imediata entre os artistas, ou os líderes religiosos, e as grandes multidões, e não através do rádio ou da televisão, cuja importância provavelmente será bem maior em ambientes boreais do que nos tropicais.

O fitopatologista alemão que esteve no Brasil na segunda década do século atual, professor Konrad Guenther, da Universidade de Freiburg, escreveu fascinante livro sobre suas experiências, intitulado na edição inglesa: *A Naturalist in Brazil*. Diz aí o professor Guenther que durante todo o tempo em que esteve no Brasil tropical sentiu-se impressionado pelo esplendor da floração, "um esplendor de floração como jamais vi outro igual", para usar suas próprias palavras. E existe sempre, acrescenta o autor, o sol, e o céu azul e o povo nas ruas, que aumenta o encanto do quadro "não somente por suas roupas brancas ou multicoloridas, mas também pela alternação de rostos brancos, pardos e negros". Tal atmosfera, uma combinação constante de natureza com cultura, sob os efeitos do brilho do sol ou da lua tropical, tem que afetar os homens no seu comportamento, no seu caráter, na sua arte, sua filosofia de vida.

O mesmo cientista alemão escreve: "O fato importante, em relação aos trópicos, na minha opinião, é que o indivíduo está permanentemente, dia e noite, em contato com a natureza, assim como o corpo levemente vestido está em contato direto com o ar, de maneira que o indivíduo sente-se livre e confortável; nos trópicos não existem aposentos fechados". O professor Guenther cita uma senhora, aparentemente originária do norte da Europa, que lhe contou certa feita que jamais poderia voltar a viver no velho continente porque "lá os aposentos são tão opressivos que ela chegava ao ponto de ter a impressão de não poder respirar". Conheci eu próprio vários europeus setentrionais que, depois de alguns anos de residência no Brasil, não conseguiam se readaptar ao continente de origem, pela mesma razão: desenvolveram uma espécie de claustrofobia, conhecida pelos psicólogos e psiquiatras como a exageração mórbida de uma atitude que muitos homens e mulheres sentem em relação a aposentos ou a situações opressivas. Talvez chegue o dia em que existam sanatórios em países tropicais, como o Brasil, para o tratamento, e possível cura, de europeus ou americanos boreais que não consigam mais viver saudavelmente, nos seus países de origem – devo declarar que a palavra "boreal" é aqui usada no seu sentido lato – devido a vários fatores, inclusive climáticos, que fazem os aposentos e a vida em seus países tão opressivos para alguns homens, mulheres e mesmo crianças a ponto de os levarem a estados mórbidos.

As crianças brasileiras das classes mais elevadas foram, durante muitos séculos, vítimas e mesmo mártires da ideia de que a civilização europeia devia ser preservada no Brasil tal como era mantida ou preservada – nos trópicos, como se fosse congelada – na Europa boreal. Eram vestidas como se fossem europeias e vivessem em pleno inverno europeu. Em certo período do século XIX os vestidinhos de tecido em padrão escocês foram o máximo, da moda, tanto para meninas como para meninos, e é possível imaginar o que isso significa para uma criança que queria sentir-se livre e confortável e como isso desenvolveu, em algumas delas, aquilo que os modernos psicólogos chamam de complexo – um complexo antiescocês – que em muitos homens foi mais tarde curado pelo fato de terem desenvolvido alta estima por outros valores escoceses, como o uísque. E, a propósito, devo acrescentar a esse respeito que os brasileiros adotaram uma combinação de civilização europeia e natureza tropical que parece ser completamente desconhecida em áreas tropicais da Ásia e África que visitei: refiro-me à combinação do mesmo uísque escocês com água de coco.

 Cientistas europeus e anglo-americanos, tais como o alemão Guenther, e o anglo-americano Marston Bates, têm oferecido valiosa contribuição para o estabelecimento, que hoje é um esforço sistemático de brasileiros, de uma possível ciência especial para o estudo intensivo do homem, da natureza e da cultura tropical, em lugares onde os mesmos se estabilizaram, ou estão se estabilizando, em situações totais e complexas, através do íntimo contato, e mesmo da fusão, da cultura com o meio ambiente. Os cientistas não europeus estão acrescentando suas observações aos estudos das mesmas situações feitos por cientistas ou analistas nascidos nos trópicos, apesar de educados na Europa e nos Estados Unidos. Alguns estão comparando como outrora Bates e Wallace e mais recentemente Guenther suas experiências nos trópicos, com suas experiências europeias e também suas experiências – no Brasil, por exemplo – com suas experiências na Índia ou na África tropical. E é no Brasil que essa possível nova ciência – a Tropicologia – está alcançando seu mais alto e sistemático desenvolvimento. Não faz muito tempo a Sorbonne ratificou oficialmente o valor científico da "antropologia tropical" brasileira reconhecida também por outros eruditos e estudiosos europeus e americanos, sendo que alguns deles, inclusive o professor Edmonds, incluem já aquilo que chamam Antropologia ou Sociologia brasileira "telúrica" entre as sete ou oito mais importantes interpretações antropológicas contemporâneas do homem, como ser situado.

 "Ninguém pode sair de sua pele" (ecológica e não etnicamente falando), declara o professor Guenther, acrescentando: "mesmo em pleno equador o europeu não deixa senão lentamente de ser europeu", pois "inicialmente ele se sente um estranho nos trópicos, desligado da natureza tropical". Falando como europeu, ele generaliza: "Somente graças a um esforço extremo e exaustivo é que se consegue entender a natureza estranha dos trópicos e compreender seu caráter essencial". E, como se estivesse ansioso por contribuir com sua experiência e com sua ciência para a criação dessa ciência especial para a qual sugeri eu próprio e venho sugerindo o nome mais ou menos pedante de "tropicologia", o professor Guenther sumariza seus conhecimentos da situação tropical nessas palavras altamente significativas: "Viajar por dois países tropicais diferentes evitará que se tire conclusões genéricas, extraídas da observação feita em apenas um, e também fará com que se verifique que existe um caráter tropical definitivamente comum a todos os países situados no equador, os quais diferem fundamentalmente das características daqueles de latitudes mais temperadas".

Incluindo-se entre aqueles que considerem sua tarefa "determinar essa diferença e explicá-la de maneira científica", o fitopatologista alemão pode ser considerado, juntamente com Wallace, Gourou, com os dois Bates – o inglês e o anglo-americano – pioneiros de uma possível nova ciência, exigida pelos problemas modernos e seu impacto nas relações da Europa atual com as culturas e os povos não europeus. Ciência essa que poderá vir a ser conhecida como Tropicologia.

Já sugeri a conveniência, como subciência dessa ciência especial, de desenvolver-se um estudo, igualmente intensivo e sistemático, das várias expressões das formas europeias – formas mais do que substâncias, apesar das duas dificilmente poderem ser separadas – de civilização, em áreas tropicais, da que foram portadores os homens e as mulheres vindos da Espanha e de Portugal, particularmente de Portugal – para os trópicos asiáticos, africanos e americanos. Pois parece que os hispano-portugueses e espanhóis tiveram capacidade de se identificar com o ambiente tropical e de assimilarem valores da natureza e de cultura tropicais, assim como de se mesclar com raças e populações tropicais de uma maneira que lhes é característica. Característica mais dos portugueses do que de qualquer outro povo europeu, cujas atividades, nos trópicos, sempre foram políticas, comerciais, industriais, militares e jamais étnica e culturalmente simbióticas, tal como o foram as relações dos portugueses e, até certo ponto, dos espanhóis com os ameríndios, os africanos e os orientais de áreas tropicais.

Estou entre aqueles que julgam que a capacidade manifestada pelos hispanos mais que por outros povos europeus, para desenvolver tais relações simbióticas com a natureza – relações entre o homem europeu e a natureza e as culturas tropicais – deve-se ao fato de que, desde seus começos como sociedades nacionais, ou quase nacionais, a Espanha e Portugal foram sempre apenas parcialmente europeus: seu clima e sua situação permitiram-lhes adotar numerosos valores e técnicas de civilizações não europeias, cujas origens eram – ou são – tropicais. Isso explica por que, durante os primeiros dias do Brasil, os portugueses começaram logo a construir, não somente de acordo com sua ciência europeia, mas, também, de acordo com o que tinham aprendido de árabes, de mouros, do Oriente. Quando os holandeses conquistaram o Nordeste do Brasil e estabeleceram o Recife como sua capital, introduziram nessa cidade e naquela região do Brasil um tipo de arquitetura que provou ser apenas uma importação contraindicada, com pouca ou nenhuma concessão ao clima tropical. A mesma arquitetura notabilizava-se – característica que parece ter afetado a arquitetura do Recife até relativamente há pouco tempo – por aquilo que os especialistas em técnica arquitetônica chamam de "um protótipo projetado para manter a neve de fora da casa e deixar entrar o sol", com cornijas altas e estreitas demais para serem suficientemente "protetoras" em uma habitação humana nos trópicos. Um estudioso atual da "habitação para os trópicos úmidos", o professor Douglas H. K. Lee, cujo artigo sobre a habitação para os trópicos úmidos, com fotografias do professor Robert L. Pendleton, apareceu no número de janeiro de 1951 da *Geographical Review* de Nova York, indica também como tipos de casa igualmente inadequados aos trópicos certas moradias que não passam de adaptação aparente das "vilas" europeias a situações tropicais e que são encontradas no Congo Belga.

Enquanto os holandeses e os belgas assim se comportam, ou têm se comportado, os portugueses vêm assumindo, há séculos, atitude completamente diferente. As varandas orientais foram adotadas e se transformaram em característica da arquitetura do Brasil, sendo usadas mesmo em torno de igrejas e capelas, tal como acontece na Índia. Aliás a palavra "varanda" parece ter sido introduzida nos idiomas europeus pelos portugueses.

Mais do que qualquer outra, a arquitetura brasileira foi afetada pelo íntimo contato dos portugueses com o Oriente: não só os jardins se encheram de pavilhões e pagodes chineses, como também a forma oriental de telhado tornou-se característico de casas de residência no Brasil. Essas influências enfatizaram mais os traços "mouriscos" do que os "romanos" na arquitetura doméstica brasileira: uma influência dupla, e por vezes antagônica, sempre presente no desenvolvimento da arquitetura no Brasil, como tentarei mostrar em capítulo especial dedicado, neste livro, à interpretação sociológica desse desenvolvimento em dois sentidos quase sempre complementados.

Os traços romanos começaram a ter relevo na arquitetura brasileira, assim como na aristocrática dos Estados Unidos, quando uma nova ordem política e econômica começou a desenvolver-se na América portuguesa com a transformação da monarquia, de real para imperial. Os antigos senhores de engenho transformaram-se em barões, viscondes, comendadores: em uma nobreza imperial que acabara por expandir-se da agrária feudal para a aristocraticamente industrial e comercial. Consequentemente, tal como aconteceu nos Estados Unidos com o início da fase que Lewis Mumford caracteriza muito bem em sua obra *Sticks and Stones*, fase em que o nome "milionário" transformou-se na "patente da nobreza americana", surgiu, no Brasil, uma escala de vida e uma moda arquitetônica que tinham em si algo de imperial; que enfatizavam o elemento romano em contraposição aos seus elementos orientais e trópico-orientais. O maior empenho dos arquitetos das residências patrícias dessa fase, no Brasil, em lugares como o Rio, o Recife e Salvador, foi criar fachadas de "casas-grandes" – então chamadas de "palacetes" e mesmo "palácios", como o Palácio do Catete, no Rio, o qual foi construído por um barão do café, nos dias do Império, tendo passado a ser durante largos anos a residência oficial do presidente da República – dando-lhes o efeito de "dignidade" e "permanência", que Mumford aponta como características do período "imperial" ou "romano", na história da arquitetura dos Estados Unidos.

O fenômeno ocorreu não somente na arquitetura doméstica mas, também, na de edifícios levantados com outros objetivos, pois uma das características desse período, talvez mais nos Estados Unidos do que no Brasil, foi a unidade. "No governo, na indústria, na arquitetura, a era imperial foi época glorificada da unidade", escreve Mumford em referência aos Estados Unidos. E vai além na análise dessa unidade: o impulso imperial, ou "romano", nos Estados Unidos, expressou-se também em sepulturas e templos monumentais, arquitetura de mausoléus profundamente característica do período. No Brasil, até mesmo as sepulturas deixaram de ser predominantemente "mouras" – escondidas em capelas particulares nas patriarcais casas-grandes de engenho ou de fazendas, ou nas igrejas urbanas – para se tornarem quase que públicas –, tão "romanas" e imperiais como as fachadas das novas residências aristocráticas ou plutocráticas em cidades como o Rio, como Recife, como Salvador.

Seria absurdo enterrar um barão, um visconde, um marquês ou um comendador do Império num lugar quase que secreto, quando sua condição imperial, ou sua dignidade quase que romana e mesmo consular, tornava imperativo que seus restos mortais fossem guardados numa espécie de templo ou de mausoléu. Durante esse período da história da arquitetura brasileira, seus elementos "mouriscos", particulares e íntimos, perderam grande parte de sua importância sob o impacto do elemento público "romano", "imperial". Alguns dos aspectos desta época da história social e arquitetônica brasileira são estudados em meu livro *Sobrados e mucambos*. Aproveito a oportunidade para destacar o fato de que, em anos recentes, uma das características do desenvolvimento brasileiro tem sido no sentido de maior integração entre seus elementos romanos e mouros, o que também significa uma maior integração de seus elementos europeus e tropicais. Essa tendência é fácil de ser surpreendida em edifícios: a arquitetura é quase sempre uma significativa expressão, de tendências integrativas ou desintegrativas em outros aspectos de um tipo de civilização ou de sociedade.

Apesar da arquitetura brasileira como sistema de arquitetura geral – religiosa, militar, oficial, doméstica – ser principalmente do Norte ao Sul do Brasil, uma adaptação da arquitetura portuguesa ou ibérica a espaços tropicais e quase tropicais, ela vem recebendo, em diferentes fases e regiões, influências não portuguesas, algumas delas contrárias à ecologia tropical. A influência do chalé suíço, entretanto, foi neutralizada graças à influência do bangalô indiano, devido a ingleses, construtores de ferrovias e portadores de alguma experiência na Índia britânica, que introduziram no Brasil esse tipo de residência oriental, considerado, por alguns, ideal para os trópicos. A influência do estilo normando, violentamente antitropical, fez-se sentir na arquitetura doméstica mais arrivista do Rio de Janeiro, quando essa cidade começou a ser "cidade moderna" na primeira parte do século vinte. A influência alemã e italiana, na construção de casas de campo e mesmo de residências urbanas – em Blumenau, por exemplo – foi devida à presença de considerável número de colonos germanos sem algumas áreas do Sul do Brasil, fenômeno do século XIX. Fletcher e Kidder chegam até a citar, em seu livro *Brazil and the Brazilians*, "uma casa perfeitamente *yankee*" existente no Brasil por volta do ano de 1870: a casa de certo anglo-americano dono de uma fábrica de algodão em Santo Aleixo. Fletcher e Kidder informaram-nos que "ambas (casa e fábrica) tinham sido projetadas nos Estados Unidos, transportadas em peças separadas e montadas no Brasil, sendo que o pinho usado na casa, "apesar das predições em contrário, provou ter durabilidade superior à do pinho norueguês".

Um grande número de observadores estrangeiros e brasileiros concordam em que "a influência holandesa deu ao Recife, capital do estado de Pernambuco" (ocupado durante parte do século XVII pelos holandeses) "características que lhe são peculiares". Essas palavras pertencem a Peter Fuss, autor alemão de um livro intitulado *Brasil* e publicado em Berlim no ano de 1937. Como vários outros observadores estrangeiros, Fuss baseou suas afirmativas no fato de que, no Recife, em pleno ano de 1937, ele encontrara sobrevivência de formas de arquitetura que "continuavam a lembrar a presença dos colonizadores holandeses". Esses velhos sobrados, altos e estreitos, não eram, então, os mesmos originalmente construídos pelos próprios holandeses. Sua estrutura muito alta mostrava, porém, que no Recife vinha sendo, em arquitetura, uma tradição que Fuss, e outros observadores estrangeiros da arquitetura do Recife, vêm identificando como mais norte-européia do que propriamente portuguesa.

Fletcher e Kidder, sem especificarem tal influência "holandesa" – como o fizeram esses outros observadores – escreveram em seu famoso livro que "muitas das casas de Pernambuco (por Pernambuco eles queriam dizer, o Recife) são construídas em estilo desconhecido em outras partes do Brasil". Como exemplar desse estilo descreveram certa casa de seis andares (visitada em primeiro lugar por Kidder), a qual, sendo puramente luso-brasileira em suas funções, parecia resultar, em suas formas, de influência norte-europeia ou "holandesa", em contraste com os costumes arquitetônicos predominantes no Brasil. Os mesmos autores, Kidder e Fletcher, sendo o primeiro o pioneiro dos dois quanto à descoberta do Brasil por olhos anglo-americanos, declaram que quando Kidder viu pela primeira vez o bairro mais antigo do Recife, em 1833, os prédios ainda exibiam "aquele velho estilo de arquitetura holandesa" ao qual os portugueses, depois de terem conquistado a região aos invasores batavos, tinham acrescentado suas "sacadas e gelosias artisticamente trabalhadas", de acordo com o velho estilo mouro. O que houve, nesse caso, foi a absorção da arquitetura "holandesa" pela luso-tropical. Isso era de esperar em regiões como Pernambuco, onde a arquitetura "holandesa" revelou-se artificial, trazida de fora – tijolos e tudo o mais – da Europa, tal como aconteceria com a "casa *yankee*" de Santo Aleixo, também trazida aos pedaços dos Estados Unidos. Enquanto a arquitetura luso-tropical era e é – um sistema ecológico de construção que se especializou de início em usar menos pedra e azulejos que materiais locais – pedra, madeira etc. – e adaptando-se assim às condições tropicais.

No Brasil, tal como acontecia em Nova Amsterdã, tudo indica que os holandeses copiaram os estilos da velha Amsterdã; e como o excesso de população da velha cidade forçara a edificação de sobrados altos e estreitos, os pouco imaginosos burgueses holandeses reproduziram seus prédios assim esguios na ampla Nova Amsterdã. Segundo o historiador norte-americano, professor Max Savelle, em seu livro *Seeds of Liberty* (Nova York, 1948), foi assim que os holandeses agiram na área que atualmente é a cidade de Nova York.

Seu comportamento no Brasil tropical foi caracterizado por uma atitude ainda menos engenhosa em relação à arquitetura, em particular, e à arte de adaptar valores e técnicas europeias aos trópicos, em geral. Isso explica porque foram tão rapidamente absorvidos pela China tropical que o Brasil é, ou foi, em relação aos valores europeus ou anglo-americanos não adaptados a sua condição de país, em grande parte, tropical. O êxito dos portugueses no Brasil tem que ser principalmente explicado em termos de uma quase constante disposição, da parte dos lusos e dos seus continuadores brasileiros, em adaptar valores e técnicas europeias às condições tropicais, indo ao extremo de repudiar alguns valores e técnicas europeias e adotando, em seu lugar, técnicas tropicais. E isso eles o fizeram não somente no setor da arquitetura doméstica como também quanto à alimentação. É o que indica a substituição do trigo pela mandioca na maior parte das áreas tropicais do Brasil.

Só recentemente foi assinalado, na Conferência sobre a Arquitetura Tropical realizada em Londres, no ano de 1953, que os brasileiros modernos teriam redescoberto valores na arte, na higiene e no planejamento urbano que podem ser considerados tropicais. Valores que, apesar de conhecidos pelos povos antigos, não haviam sido reconhecidos pelos europeus, ou anglo-americanos, em suas tentativas de desenvolver civilizações modernas em áreas tropicais. Assim sendo, O. H. Koenigsberger observou, em seu ensaio *Tropical Planning Problems* (publicado durante a Conferência de Arquitetura Tropical, Londres, 1954), que "já se tornou evidente que a virtude das ruas muito largas não é tão incontestável e axiomática como os engenheiros sanitaristas das primeiras décadas deste século acreditavam. Os trópicos áridos, por exemplo, possuem uma tradição de ruas estreitas e de arcadas, ruas às vezes totalmente cobertas, proporcionando sombra e alívio contra o calor e a claridade".

Tal tradição, trazida para o Brasil pelos portugueses, afetou a arquitetura brasileira em suas mais genuínas expressões, sejam "coloniais", sejam "modernas". Alguns dos mais recentes edifícios no Brasil estão voltando ao velho estilo oriental-ibérico. Ruas com arcadas, graças a uma espécie de cooperação entre a arquitetura e o urbanismo, estão voltando a ser moda no Brasil. Essa é, aliás, uma das ideias pioneiras dos Regionalistas do Recife: um grupo cuja combinação de modernismo, regionalismo e tradicionalismo foi há pouco indicada por um dos maiores arquitetos modernos do Brasil, Henrique Mindlin, como tendo aberto caminho para as soluções mais adequadas aos problemas da arquitetura entre os brasileiros.

O arquiteto O. Jaiyesimi, da Nigéria, falando na citada Conferência sobre arquitetura tropical, disse que "o uso de novos materiais para a construção no estilo ocidental proporcionará a expansão da civilização moderna nos trópicos, mas o idioma arquitetônico do lugar jamais evoluirá se os arquitetos locais não tiverem a iniciativa de usar o material e a mão de obra locais". Na mesma ocasião outro arquiteto, R. S. Colquhoun, da Grã-Bretanha, lembrou que "os brasileiros tinham redescoberto o painel perfurado da arquitetura Mogul como elemento atenuante do sol...". É interessante assinalar que o moderno movimento para descobrir esse ou aquele valor oriental na arquitetura, alguns deles trazidos para o Brasil pelos portugueses durante o período colonial, teve início com a Conferência sobre Regionalismo realizada no Recife, em fevereiro de 1962, e organizada pelo Centro Regionalista do Nordeste para defesa tanto na arquitetura como em outras artes de valores regionais e tradições suscetíveis de serem modernizados: literatura, recreação, cozinha, planejamento, urbanização, educação etc. Esse Centro foi fundado no Recife no ano de 1924, tendo o professor Odilon Nestor como seu presidente. A importância do movimento regionalista, repita-se, foi reconhecida recentemente por um dos maiores arquitetos modernos do Brasil, Henrique Mindlin, naquele que é, talvez, o melhor livro até hoje publicado sobre a arquitetura brasileira: *A arquitetura moderna no Brasil* (Rio de Janeiro/Amsterdã, 1956), o qual contém um prefácio do professor S. Giedion. Declara Mindlin que o Manifesto Regionalista do Recife (1926) é um documento de "positiva significação" quanto ao desenvolvimento da arquitetura nacional do Brasil, como arquitetura tanto moderna como regional. Para Mindlin, as ideias dos Regionalistas vêm encontrando plena expressão em "recentes tentativas (da parte de arquitetos) de integrar elementos contemporâneos com aqueles regionais e tradicionais". O mesmo fato, em relação ao pioneirismo dos Regionalistas do Recife, foi assinalado pelo professor de arquitetura da Escola de Arquitetura da Universidade do Rio de Janeiro, o arquiteto Paulo Soares.

Antecipação também dos Regionalistas do Recife, porém relativa à pintura mural e seus temas desenvolvidos pelo falecido Cândido Portinari e outros por pintores modernos brasileiros, foi assinalada pelo professor Robert Smith. Outras antecipações dos Regionalistas do Recife vêm sendo reconhecidas na literatura, e nos estudos sociais no Brasil. O Movimento Regionalista parece marcar um início definitivo dos estudos de moderna antropologia e sociologia, no Brasil, em bases ecológicas ou regionais e atendo-se à importância de constantes ou de tradições na vida de uma sociedade.

Outro "brasileirismo" na arte e na ciência da construção foi reconhecido pelos arquitetos que se encontraram em Londres em 1953, quando um deles chamou a atenção dos seus colegas para o fato de que as dimensões dos espaços interiores podem ser menores nos trópicos do que na Europa. Tal assunto foi estudado de maneira muito inteligente na conferência londrina. Um dos arquitetos presentes, G. Anthony Atkinsons, em relato sobre *Arquitetura tropical e padrões de construção* observou que as exigências médicas, da saúde pública, geralmente adotadas nos trópicos foram copiadas em leis europeias e – nos casos de territórios tropicais sob controle ou influência britânica – "parecem ter pouca validade científica, por se basearem em regulamentos de territórios da Inglaterra ou Escócia ao tempo em que foram adotados". Além disso, nos trópicos "muitas atividades podem ser realizadas ao ar livre. Um simples teto pode ser o bastante para dar proteção contra o sol, a chuva e o orvalho em noites frescas mas sem nuvens. (...) Seria bem mais interessante reconsiderar a base dos padrões relativos a espaços e pensar nos mesmos em termos de exigências sociais, muito mais do que de salubridade", acrescentou, reconhecendo assim a importância social ou sociológica de esforços modernos no sentido de um tratamento científico dos problemas tropicais relativos à habitação, assim como aqueles atinentes ao planejamento de cidades e da agricultura, de acordo com as condições tropicais, já, há anos, ponto de vista sustentado por ecologistas brasileiros.

Adedokum A. Adeyemi, da Nigéria, observou seguindo a mesma linha de raciocínio: "o planejamento moderno na África era frequentemente quando procura satisfazer os africanos sofisticados, que insistem em levar uma vida baseada em falsa concepção de padrões ocidentais. Nossa necessidade imperiosa é planejar a fim de elevar o padrão de vida geral das massas populares e isso poderá ser facilmente conseguido aceitando-se aquilo que é bom na maneira tradicional de viver". Tradicional ou regional, poderia ter acrescentado.

É isso exatamente o que vem sendo feito em relação ao planejamento urbanístico, à música, à agricultura, à escultura, à literatura, à sociologia assim como à criação de gado por brasileiros que se tornaram profundamente "trópico-conscientes" e que tiveram seu interesse despertado para o assunto, desde 1924, pela insistência dos Regionalistas do Recife, que afirmavam a necessidade do Brasil desenvolver sua civilização com base numa ecologia tropical e em sua tradição luso-tropical ou hispano-tropical.

Mesmo em relação ao vestuário, os brasileiros mostram atualmente certa tendência para romper com a passividade por demais submissa aos modelos europeus, deles e de outros tropicais, desenvolvendo estilos que correspondam mais de perto, tanto do ponto de vista higiênico como estético, às condições tropicais. Em relação a esse ponto de vista uma tentativa realizada há poucos anos pelo pintor Flávio de Carvalho, de São Paulo, deve ser considerada arrojo de pioneirismo, no sentido de encontrar-se uma solução científica do problema, não somente para o Brasil, mas também para outras civilizações modernas situadas em áreas tropicais. Sua ideia baseia-se numa ousada modernização de sugestões oferecidas pelos habitantes da Índia, da África e por outros povos tropicais.

Os especialistas em nutrição no Brasil estão fazendo o mesmo em relação aos pratos tradicionalmente tropicais, que deixaram de ser considerados elegantes: suas virtudes alimentares adequadas ao clima tropical estão sendo agora redescobertas, graças ainda aos Regionalistas do Recife. Chapéus e sapatos, pelo menos para um considerável número de brasileiros, há muito deixaram de ser os de modelos europeus ortodoxos. Há brasileiros ilustres que não usam sapatos ou chapéus, andando pelas ruas de cabeça descoberta e com sandálias. O uso de calças muito leves, e mesmo do pijama, vai se tornando possível fora dos círculos estritamente domésticos ou íntimos.

Há mais de meio século um viajante escreveu que "em sua ambição de copiar os europeus e norte-americanos, os cavalheiros elegantes do Rio desprezam inteiramente a propriedade essencial das coisas, preferindo roupas de pesada casimira preta e cartolas de pele de castor, peças que em hipótese alguma deveriam ser usadas em seu tórrido clima". E observava com certa audácia que "roupas de linho e levíssimos chapéus de palha são a roupa e o chapéu adequados para os trópicos". Esse viajante não poderia imaginar como a situação mudaria em apenas algumas décadas.

Seria igualmente difícil para europeus e anglo-americanos que visitaram o Brasil no final do século XIX antecipar a absorção de imigrantes não ibéricos pelo Brasil tropical: realidade que faz parecer ridículas as profecias sobre a italianização de São Paulo e a germanização de Santa Catarina. O clima tropical que é o Brasil não se deixa absorver: absorve.

É verdade que esses imigrantes não ibéricos vêm introduzindo numerosos e valiosos italianismos e germanismos no português falado no Brasil, assim como nos hábitos alimentares e nos costumes brasileiros em geral. O mesmo se aplica a outros imigrantes não ibéricos estabelecidos no Brasil, inclusive japoneses. Mas a maioria vem sendo abrasileirada à medida que se adapta ao meio. Os trópicos parecem ter uma aliança secreta com a civilização brasileira contra todos os seus possíveis inimigos.

Escrevendo a respeito dos imigrantes europeus que se instalaram no Brasil moderno, o professor Arthur Ramos disse, no capítulo "Pioneirismo Social", em *Brazil* – livro excelente organizado pelo professor Lawrence F. Hill e publicado em 1947 – que, "do ponto de vista dos contatos raciais, o colono italiano mostrou-se o mais adaptável depois do português". A partir da primeira geração ele estaria "completamente aculturado", no Brasil. Em relação ao colono alemão, o professor Ramos assinala que, "nas regiões do planalto do Sul do país eles estabeleceram pequenas fazendas, em oposição às vastas propriedades do sistema luso-brasileiro". Falando sobre os colonos não portugueses, ou não iberos-europeus em geral (italianos, alemães, eslavos), Ramos diz que eles vêm mudando "o caráter" ou a "estrutura social" de algumas das sub-regiões do sul do Brasil, onde se estabeleceram, de preferência, em "pequenas propriedades": elementos básicos da sua atividade agrícola. Admite, juntamente com o professor Emílio Willems, o marginalismo de alguns colonos alemães em relação à cultura nacional tradicional. Mas também concorda com o professor Roquette-Pinto, o maior antropologista moderno de nosso país, em que os imigrantes alemães desejam ser assimilados pela cultura brasileira, como se pode constatar pelos "inúmeros cavaleiros teuto-brasileiros, montados à maneira típica dos gaúchos, com esporas de prata, chapelão de abas largas, bombachas com botões de prata e laços", comuns no Sul do Brasil. No ensaio intitulado *O mundo que o português criou* – resumo de várias conferências feitas em universidades europeias, em 1937 – indiquei sinais menos evidentes do desejo de colonos europeus de origem não ibérica em ser assimiladas pela cultura nacional tradicional, de origem ibérica ou portuguesa: uma cultura que muitos desses adventícios sentem expressar íntima e profunda harmonização do sistema de vida europeu com as condições do espaço tropical ou quase tropical. Assim pensando, reconhecem o fato de que os brasileiros resolveram muitos problemas ligados à vida civilizada em áreas tropicais, a um ponto que coloca a civilização brasileira entre as mais criadoras que o homem já desenvolveu nos trópicos.

Se os brasileiros têm sido criadores de estilos de vida e não apenas imitadores de estilos europeus, isso se deve a uma qualidade sua, que não é geralmente relacionada aos trópicos: Lafcadio Hearn, apesar de ter sido um entusiasta da vida e dos povos tropicais, achava que os trópicos não serviam para os homens de ideias. Dizia ele que o homem deve evitar pensar, quando nos trópicos. O clima quente não lhe parecia favorável à vida intelectual criadora de alta qualidade.

O Brasil tropical não parece favorável de todo a essa e outras generalizações sobre os trópicos. A vida intelectual brasileira está sendo uma surpresa para os europeus e anglo-americanos, mais desdenhosos da inteligência das gentes tropicais. Teixeira de Freitas – jurista cuja influência chegou à Argentina e ao Chile – foi um pensador nascido e criado no Brasil tropical. Brasileiro também foi Santos Dumont, um inventor aceito pelos mais abalizados historiadores europeus – ingleses e franceses – como predecessor dos próprios irmãos Wright na invenção do avião moderno. Brasileiro é o pesquisador e físico César Lattes, que chegou a ser considerado nos Estados Unidos como um dos mais promissores cientistas jovens de nosso tempo. Brasileiros foram Oswaldo Cruz, os irmãos Almeida, Vital Brazil, famosos por suas pesquisas no campo dos problemas tropicais de medicina: pesquisas iluminadas por ideias ou hipóteses completamente novas. A do metabolismo do Homem Tropical, por exemplo.

A literatura brasileira, a arquitetura brasileira, e a ciência social brasileira, todas estão revelando sinais evidentes de criatividade da parte de brasileiros. De intelectuais ou de pensadores brasileiros.

Foi durante um longo período de permanência no Brasil tropical que Alfred Russell Wallace desenvolveu suas ideias sobre a biologia, que o fizeram rival de Darwin. Outros europeus e anglo-americanos viveram no Brasil vida de pensamento intenso e produtivo como cientistas de diferentes ramos da ciência nacional ou cultural. Lund, geólogo escandinavo; Grivet, filólogo nascido na Suíça; Hartt, dos Estados Unidos, também geólogo; Sigaud, francês, pioneiro na medicina tropical, que estudou no Brasil; Patterson, inglês, pioneiro no mesmo campo; Müller, alemão, naturalista. A literatura judia no continente americano nasceu no Brasil tropical com um poema escrito pelo rabino Aboab da Fonseca, que durante anos residiu no Recife. Parece que também os estudos teológicos e sociais dos protestantes, motivados pelos problemas de contato de europeus cristãos com os nativos dos trópicos, começaram no Brasil através dos protestantes franceses e suíços que se estabeleceram no Rio de Janeiro, no princípio do século XVI.

O Brasil talvez seja uma China tropical pelo seu poder de absorção de elementos exóticos. Mas encarado em relação a certos aspectos de sua civilização é uma contradição positiva à ideia clássica, seja de "China", seja de "trópico": espaços onde a vida humana se caracterizava pela inércia na sua forma mais passiva. Mitos que o Brasil vem desmentindo, sendo, entretanto, quase todo, situado em espaço tropical e assemelhando-se sob vários aspectos – a imensidão de territórios, por exemplo – à China.

I
Antecedentes europeus da história brasileira

Ao Brasil, país descoberto e colonizado pelos portugueses, dá-se às vezes o nome de América portuguesa. E com esse nome de América portuguesa é geralmente considerado extensão da Europa, tão português permanece ele nas suas principais características, português ou hispânico, para não dizer ibérico. Também católico, e como tal um ramo ou variante da forma latina de cristianismo ou de civilização.

Mas a verdade é que nem essas origens nitidamente portuguesas ou hispânicas, nem as suas raízes católico-latinas, fazem do Brasil simples e pura extensão da Europa como a Nova Inglaterra, da velha Inglaterra, e ainda, como a Nova Inglaterra, do cristianismo evangélico ou protestante que veio a predominar na América do Norte. E isso pelo fato universalmente conhecido de que a Espanha e Portugal, embora convencionalmente Estados europeus, não foram nunca ortodoxos em todas as suas qualidades, experiências e condições de vida europeias ou cristãs, antes, por muitos e importantes aspectos, parecendo um misto de Europa e África, de cristianismo e maometanismo.

Daí concordarem os geógrafos em que a península hispânica é uma zona de transição entre dois continentes; e daí ainda o dito popular, de que os nórdicos algumas vezes fazem uso tão sarcástico: "a África começa nos Pireneus".

Durante oito séculos a península hispânica, ou ibérica, foi dominada por africanos. Árabes e mouros deixaram ali fortes traços de si próprios. Ainda que alguns autores modernos, espanhóis e portugueses, como Unamuno, por exemplo, desejem a completa europeização da Espanha e Portugal, outros, como Ganivet, sustentam que é procurando o sul – e o sul é a África – que Portugal e Espanha encontram a chave do seu futuro e a explicação do seu *ethos*.

Esse conflito de opinião vamos encontrá-lo entre autores estrangeiros que se dão ao estudo da história social tanto quanto dos problemas culturais dos povos hispânicos. Enquanto uns, como por exemplo o alemão Schulten, acham que uma das tarefas da Europa seria anexar definitivamente a Espanha ao sistema de civilização europeia, outros, à maneira de Maurice Legendre, vão ao ponto de dizer que o elemento africano é um dos melhores e mais originais ingredientes da Espanha, e menos para ser repudiado com vergonha do que para ser reclamado com orgulho.

Legendre é um dos autores que destacam a semelhança entre a península hispânica e a Rússia como zona de transição, que representam, entre dois continentes: "Elle (Espanha ou Ibéria) est à la rencontre de deux continents comme la Russie".[1] E não somente, poderíamos acrescentar, entre dois continentes; entre dois climas, dois tipos de solo e de vegetação, duas raças, duas culturas, duas concepções de vida, dois complexos ecológicos.

E, como na Rússia, as concepções e condições antagônicas de vida dos hispanos – espanhóis e portugueses – não chegam nunca a um ponto de equilíbrio sem muito conflito. Mas sempre o processo de fusão, de acomodação, de assimilação, mostrando-se poder maior que o de oposição. De onde poder-se dizer que os portugueses e os espanhóis, da mesma maneira que os russos, por mais de

---

1 Maurice Legendre, *Portrait de l'Espagne*, Paris, 1923, p. 49. A situação da península hispânica como zona de transição entre a Europa e a África é certamente, sob muitos e importantes aspectos, igual à da Rússia, descrita pelo prof. Hans Kohn como "área em que o Oriente e o Ocidente se encontram pela sua história e pela sua natureza". (*Orient and Occident*, New York, 1934, p. 76).

um aspecto da sua vida social e cultural, revelam-se com a dupla personalidade do *Dr. Jekyll-Mr. Hyde*, que muito psicólogo tem estudado em certos indivíduos e muito sociólogo tem observado em certos grupos.

Isso não impede que, sob outros aspectos, russos e hispanos sejam não somente mais dramáticos, porém psicologicamente mais ricos e culturalmente mais complexos do que os povos sem aquela duplicidade de alma, que lhes desenvolve especial capacidade não apenas para suportar contradições mas para harmonizá-las. E essa capacidade é que os russos agora nos revelam de uma maneira impressionante e que é a mesma, diga-se, já revelada pelos portugueses e espanhóis nas fases mais criadoras da sua história; e entre os primeiros, como entre os últimos, revelada sempre através dos mesmos e clássicos métodos pelos quais indivíduos e grupos acabam resolvendo os seus problemas mais íntimos de personalidade.

De acordo com os modernos sociólogos e psicólogos sociais americanos, são fundamentalmente três as soluções conhecidas para esses conflitos: 1) rejeição, usualmente por repressão, de um elemento ou interesse, e a seleção de outro que lhe seja oposto; 2) cisão da personalidade em duas ou mais divisões, cada uma voltada para um interesse ou objeto particularmente seu; 3) integração, ou equilíbrio, de elementos antagônicos.

Ou muito me engano ou cada uma dessas três soluções clássicas é fácil de encontrar em uma ou outra das diversas fases do desenvolvimento social e cultural dos espanhóis e dos portugueses. A fase, porém, entre todas, que mais nos interessa é a que imediatamente precede a descoberta do continente americano e a sua colonização pela gente ibérica. É verdade que a preparação social e psicológica – preparação inconsciente – daqueles dois povos para tão enorme tarefa veio a custar-lhes oito séculos: os oito séculos de contato dos cristãos de Portugal e de Espanha com os árabes e os mouros que dominavam a península. Se houve, então, como diz Fernando de los Rios, épocas de luta e de intolerância, houve também "maravilhosos períodos de compreensão e de cooperação". "Basta recordar", escreve Rios, – "que os três cultos do século XIII – o cristão, o mourisco e o mosaico – eram celebrados num mesmo templo: o da mesquita de Santa Maria la Blanca de Toledo".²

Por outro lado, os períodos da dominação ortodoxamente católica de Castela sobre a chamada "totalidade hispânica" parecem ilustrar a solução – ou tentativa de solução – de coexistência de antagonismos étnicos e culturais pela rejeição ou repressão de vários elementos e seleção de um grupo étnico, ou de uma religião ou de uma cultura, tida como a perfeita ou ortodoxa: a Inquisição teria sido o instrumento mais poderoso usado pela Espanha para chegar a esse resultado. Apenas nem a centralização castelhana nem a Inquisição puderam reprimir certas diferenças ou neutralizar completamente o processo de acomodação, no campo cultural, ou o amalgamamento, no biológico e étnico. Os *mozárabes* (cristãos que viviam sob o domínio muçulmano), os *mudéjares* (mouros que viviam sob o domínio cristão) e os *cristãos-novos* (judeus completa ou superficialmente convertidos ao cristianismo) tornaram-se na Espanha, tanto como em Portugal, poderosos demais, e demasiado penetrantes, plásticos e fluidos, para deixarem que a vida social e cultural dos espanhóis e dos portugueses fosse dominada por um grupo único, nitidamente definido e que se considerasse a si próprio biologicamente puro (*sangre limpia*) ou culturalmente perfeito, segundo o padrão europeu ou o africano de pureza ou perfeição.

Bem dramáticas foram as lutas entre os que tinham o cristianismo latino como o seu ideal de perfeição e os adeptos fanáticos de Maomé ou de Moisés. Mas o resultado geral do longo contato dos espanhóis e dos portugueses com os árabes, os mouros e os judeus resultou antes em integração, ou equilíbrio, de elementos antagônicos do que em segregação ou diferenciação ostensiva de qualquer deles; ou em choques violentos entre eles. Os árabes juntaram à língua portuguesa e à espanhola rico vocabulário de arabismos, fato esse que leva a conclusões sociológicas nada desprezíveis. Uma delas é que, em ambos os idiomas, os arabismos parecem dominar o vocabulário latino quando se trata de termos científicos e técnicos de importância,

---

2 Fernando de los Rios, "Spain in the Epoch of American Civilization", *Concerning Latin American Culture*, New York, 1940, p. 24.

relacionados com a agricultura ou com a indústria extrativa. E certas expressões populares, como "trabalhar como um mouro", parecem explicar por que esta ou aquela parte da península considerada de "solo fértil" pelos autores árabes é considerada árida pelos cristãos. Um detalhe significativo é que na língua portuguesa a palavra para a árvore que dá a azeitona, *oliveira*, é de origem latina, enquanto a palavra *azeite*, de uso corriqueiro, e que serve para designar o produto comercial extraído daquela planta, é de origem árabe.

Outros exemplos poderíamos destacar de como árabes e latinos, cristãos e judeus, católicos e maometanos fizeram da cultura espanhola e da portuguesa ou, antes, da cultura hispânica (porque se trata realmente de subculturas), das línguas e dos tipos étnicos da Espanha e de Portugal, produtos mais ou menos harmônicos, mais ou menos contraditórios, de uma espécie da cooperação paradoxalmente competidora entre diferentes capacidades humanas, e talvez étnicas, e ainda, entre talentos diversos, culturalmente especializados; e até entre disposições antagônicas.

A diversidade regional proveniente das condições peninsulares do solo, da situação geográfica e do clima deve igualmente ser tomada em consideração por quantos se interessam pelos antecedentes do Brasil. Antecedentes europeus que não foram puramente europeus mas também africanos infiltrados na Europa hispânica; que não foram puramente cristãos mas também judaicos e maometanos; que não foram somente agrários (como poderia parecer pela importância dos senhores de terra nos primeiros dias de Portugal) mas também militares; que não foram somente industriais (como poderia sugerir o esforço técnico dos árabes e dos mouros) mas marítimos e comerciais, pelo lado dos nórdicos e dos judeus. Antecedentes notáveis não apenas pela capacidade para o trabalho duro, contínuo e monótono de uns, e pela sua inclinação, para a vida sedentária de campo, como pelo espírito de aventura e de cavalaria romântica de outros.

Na história dos espanhóis e dos portugueses, a diversidade das condições físicas apenas cede em importância à dramática diversidade dos elementos culturais e étnicos; e por ela é que se explica que forças enormes postas no sentido de uma absoluta uniformidade de cultura, de caráter e de vida – como a violenta centralização do poder político em Lisboa, ou em Madri, a Inquisição, a Companhia de Jesus, e, já muito depois da descoberta do Brasil, a ditadura, a um tempo eficiente e brutal, do marquês de Pombal – não pudessem destruir entre os portugueses as diferenças, a variedade, o espontâneo vigor popular e regional.

Decerto que essas forças uniformizadoras foram necessárias ao desenvolvimento da Espanha e de Portugal como potências colonizadoras, tanto mais que havia bastante vitalidade social em cada uma delas para não se tornarem estritamente ortodoxas ou católicas no sentido religioso ou social que queriam os jesuítas ou que pretendeu a Inquisição; e para não perderem, tampouco, sob a pressão de governos fortemente centralizados, a sua diversidade regional de vida e de cultura. E foi ainda boa coisa que nem sempre essas forças uniformizadoras agissem de acordo, mas às vezes se mostrassem antagônicas e entrassem em choque ou competição. Bom para a conservação de certas e sadias diferenças ou antagonismos que a Coroa estivesse contra a Igreja, por exemplo; e que a Companhia de Jesus estivesse às vezes contra a Inquisição. Porque houve um período em que os próprios judeus tiveram os jesuítas como protetores contra a poderosa Inquisição. E o fato é que, embora nominalmente expulsos, os judeus não desapareceram nunca da vida portuguesa.

Aubrey F. G. Bell, que tão profundamente estudou a história cultural dos portugueses, é quem nos cita de um viajante polaco, Sobieski, essas palavras, escritas em 1611: "Há em Portugal muitos judeus, em tão grande número que várias são as famílias portuguesas de origem judaica. Embora tantos deles fossem queimados ou expulsos, muitos vivem ocultos entre os portugueses".[3]

Quando nos séculos XVII e XVIII se tornou moda entre os homens da melhor sociedade usar óculos para se darem assim ares de sábios e de cultas, muito judeu astuto, dos sefárdicos, procurou disfarçar o seu nariz semítico debaixo de tais óculos. E tanto cristãos como judeus não parecem ter usado em Portugal anéis com pedras preciosas senão para mostrar o seu desprezo pelo trabalho manual.

---

3 Aubrey F. G. Bell, *Portugal of the Portuguese*, London, 1915, p. 4.

Esse costume ainda sobrevive no Brasil. A ostentação de nobreza pelos aristocratas portugueses, fossem cristãos ou judeus – porque os judeus de Portugal e de Espanha constituíram antes uma aristocracia do que uma plutocracia –, algumas vezes exagerou-se em formas grotescas, como, por exemplo, a de se associarem três aristocratas pobres para o uso de uma mesma e única roupa de seda, tendo dois deles que ficar em casa sempre que o terceiro saía com a indumentária de luxo.

Certo viajante refere-se a médicos judeus que para se disfarçarem melhor em cristãos, e melhor esconderem a condição judaica, prescreviam, na América portuguesa do século XVII, o uso da carne de porco aos seus clientes. E todos esses judeus se faziam notar pelos seus cuidados com o vestuário, mesmo os que trabalhavam de carreiros, ou faziam outros serviços humildes, como os vendedores sefárdicos de "pan de España", em Esmirna.

Não raro era o próprio rei de Portugal quem protegia os judeus do seu reino contra a rigorosa observância das leis em vigor, leis inspiradas mais num ideal de pureza religiosa do que de pureza racial. Esse ideal de pureza religiosa veio a ter considerável importância política na fundação e no desenvolvimento do Brasil como Colônia politicamente católica de Portugal.

Assim é que houve tempo no Brasil em que, à chegada de navios, iam frades ao encontro dos passageiros vindos de fora, não para saber da sua nacionalidade, nem para verificar a ordem dos seus papéis ou examinar a sua saúde física, mas para indagar da sua saúde religiosa. Eram cristãos? De pais cristãos? E até que ponto ortodoxos? Como se fossem autoridades de imigração ao serviço, ao mesmo tempo, do Estado e da Igreja, tais frades defendiam o país, não de doenças contagiosas ou de criminosos, mas de infiéis e de hereges. O herege era considerado inimigo político da América portuguesa: se fosse judeu teria que se disfarçar em cristão-novo, embora secretamente continuasse judeu; se protestante teria que se disfarçar em católico. Parece, entretanto, que, quando eram ricos os judeus, verificava-se considerável contemporização ou acomodação no ajustamento dessas diferenças religiosas. Foram os judeus elemento de notável influência na vida cultural e social de Portugal, não somente pela sua atividade comercial e pela sua capacidade para alargar os contatos cosmopolitas dos aventureiros cristãos lusitanos no começo dos seus empreendimentos marítimos, mas por outros motivos ou razões. Não devemos, contudo, esquecer que, para tais empreendimentos, os portugueses foram particularmente favorecidos pela sua situação geográfica, e que desde os primeiros tempos grandemente influiu sobre eles o mar. Alguns autores, referindo-se à porção do oceano Atlântico que fica entre a costa ocidental de Portugal e a linha que vai dos Açores à Madeira, dão-lhe o nome de "mar lusitano"; e diz Dalgado, especialista em geografia climática, que, tomado como um todo, o "mar lusitano" tem mais correntes do que qualquer outro mar da Europa – fato esse, acrescenta, que explicaria "a quantidade e a variedade de peixes que aí se encontram".[4] Kohn, outro especialista no assunto, há mais de meio século chamava Portugal "a Holanda da península ibérica", que também foi a comparação feita por Fischer, autor de um mapa que fixa a configuração da península hispânica.

Dalgado descreve Portugal como "o plano inclinado ocidental da península ibérica, pois que é a larga porção da sua superfície exposta aos ventos oceânicos, do lado ocidental, que lhe dá o clima diferente que tem".[5] Diferente não apenas do ponto de vista da geografia física, mas do ponto de vista cultural e histórico. Porque a história étnica e cultural de Portugal, a composição profundamente heterogênea da sua população, o seu cosmopolitismo comercial e urbano em oposição ao seu conservantismo agrário ou rural, tudo condiz com o Portugal "plano inclinado ocidental da península ibérica", de que fala Dalgado.

Para certos antropologistas, os iberos teriam sido os primitivos habitantes da península ibérica, havendo quem os descreva como mongoloides. Mas a verdade é que tantos foram os grupos invasores que se estabeleceram em Portugal – os ligúrios, os celtas e os gauleses, os fenícios, os cartagineses, os romanos, os suevos e os godos, os judeus, os mouros, os alemães, os franceses, os ingleses – que seria difícil achar um povo moderno de remoto ou próximo passado

---

4   D. G. Dalgado, *The Climate of Portugal*, Lisboa, 1914, p. 33.
5   Ibidem.

étnico e cultural mais heterogêneo. E deve-se acrescentar que antes mesmo da descoberta e colonização do Brasil já a população de Portugal se havia também mestiçado ao contato de numerosos negros[6] que ali penetraram como escravos domésticos, e ainda ao contato de índios orientais, que tanto se fizeram notar pela sua habilidade como entalhadores e ebanistas.

Não surpreende, pois, a diversidade de tipos antropológicos e culturais que se vê entre os portugueses. Alguns estudiosos do *ethos* português dão os fenícios, os cartagineses e os judeus como os primeiros animadores do espírito de iniciativa marítima que floresceu em Portugal, do século XIV ao século XVII. E admitem que os romanos tenham dado aos portugueses a estrutura fundamental da sua linguagem e de algumas das suas instituições sociais; e, por outro lado, que os mouros tenham deixado muito traço da sua influência, não somente nas instituições sociais, na linguagem, na música e nas danças de Portugal; mas também na sua cultura material – na arquitetura, na técnica industrial, na cozinha, na vestimenta popular.

A presença e a influência em Portugal dos cruzados franceses e ingleses, com o seu espírito de aventura e o seu desprezo pelo trabalho agrícola; a presença e a influência dos judeus, com o seu espírito comercial, e, como todos os judeus sefárdicos, com o seu desdém por qualquer espécie de trabalho manual, que compensavam com o seu excessivo entusiasmo pelas profissões intelectuais e burocráticas; as vitórias portuguesas sobre os mouros; as conquistas dos portugueses na Ásia e na África e a oportunidade, para a gente senhoril ou simplesmente cristã, de empregar no serviço da terra ou nas artes manuais a negros, a índios orientais e a mouros – todos esses fatores juntos parecem ter desenvolvido em grande parte da população portuguesa o espírito de aventura e os preconceitos aristocráticos que se descobrem nos primeiros portugueses que emigraram para a América.

Na América portuguesa esses preconceitos manifestaram-se em gosto pela ação militar, em amor ao fausto, à ostentação e também às ocupações burocráticas ou ao parasitismo, em atividades de escravo-

---

6 L. A. Rebelo da Silva, *Memória sobre a população e a agricultura de Portugal desde a fundação da monarquia até 1865*, Lisboa, 1865, p. 60.

cratas, dirigidas no começo contra os índios, mas logo depois concentradas na importação de negros para as plantações quase feudais que alguns dos primeiros colonos portugueses chegaram a fundar no Brasil. Felizmente para Portugal e para o Brasil, a aquisição desses novos hábitos não destruiu inteiramente nos portugueses de boa e antiga linhagem rural – nos chamados *portugueses velhos*, que haviam de ser o elemento humano básico da colonização agrária do Brasil – o seu tradicional amor da agricultura. Homens como Duarte Coelho e os Albuquerques trouxeram de Portugal para o Brasil, além do espírito de aventura, um lúcido sentimento de continuidade social e o gosto pelo trabalho longo, paciente e difícil.

Tinham eles o amor das árvores e da vida rural. Eram, por tradição, senhores rurais ou plantadores. Duarte Coelho descendia da nobreza agrária do norte de Portugal. O mesmo sucedia com sua mulher, d. Brites, que veio a ser a primeira mulher chefe de governo, na América. Da mesma região vieram para o Brasil numerosas famílias que acompanharam Duarte e d. Brites, algumas de parentes próximos do donatário ou de sua mulher. Vieram homens de prol e vieram lavradores. Os camponeses daquela região – região norte-atlântica – são em geral considerados pouco inteligentes; mas religiosos, com gosto pela música, com rompantes de alegria, pacientes e pés de boi no trabalho.

Os portugueses do velho tronco rural que vieram para o Brasil no século XVI ficariam, entretanto, incompletos ou unilaterais sem os chamados "inimigos da agricultura", cujos traços predominantes foram o espírito de aventura, o amor das novidades, a clarividência, o espírito comercial e urbano, o gênio prático. Os plantadores portugueses, com o seu profundo amor à terra e o seu conhecimento da agricultura, foram mais de uma vez enganados ou explorados no Brasil por aqueles compatriotas que se davam antes à aventura comercial e tinham a paixão da vida urbana – muitos deles, provavelmente, judeus. De certo ponto de vista, porém, esse antagonismo foi benéfico para a América portuguesa. Com o seu espírito de comércio os judeus urbanos tornaram possível a industrialização da agricultura da cana doce no Brasil e o êxito da comercialização do açúcar brasileiro. Por isto mesmo, esse antagonismo não deve ser olhado, pelos que estudam a história colonial do Brasil, unicamente como um mal – admitido que fosse um mal – mas como um estímulo à diferenciação e ao progresso.

Um dos melhores intérpretes da história econômica de Portugal, Antônio Sérgio, deixa claro, num dos seus ensaios, que a classe dos comerciantes portugueses, estabelecida no litoral, teve, com a cooperação do rei, papel mais importante do que os proprietários aristocráticos do interior na formação de uma política nacional, ou antes, internacional, de animação à aventura marítima, com sacrifício das necessidades ou interesses do interior do país. Esse fenômeno foi também cuidadosamente estudado por J. Lúcio de Azevedo, talvez a maior autoridade no que diz respeito à história econômica de Portugal.[7] E não faço senão resumir o que sugere Sérgio e o que explica Azevedo quando destaco a importância da precoce ascendência das classes comerciais na economia ou na vida de Portugal. Não é essa precoce ascendência fato para ser desdenhado nunca pelo estudioso dos antecedentes europeus da história social do Brasil.

Como lembra Antônio Sérgio, Lisboa acabou por ser o porto marítimo onde se fazia a junção do comércio do norte da Europa com o comércio do sul; e devido àquela tendência para o comércio marítimo e à importância dada pelos portugueses aos portos de mar é que o problema de povoar a parte sul de Portugal, onde a agricultura sempre dependera de difícil e custoso serviço de irrigação, foi cedo abandonado. Desde que o principal comércio da Europa, a esse tempo, era, como bem sabemos, de produtos orientais, os comerciantes portugueses de Lisboa, alguns deles judeus ou descendentes de judeus, logo tiraram vantagem da situação geográfica da cidade, e também do fato de não ser o feudalismo em Portugal tão poderoso como em outros países da Europa, para se tornarem senhores da política nacional. Transformaram essa política em corajosa aventura. Aventura cosmopolita, comercial e, ao mesmo tempo, imperial. Aventura realizada através de esforços científicos, ou quase científicos, para descobrir novas rotas de comércio, novas terras e novos mercados para serem

---

7   J. Lúcio de Azevedo, *Épocas de Portugal econômico*, Lisboa, 1929.

explorados. Aventura animada pelo ideal de Portugal cristão – oficialmente cristão – de converter populações pagãs ao cristianismo. Essas populações seriam, ao mesmo tempo, submetidas à condição de súditos, quando não de escravos, portugueses. O próprio rei de Portugal fez-se o "mercador dos mercadores"; e os funcionários do Estado outros tantos comerciantes.[8]

Como é sabido, nos séculos XIV e XV, com a irrupção dos turcos nos portos orientais do Mediterrâneo, para não falar em outras dificuldades, é que mais agudamente se fez sentir a necessidade de uma rota marítima para a Índia. Ora, nenhuma nação europeia estava em posição mais vantajosa para resolver tão grave problema do que o Portugal semieuropeu – nação tão precocemente marítima e comercial no seu programa político que já no século XIV o rei Dom Fernando promulgava leis de especial proteção ao comércio marítimo e de encorajamento à construção naval. O que viera servir mais à causa dos comerciantes do que aos nobres proprietários de latifúndios, especialmente os de terras ganhas aos mouros – terras necessitadas de irrigação, que, por exceder a capacidade econômica dos que não fossem muito ricos, não podia ser feita sem a ajuda real. Essa ajuda, parece que nunca se verificou. É que, negando assistência aos nobres, proprietários de latifúndios, os reis de Portugal talvez tivessem em vista o eficiente e definitivo desenvolvimento do poder real: a sua centralização. E esse desenvolvimento não seria possível ao lado de uma forte aristocracia rural.

Semelhante política, de indiferença, senão hostil, aos interesses do interior de Portugal, foi a política seguida por alguns dos seus reis de maior influência como Dom Fernando. Ela explica por que tantos nobres começaram a vir para Lisboa como candidatos a empregos públicos ou na Corte. E que, uma vez funcionários da *Coroa*, se convertessem em partidários entusiastas da aventura marítima, do comércio, das construções navais, chegando alguns a ser cooperadores, e de modo algum inimigos, de príncipes não de sangue, mas do comércio, quando foi aberta a rota marítima para a Índia, e quando, no Oriente, se criaram as colônias ou semicolônias de Portugal.

---

8 Antônio Sérgio, *A Sketch of the History of Portugal*, tradução portuguesa por Constantino José dos Santos, Lisboa, 1928, p. 88.

Alguns desses aristocratas, nomeados pela Coroa portuguesa para funções públicas nas colônias, vieram para o Brasil a fim de ocupar altas posições burocráticas ou altos postos militares. Outros chegaram à América portuguesa em missões especiais e que exigiam deles o melhor da sua experiência militar e da sua capacidade como chefes. No Brasil, eles viram-se entre forças mutuamente antagônicas, mas também cooperadoras, como o rei, a igreja, os judeus, o homem do povo, os hereges e os criminosos, políticos ou comuns, degredados por Portugal para a sua colônia americana.

Parece-me que alguns historiadores – entre eles, Sombart – exageram a importância dos judeus nos empreendimentos marítimos e coloniais dos portugueses, inclusive no desenvolvimento do Brasil como colônia produtora de açúcar. Não devemos, porém, cair no extremo oposto: o de desdenhar o papel dos israelitas no desenvolvimento cultural de Portugal e na forma francamente cosmopolita que tomou a sua política econômica desde o tempo de Dom Fernando.

Porque os reis portugueses e os príncipes judeus das finanças entendiam-se tão bem que, desde os primeiros dias da monarquia portuguesa, houve judeus arrecadadores reais de impostos; e sob alguns dos melhores reis, judeus sefárdicos foram ministros da Fazenda, médicos e astrólogos da Casa Real. Sob a real proteção portuguesa diz-se que muito comerciante judeu se encheu do orgulho e de vaidade, pondo borlas de seda nos seus cavalos e em tudo o mais deixando-se dominar pelo gosto de exibição de luxo.

E fácil é imaginar que rivais poderosos não haviam de ser dos capelães, dos confessores, dos conselheiros e dos educadores católicos do rei e dos nobres esses judeus feitos médicos, astrólogos ou arrecadadores da Casa Real. Tanto mais que nessa época o corpo do homem ia adquirindo de novo quase tanta importância como a sua alma; e astrólogos astutos mostravam-se hábeis em guiar um rei ou uma rainha, um príncipe ou um capitão por misteriosas regiões deste mundo e não apenas do outro – regiões algumas delas inteiramente desconhecidas dos mestres católicos de teologia.

Para os que estudam a história de Portugal do ponto de vista brasileiro é importante acompanhar as atividades dos judeus que vieram a relacionar-se com aquelas empresas marítimas e comerciais que encontrariam no açúcar do Brasil o seu principal objetivo de exploração. Desde o tempo do rei Sancho II, que tanto se interessara pelo desenvolvimento da marinha portuguesa, que os judeus – obrigados a pagar uma taxa, que tanto podia consistir em "uma âncora e um cabo de âncora com sessenta anas de comprimento, ou em dinheiro, isto é, sessenta libras", para cada navio que pelo rei fosse lançado ao mar – vinha concorrendo para o desenvolvimento de Portugal como nação marítima e comercial.

Os judeus controlavam, entre outros ramos de comércio, a provisão de alimentos, e mais de uma vez, segundo confessam os que melhor estudaram as atividades dos judeus em Portugal, inclusive J. Lúcio de Azevedo, foram os israelitas acusados – não se sabe se com ou sem fundamento de reterem essas provisões para valorizá-las em preço. Prática que não pode ser considerada peculiar aos portugueses dos séculos XIV e XV.

Segundo alguns autores, pela mistura da gente de Portugal com o povo semítico é que se há de explicar a capacidade que parecem ter os portugueses, mais do que qualquer povo da Europa, de se aclimatarem nas mais diversas regiões do mundo; e ao lado dos judeus, os mouros, que igualmente teriam contribuído para essa plasticidade do colonizador português.

Mas, contra essa generalização, pode-se citar um fato de considerável importância: é que a Nova Lusitânia – o Nordeste do Brasil – foi colonizada muito mais por homens e mulheres vindos do norte de Portugal, quer dizer, vindos de uma população que se faz ainda hoje notar pelo seu sangue visigodo-romano e as suas características nórdicas. Tais homens e mulheres, alguns deles pertencentes à pequena nobreza agrária, adaptaram-se perfeitamente ao clima tropical da região brasileira onde a cana-de-açúcar veio servir de base para uma revivescência de organização social quase feudal, com os escravos africanos a fazerem o papel de servos.

Talvez o clima português – um clima mais africano do que europeu – explique por que os portugueses, mais do que outros europeus, se adaptam facilmente às regiões tropicais. E também não nos devemos esquecer de que, durante as primeiras gerações de colonizadores das zonas tropicais do Brasil, essa adaptação fez-se sobre a fase do trabalho escravo: os portugueses não realizaram eles próprios os trabalhos mais duros de campo, deixados sempre, primeiro aos índios, e depois aos negros escravos.

Deve-se, contudo, dizer que não foi o Brasil que fez os portugueses mestres na arte de viver e, muitas vezes, de enriquecer à sombra da escravatura: quando começou a colonização do Brasil já Portugal estava cheio de escravos africanos – embora mesmo assim fosse tão-só uma miniatura do que sobre uma larga, monumental escala, viria depois a desenvolver-se no Brasil. Mas o fato é que, quando chegaram os portugueses ao Brasil, muitos deles já se mostravam uns voluptuosos, com uma aversão ao trabalho manual que, em grande parte, se explica somente pelo seguinte: terem tido eles, durante quase um século, o seu trabalho doméstico feito por escravos; e a parte mais difícil do seu trabalho agrícola feita, durante não um, mas vários séculos, pelos mouros.

Para os portugueses os mouros foram não somente trabalhadores agrícolas eficientes, sabendo transformar como por encanto terras áridas em verdadeiros jardins, mas um povo de cor escura, conhecido pelos cristãos e brancos nem sempre como servo, às vezes como senhor de larga parte da península ibérica. Portugueses do mais puro sangue nórdico encontraram em mulheres mouras, de cor parda, algumas delas princesas, a suprema revelação da beleza feminina. Mais de um historiador – e particularmente Roy Nash, cujo livro *The Conquest of Brazil* é um dos melhores que já se escreveram sobre o Brasil, do ponto de vista histórico-social – apresenta o primeiro contato dos portugueses ou dos espanhóis com os mouros como "tendo sido o contato de um povo vencido com conquistadores de pele escura". E "o homem mais escuro era o mais culto e de gosto mais artístico. Vivia em castelos e ocupava cidades. Era o rico; e daí os portugueses viverem como servos nas terras desses mouros. Em tais condições, devia ser uma honra para o branco casar ou misturar-se com a classe dominante, que era de gente parda".[9]

Pela interpretação, além de sociológica, antropológica da famosa lenda portuguesa da "moura encantada", chegaria eu à mesma conclu-

---
9 Roy Nash, *The Conquest of Brazil*, New York, 1926, p. 37.

são a que chegara Roy Nash: que a idealização, pelo povo português, da mulher morena, ou de moça ou mulher moura – feita o tipo supremo de beleza humana – deve ter tido grande efeito sobre as relações do colonizador lusitano com as índias, ou ameríndias, do Brasil.

Místicos e poéticos, cheios de idealizações em torno do seu passado, gostando das belas plantas tanto quanto das plantas comerciais e úteis, os portugueses romantizaram alguns dos seus bosques e das suas fontes, envolvendo-as em fascinantes lendas de princesas mouras. Assim o jovem que tem a sorte de descobrir e tratar bem o animal ou a planta em que se disfarça alguma bela princesa mourisca do passado, com ela se casará para ser rico e feliz a vida inteira. E em todas essas histórias e lendas sempre a moça morena, moura ou mourisca, é olhada como o supremo tipo de beleza e de atração sexual e os mouros considerados superiores e não inferiores aos portugueses puramente brancos.

Tais lendas ainda subsistem entre a gente rústica de Portugal que, em sua maioria, não sabe ler. As crianças portuguesas de todas as classes em geral crescem sob a fascinação dessas lendas e desses mitos não europeus ou não arianos. Daí poder-se bem imaginar a influência que haviam de ter as lendas mouras sobre os portugueses do século XVI: os que entraram em contato com os índios da América, outra gente de pele escura. A sua experiência histórica, o seu folclore, a sua literatura popular em prosa e verso – todas as vozes do seu passado já falavam aos portugueses de povos pardos ou morenos como nem sempre inferiores aos brancos.

As lendas significam uma força viva entre camponeses sem instrução como os de Portugal. São elas capazes de exprimir verdades mais efetivas e duradouras do que algumas das precárias e inconstantes meias-verdades com que se regalam os pedantes quando fazem de sábios. Entre camponeses com um rico folclore ou uma rica herança popular, à maneira do que acontece com a Espanha e Portugal, a falta de instrução não quer necessariamente dizer ignorância: há, para compensá-la, um fundo de natural sabedoria, de imaginação e de humor que não deve ser desdenhado nunca.

Pelas suas lendas, a maioria dos portugueses que descobriram e colonizaram o Brasil sabia que um povo de cor pode ser superior ao branco, como tinham sido os mouros em Portugal e na Espanha; e no seu longo contato com os mouros, considerados naquela parte da Europa, não raça inferior, mas gente superior em civilização ou em arte e ciência, muito haviam os portugueses assimilado dos usos e ideias do povo africano.

É possível que, através dos mouros, chegasse aos portugueses o gosto pela concubinagem ou poligamia, assim como a preferência pela mulher não só morena como gorda, eleita como o tipo ideal de beleza feminina. E mais: a tolerância e a consideração pelos mestiços. E ainda: a tendência para tratarem, os senhores, os escravos domésticos mais como se fossem agregados ou pessoas da família do que escravos. Enfim, os portugueses do Brasil conservaram muitos traços da influência moura na sua conduta ou no seu comportamento, que nunca foi estritamente europeu nem estritamente cristão. Influência fácil de notar, sobretudo no homem do povo, mas que, de modo geral, se observa nos portugueses de todas as classes.

Resta-me ainda alguma coisa a dizer quanto ao que deve o Brasil aos homens do campo, rústicos ou analfabetos, de Portugal. Desde os primeiros dias do século XVI foram eles o elemento básico para o desenvolvimento, na América portuguesa, de uma nova e vigorosa cultura, não meramente subeuropeia ou colonial, porém, brasileira. Daí vários observadores estrangeiros da vida de Portugal encontrarem-se de acordo com a opinião de James Murphy[10] que há dezenas de anos já considerava os camponeses analfabetos a flor ou a nata da nação portuguesa. E esses rústicos – poderíamos salientar – e não os nobres, os burgueses, os finamente educados, é que, através de séculos, vêm sendo a flor ou a nata da colonização portuguesa do Brasil.

Existe um grande número de anedotas e gracejos brasileiros a propósito dos portugueses do campo – do ar simplório ou rústico que eles têm, do seu atraso no que diz respeito ao progresso técnico, da lentidão e estupidez de muitos deles em contraste com outros europeus ou com os indígenas e os mestiços do Brasil – o *carioca*, o *caboclo*, o *amarelinho*. Nessas anedotas, o camponês não é necessaria-

---

10 *Travels in Portugal*, London, 1795.

mente o vilão. Ou antes: nunca é ele realmente o vilão de nenhuma anedota tipicamente brasileira. Em regra, à força de representar o português do campo sob a forma de homem ingênuo, senão infantil, e também potentemente sexual (como a imaginação popular supõe serem os rústicos ou os primitivos em contraste com os indivíduos verdadeiramente civilizados), a lenda brasileira acabou fazendo dele uma espécie de ridículo mas amável Falstaff. A caricatura simplesmente exagera a sua ignorância em face do progresso urbano e técnico a que, de fato, são naturalmente estranhos homens que sempre viveram em um país quase todo pastoril e agrícola como Portugal.

Desde o século XVI que os camponeses de Portugal vêm trazendo para o Brasil uma riqueza de lendas, de encantações, de cantigas, de literatura popular em verso e prosa, de artes populares; e através deles – desses camponeses e trabalhadores rústicos –, mais do que através dos eruditos ou dos homens de educação muito fina, é que os valores míticos ou populares dos índios e dos negros foram assimilados pelos portugueses da América e se tornaram, afinal, fonte de uma nova cultura: a cultura brasileira, de origem principalmente lusitana, com fortes elementos ameríndios e africanos.

Certos autores, dos que se ocupam superficialmente dos problemas de cultura, mostram especial tendência para exagerar a importância da alfabetização, como sinal de superioridade absoluta dos povos considerados civilizados sobre os rústicos.

Na verdade, ler e escrever são meios de comunicação muito úteis para as civilizações industriais e para formas políticas de organização democrática. Mesmo nesses planos, porém, estão esses meios de comunicação, ao que parece, sendo substituídos pelo telefone, pelo rádio e pela televisão. Em países como a China, a Índia, o México e o Brasil, as massas não têm hoje, provavelmente, a mesma necessidade de saber ler e escrever, como meios de se modernizarem, que tiveram as massas na Europa ocidental e nos Estados Unidos, durante o século XIX, e mesmo as da Rússia soviética no começo deste século.

Aubrey Bell, que conhece intimamente Portugal, escreve que "três vezes afortunados" são os que "se podem misturar e conversar com os camponeses de Portugal durante alguma romaria ou por ocasião de alguma festa de aldeia, ou sentar-se com eles, no tempo de inverno, em redor da lareira, ou quando se juntam para alguma grande tarefa comum, como seja uma tosquia ou uma *esfolhada* (separar a palha do milho da espiga), porque, com toda a certeza, hão de recolher uma bem rica provisão de folclore, provérbios e filologia". E mais adiante acrescenta: "pode-se dizer sem exagero que o povo português, com toda a sua colossal ignorância e ausência de instrução, é um dos mais civilizados e inteligentes da Europa".[11] Com essas palavras rende aquele historiador o maior tributo que o filho de uma civilização altamente mecânica e industrial como a da Inglaterra poderia render a um povo tantas vezes ridicularizado pelo seu atraso técnico e industrial como o português. Que esse atraso porém não é sinal de curta inteligência nem de raça inferior prova-se com a opinião dos que longamente estudaram o que é mais íntimo na vida e na história do povo português.

Nobres, reis, príncipes mercadores, doutores em Filosofia, advogados, médicos, padres, judeus sefárdicos, cientistas, todos contribuíram, cada um a seu modo, para a colonização portuguesa do Brasil. Mas, tornamos a dizer: nessa colonização a força criadora mais constante parece vir sendo a formada pelos camponeses analfabetos, alguns deles com sangue africano do norte: árabe, mouro e mesmo negro. E o resultado da sua obra, na América tropical, pode-se apresentar hoje ao mundo como um dos mais felizes esforços de colonização realizada, não tanto por europeus como por semieuropeus.

Logo no início da colonização portuguesa do Brasil fez-se sentir a presença do português de classe humilde nesse grande esforço colonizador. Documentos desse período, que já foram cuidadosamente estudados por pesquisadores idôneos, revelam que um bom número de portugueses fundadores de famílias paulistas – famílias que acabaram famosas pela sua obra de pioneiros nas regiões do Nordeste, do centro e das partes extremas do Sul do Brasil – eram artesãos e camponeses. Artesãos portugueses parecem ter vindo em número considerável no século XVI, indo estabelecer-se na Bahia, a primeira cidade de importância que surgiu no Brasil. Alguns deles

---

11 Bell, op. cit., p. 15.

recebiam, nesses dias remotos, altos salários. Logo depois, não só como artesãos mas como pequenos comerciantes, grande foi o número de portugueses do povo que afluiu a Pernambuco, onde se tornou rival da segunda e terceira geração dos descendentes dos nobres da terra, descendentes dos lavradores vindos do norte de Portugal, e a quem se deve – como já foi salientado – a fundação da indústria do açúcar no Brasil, com o apoio e a assistência dos judeus ricos.

Mais tarde, em 1620, duzentas famílias portuguesas chegaram ao Maranhão vindas dos Açores. Em 1626 outras chegaram ao Pará. E no século XVIII grande número delas é no Rio Grande do Sul que se estabelece. Não eram pessoas nobres, mas camponeses e artesãos, homens de origem humilde cujo êxito medíocre na colonização agrícola se explica pelo fato de ter prevalecido desde o século XVI o sistema feudal de agricultura latifundiária e escravocrata em largas áreas da América portuguesa, tornando-se impossível para eles, homens do povo que eram, sem capitais, prosperar como pequenos ou médios lavradores.

Mas, se os portugueses agricultores que se estabeleceram em Nossa Senhora do Ó e em outras partes do Pará, e os que ficaram na Bahia – nas plantações de Sinimbu, Engenho Novo, Rio Pardo – e ainda os do Rio de Janeiro, não obtiveram nenhum notável resultado na agricultura, também não devemos esquecer que ainda menos êxito tiveram, em zonas semelhantes, imigrantes irlandeses que, da mesma forma, se estabeleceram no interior da Bahia, assim como as famílias alemãs que, no começo do século XIX, vieram fixar-se no interior de Pernambuco. Foram todas essas tentativas um imenso fracasso.

A verdade, porém, é que logo que se puderam libertar do sistema feudal do domínio da terra, onde dificilmente havia lugar para um verdadeiro agricultor, ou para um pequeno lavrador independente, muitos daqueles portugueses, tendo fracassado por culpa do sistema econômico dominante em grande parte do Brasil rural, progrediram como artesãos ou comerciantes nas cidades do litoral. Outros chegaram a completo triunfo através, não só do comércio, mas de novas indústrias que criaram.

No seu interessante *New Viewpoints on the Spanish Colonization of America*, o prof. Sílvio Zavala diz-nos que Filipe II deu licença a agricultores portugueses para emigrarem para a América espanhola,[12] talvez – pode ser aqui sugerido – pelas condições mais favoráveis à pequena agricultura, em certas regiões da América espanhola, em comparação com as regiões principais da América portuguesa. Na opinião do prof. Zavala, a colonização de caráter militar foi a que se estendeu pela América espanhola. Mas deve-se notar que parte considerável da América portuguesa foi dominada do século XVI ao XIX por um tipo de colonização feudal que era mais hostil ao agricultor pequeno de tipo europeu do que o sistema puramente militar dominante em grande parte da América espanhola. E nas duas Américas hispânicas, a portuguesa e a espanhola, desenvolveu-se outro tipo de colonização exclusivista, cujos interesses não coincidiam com os do colono comum: o dos jesuítas, com a sua política de segregar os índios e mesmo de competir, na agricultura e no comércio, com os demais colonos, utilizando-se para isso, os bons padres, do trabalho servil dos índios que os simples colonos não podiam obter tão fácil ou livremente como eles, jesuítas, ainda que esses mesmos colonos contribuíssem para a manutenção dos missionários. Nessa situação de privilégio em que estiveram, contando com o apoio da maioria dos reis de Portugal e da Espanha durante a fase mais decisiva da colonização da América, os jesuítas realizaram uma obra valiosíssima no Brasil, como missionários e educadores; mas o seu sistema excessivamente paternalista e mesmo autocrático de educar os índios desenvolveu-se, às vezes, em oposição às primeiras tendências esboçadas no Brasil, no sentido de uma democracia étnica e social.

Esse fato – a possibilidade de desenvolver-se na América hispânica uma democracia ao mesmo tempo étnica e rural – foi claramente entrevisto por Las Casas, quando pretendeu estimular a colonização por agricultores – "que deviam viver cultivando as ricas terras das Índias, terras que os seus donos índios queriam voluntariamente dar-lhes", terras onde "os espanhóis se entrelaçariam com os indígenas, tornando-se os dois povos, pela sua união, uma das melhores comunidades do mundo, e talvez uma das mais pacíficas e

---

12 *New Viewpoints on the Spanish Colonization of America*, Philadelphia, 1943, p. 110.

cristãs".¹³ Foi também, o ponto de vista brasileiro, claramente percebido por José Bonifácio, líder do movimento que resultou na independência política da América portuguesa. Notou Bonifácio o perigo de uma política indígena isolacionista como durante certo tempo tinha sido a dos jesuítas no Brasil – perigo para o desenvolvimento dos brasileiros numa comunidade democrática –, aconselhando, por isso, a prática do cruzamento ou do mestiçamento e do que hoje poderia ser denominado interpenetração cultural. Sob a inspiração dessas ideias de José Bonifácio é que um plano compreensivo de tratamento dos índios pelo governo brasileiro foi adotado pelo imperador do Brasil em 1845.

Seguindo remota tradição que mergulhava raízes em ideias sustentadas por alguns reis e por vários estadistas portugueses, algumas vezes em oposição aos jesuítas, aquele plano não somente estimulava o casamento entre portugueses e índios, mas previa, ainda, as necessidades de instrução e de assistência: fornecimento de casa, instrumentos, roupas, remédios. Incluía também o direito do indígena adquirir terras fora das reservas.

Se os tipos privilegiados de colonização impediram a maioria dos portugueses, homens comuns ou do povo, que haviam emigrado para a América, de se tornarem conquistadores e donos das boas terras agrícolas situadas em áreas virgens, nem por isso ficaram sem meios de afirmar a sua energia criadora ou os seus "instintos" de aquisição. Afirmaram aquela energia e esses "instintos" através da sua atividade extraordinariamente procriadora de bons machos e bons polígamos, que foram muitos deles. Alguns tornaram-se famosos pelos muitos filhos que tiveram de mulheres índias, como, no século XVI, João Ramalho. Nesse ponto acabaram rivais, e, às vezes, triunfantes competidores daqueles fidalgos portugueses ou daqueles nobres como Jerônimo de Albuquerque, dos quais o gosto pela poligamia parece ter feito antes herdeiros das tradições mouras do que das tradições cristãs e europeias de moralidade sexual.

---

13 Ibidem, p. 110-111.

Tais excessos, de excelente proveito para o Brasil quando considerados do ponto de vista de uma colonização puramente quantitativa, nem sempre favoreceram o desenvolvimento de uma vida de família cristã na América portuguesa. Contra eles levantaram-se mais de uma vez as vozes não somente dos jesuítas mas ainda das autoridades da Igreja.

Todos os que se dão ao estudo da história social do Brasil sabem que, nesse estudo, como no das origens e do desenvolvimento social das demais nações modernas, muito falta para um completo conhecimento dessa história. Ainda é trabalho a fazer-se o que diz respeito à colheita de informações completas sobre a vida e a atividade da gente do povo e a influência que tem exercido sobre a economia ou a cultura humana. Igualmente incompletos continuam os elementos de informação sobre os grupos humanos que produziram as civilizações modernas.

Como já foi observado por ilustre estudioso de história social, o prof. Dwight Sanderson, as fontes de que se podem dispor dão quase sempre maior relevo às estruturas políticas e a quanto historicamente depende da prova documentária, quando não se cai no outro extremo, que é o caso dos que se dão ao estudo da mitologia e do folclore, dele fazendo a medida única para a avaliação das sobrevivências culturais e das vastas contribuições do povo para o desenvolvimento da cultura ou da civilização moderna. Por isso mesmo é evidente a necessidade de se refazer, sob critério ou ponto de vista sociológico, o estudo de alguns problemas da história, tanto da América como da Europa.

Portugal e a colonização portuguesa do Brasil precisam de um estudo sobre essa base: estudo que parta de nova avaliação da contribuição portuguesa para a civilização moderna. Contribuição essa, na sua maior parte, parece que devida mais ao comerciante, ao missionário, ao homem do povo, ao intelectual, ao cientista, à mulher que acompanhou o marido nas suas aventuras de mar afora, do que mesmo ao conquistador, ao chefe militar, aos estadistas, aos bispos e aos reis, ainda que, não o neguemos, Portugal, na sua fase mais criadora (isto é, durante os séculos XV e XVI), se tenha mostrado notável pela previsão, energia e capacidade de ação dos seus reis, dos seus príncipes e dos seus estadistas.

Durante os séculos XV e XVI, os portugueses – muitos deles empenhados no comércio – enriqueceram a civilização europeia não só com um grande número de plantas, mas de valores culturais e técnicos assimilados da Ásia e da África. A América portuguesa foi também beneficiada por eles. Pois tendo sido portugueses os negociantes que introduziram na Europa – os primeiros europeus que reintroduziram na Europa, depois que o Mediterrâneo perdeu a hegemonia no comércio intercontinental – o gosto pelo açúcar, pelo chá, pelo pudim de arroz, pela pimenta, pela canela, e também pela galinha-de-guiné, pela sombrinha, pelo chapéu de sol e pelo palanquim, pela porcelana do Oriente e pelo azulejo árabe, pela varanda à moda das Índias Orientais, pelas telhas convexas, pelas cornijas arredondadas, pelas casas de verão em forma de pagodes, pelos jardins e leques chineses, pelos tapetes e perfumes orientais, desde o começo do século XVI esses mesmos comerciantes principiaram a pôr o Brasil em contato com algumas dessas novidades e luxos orientais, e também com sedas e joias. Os portugueses foram os pioneiros do comércio internacional moderno entre o Velho e o Novo Mundo.

Os europeus do norte, para quem o banho diário é hoje rito indispensável de higiene pessoal, troçam dos campônios portugueses por não tomarem tanto banho como eles. Mas esquecem-se de que foram os navegadores e os comerciantes portugueses os primeiros europeus a trazerem do Oriente notícia do hábito quase anticristão e antieuropeu do banho diário e que na Europa, a princípio, e de uma certa maneira ainda hoje, tornou-se luxo só reservado, como no Oriente, às damas e aos cavalheiros mais finos.

Ainda que os portugueses sejam ridicularizados por usar palitos de dentes na mesa de jantar, foi entretanto o português que trouxe da China para a Europa a primeira porcelana para o chá elegante dos mundanos. E foram ainda os portugueses, provavelmente, os primeiros europeus a trazerem do Oriente para a Europa os tecidos de algodão das Índias Orientais, especialmente o madapolão, revolucionando dessa maneira os hábitos sociais e o comportamento cultural dos povos cristãos da Europa. Pois, como não ignoram os estudiosos da moderna civilização europeia, com a introdução do pano barato de algodão das Índias orientais propagou-se na Europa o uso das roupas internas, assim "melhorando a saúde e o asseio" das populações europeias.[14]

Dos portugueses partiu outra revolução social e cultural, esta no próprio Oriente. Foram eles que introduziram no Japão os jesuítas (inclusive o grande santo Francisco Xavier), os mosquetes europeus e possivelmente a sífilis. Também mapas, relógios, pinturas a óleo, lentes, a Bíblia.

Na Europa, os portugueses tornaram conhecida a sua nova colônia americana por meio de belas plantas como a primavera-noturna, e de madeiras úteis como o pau-brasil e o jacarandá; e ainda por frutos deliciosos como o ananás, sem falar no excelente tabaco da Bahia, nas castanhas-do-pará, na borracha do Amazonas, nas redes feitas pelos índios e nas plantas de propriedades medicinais como a ipecacuanha.

Logo depois da descoberta do Brasil, os portugueses começaram a estudar as plantas e os animais brasileiros, e especialmente costumes e alimentos ameríndios, com uma exatidão que os cientistas modernos muito têm louvado. E foram eles também que começaram a construir na América tropical casas de um novo tipo e com características extraeuropeias. Casas cuja arquitetura é uma combinação de modas asiáticas e africanas com estilos europeus. Foram ainda eles que começaram a desenvolver uma cozinha luso-brasileira, baseada em tradições europeias adaptadas às condições e aos recursos americanos e baseada também no conhecimento de plantas e processos culinários da Ásia e da África.

---

14 Shepard Bancroft Clough e Charles Woolsey Cole, *Economic History of Europe*, Boston, 1941, p. 263. Veja-se também Adolphe Reischwein, *China and Europe*, London, 1915, p. 61-67; James Edward Gillespie, *The Influence of Overseas Expansion on England, 1500-1700*, New York, 1920; Ramalho Ortigão, *O culto da arte em Portugal*, Lisboa, 1896; Edgard Prestage, *The Portuguese Pioneers*, London, 1934. Em *O mundo que o português criou* (Rio de Janeiro, 1940), o autor estuda a seu modo o assunto e indica novos aspectos da influência portuguesa na vida social e cultural da Europa, em consequência dos contatos portugueses com a África, o Oriente e a América.

Os portugueses contribuíram também para a introdução ou a vulgarização do açúcar do Brasil na Europa: o açúcar que tomou o nome de *mascavado* ou *muscavado*. Foram grandes disseminadores na Europa do uso do fumo ou do tabaco, que se fez hábito aristocrático entre os europeus. Como resultado do uso do tabaco – do tabaco do Brasil e de outras partes da América – parece que os europeus, em geral, e os portugueses, em particular, começaram a cuspir mais do que faziam antes; e bem significativo é o fato da palavra inglesa *cuspidor* vir do verbo português cuspir. Mas não foi essa a única palavra de origem portuguesa a propagar-se noutra língua moderna. Através da língua portuguesa, várias palavras sociológica ou culturalmente significativas, vindas da Índia, da África, da Ásia ou colhidas na América, ingressaram no inglês e em outras línguas europeias. Grande número de palavras de origem portuguesa ou asiática, africana ou americana, mas colhidas pelo português antes de qualquer outro europeu, indicam o papel importante que tocou a Portugal nos primeiros tempos de moderno comércio internacional: *bambu, varanda, caravela, tapioca, mandioca, pagode, craal* ou *curral, muscavado* ou *mascavado, molasse* ou *melaço, cobra, cobra-de-capelo, jararaca, jacarandá, casta, palanquim, caju, jaguar, samba, manga, Porto e Madeira* (tipos de vinho), *canja, cruzado* (moeda portuguesa mencionada por Shakespeare) – são algumas dessas palavras de que existem formas inglesas, ou francesas. São naquelas línguas portuguesismos ou brasileirismos. Este é também o caso de *valorização*. Esse recente "portuguesismo" ou "brasileirismo" da língua inglesa designa, como sabem os estudiosos de economia, uma técnica para a proteção comercial de produto ou artigo. Técnica que foi primeiro usada pelos brasileiros em relação ao café e daí em diante por outros povos em relação a vários produtos.

E quer me parecer que *pickanniny* vem, não do espanhol, como geralmente está nos dicionários e como o menciona H. L. Mencken, no seu *American Language*; mas da palavra portuguesa *pequenino*. *Formosa* (o nome da importante ilha oriental) é também palavra portuguesa e não espanhola. Essas palavras de certo modo demonstram a ubiquidade portuguesa antes da colonização do Brasil e ao tempo da mesma colonização; outras indicam a influência recente do Brasil no comércio, na economia ou na cultura internacional.[15]

Tratando dos antecedentes europeus da história do Brasil sob um ponto de vista sociológico, somos levados a concluir, um tanto paradoxalmente, que esses antecedentes não foram puramente europeus: foram também asiáticos e africanos. É outro aspecto da história social sugerido por algumas das palavras citadas.

---

15 Theodore Roosevelt introduz também na língua inglesa muitos nomes "brasileiros de animais, como "tamanduá-bandeira" e "piranha". Veja-se o seu *Through the Brazilian Wilderness*, New York, 1914, p. 165.

II
Fronteiras e plantações

A história do Brasil, desde o começo, deixou-se marcar por duas tendências que, aparentemente contraditórias, na verdade, de certo modo se completam. Refiro-me à mobilidade daqueles grupos que estenderam as fronteiras da América portuguesa para o Norte, o Sul e o Oeste, em contraste com outros tipos sociais, e talvez biológicos, de homens que por gosto de sedentariedade se estabeleceram próximo à costa do Atlântico, na parte que vai de São Vicente ao Maranhão. Esses já vieram de Portugal com recursos bastantes para se estabelecerem como plantadores de cana e donos de escravos, alguns passando a viver nas fazendas ou engenhos quase à maneira de senhores feudais.

Pode-se dizer que mais do que os exploradores de ouro foram senhores de engenhos e fazendas os fundadores *verticais* do Brasil. Foram os que mais profundamente se arraigaram à terra, construindo para eles mesmos, para suas famílias, e algumas vezes para os próprios escravos, não cabanas ou casebres de palha, mas sólidas casas de pedra e de tijolo. As mais importantes delas tomaram o nome de *casas-grandes*. E às casas dos escravos deu-se o nome de *senzalas*.

Construíram ainda esses grandes plantadores, com o mesmo nobre e resistente material das suas próprias casas, as suas igrejas ou capelas e os edifícios dos seus engenhos ou fábricas de açúcar, cercando-os por vezes de imponentes árvores de vida secular, trazidas da Ásia, da África, da Europa; palmeiras, mangueiras, jaqueiras; e, também, de animais nobres e úteis, importados de civilizações mais antigas: cavalos, vacas, bois, gatos.

Os fundadores *horizontais* eram homens móveis, migratórios. Ainda que heterogêneos, dominava a maioria deles um espírito de aventura e um amor à liberdade individual fortes demais para que se contentassem em ficar no litoral e viver confortavelmente perto das igrejas e dos edifícios públicos, pagando os impostos que eram logos cobrados dos colonos estáveis e prósperos pelos representantes da Coroa portuguesa. Nem tampouco lhes agradava viver à sombra de escolas mantidas por padres puritanos ou à sombra dos tribunais eclesiásticos – sempre ansiosos por descobrir heresia religiosa ou irregularidade sexual na vida dos colonos; e por puni-las imediatamente.

Penetrando até o extremo Sul ou o extremo Norte, indo até o Oeste, ou pelos sertões, em busca de ouro e de índios para vender aos plantadores como escravos, esses novos nômades escaparam à influência da organização feudal de economia e de família, tal como foi estabelecida na costa pelos colonos sedentários. Esses últimos não somente conservaram no Brasil a posição social que desfrutavam em Portugal, mas a tornaram mais elevada ainda, graças à rápida prosperidade da agricultura da cana e da indústria do açúcar nesta parte da América.

Enquanto a maioria dos homens nômades, ou "homens de fronteira", bandeirantes ou sertanistas, eram simples e até rústicos nos seus gostos e hábitos sociais e não tinham forma estável de arquitetura doméstica – apenas cabanas quase tão primitivas como as dos índios, cuja dieta e métodos de agricultura também copiaram –, alguns dos plantadores de cana, ou senhores de engenho, pelo contrário, não somente conservaram mas até refinaram no Brasil os seus hábitos senhoriais, com os recursos de que dispunham para manter casas aristocráticas e um regime de alimentação à europeia. Porque o fato é que muitos desses colonos, durante anos, de Portugal é que importavam os seus vinhos e a maior parte dos seus alimentos, e também as roupas mais elegantes para ambos os sexos.

Embora os outros, os que viviam à maneira de ousados pioneiros, gozassem na selva, ou nos sertões, de uma independência de ação que lhes dava maior liberdade, mesmo a liberdade pouco cristã de possuir muitas mulheres ou *cunhãs*, os senhores de engenho nada lhes ficavam a dever nesse particular, desde que, sem deixar suas próprias terras, podiam ter tantas mulheres de cor quantas desejassem, além das legítimas trazidas de Portugal ou com quem se tivessem legalmente unido no Brasil. É verdade que os padres ortodoxos, principalmente os jesuítas, denunciavam todos esses abusos ou irregularidades, e, do púlpito, pregavam contra eles.

Mas não se deve esquecer que uma das características do sistema a seu modo feudal ou aristocrático de plantação, na forma em que se desenvolveu no Brasil, foi o quase absoluto poder dos plantadores de cana-de-açúcar. Com os privilégios concedidos pelo rei, foram eles verdadeiros senhores feudais e desse modo incumbidos de defender as causas e os interesses de Portugal contra, de um lado, os índios, e de outro, as potências europeias rivais dos portugueses. Toda vez que um plantador agia *pro domo sua* estava agindo também em favor do poderio português na América. É o que explica que as casas-grandes se tornassem, mais mesmo do que os edifícios públicos, símbolos da estabilidade portuguesa na costa do Brasil. Tornaram-se também a expressão física de um novo tipo de poder feudal ou patriarcal, chegando, pela sua situação de isolamento e a sua autossuficiência, a ostentar um forte espírito de independência e até de rebelião contra a Coroa. Um espírito como que de republicanismo.

Os privilégios concedidos pela Coroa aos senhores de engenho explicam por que as casas-grandes acabaram não só mais importantes do que a maioria dos edifícios públicos, como mais importantes mesmo do que as catedrais, do que as igrejas particulares e do que os mosteiros puramente religiosos. Digo igrejas particulares porque toda casa-grande ou mansão tinha a sua igreja ou capela como parte do seu complexo arquitetural e social, com um capelão que dependia mais do dono da mansão ou senhor de engenho do que do bispo; e digo "mosteiros puramente religiosos" porque alguns mosteiros dos tempos coloniais rivalizavam, no Brasil, com as casas-grandes, parecendo existir menos para fins religiosos do que para exploração econômica da terra através da cultura da cana-de-açúcar feita por numerosos escravos que os monges ou as ordens religiosas possuíam. Porque a verdade é que algumas das poderosas ordens religiosas, entre as que tiveram parte ativa na colonização do Brasil, em vez de condenarem o regime feudal, ou quase feudal, da agricultura, pelos seus abusos anticristãos, aceitaram-no, vendo nele a força que haveria de dominar a vida colonial brasileira e a sua estrutura econômica e adaptando-se passivamente a esse domínio.

Outra prova da adaptação de frades e padres àquele regime, ou mais do que de adaptação, de reconhecimento do seu poder superior – materialmente superior – está no fato de que, ao contrário da América espanhola, a América portuguesa nunca se fez notar por catedrais que fossem suntuosas ou dominadoras. Elas teriam simbolizado bispos poderosos, uma poderosa igreja, um clero forte. E nunca existiu no Brasil colonial uma igreja realmente poderosa, ou um clero forte; nem houve bispos dominadores, desde que todo o plantador mais importante de cana-de-açúcar, ainda que católico piedoso, era, em relação à igreja, uma espécie de Filipe II: tinha-se na conta de mais poderoso que os bispos ou os abades.

Daí o sistema de plantação e o sistema jesuítico quase sempre andarem em conflito. Os jesuítas não admitiram tão facilmente como os outros a supremacia do sistema dos grandes plantadores sobre o sistema católico ou jesuítico. O grande sonho dos jesuítas no Brasil parece ter sido o de um regime ou sistema rigidamente teocrático, como a "república" que fundaram no Paraguai. E em um tal sistema, a casa-grande, com o seu harém e os seus outros abusos não menos ímpios, seria como uma mancha negra num vale angelicamente verde.

Desde, porém, que se reconheceram sem força para destruir ou desgastar tão poderoso sistema, como era o dos senhores de engenho, concentraram-se os jesuítas em desenvolver um sistema de educação que trouxesse sob a sua influência os filhos dos colonos ricos e também as crianças indígenas. E o fato é que, nas suas escolas, escolas que logo se fizeram famosas, o latim e a retórica que nelas se ensinavam tanto eram obrigatórios para os filhos de branco como para os filhos de índio.

Negros e mulatos não eram, entretanto, geralmente aceitos nessas escolas, razão por que não se deve contar o jesuíta entre as influências que favoreceram, no Brasil, o amalgamamento das raças e a democratização social e étnica da colônia. Esse tipo de democracia foi um produto direto da vida dos bandeirantes nas fronteiras e um resultado indireto do sistema aristocrático de plantação, pela forma em que ele veio favorecer o livre desenvolvimento da miscigenação à sombra das casas-grandes e dos engenhos e, depois, das cidades da região açucareira.

Por tudo o que se conhece hoje do sistema de cultura da cana-de-açúcar no Brasil, tão em contraste com as atividades dos homens de fronteiras, qualquer estudioso da história social anglo-americana pode concluir que o desenvolvimento da América portuguesa não se fez por processo muito diferente do que se verificou no desenvolvimento da economia ou da sociedade colonial dos Estados Unidos. E tanto assim que numerosas tendências e não menos numerosas formas de expressão do desenvolvimento da economia ou da sociedade brasileira nos fazem pensar nos dois mais importantes sistemas em que se desenvolveu a sociedade industrial anglo-americana e aos quais o prof. Ulrich B. Phillips atribui papel importante ou decisivo na formação ou no passado anglo-americano. Passado de que haveria de resultar o presente, com os seus recursos, a sua economia industrial, a sua organização social, todos os seus problemas, enfim.

O que esse historiador norte-americano escreve, de modo geral, a respeito do sistema de plantação dos Estados Unidos é como se escrevesse sobre as condições de economia e de vida no Brasil colonial: "o sistema de plantação – diz ele – desenvolveu-se graças à necessidade específica de satisfazer a procura mundial de certos produtos básicos difíceis de ser supridos sob o regime de trabalho livre. Proporcionando, o sistema de plantação, controle e direção eficazes para a mão de obra importada dos escravos, logo se fortaleceu, não somente das suas necessidades, mas dando forma ao sistema social e comercial, também ao político, de vasta região do país."[1] No Brasil foi

---

1 *Plantation and Frontier*, 1649-1863, Cleveland, 1900; *Documentary History of American Industrial Society*, Cleveland, 1910, I, p. 71 -72.

essa região mais vasta que nos Estados Unidos: durante algum tempo, foi quase todo o Brasil economicamente significativo e politicamente articulado.

Se no Velho Sul dos Estados Unidos foram o algodão e o tabaco que juntamente cresceram ao lado da escravidão negra, no Brasil, com a escravidão negra progrediu a cana-de-açúcar em primeiro lugar, e depois o café: progrediram juntos – o açúcar e o escravo ou o café e o escravo – em toda a vasta extensão do Brasil onde os plantadores – senhores de engenho ou fazendeiros – se tornaram também senhores políticos. E aqui, da mesma maneira que nos Estados Unidos, o sistema de monocultura não ganhou o Oeste senão para estender-se a novas terras e levar, por onde se foi estendendo, a escravidão e outras instituições até chegar a regiões como a de Mato Grosso, Pará, Rio Grande do Sul, onde plantadores e homens de fronteira se encontraram e se confundiram, desenvolvendo-se daí formas híbridas de economia e de organização social.

Ainda como nos Estados Unidos, nas zonas de plantação de cana do Brasil – nas mais ortodoxas em suas características feudais – a monocultura acabaria empobrecendo a terra e privando a população de produtos de alimentação. O que haveria de forçá-la a uma dieta terrivelmente deficiente, por mal equilibrada.

Os que viviam pelas fronteiras, ou pelos sertões, eram mais dóceis às leis da natureza tropical do que os plantadores. Não havia, é certo, nas fronteiras ou nos sertões, os refinamentos da zona agrícola, mas ali a vida, nômade que fosse, parecia mais saudável do que a sedentária dos senhores de engenho. Mesmo quanto à alimentação: entre certos senhores de engenho, por exemplo, era comum alimentarem-se do que importavam de Portugal, mas o alimento que vinha da Europa naquele tempo raramente deixava de chegar deteriorado. Ao contrário das primeiras gerações de plantadores, muitos dos quais trouxeram as suas mulheres de Portugal, e cujos descendentes casavam entre eles mesmos, a maioria dos homens que se tornaram tipos característicos de moradores dos sertões e das fronteiras do Brasil não eram portugueses puros, mas mestiços de português e índio: bandeirantes, paulistas, cearenses, todos descendentes de portugueses, de espanhóis, de franceses que fizeram de mulheres indígenas suas companheiras, tornando-se um tipo de pioneiro como dificilmente se encontra igual na América do Norte, salvo o mestiço do Canadá.

Em virtude da predominância desse tipo na exploração de novas áreas, a colonização do Brasil logo deixou de ser estritamente europeia para vir a ser um processo de autocolonização: um processo que haveria de tomar, depois da Independência, caráter nacional. Nas palavras do prof. Normano, esse processo quer dizer "o ajustamento dos territórios existentes à vida econômica da nação, a colonização nacional interna". O que parece certo se considerarmos essa nova fase da colonização brasileira um aspecto do fenômeno descrito por Turner como o de "fronteira móvel".[2]

Julgando-se os paulistas, os bandeirantes e os cearenses pelo que foram capazes de realizar num meio difícil como o tropical, eles surgem como a mais brilhante expressão de vigor híbrido que já se viu em qualquer povo da América. O prof. Hooton, antropólogo norte-americano, escreveu-me há tempos de Harvard para me dizer que, como estudioso dos problemas de hibridização, muito se interessava pela história dos paulistas. O prof. Hooton, que é um dos mais notáveis antropólogos do nosso tempo, não acredita que a tese da inferioridade física e constitucional dos mestiços possa ser levada a sério. Ele mostra, nas suas conferências e nos seus ensaios, que os cruzamentos entre raças nitidamente diversas, em alguns casos, produz híbridos semelhantes a um ou a outro dos seus ancestrais, mas, na maioria dos casos, apresentam-se os mestiços com uma combinação de traços derivados das raças envolvidas no cruzamento.

Às vezes, segundo o prof. Hooton, acontece saírem da tela dessas combinações tipos novos e aparentemente estáveis. O exemplo dos paulistas parece comprová-lo: os paulistas, considerados como resultado do cruzamento de espanhóis, de portugueses e, em pequena extensão, de negros, com ameríndios. Dão eles a impressão de se terem desenvolvido em um novo e estável tipo de homem ou de "raça" notável pelo seu vigor, a sua resistência, a sua capacidade de

---

2 J. F. Normano, *Brazil: A Study of Economic Types*, Chapel Hill, 1935, p. 2.

luta e pelas suas qualidades ou virtudes de pioneiro. O que também se pode estender aos cearenses e a outros tipos regionais do Brasil.

Os paulistas fizeram-se notar primeiramente pelas suas expedições à caça de escravos, conhecidas pelo nome de "entradas", e das quais voltavam trazendo índios puros que iam servir como escravos nas plantações. Chegaram a atravessar o Chaco através do rio Paraguai, indo até à Bolívia. Muitos deles atingiram mesmo as vizinhanças de Quito, no planalto do Equador, e dizem que uma pequena expedição chegou a cruzar os Andes.

É fácil adivinhar por que os paulistas entraram em luta com os jesuítas, cuja política no Brasil, tanto como no Canadá, era no sentido de segregar os índios por um sistema todo artificial de perpétua tutela paternal; e impedir ou desencorajar o cruzamento de brancos com os nativos, sob o pressuposto de que "a inteligência do índio é incapaz de alto desenvolvimento". Aliás, com esse ponto de vista dos jesuítas, alguns antropólogos modernos se acham de acordo; mas são raros. Entre esses raros estão os Whethams, por exemplo (William Cecil Dampier e Catherine Durning). Em *The Family and the Nation*, elogiam eles os jesuítas pela "sua considerável visão científica e pela sua sabedoria", como campeões da política de pureza racial no continente americano.

Outros antropólogos, porém, os que mais profundamente têm estudado o problema do índio americano e do mestiço, à maneira de Boas, Dixon, Hooton, Gamio, Mendieta Y Nunez e, entre nós, Roquette-Pinto, se fossem interrogados a respeito, decerto que não achariam nem de uma grande visão nem de uma grande sabedoria a política dos jesuítas, de rígida segregação dos ameríndios em oposição à coeducação de meninos brancos e indígenas, tal como foi praticada pela Coroa portuguesa no Brasil e pelos próprios jesuítas, nos primeiros anos de vida colonial ou sob a pressão de reis e estadistas portugueses. As primeiras gerações de paulistas, isto é, de mamelucos de São Paulo, não foram o resultado de nenhuma deliberada política mas a consequência da escassez de mulheres brancas ou europeias, escassez essa fácil de notar, no século XVI, por toda a parte do Brasil descoberto ou colonizado pelos portugueses. O velho espírito lusitano exaltado por Camões no seu famoso poema arrastou, como era natural que arrastasse, muito português ambicioso e de coragem às matas e aos sertões da América tropical, onde eram fáceis as mulheres índias. A poligamia acabou por se tornar uma compensação à dura vida que levavam esses intrépidos pioneiros.

A primeira virtude, já posta, aliás, em relevo por vários historiadores, do paulista ou do bandeirante típico, foi uma resignação que se poderia dizer quase fatalista. Muitos paulistas ou bandeirantes nunca voltaram do sertão: lá permaneceram, multiplicando-se em filhos mestiços e fundando povoados ou vilas que haviam de acabar cidades importantes das futuras províncias de Minas Gerais, Mato Grosso, Goiás e Bahia. Santo Amaro, por exemplo, foi fundada por um João Amaro, por muito tempo conhecido como o homem mais valente dessa região baiana.

Os paulistas passaram, depois de algum tempo, da simples captura de índios que escravizavam para uma conquista maior – a dos sertões; para o estabelecimento de colônias e cidades, para a descoberta de minas de ouro e pedras preciosas, e, ainda, para a repressão das investidas dos espanhóis, que ameaçavam invadir pelo Sul e pelo Peru o território tornado brasileiro pela ocupação dos pioneiros. Uma atividade complexa, já estudada por numerosos historiadores e geógrafos brasileiros, preocupados com o fascinante problema de como a América portuguesa veio a tomar tão largo espaço no continente americano: Teodoro Sampaio, João Ribeiro, Alcântara Machado, Afonso de E. Taunay, Basílio de Magalhães, Paulo Prado, Cassiano Ricardo.

Uma geógrafa estrangeira, a sra. L. E. Elliott, escreve que cada bandeira, nas fases por assim dizer heroicas do bandeirismo, foi uma cidade nômade, "uma comuna ligada por interesses comuns";[3] e Cassiano Ricardo, em ensaio sobre as bandeiras – páginas exageradas no seu entusiasmo, mas nem por isso menos interessantes e menos penetrantes, no seu estudo do assunto – observa, com muita razão, que as bandeiras, mais do que qualquer outra instituição, é que promoveram a democracia social e étnica tão característica do Brasil. Ao passo que o sistema de cultura da cana foi aristocrático na sua estru-

---

3 L. E. Elliott, *Brazil: Today and Tomorrow*, New York, 1917, p. 28.

tura – ainda que, considerado pelo da descendência mestiça dos senhores ligados a escravos, democrático, pois essa descendência fez as vezes, no Brasil, de classe média –, a bandeira é exaltada por Cassiano Ricardo e outros admiradores dos bandeirantes, como tendo sido movimento de caráter totalmente democrático. O sr. Roy Nash – outro agudo estrangeiro voltado para o estudo do assunto – procura explicar o êxito daquelas democráticas "cidades móveis", ou "comunas", dizendo que os bandeirantes, "como os bolchevistas", formavam uma minoria militante a que não faltava coesão ou solidariedade social para grandes esforços de cooperação.[4]

A obra realizada pelos paulistas e por mestiços brasileiros de outras regiões que se destacaram na história da "fronteira móvel" do Brasil permanece impressionante exemplo de capacidade do híbrido, não somente para a ação independente como para a cooperação ou ação interdependente. No Brasil, a "fronteira móvel" quis sempre dizer criação de novos estilos de vida e de novas combinações de cultura, capacidade essa que alguns nórdicos mais entusiastas dos tipos nórdicos e mais eloquentes na expressão do seu arianismo gostam de associar exclusivamente à história e à personalidade dos seus heróis brancos ou louros.

Mas por mais fascinantes que sejam as figuras desses primeiros "homens de fronteira" no Brasil, isto é, os bandeirantes, não nos devemos esquecer-se de que, enquanto eles aumentavam o território da colônia, não levavam as primeiras gerações dos plantadores de cana vida de todo fácil e melíflua. Os ataques dos ameríndios, dos piratas ingleses e franceses, e especialmente dos holandeses, muito prejudicaram a rotina da vida agrária no Brasil dos primeiros séculos coloniais. E não era tudo: tinham às vezes, os senhores, de sufocar rebeliões de escravos negros, ainda que essas rebeliões não tenham sido em nenhum tempo tão numerosas ou violentas no Brasil como em outras regiões da América, talvez porque o tratamento dado pelos portugueses, e, mais tarde, pelos brasileiros, aos escravos provocassem menos o desejo de rebelião da parte dos oprimidos.

---

4 *Nash*, op. cit., p. 104.

Outra não é a conclusão dos historiadores e sociólogos brasileiros que melhor têm estudado a história social da região agrária e escravocrata, pelos meios mais objetivos e imparciais de estudo. É a opinião, também, dos estrangeiros que melhores provas têm dado do seu conhecimento das condições da escravatura nas diversas regiões da América.[5] Um deles, o rev. Creary, missionário norte-americano, cujas notas sobre o sistema agrário do Brasil nunca foram totalmente publicadas, continuando em manuscritos na Biblioteca do Congresso, em Washington. Trata-se de opinião particularmente valiosa por ser de alguém conhecido pela sua atitude nada simpática aos costumes do Brasil dos dias patriarcais. Entretanto, não esconde que os escravos brasileiros da parte do sul do Império – a região que conheceu – "eram tratados razoavelmente bem (*"fairly treated"*), e gozavam, em regra, de mais liberdade do que era compatível com um serviço eficiente".[6]

Quanto aos escravos do norte do Império, A. R. Wallace, o famoso cientista e abolicionista inglês do século XIX, achou-os geralmente bem tratados "e tão felizes como crianças".[7] E Mme. Ida Pfeiffer, que visitou o Brasil por volta de 1840, e escreveu páginas notáveis pela sua agudeza de observação, deixou-nos esse depoimento sobre o Império, em geral: "Estou quase convencida de que, vista em conjunto, a sorte desses escravos é menos miserável do que a dos camponeses da Rússia, da Polônia, do Egito, e que não são chamados escravos".[8] Mas é um clérigo inglês, o rev. Hamlet Clark, que, a esse respeito, se exprime de modo mais radical. "Não é preciso", diz ele, "ir-se muito longe para encontrar na livre Inglaterra a verdadeira imagem da escravidão: *London Labour and the London Poor*, de Mayhew, *Oliver Twist*, de Dickens, *Song of the Shirt*, de Hood, e muitas outras obras, refletem um despotismo sórdido de corações de pedra que em nada dão a lembrar o bem mais humano coração dos proprietários de escravos brasileiros".[9]

---

5   Gilberto Freyre, "Social Life in Brazil in the Middle of the 19th Century", *The Hispanic American Historical Review*, 1922, V, n. 4, p. 597-628.
6   R. Creary, "Brazil Under the Monarchy" e "Crônicas Lageanas", 1886 (Manuscritos na Biblioteca do Congresso de Washington, DC).
7   *A Narrative of Travels on the Amazon and Rio Negro*, London, 1852, p. 120.
8   *Voyage Autour du Monde*, Paris, 1868, p. 18.
9   *Letters Home from Spain, Algeria and Brazil*, London, 1867, p. 160.

E outro viajante que conheceu o Brasil durante a maturidade do seu sistema de escravidão, isto é, na primeira metade do século XIX, W. H. Webster, achou os escravos do Brasil mais felizes do que poderia representar a imaginação de muito filantropo europeu.[10]

Investigação ou inquérito sobre as condições de trabalho nas plantações do Brasil realizado por uma comissão parlamentar britânica – comissão ansiosa por descobrir abusos – apurou, entre 1847-1848, que as leis que no Brasil regulavam o tratamento de escravos eram benignas: previam férias para os negros – férias que iam até trinta dias no ano; dava-se-lhes também o direito de realizar as suas festas e ganhar dinheiro para se libertarem eles próprios, ou conseguirem a sua alforria (manumissão). Tudo isso contrastava com as condições que reinavam nas plantações das Índias Ocidentais, onde os escravos eram comprados ou arrendados para deles se extrair rapidamente todo o lucro possível: aí nada lembrava o sentimento dominante entre os legítimos plantadores do Brasil em relação aos escravos, e que era o sentimento de tutela patriarcal. José Cliff, que compareceu perante aquela comissão parlamentar encarregada de estudar a situação dos trabalhadores nas plantações de café e açúcar, disse, no seu depoimento, que no Brasil – região que conhecia bem – a natureza humana rebelava-se contra a separação dos filhos pequeninos das mães escravas.[11]

Por outro lado, Koster, negociante inglês que viveu muitos anos no Norte do Brasil, no começo do século XIX, escreveu que o plantador europeu costumava adquirir a crédito os seus escravos, enquanto o brasileiro os herdava, nada o levando portanto a explorá-los para maiores benefícios.[12] Também Robert Southey, na sua *History of Brazil*, se refere a leis brasileiras que favoreciam a situação dos escravos.[13] Que consagravam práticas de tutela ou assistência patriarcal aos negros escravos.

---

10 *Narrative of a Voyage to the South Atlantic Ocean*, London, 1834, p. 43.
11 *British Foreign and State Papers*, LXII, p. 622, XXXII, p. 126; *Reports from Committees*, House of Commons, Session of 1847-1848, p. 201.
12 Henry Koster, *Travels in Brazil*, London, 1817, II, p. 183.
13 *History of Brazil*, London, 1822, p. 674.

À vista de todas essas evidências não há como duvidar de quanto o escravo nos engenhos do Brasil era, de modo geral, bem tratado; e a sua sorte realmente menos miserável do que a dos trabalhadores europeus que, na Europa ocidental da primeira metade do século XIX, não tinham o nome de escravos. Como costumava recordar aos seus alunos o meu velho professor da Universidade de Colúmbia, Carlton Hayes, chorava-se na Inglaterra só com ouvir-se falar da crueldade com que os escravos na Jamaica eram surrados; porém na própria Inglaterra maltratavam-se nas novas fábricas meninos e meninas ingleses de dez anos de idade; até em fábricas que pertenciam a oradores antiescravistas.

Não ponho em dúvida que alguns dos oradores antiescravistas do Brasil, quando já na velhice, chegaram a ver, em algumas das usinas modernas do país, condições de trabalho piores do que as por eles conhecidas no tempo da mocidade, em engenhos patriarcais de senhores de escravos. E vivessem ainda aqueles oradores e certamente concordariam com os estudiosos da história social do Brasil sobre esse ponto: que, visto em conjunto, o regime de escravidão nos engenhos e nas fazendas brasileiras no século XIX parece ter sido bem menos despótico do que a escravidão em outras regiões da América; e menos cruel – se se pode admitir grau na crueldade – do que o regime de trabalho na Europa industrial, durante os terríveis cinquenta primeiros anos do *laisser faire* econômico que veio logo depois da chamada Revolução Industrial. Menos cruel também do que o regime de trabalho que hoje se conhece em certas regiões do Brasil, onde as condições do trabalhador do campo constituem ainda problema sem solução.

Naturalmente que há uma como tendência para nos tornarmos sentimentais sempre que nos voltamos para os velhos tempos: essa tendência aparece nitidamente na atitude de alguns brasileiros, em relação ao sistema de plantação tanto como ao sistema monárquico de governo que manteve o Brasil como nação independente durante quase um século, sem se afastar da tradição política em que tinha vivido a colônia, do século XVI ao começo do século XIX. No Brasil, da mesma maneira que nos Estados Unidos, não querem certos historiadores e até sociólogos pintar a antiga vida rural do país senão idealmente cor-de-rosa; e ainda com essa mesma cor pretendem representar as condições políticas do Brasil durante a Monarquia ou o Império.

Os fatos, porém, mostram que houve muito sofrimento naquele tempo; e que bem longe estavam as condições de vida do tipo ideal que alguns imaginam. O que se chama higiene ou saúde pública, por exemplo, era um mito.

Apesar disso não é fácil ao historiador desfazer todas as lendas criadas em torno da vida dos antigos engenhos e da antiga monarquia, ainda quando não exprimam senão pura fantasia literária ou devaneio sentimental. É que os dois sistemas – o da plantação e o da monarquia – tornaram possível o desenvolvimento dos valores culturais e humanos que permanecem característicos do Brasil; e desse modo se impuseram ao reconhecimento nacional.

Seria absurdo, nos brasileiros de hoje, o desejo de voltar aos dias em que aqueles valores se impunham como os mais poderosos ou mesmo exclusivos. Porém igualmente absurdo seria negar que através deles os brasileiros tenham adquirido qualidades que nobremente os vêm distinguindo. Não constituem eles apenas um complexo feudal – complexo social e psicológico – que parece fazer de alguns brasileiros, descendentes da antiga aristocracia de donos de terras e escravos, uns arrogantes e uns sádicos; e de muitos dos descendentes de escravos, indivíduos desambiciosos e servis, com alguma coisa de infantil e mesmo de masoquista em sua conduta e em algumas das suas atitudes.

Não se deve esquecer contudo que nem o sistema de plantação nem o sistema monárquico implicaram jamais, no Brasil, rígidas gradações sociais; e sempre foi possível a homem de excepcional talento, por inferior que fosse a sua origem social, erguer-se às mais altas posições no sistema monárquico e aristocrático brasileiro. Era comum, entre os senhores de engenho, educar filhos mulatos, ou ilegítimos, dando-lhes a mesma instrução que aos legítimos desde que mostrassem talento ou gosto para as letras. Webster observou que no século XIX alguns dos negros mais inteligentes, pertencentes a senhores bons, recebiam a mesma educação que esses senhores davam aos próprios filhos, alguns deles fazendo carreira brilhante, depois de libertos.[14] Isso queria dizer que no Brasil nem o sistema de plantação nem o sistema monárquico se fecharam durante ao que hoje chamaríamos democracia social; muito menos à igualdade política. Qualquer tendência antidemocrática na política brasileira significa fato novo e contrário não somente aos pendores republicanos mas às próprias tradições desenvolvidas à sombra da monarquia e do velho sistema rural do Brasil.

Cada uma dessas tradições, tomada como um todo, era antes combinação de tendências democráticas e aristocráticas que pura expressão de tendências ostensivamente despóticas, autocráticas, ditatoriais. Essas foram, talvez, mais características de algumas das repúblicas da América espanhola, nas suas fases de caudilhismo, do que do Brasil monárquico e aristocrático, onde o sistema de plantação parece ter atuado sempre como poderosa oposição como que republicana a todo o excesso autocrático e centralizador da Coroa e onde a Coroa parece ter sempre servido de freio aos excessos de certo modo autocráticos – feudalmente autocráticos – dos grandes proprietários de terras e de escravos.

O resultado é que se criou para o Brasil com essa rivalidade entre forças que quase se equiparavam em autoridade – cada qual neutralizada, senão respeitada pela outra – um clima político mais saudável do que o das repúblicas das Américas espanhola e francesa, nas quais, sob o nome de presidentes, caudilhos e ditadores, generais e aventureiros puderam às vezes exercer durante anos e anos o mando absoluto. Mando por alguns exercido sadicamente.

Decerto não é minha intenção diminuir as repúblicas da América espanhola que tiveram os seus caudilhos, para exaltar o Brasil, cujo sistema monárquico de governo, combinado com o seu sistema aristocraticamente agrário, exclui, ao meu ver, o caudilhismo da América portuguesa. Mesmo porque teriam algumas daquelas repúblicas espanholas da América direito de rir-se do Brasil republicano – um Brasil que não conheceu caudilhos reais durante o século XIX, mas que viria a conhecer o caudilhismo depois da República de 1889: Pinheiro Machado, por

---

14 *Webster*, op. cit., p. 43.

exemplo, foi um caudilho e em tempos bem recentes. Mesmo durante a monarquia do Brasil – é verdade que excepcionalmente – houve um quase caudilho de luxo como primeiro ministro. Embora usasse fraque, e não uniforme militar, e não tivesse tentado fechar o Parlamento imperial, mostrou-se intolerante em divergências políticas e reduziu os partidos a grupos insignificantes. Quero referir-me ao marquês de Paraná, que foi mais imperial na sua ação do que o próprio imperador. Mas constituiu exceção. E, embora autocrata, era um autocrata que tinha a sua elegância; não se extremou nunca em um caudilho vulgar.

Quase sempre os chefes do governo brasileiro durante a monarquia saíram das mais antigas regiões de plantação do Brasil – Bahia, Pernambuco, São Paulo, Rio de Janeiro – e foram, alguns deles, verdadeiros estadistas e não simples políticos. Houve até os que se tornaram campeões de grandes reformas democráticas, como Joaquim Nabuco. Pela voz desses estadistas é que muitas vezes se exprimiu a opinião popular ou o sentimento democrático. De onde ousar eu dizer, embora a muitos venha a parecer um paradoxo, que o regime monárquico e aristocrático do Brasil, tal como se constituiu durante a época áurea dos senhores de engenho, foi mais favorável a um estado de vida pré-democrático do que os regimes ostensivamente liberais de algumas das repúblicas hispano-americanas do século XIX, dominadas por caudilhos e atormentadas por frequentes revoluções.

Quem quer que estude o sistema social brasileiro baseado na monocultura latifundiária e escravocrata é tentado a compará-lo com sistemas semelhantes de outras regiões da América; e mais particularmente com o do Sul dos Estados Unidos. Esse sistema na América anglo-saxônica teve provavelmente estrutura aristocrática mais rígida, do ponto de vista da "superioridade" e "inferioridade" de raça, do que no Brasil, onde tais preconceitos nunca foram tão fortes como entre os anglo-saxões.

Houve preconceitos de raça nas áreas de monocultura latifundiária do Brasil; ou, o que é natural, distância social entre o senhor e o escravo, entre o branco e o preto. Mas como existe entre o velho e o moço, o homem e a mulher. Poucos aristocratas brasileiros foram jamais tão rigorosos em matéria de pureza racial como a maioria dos aristocratas do Velho Sul dos Estados Unidos.

O orgulho de família foi entre nós mais forte do que o orgulho de raça. E no sistema brasileiro as mulheres foram provavelmente mais oprimidas pelos homens do que no Velho Sul. Houve, contudo, exceções: casos de mulheres que exerceram, em vez dos maridos ou na falta deles, a direção da casa ou do engenho ou da fazenda. O meu avô paterno, quando rapaz, conheceu uma dessas mulheres extraordinárias. Chamava-se d. Felícia – e os escravos, os filhos, e também o marido eram conhecidos como escravos, filhos e marido de d. Felícia. Ela trazia sempre consigo um chicote para castigar não só os filhos e os escravos, mas até – sussurrava-se – o próprio marido. Casos como esse, porém, devem ser considerados excepcionais.

Os elementos que compuseram o conjunto social nos engenhos ou nas fazendas patriarcais no Brasil foram, praticamente, os mesmos que caracterizaram o conjunto patriarcal e quase feudal nas plantações do Sul dos Estados Unidos. A boa cozinha foi, naturalmente, um deles.

A "trindade de figuras", por exemplo, sugerida por Taylor, antigo governador de Tennessee, para um monumento em memória do Velho Sul dos Estados Unidos, poderia um escultor brasileiro utilizá-la para um monumento semelhante dedicado ao Velho Norte patriarcal do Brasil. E poderia ainda essa ideia estender-se mesmo a uma glorificação não simplesmente regional, mas geral, da "Velha Plantação" no continente americano – glorificação que alcançasse não somente o Norte do Brasil, mas todas as outras zonas ou regiões das Américas hispânica, anglo-saxônica, francesa e holandesa, onde floresceu o sistema a que os europeus chamam "grande plantação". Porque a "trindade de figuras" como a sugeriu o governador Taylor – representada pelo "velho e cortês plantador bem-nascido e elegante no porte e nas maneiras"; assim como pelo "tio da plantação, a contraparte em ébano do senhor a quem tão lealmente servia"; e pela "mãe-negra de vastos peitos, com o seu turbante de cores vivas, o seu avental limpo e a sua face alegre, amiga de quantos viviam na casa-grande ou nas choupanas" – corresponde a uma tradição comum a todas as áreas de plantação aristocráticas da América.

Decerto que ao lado de excessiva idealização do passado nota-se excesso de simplificação na ideia do governador Taylor para um monumento desses, como se o sistema de plantação da América não tivesse sido alguma coisa de mais complexo, com os seus lados agradáveis mas também com outros, bem ásperos. Mas a "trindade de figuras", essa existiu no Brasil tanto como no Velho Sul dos Estados Unidos.

O prof. Francis Pendleton Gaines, no seu livro *The Southern Plantation*, publicado em Nova York em 1938 – três anos depois da minha primeira tentativa para caracterizar o regime de plantação do Brasil –, refere-se a outros tipos igualmente importantes ligados ao sistema ou ao conjunto no Sul dos Estados Unidos: "a sinhá-moça de Dixie"; "o senhor-moço"; "o protótipo do menestrel negro".[15] O prof. Thompson menciona o "cocheiro";[16] o prof. Cotteril refere-se ao "feitor, universalmente detestado pelos escravos".[17] Do ponto de vista brasileiro, gostaria de ver incluído, num monumento à plantação, a senhora de engenho, o escravo do campo, o moleque, companheiro paciente e às vezes masoquista do senhor-moço; e, ainda, a mulata que, no Brasil, ficou sendo chamada a *mucama*: a companheira da senhora branca. Tal monumento talvez viesse a ficar muito sobrecarregado de figuras para constituir verdadeira glorificação de heróis do passado, embora de acordo com alguns arquitetos e filósofos sociais modernos assim devam ser todos os monumentos: a glorificação de grupos heroicos e não de heróis individuais.

Como no Sul dos Estados Unidos, também no Brasil nem todos os senhores de terra eram "corteses", "bem-nascidos", ou "elegantes no porte e nas maneiras". A diferença que o prof. Gaines, no erudito ensaio já mencionado, faz entre a vida agrária do Sul dos Estados Unidos, vista através da lenda e vista na sua realidade, é igual à que se deve fazer em relação às zonas de plantação do Brasil, onde não faltam, da mesma maneira, apologetas literários para pintarem o passado regional em cores sempre muito róseas. Conforme já uma vez sugeri, em ensaio sobre a vida rural do Brasil, nem todas as casas dos donos de fazendas, mas somente uma minoria delas, foram, do ponto

---

15 Gaines, op. cit., p. 15.
16 Edgar T. Thompson, "The Plantation: Physical Basis of Traditional Race Relations", em *Race Relations and the Race Problem*, Durham, NC, 1939, p. 214.
17 R. S. Cotteril, *The Old South*, Glendale, AZ, 1939, p. 268.

de vista arquitetônico, verdadeiras mansões ou casas verdadeiramente grandes, onde o alimento abundante e do melhor era a regra, em vez de exceção.

Por outro lado, nem todos os plantadores de cana-de-açúcar eram honestos e nobres. Alguns misturavam terra ao açúcar. Outros eram grandes beberrões, e não de finos e velhos vinhos, mas de rum ordinário ou de cachaça. Havia os que eram jogadores, como também os que viviam sempre endividados, quase tudo ignorando dos seus negócios, das suas rendas exatas, do seu número de escravos – tudo à semelhança do coronel Dangerfield, o herói do *Westward Ho!*, de James K. Paulding. Quanto aos filhos das grandes famílias, nem todos chegaram a estadistas, oradores, bispos, generais ou almirantes; muitos deles atingiram a velhice sem outro maior interesse do que a paixão pelos cavalos, pelas negras e pela briga de galos. Na região de engenhos do Brasil, como na do Sul aristocrático dos Estados Unidos, a paixão pelo cavalo, embora não houvesse hipódromo, não era mero desporto: constituía quase instituição sagrada. A caça era outra instituição e não simples divertimento.

E, à maneira dos Estados Unidos, na região do Sul, tal como a descrevem Phillips, Gaines e Thompson, também nas zonas de plantação do Brasil a base econômica da vida social feudal era precária e incerta. Tanto aqui como lá, o estado econômico que prevaleceu, entre os plantadores, no Brasil, de cana-de-açúcar, depois entre os de café, nos Estados Unidos, de tabaco e algodão, caracterizou-se sempre, nos tempos da escravidão, por extrema prodigalidade, grande desaproveitamento da fertilidade do solo e ignorância de métodos agrícolas científicos, ao lado de trabalho em geral pouco eficiente. Estado econômico que tanto aqui como no Velho Sul culminou frequentemente no que o prof. Gaines chama "bancarrota, com o fracionamento das fazendas e, algumas vezes, emigrações para o Oeste". No Brasil, quando o plantador perdia as suas safras, empobrecendo-se, ordinariamente emigrava para uma das cidades do litoral, onde passava a ter vida anônima numa qualquer função pública secundária. Os filhos daqueles plantadores ou senhores de engenho que empobreciam mais lentamente foram-se tornando advogados, juízes e médicos em cidades remotas.

Nos engenhos muitas eram as festas que davam motivo à reunião de numerosas famílias rurais. O dia de S. João era certamente o maior dia do ano entre os brasileiros da zona de açúcar, pelo menos para os mais antigos e os mais típicos dentre eles. Havia danças à moda europeia no interior das casas-grandes, e o que existia de prata – que era luxo comum – e de cristais aparecia então em todo o seu brilho ou esplendor; enquanto, fora, corriam animadas as danças dos negros, principalmente o samba, que se faziam à roda de vastas fogueiras – as fogueiras que se queimavam em honra de São João e para afugentar Satanás da casa. Eram festas em que muito se notava a fartura de alimentos, especialmente de bolos, sobretudo os de milho. A noite de S. João era para os engenhos brasileiros como a noite de Natal para as plantações do Sul dos Estados Unidos.

Uma das tradições portuguesas da noite de S. João, como ela se celebrava antigamente no Brasil, era a da pessoa banhar-se e lavar-se. Havia um banho especial: o banho de S. João. Especial porque os brasileiros sempre foram amigos do banho; às vezes de mais de um banho por dia, coisa que os viajantes estrangeiros do século XIX logo vieram a notar nas zonas de engenho. Warren, norte-americano que esteve no Brasil pelo meado do último século, confessa que, ao desembarcar, o primeiro espetáculo que lhe chamou a atenção foi o do grande número de pessoas de ambos os sexos e de todas as idades – gente do povo – que viu tomando banho de rio. E refere ter visto "várias índias benfeitas de corpo e de notável beleza que mergulhavam na água como um bando de nereides felizes".[18] Os aristocratas não se mostravam assim pagãos: tinham os seus banheiros reservados, cobertos de palha, em rios que eram quase como rios seus, espécie de rios particulares das suas plantações. E aí somente é que as sinhás e sinhás-moças se banhavam diariamente e nadavam, parecendo também outras nereides felizes. Porque a natação foi outro desporto característico das zonas de plantação.

---

18 John Esaias Warren, *Pará; or Scenes and Adventures on the Banks of the Amazon*, New York, 1851, p. 9. Veja-se também Gilberto Freyre, "Social Life in Brazil in the Middle of the 19th Century", op. cit., p. 626.

Ainda entre as grandes festas da vida de engenho do Brasil estavam as de casamento, como no Velho Sul dos Estados Unidos. Poderiam ser acrescentadas às festas de casamento e às de batizado as do dia em que o engenho começava a moer: a botada.

O dia da botada celebrava-se sempre com uma cerimônia religiosa. Depois festa, dança, comida, bebida, saúdes cantadas. O capelão do engenho ou mesmo um padre de fora ou um frade ungia com água-benta as primeiras canas a serem moídas.

Notável ainda, como característica da vida desses engenhos, era a hospitalidade que neles comumente se via. É provável que no Brasil, como no Sul dos Estados Unidos, o orgulho dos grandes plantadores – isto é, dos mais ricos – em manter mesa bem provida onde os hóspedes fossem fartamente servidos não significasse simplesmente "dissipação ostensiva" do tipo tão bem descrito pelo prof. Veblen, mas também manifestação do chamado instinto gregário, intensificado neles pelo isolamento. Visitantes de todas as categorias podiam sentar-se à mesa de um senhor de engenho, barão que fosse, e ter uma cama num dos seus quartos de hóspedes.

Aliás, à sombra de tão generoso acolhimento é que veio a desenvolver-se no Brasil um tipo particular de parasita – o *papa-pirão* – isto é, gente que andava de um a outro engenho, regalando-se com o que lhe ofereciam. Gente que não fazia nada senão conversar, fumar e jogar cartas. Houve parasitas deste tipo que acabaram não sendo de todo parasitas: os que faziam, em ponto pequeno, o papel de bobos de corte ou os que se tornavam famosos pelo seu humor, pelos seus ditos, pelas suas anedotas. Porque alguns plantadores brasileiros é como se imitassem os reis de outro tempo: tinham os seus bufões particulares e os seus jograis; às vezes mantinham mesmo palhaços e acrobatas, além de uma banda de música do engenho composta de negros.

Uma instituição do sistema brasileiro de grande plantação, a meu ver sem equivalente no Sul dos Estados Unidos, foi a do capelão particular. O capelão do engenho era como um membro da família patriarcal, na mesma posição de um tio solteirão ou de um velho avô viúvo. Ou era mais isso que um padre rigidamente sob o controle de seu bispo. Estava antes sob o controle do senhor de engenho que, algumas vezes, pagava generosamente o capelão pelos seus bons serviços. Não cuidava esse somente das atividades religiosas ou devotas de brancos e escravos, mas era também o mestre particular dos meninos da casa-grande, quem lhes ensinava a gramática, o latim, a história sagrada, quem os instruía para a escola militar ou naval, para o estudo do direito, para o seminário ou para a escola de medicina.

Sob o sistema patriarcal brasileiro essas eram as carreiras nobres: o exército ou a marinha, o governo, a diplomacia, a administração pública ou a advocacia, a igreja ou o sacerdócio; e, para os mais progressistas, a medicina. Graças aos estímulos do imperador, a Imperial Academia de Medicina chegou a dar aos que se titulavam por ela tanto prestígio social como as duas tradicionais escolas de direito do Recife e de São Paulo.

Toda a família em cada geração tinha que dar um padre; a falta de um padre na família era, do ponto de vista social, quase uma desgraça. As famílias eram então numerosas – dez, doze e até quinze filhos, às vezes de uma só mãe; ou doze, quinze e vinte, senão até mais, quando os senhores aristocratas se casavam mais de uma vez, o que não era raro. Daí não ser difícil haver pelo menos um entre tantos filhos com real inclinação para padre ou para frade. Mas quando acontecia não existir essa inclinação, o caçula era às vezes destinado a ser padre ou monge, mesmo contra a sua vontade. Isso explica o grande número de padres e frades do Brasil patriarcal, sem que na realidade mostrassem todos eles vocação para essa carreira. Trata-se de uma situação pela qual não seria justo responsabilizar principalmente a Igreja, que talvez aceitasse tais sacerdotes involuntários para conservar um clero formado de filhos da aristocracia territorial ou escravocrata. O sistema de monocultura latifundiária e patriarcal que dominou o Brasil até quase aos nossos dias é que parece ter sido o responsável principal por essa aliança entre as grandes famílias patriarcais e o altar.

Embora as famílias descendentes da velha aristocracia rural do Brasil não sejam hoje tão numerosas como no tempo da escravidão, continuam, entretanto, nas áreas de maior apego à tradição, grandes famílias. Um sociólogo norte-americano, em recente estudo, baseado em pesquisa estatística, chega à seguinte conclusão: que a tendência quanto ao tamanho da família brasileira é "inteiramente diversa da que em regra, nesse particular, se nota, quanto aos Estados Unidos e à Europa ocidental. As famílias em situação de bem-estar e de melhor educação são substancialmente mais numerosas quanto ao número de filhos, do que as classes baixas".[19] Segundo o mesmo investigador, não só o número de filhos vivos do agricultor típico do estado de Minas Gerais é quase o dobro do que tem o trabalhador comum (a principal causa dessa superioridade estando na maior mortalidade infantil das classes pobres), mas o coeficiente de fecundidade das mães brasileiras é ordinariamente muito alto.

Por outro lado, deve-se deixar bem claro que se foi grande o número de padres e frades brasileiros procedentes de famílias opulentas ou remediadas das áreas de plantação, tal fato nem sempre significa que esses padres e frades não tivessem filhos. Alguns os tiveram. E mais de um brasileiro notável nas letras, na política, na medicina, nas artes tem sido filho ou neto de padre ou de monge – em geral dos tais sacerdotes involuntários.

Só no fim do século XIX é que houve diminuição no sacrifício da juventude ao sacerdócio – sacrifício, repita-se, que menos se deve à religião organizada do que ao regime patriarcal na forma em que ele predominou até então no Brasil, tendo a mocidade e a Igreja sob o seu domínio. Só a partir daí é que começou a haver relativa liberdade na escolha de profissões pelos brasileiros bem-nascidos. Ainda hoje, porém, a inclinação dos brasileiros por aquelas carreiras, durante tanto tempo consideradas as únicas dignas da gente bem-nascida – a política, a diplomacia, a advocacia, a administração pública, a medicina, o sacerdócio, o exército, a marinha –, explica-se como uma sobrevivência do sistema de plantação ou de monocultura latifundiária, escravocrata e patriarcal. Não somente aristocratas decadentes ou descendentes de aristocratas, da mesma maneira decadentes, mas adventícios ou arrivistas ávidos de imitar essa aristocracia arruinada, deram para cultivar, e cultivaram até há pouco tempo, se é que não

---

19 John B. Griffing, "A Comparison of the Effects of Certain Socioeconomic Factors upon Size of Family in China Southern California, and Brazil" (Tese); "Natural Eugenics in Brazil", *Journal of Heredity*, XXXI, 1940, p. 13-16.

cultivam ainda, a mesma tradição. E a reação contra semelhante tendência, forte como possa parecer nos nossos dias, não quer dizer ainda completa vitória contra tão profundos preconceitos.

Não há dúvida nenhuma de que o sistema de plantação do Brasil, com a sua estrutura baseada no trabalho escravo, criou em muita gente do Brasil certa reserva aristocrática em relação não apenas ao trabalho manual, mas também em relação a outras atividades mecânicas e industriais. É fato que até certo ponto explica, a quem estuda a formação social brasileira na fase de transição marcada pela mania das profissões intelectuais, porque o campônio português, chegado menino de Portugal, tem alcançado rapidamente, no Brasil patriarcal e semipatriarcal e até no dos nossos dias, situação próspera como negociante; o francês, aos primeiros lugares no comércio de artigos de moda; e o inglês, seguido pelo alemão e pelo norte-americano, as melhores situações, como grande importador, engenheiro, técnico em obras industriais e mecânicas, em construção de estradas de ferro e de rodagem; e o italiano, o alemão, outros europeus e os próprios japoneses, a homens ricos como fundadores de granjas e indústrias. Isso enquanto brasileiros de velha linhagem e os que, sem serem de velha linhagem, foram achando elegante ou conveniente imitá-los, se têm conservado bacharéis ou doutores em direito, em medicina ou em filosofia: uma espécie de casta burocrática ou intelectual cujas mãos, de dedos alongados em unhas de mandarins chineses e cheios de anéis, fossem delicadas demais para trabalhos grosseiros e, ao mesmo tempo, fizessem dos homens entes superiores demais para competir com estrangeiros materialões. Tais têm sido os brasileiros da fase em que os filhos dos grandes senhores de terras e de negros se tornaram uma como aristocracia burocrática baseada no horror ao trabalho manual, ao comércio e às atividades mecânicas e técnicas.

Esse complexo – para abusar de palavra hoje tão abusada – de refinamento é tido por vários observadores como uma das mais perniciosas sobrevivências do antigo regime de plantação. Sentindo-se acima de todas as canseiras da vida, muitos são os brasileiros que, ainda hoje, procuram na loteria, no jogo do bicho, no jogo de cartas ou em outras aventuras desse gênero, meios de não trabalhar. O jogo de cartas esteve intimamente ligado ao sistema antigo da vida rural do Brasil – e, através de leituras a respeito do sistema de plantação dos Estados Unidos, pude concluir que aí se verificou o mesmo. Não há muito tempo encontrei num dos arquivos do Brasil curioso documento: parece esse documento indicar que a primeira coisa impressa no nosso país, nos seus dias coloniais, não foi nem jornal, nem livro, nem mesmo oração ou estampa devota, mas um baralho de cartas de jogar.

Houve no Brasil colonial corridas de cavalos e touradas mas nunca com a importância que chegaram a alcançar no México ou no Equador. Provavelmente pelo muito que os plantadores cuidavam dos seus cavalos ou do seu gado para deixá-los morrer em divertimentos dessa espécie. Porque os grandes plantadores ou senhores de terra brasileiros, da mesma forma que os plantadores do Sul dos Estados Unidos, gostavam particularmente dos seus cavalos. A bem-dizer eram quase tão orgulhosos do número de finos cavalos que possuíam como do número de filhos, legítimos ou não, e do número de escravos – escravos do eito ou domésticos – que podiam ostentar. Alguns deles gostavam tanto de montar a cavalo que chegavam a exercitar-se em acrobacias. Outros não: eram demasiado indolentes ou delicados para esses exercícios; e quando viajavam eram levados pelos seus negros em redes ou palanquins, como se fossem príncipes hindus.

Há, ainda, outro ponto de semelhança entre o regime agrário-patriarcal do Brasil e o do Velho Sul dos Estados Unidos: o hábito de blasfemar que tinham os senhores, e o seu excessivo individualismo. O que o coronel Allston disse dos plantadores do Sul do seu país – que "eles não eram nada dados a esforços em combinações" – pode-se dizer dos senhores de engenho do Brasil e mesmo dos plantadores de café, ainda que esses últimos eventualmente viessem a dar notável esforço de cooperação em torno do famoso plano de "valorização" ou "defesa do café" brasileiro ou, antes, paulista. Mas um café paulista que era então valor nacional e não apenas regional.

Quanto ao efeito da plantação sobre a vida intelectual, parece que o sistema brasileiro, talvez porque mais poderoso, levasse vantagem sobre o do Velho Sul dos Estados Unidos na produção de escritores, professores e intelectuais de talento, como também de estadistas, oradores e diplomatas. O melhor dicionário que se escreveu no Brasil deve-se a um senhor de engenho. E antes, no remoto século XVI, outro senhor de engenho escrevera excelente livro sobre a região do açúcar: sobre a natureza, a vida, os indígenas. A mãe de Thomas Mann, que era brasileira, foi de onde veio: do velho Brasil agrário-patriarcal. E ainda a esse Brasil pertence grande número de poetas, ensaístas e artistas brasileiros. Como no Velho Sul dos Estados Unidos, não faltavam em muita casa-grande de senhor de engenho bibliotecas importantes. E vários deles mandaram os filhos estudar na Europa.

Não faltam críticos que procuram dar relevo aos maus efeitos de contato, nos antigos engenhos patriarcais do Brasil, de brancos com negros, achando que a escravidão deve ter estimulado, nos brancos que mais diretamente se aproveitaram dela, um individualismo despótico; e também indolência e aversão ao trabalho manual. Até certo ponto, é uma crítica justa.

Mas o que não se pode negar é que a cultura brasileira muito se enriqueceu com a vida em comum dos meninos brancos com negros e com pretas velhas, de quem ouviam histórias cheias de uma humanidade e uma doçura superior a tudo o que se poderia encontrar nas histórias dos livros escolares à europeia, quase sempre convencionais. A escravidão facilitou, por outro lado, às classes dirigentes um ócio que os de mais talento aproveitavam para melhor estudar os métodos de destruir o próprio feudalismo, a cuja sombra haviam nascido, e desenvolver a democracia no Brasil: uma democracia baseada sobre um tal conhecimento e uma tão profunda experiência das chamadas superioridades e inferioridades biológicas de raça ou de classe que essas passaram a ser tidas pelo que realmente são: artifícios, preconceitos, invenções.

Vários dos homens que se tornaram expressões de força democrática, na vida brasileira – homens como foram Joaquim Nabuco e Sílvio Romero, no século passado, ou como hoje José Lins do Rego e Cícero Dias –, foram produtos do velho sistema agrário-patriarcal do Brasil. É como se confirmassem as observações de Phillips sobre o sistema de plantação que estudou na América inglesa: sistema no qual "nota-se menos desse egoísmo e dessa indiferença que hoje em dia ordinariamente prevalece nas fábricas, onde as máquinas poderosas marcam o compasso à vida; onde os empregadores não têm relações com os empregados a não ser nas horas de trabalho".[20]

Estranho como pareça, muitos dos quase caudilhos que até hoje apareceram no Brasil não foram homens das velhas zonas de plantação. Surgiram de outras áreas, como Pinheiro Machado, da área gaúcha.

---
20 U. B. Phillips, *American Negro Slavery*, New York/London, 1918, p. 307.

III
Unidade e diversidade, nação e região

O prof. Glenn R. Morrow, da Universidade de Pensilvânia, salientou há pouco, com voz imparcial, que o primeiro Congresso de Regionalismo no Brasil – talvez o primeiro reunido na América – reuniu-se no Recife em 1926. Ultimamente, na Universidade de Yale, por ocasião da Conferência Interamericana de Filosofia, foi discutido esse problema do regionalismo brasileiro, mas receio que não tivesse sido bem compreendido por alguns dos membros do erudito Congresso, embora todos os comentários fossem simpáticos ao movimento e até generosos.

O regionalismo, na forma em que o compreendem e descrevem regionalistas brasileiros, é uma filosofia social; mas uma das objeções ouvidas na conferência foi que a filosofia, sendo "a work of reason", não poderia "admitir fatos regionais, formas de pensamento e de sentimento de conteúdo local, a menos que se destruísse a si mesma". E um dos críticos do regionalismo brasileiro chegou a adiantar que os meus amigos regionalistas do Brasil e eu tratamos com excessiva ênfase o aspecto regional da cultura brasileira.[1]

---
1 Afrânio Coutinho, "Some Considerations on the Problem of Philosophy in Brazil", *Philosophy and Phenomenological Research*, 1943, IV, p. 191.

Antes de tentar discutir os dois antagonismos da vida e da cultura brasileira – unidade e diversidade regional, ou unitarismo e regionalismo – vale a pena esclarecer o mais possível a ideia de regionalismo tal como a concebem os modernos regionalistas brasileiros. Eles distinguem regionalismo de nacionalismo e também do mero seccionalismo – para usar a palavra com que o prof. Turner designa o regionalismo estéril ou autossuficiente. Uma região pode ser politicamente menos do que uma nação. Mas vital e culturalmente é quase sempre mais do que uma nação; é mais fundamental que a nação como condição de vida e como meio de expressão ou de criação humana. Ideia já de Mistral, a que os regionalistas deram sentido sociológico mais nítido; e com o sentido sociológico um sentido filosófico que marca uma espécie de humanização do conceito de regionalismo.

Um filósofo, no legítimo sentido, tem que ser super ou supranacional; mas dificilmente ele pode ser suprarregional no sentido de ignorar as condições regionais da vida, da experiência, da cultura, da arte e do pensamento que lhe cabe julgar ou analisar. Como Joseph E. Baker escreve, tratando de regionalismo: "O regionalismo que ignore o universal comete um erro, naturalmente; a vida da região é para ele o seu meio de expressão, não a sua mensagem, e não deve voltar o seu espírito meramente para o curioso, o singular, o pitoresco – que é onde está o erro dos coloristas locais. Mas os internacionalistas (os que se deixam marcar pelos mesmos exclusivismos do nosso atual nacionalismo) recomendam-nos uma literatura que nem dá o melhor do ideal universal de humanidade, nem a essência sutil de uma cultura local: tudo o que exprime são aqueles elementares interesses físicos e econômicos comuns ao homem de um tipo material de vida, seja de Atlanta, Manchester ou Hamburgo – o mais baixo denominador comum do homem, e não o que se entende com as suas melhores virtualidades. Chegamos muito mais facilmente a uma concepção do homem verdadeiramente humano considerando as suas realizações como elas se mostram em diferentes regiões da América e da Europa".[2]

---

2   "Regionalism: Pro and Con. Four Arguments for Regionalism", *Saturday Review of Literature*, XV, 1936, p. 14.

O ponto de vista regional, considerado como preliminar para o estudo de história ou de sociologia, parece-nos, aos que somos regionalistas brasileiros dentro da orientação neorregionalista esboçada no Congresso do Recife de 1926 – que não só amplia como supera o regionalismo de Sílvio Romero –, tão filosófico como qualquer outro. Essa é igualmente a conclusão a que chegou um estudioso do regionalismo na África do Sul, o prof. Bews. Ele define regionalismo – sob o nome de "ecologia humana" – como "um meio especial de considerar a realidade última da vida"; como "uma filosofia da vida";[3] e não simplesmente como uma ciência ou uma técnica, à maneira da ecologia apenas sociológica ou geográfica da Escola de Chicago ou da de Ratzel ou Le Play, aplicada ao Brasil por Sílvio Romero e por Arthur Orlando.

Poderá alguém objetar ao regionalismo filosófico de Bews, dizendo que uma "filosofia da vida" estritamente regional tende a não se completar nunca. Mas ainda assim não permaneceria menos uma atitude filosófica ou um ponto de vista. Atitude incompleta, talvez, sem o seu ponto de vista antagônico: universalismo ou cosmopolitismo. Estou antes de acordo com os que pensam que essas duas correntes de pensamento – por alguns chamados localismo e internacionalismo – se enriquecem mutuamente. Concordo com os que estendem até a esfera cultural a bem conhecida ideia do prof. Bonn relativa à vida econômica: a ideia de que existe um processo de contracolonização oposto constantemente ao de colonização.

E é como uma contracolonização que o regionalismo me parece tendência sadia na vida brasileira tanto como na vida continental americana. Uma tendência que se opõe às que levam homens ou grupos ao excessivo nacionalismo ou ao exagerado internacionalismo ou cosmopolitismo.

Mas os três tipos de influência cultural – o indígena ou regional, o nacional (esse provavelmente o mais transitório e artificial de todos) e o supranacional ou cosmopolita – enriquecem-se uns aos outros. E o ideal parece que está em assegurar-se, por uma combinação dos três, a constante e estimuladora interação de todos esses antagonismos.

---

3   J. W. Bews, *Human Ecology*, London, 1935, p. 284.

Escreveu há pouco um jurista ilustre: "A tarefa principal de quem estuda a organização internacional não é gastar tempo em discutir regionalismo *versus* universalismo, mas, sobre casos concretos, estudar os vários meios por que aqueles dois elementos podem ser utilizados em combinação e os padrões que se devem aplicar na parte que de cada um se aceita".[4]

Alguns estudiosos da situação internacional como ela se tem desenvolvido no mundo desde a Revolução Industrial da Europa – a conquista industrial do mundo baseada em ideais de estandardização de todos os países, de acordo com os padrões dos Estados capitalistas mais poderosos – reconhecem a necessidade de um regionalismo criador em oposição aos muitos excessos da centralização e da unificação política e da cultura humana, estimuladas não só política mas economicamente por forças e interesses imperialistas. Os que assim pensam têm como fundamental que um crescente número de unidades culturais diversas contribuiria para a estabilidade do mundo, prevenindo a formação e a expansão de imperialismos e de impérios.[5]

O movimento regionalista que um grupo de escritores, artistas e cientistas iniciaram há mais de quarenta anos no Brasil e que representa, talvez, o primeiro movimento sistemático dessa espécie na América, e talvez no mundo, foi, e continua a ser, um esforço para encorajar no Brasil uma vida cultural mais espontânea através de mais livre expressão de cultura por parte da gente das suas várias regiões. O Nordeste, de onde partiu o movimento, é dessas regiões com uma história particularmente rica, e notável pelo seu potencial humano. Essa região vai perdendo a consciência dos valores da sua história, tanto quanto das suas possibilidades; perda essa que se está produzindo não somente, de modo geral, por causa das influências gerais de uniformização oriundas das conquistas industriais do mundo, mas também, de modo particular, pelo efeito de influências semelhantes dentro do continente americano e dentro do próprio Brasil.

---

4 Pitman B. Potter, "Universalism versus Regionalism in International Reorganization", *The American Political Science Review*, XXXVI, 1943, p. 862.
5 Quincy Wright, *A Study of War*, Chicago, 1942, II, p. 1.334-1.335.

O perigo da monotonia cultural ou da excessiva unificação de cultura no continente americano provém da influência do industrialismo capitalista norte-americano, largamente dominado pela ideia de que o que é bom para o norte-americano deve ser bom para todos os outros povos da América. Alguns dos industriais norte-americanos, cujo ideal se inclina para a uniformização do mundo, parecem querer repetir, naturalmente com as melhores intenções, os mesmos excessos praticados há mais de um século pelos industriais ingleses, que foram os primeiros a ter o domínio do mercado colonial ou semicolonial brasileiro, no começo do século XIX.

Já foi dito, e por um inglês,[6] que tão ávida era naquele tempo a exploração pela Inglaterra dos mercados sul-americanos que tudo mandavam para o Brasil, pouco importando fossem ou não produtos adaptáveis ao clima ou próprios para as necessidades da gente brasileira. Coisas úteis somente para os europeus, utilidades e confortos bons somente para os ingleses, escandinavos, russos, alemães e para os habitantes dos Alpes, eram mandadas em abundância para o Brasil tropical: agasalhos de inverno, aquecedores, patins para gelo. É verdade que muitos desses artigos de inverno foram adaptados pelos brasileiros para a lavagem do ouro nos rios de Minas Gerais, muitos dos aquecedores aproveitados nos engenhos de açúcar do Nordeste, e mesmo para os patins se encontrava no Brasil uma aplicação nova: sendo então escasso o ferro para ferraduras de mulas e cavalos, os brasileiros mais inteligentes modificaram os patins ingleses e com eles guarneceram as patas dos seus cavalos.

É provável, porém, que alguns brasileiros de espírito mais colonial procurassem usar as baetas, os aquecedores, os patins vindos da Inglaterra para bem parecerem europeus, nórdicos ou civilizados. Houve tempo em que elegantes senhoras brasileiras deram-se ao luxo incômodo de usar no Brasil as mesmas peles que eram moda nos dias de inverno em Paris, Londres e Nova York; e não são poucos os brasileiros ricos que ainda hoje constroem as suas casas adaptando-as menos às condições tropicais, ou quase tropicais do país, do que ao

---

6 R. Walsh, *Notices of Brazil in 1828 and 1829*, Boston, 1831, I, p. 245-246.

mais rígido estilo escandinavo, holandês ou normando. É o que se dá com as suas constituições políticas: mais de uma vez o Brasil tem feito as suas constituições tão sobre o modelo de constituições europeias – e uma vez da dos Estados Unidos – que não admira apresentar a situação política brasileira aspectos tão ridículos e absurdos como teria sido o uso, por um povo tropical, de patins de gelo, a fim de se dar ares de tão civilizados como o suíço, o escandinavo ou o inglês. Puro furor imitativo levando um povo tropical a exageros grotescos de artificialismo.

A remessa de patins de gelo ou de peles grossas para o Brasil, feita por fabricantes europeus ou norte-americanos – para quem o mundo ideal seria aquele em que todo o povo tivesse um inverno polar, senão quase polar, com bastante gelo para o uso universal de patins, baetas e peles grossas, em benefício da produção industrial em larga escala desses artigos – ilustra o ideal dos fabricantes quer de coisas, quer de ideias, que pensam em termos imperialistas. Para eles o mundo divide-se em duas partes: uma, a imperial, onde tais artigos e ideias são fabricados de acordo com os padrões regionais de cultura e as necessidades dos fabricantes; outra, a colonial, cujos habitantes devem viver, não de acordo com as suas condições regionais e com as suas necessidades particulares, mas de acordo com os padrões que lhes sejam impostos por aqueles fabricantes.

Contra esse tipo de estandardização cosmopolita baseada sobre um direito quase divino de colonização de áreas tecnicamente menos avançadas por povos que, do ponto de vista técnico e militar, se apresentem mais poderosos, é que um movimento no sentido da contracolonização se tem desenvolvido entre nações, regiões ou populações de culturas as mais diversas – entre mexicanos, árabes, indianos e brasileiros, para mencionar apenas alguns – mas cuja "consciência de espécie" (para usar a expressão de Giddings) é a mesma. Pois todos eles sentem que o seu estado colonial ou semicolonial prejudica a sua capacidade criadora e a sua potencialidade humana. Imitadores puros é o que necessariamente vêm a ser sob aquela forma de opressão econômica ou cultural; e não criadores de cultura. Mas a verdade está com o velho pensador John Dewey quando diz: "Desde que não podemos aceitar de esmola nem tomar emprestado uma cultura sem trair ao mesmo tempo a essa cultura e a nós mesmos, nada resta a um povo senão produzir a cultura que lhe convém".

O problema do Brasil, como nação culturalmente criadora, não tem sido apenas o de resistir às tendências imperialistas exteriores para reduzir ao estado de colônias culturais regiões como as da América Latina – isso sob vários pretextos, entre eles as tão faladas razões ou necessidades de estrita unidade ou unificação continental ou étnico-cultural: a unidade, por exemplo, pan-americana, usada algumas vezes no benefício exclusivo dos Estados Unidos, ou a unidade hispânica, que significaria, na realidade, um instrumento de dominação pela Espanha das suas antigas colônias da América. Em oposição a esse ideal de falsa unidade, o problema continua a ser o de combinar diversidade sub-regional com unidade nacional e essa com a continental ou a étnico-cultural.

Ecologicamente, o Brasil é uma região; em grande parte uma região natural – e tão claramente assim que alguns geógrafos a têm considerado "ilha continental". É também, dentro da técnica e da terminologia sociológicas, uma área cultural: uma população cujos valores e padrões de vida predominantes são os de origem portuguesa, em contraste com os valores e padrões espanhóis, holandeses, ingleses, e franceses dos seus vizinhos americanos.

Mas o Brasil não é simplesmente uma região cultural e uma área cultural; dentro da imensidade quase continental, e ao mesmo tempo insular, desta parte da América, natureza e cultura têm as suas próprias subdivisões em regiões ou sub-regiões. Por isso mesmo precisa o Brasil de defender-se permanentemente, dos próprios inimigos internos do seu regionalismo orgânico – o regionalismo que lhe convém ou é essencial ao seu desenvolvimento ou à sua criatividade.

Mais de uma vez, na sua história, contou o Brasil com *leaders* cujo ideal ou cuja concepção mística de poder ou império ou nação brasileira não foi diferente do que teve Filipe II em relação à Espanha: a absoluta supremacia de alguma Castela – uso aqui o nome Castela como um símbolo da tendência para exagerar a unidade em detrimento da diversidade – sobre as demais regiões do país. Ou áreas, se considerarmos o todo uma vasta região de cultura dividida em sub--regiões ou áreas.

Castelhanismo no Brasil, como eu o vejo, não significaria somente uma região ou sub-região, lutando, através de algum Filipe II, para dominar outras regiões ou sub-regiões. Não significaria somente um estado – teoricamente um estado federal com direitos iguais aos de qualquer outro, mas praticamente um poder imperial – querendo dominar todos os demais estados. Isso aconteceu durante o primeiro período republicano do Brasil: mais de uma vez um estado – um estado político quase inteiramente artificial e não propriamente uma região ou sub-região – dominou os outros estados da União brasileira por meio de superioridades puramente mecânicas ou quantitativas, como as que dizem respeito à maior população, ao maior número de leitores, e também, ao grande número de bancos, fábricas e manufaturas existentes no mesmo estado.

Castelhanismo no Brasil – repito – pode significar e tem significado mais do que isso: mais do que esse estadualismo. Tem significado outras formas de dominação por maiorias brutalmente poderosas sobre minorias, cujos direitos deveriam ser respeitados dentro de um regime de diversidade cultural realmente criadora. E pode significar e tem significado outras formas de dominação por minorias tecnicamente poderosas sobre maiorias que elas enganam ou exploram. Um exemplo do primeiro tipo seria o excessivo zelo de certos membros da vasta maioria portuguesa ou luso-brasileira pela uniformidade cultural ou pela unidade do Brasil em tudo o que diz respeito aos valores portugueses ou luso-brasileiros: consideram tais místicos do lusismo ou do luso-brasileirismo uma ameaça para a unidade brasileira qualquer oportunidade de expressão criadora que se dê a grupos europeus de outra origem que não seja a portuguesa ou a população mestiça cuja cultura não seja exclusiva ou predominantemente lusitana.

Naturalmente, o que aqui nos interessa não são os antagonismos inter-regionais que se agitam dentro de uma configuração estritamente geográfica, mas os antagonismos ou os conflitos inter-regionais que se verificam mais no espaço social e cultural do que no espaço físico. Muitas das sub-regiões culturais do Brasil têm, entretanto, sub-regiões naturais ou físicas como sua base ou condição ou motivo de vida: a minoria puramente branca do Brasil, por exemplo, é localizada mais no Sul do que no Norte. O que também acontece com os brasileiros de outra origem europeia que não a portuguesa: as suas sub-regiões ficam mais no extremo Sul do Brasil do que em qualquer parte do Norte ou do Centro.

Evidentemente é necessário um mínimo saudável de uniformidade cultural básica para que o Brasil permaneça uma confederação em vez de se tornar uma vasta hospedaria ou casa de pensão: a "hospedaria" ou "casa de pensão poliglota" da famosa expressão de Theodore Roosevelt em relação aos Estados Unidos. E esse mínimo, no Brasil, é tradicionalmente composto de valores básicos lusitanos ou hispânicos e de meios culturais de comunicação inter-regional e inter-humana igualmente hispânicos ou lusitanos. O mais importante desses meios de comunicação é a língua portuguesa. Isso para não falarmos de outros valores de ordem técnica, predominantemente hispânicos ou lusitanos, quando europeus; e até agora predominantemente europeus, e não ameríndios ou africanos. Predominantemente europeus. Predominantemente hispânicos ou lusitanos, mas não exclusivamente hispânicos ou lusitanos.

A inteira subordinação de diferenças históricas e geográficas a um rígido ideal de uniformidade levaria a uma forma de unidade estreita demais para um "continente" ou "arquipélago" cultural tão complexo como o Brasil. A excessiva simplificação do problema da complexidade brasileira feita através da sua subordinação a conveniências puramente políticas foi uma das fraquezas do Império, no Brasil, notável e lamentável, algumas vezes, pelo seu excesso de centralização. Alguns estudiosos de problemas brasileiros acham ter sido esse um dos defeitos do regime político chamado "Estado Forte", posto em vigor no país de 1937 a 1945: regime que parece ter ido longe demais na sua reação contra o excesso, não do regionalismo criador, mas dos "direitos do estado" como eles se desenvolveram na América portuguesa durante a chamada "primeira República". Os "direitos do Estado" foram uma das teorias políticas anglo-americanas importadas pelos republicanos brasileiros sem prévio e cuidadoso estudo das condições históricas e geográficas do Brasil. O resultado foi que os partidos nacionais quase deixaram de existir no Brasil republicano: estados rivais e poderosos como São Paulo, Minas Gerais e Rio Grande do Sul desenvolveram-se em alguma coisa semelhante a partidos políticos, com prejuízo para a unidade e para o desenvolvimento harmônico do Brasil.

Cada um desses estados tinha como seu mais legítimo programa político não tanto a solução dos problemas nacionais, ou brasileiros, de interesse social e humano, como o desenvolvimento de interesses industriais, comerciais e agrícolas estritamente estaduais ou seccionais. Construiu-se certo caminho de ferro em um desses estados poderosos com dinheiro nacional, que foi empresa quase de luxo – a maior parte do traçado, com linha dupla –, enquanto existiam outras regiões em que as necessidades de transporte eram inteiramente esquecidas.

Também a descendentes de alemães deram-se em alguns estados do Sul liberdades ou privilégios de todo incompatíveis com a unidade básica cultural brasileira: mesmo o privilégio de ter escolas sem que nelas se ensinasse o Português. Essas facilidades constituíam um meio de os políticos estaduais obterem os votos dos alemães e poderem assim dominar ou controlar o seu respectivo estado. Outros políticos foram mais longe: procuraram fazer do seu estado a Castela econômica ou a Prússia política, senão militar, do Brasil, isto é, desenvolver política da força estadual dentro do âmbito nacional. Houve tempo em que a força da polícia de São Paulo foi quase tão poderosa como a do Exército Nacional. Tinha os seus próprios instrutores militares franceses e outras modalidades características de um verdadeiro exército nacional. A mesma, ou quase a mesma coisa aconteceu no Rio Grande do Sul e em Minas Gerais. De certa vez que estive em Minas Gerais voltei com a impressão de ter estado numa Prússia brasileira. Uma vasta soma devia sair portanto dos cofres do estado que não era aplicada em serviços públicos ou para permanente benefício do povo, mas para manter uma força policial quase tão numerosa e poderosa como um exército: como o Exército Nacional. Com que fim? Aparentemente para a defesa dos "direitos do estado". Realmente, porém, para a defesa do grupo político que estivesse no poder estadual. Quase sempre esse foi o verdadeiro fim; e aquela mística apenas uma justificativa ou o que alguns psicólogos chamariam uma "racionalização".

Qualquer, porém, que tenha sido o motivo desse estadualismo prussiano, trata-se de um fato que não exprime nenhum regionalismo sadio ou criador, mas uma horrível caricatura de regionalismo. Os norte-americanos que estudam os problemas do regionalismo têm razão quando estabelecem, com Turner, distinção fundamental entre *regionalismo* e *seccionalismo*. E algumas das páginas escritas por Turner sobre seccionalismo, nos Estados Unidos, poderiam ter sido escritas a propósito do Brasil.

De 1937 a 1945, sob um regime que alguns caracterizaram como "democracia autoritária", a mística que dominou no Brasil – isto é, a mística que a propaganda oficial defendeu pelos seus rádios e pelos seus jornais como a única base de patriotismo ortodoxo – foi o extremo oposto ao da doutrina dos "direitos do estado", como essa doutrina foi conhecida entre nós, brasileiros, de 1891 a 1930. Foi a perigosa mística da unidade castelhana ou da uniformidade castelhana. "Castelhanismo", nesse caso, não quis dizer, como na velha Espanha, a supremacia de uma região brasileira sobre as outras. Quis dizer centralização: centralização política. Quis dizer a excessiva subordinação de um país vasto como o Brasil à sua simples capital política: ao Rio de Janeiro.

Ninguém pode negar que Getúlio Vargas e outros "unionistas" ou "centralistas" de 1937 acabaram com os excessos ou abusos dos "direitos do estado" no Brasil. Pois o fato é que a República de 1889 se assinalou por uma verdadeira guerra de tarifas entre os estados e "entre eles e a União".[7] Mas alguns unionistas atingiram um tal extremo no seu ideal ou na sua política de centralização e de uniformidade nacional, que a cura poderia ter feito maior mal à nação politicamente enferma do que a própria enfermidade. A enfermidade foi o excesso de "direitos do estado" ou de autonomismo: o autonomismo que tanto prejudicou o Brasil de antes de 1930. A tentativa de cura foi o excesso de uniformidade, com poder central dirigindo tudo no Brasil, de 1937 a 1945. Tudo, não digo bem, porque houve exceções: estados como Pernambuco, de 1937 a 1945, tornaram-se quase independentes do Rio, com as características semifascistas ou parafascistas que lhe foram próprias e não comuns ao Brasil inteiro. Tais exceções mostram que o regime que dominou o Brasil de 1937 a 1945 precisava de modificações

---

7 J. F. Normano, op. cit., p. 123.

profundas, não somente no sentido de permitir uma vida local mais criadoramente livre, mas não contrária aos interesses gerais, como no de uma mais eficiente fiscalização dos negócios públicos por uma opinião pública e uma imprensa vigilantes, independentes e críticas que não permitissem sobrevivências do mais pernicioso autonomismo estadual ao lado de abusos de centralismo nacional.

"Unionismo" ou "centralismo" não é inovação no Brasil. O Império brasileiro, como já recordei, assinalou-se pela centralização excessiva, que foi um dos seus defeitos. Mas provavelmente terá feito menos mal à diversidade cultural e regional brasileira do que o "estado-fortismo", com os seus abusos de poder. Porque no Império o poder centralizado estava nas mãos, não somente de um imperador constitucional, cujos abusos ou tentativas de abusos eram agudamente criticados pelo Parlamento e pela imprensa livre, mas nas mãos também daqueles homens públicos do Brasil mais preeminentes do ponto de vista intelectual e moral. Bem diferente do "Estado Forte", que permitiu a ascensão ao poder, em mais de um estado, de politiqueiros fracassados no regime constitucional.

Muitos daqueles estadistas do tempo do Império chegaram ao supremo poder depois de terem dado, nas suas próprias províncias, provas públicas de capacidade e honestidade, e não como aconteceu comumente, durante o chamado "Estado Forte", por escolha toda pessoal ou arbitrária do "chefe nacional". Alguns deles chegaram ao poder puramente pelo esforço ou valor próprio, sendo homens de origem humilde e obscura.

Pelo menos dois deles – Rebouças e Saldanha Marinho – foram quase pretos, descendentes de africanos, de escravos; e vários foram mulatos e, como aqueles, também descendentes de escravos. Porque o Império, no Brasil – acentue-se mais uma vez – foi notável por uma combinação muito sua de métodos politicamente aristocráticos com maneiras e costumes tão democráticos como os de qualquer república adiantada que tivesse então o continente. Foi notável o Império Brasileiro pela sua tendência para uma verdadeira democracia social e étnica: não somente remota tradição brasileira mas também portuguesa. E essa tradição nunca será excessivo dizer-se que tem sido uma das características principais do desenvolvimento social brasileiro. Social e cultural.

Os homens que fundaram a República, que em 1889 substituiu o Império, tinham-se deixado impressionar pelos excessos do poder centralizado como ele existia no Brasil monárquico. Foi quando adotaram uma constituição que refletia a dos Estados Unidos. Imitada da dos Estados Unidos. Em vez de procurar combinar unidade com diversidade regional, tomaram emprestado dos Estados Unidos o princípio dos "direitos" ou de "autonomia de estado", e deram tal ênfase a essa autonomia política de estado, derivada de condições meramente materiais e quantitativas e de vantagens puramente técnicas que um estado pudesse ter sobre outras, que muitos abusos tornaram-se possíveis sob esse mal-entendido federalismo ou estadualismo.

O problema de combinar diversidade com unidade – talvez o mais fundamental na organização política em "comunidade" compreendida sociologicamente – parece ter sofrido tanto com os métodos políticos adotados pela República de 1889, como já havia sofrido com os métodos de centralização seguidos pelo Império, que a solução do problema não pode ser, ao que parece, estreitamente política, mas social, por onde os "estados autônomos" sejam reduzidos em sua importância e as regiões ou sub-regiões, ou áreas naturais e culturais, tratadas como realidades orgânicas, cada uma com as suas características mas todas vitalmente interdependentes nos seus interesses econômicos e nas suas necessidades; todas vitalmente interdependentes para a solução dos seus problemas e das suas aspirações sociais e culturais. A diversidade será então mais criadora do que nunca; e a unidade será uma unidade assegurada por um sistema de regiões ou áreas coordenadas por um organismo inter-regional, porém não oprimidas ou exploradas pela sub-região ou pelo grupo seccional que seja, por isso ou por aquilo, tecnicamente o dominante no momento.

Parece-me que países com o passado regional do Brasil não devem perder de memória o exemplo da Espanha, onde séculos de sistemática castelhanização não conseguiram impor a cultura regional de Castela a todas as outras regiões hispânicas, como a única e sagrada cultura do conjunto hispânico. É uma experiência que não deve ser esquecida nunca por países dentro dos quais exista a mística do castelhanismo sob esse ou aquele aspecto.

Do ponto de vista da unidade foi um bem para os brasileiros terem uma só língua: a portuguesa. As diferenças de pronúncia foram sempre sem importância na América de colonização ou formação portuguesa. Recentemente, houve um congresso em São Paulo – congresso de iniciativa paulista e não do governo central – e a ele estiveram presentes alguns dos melhores filólogos, escritores, compositores, músicos, historiadores e sociólogos do Brasil, para estudar o problema da língua portuguesa no Brasil. Nesse congresso ficou decidido que o português falado no Rio pelo carioca é o mais agradável para se ouvir e o que se adapta melhor à música, ao canto, ao teatro, ao cinema e à oratória. E a decisão unânime do congresso, aliás bem recebida no Brasil inteiro, foi adotar o português carioca como aquele que deve ser usado por compositores, dramaturgos e oradores oficiais em qualquer área, região ou sub-região brasileira.

Daí não se vá concluir, é claro, que certas peculiaridades linguísticas devam ser evitadas por escritores, no teatro, no canto e no drama em que surjam caracteres regionais. De modo nenhum. Significa tão somente a escolha, por um grupo representativo de brasileiros, de um dos seus modos regionais de pronunciar a língua portuguesa – o modo carioca – como o que deve ser oficial no teatro, no canto e no cinema do Brasil, quando neles não aparecerem caracteres propriamente regionais ou sub-regionais.

Aliás tão sensata medida constitui exemplo apreciável das possibilidades de se combinar unidade com diversidade em um país quase continental pela sua extensão como o Brasil. E bem significativo ainda é que essa providência partisse de São Paulo – uma espécie de Catalunha do Brasil. Pois São Paulo é uma região ou sub-região ou área fabril como não existe outra na América Latina, a sua capital parecendo, ao mesmo tempo, a mais europeia e a mais *yankee* das cidades brasileiras. Notam-se ainda no seu povo um entusiasmo e um gosto pelo trabalho que fazem vivo contraste com a indiferença quase chinesa e a resignação quase muçulmana à miséria, de certos grupos brasileiros de outras regiões ou áreas. Como os castelãs da Espanha, alguns paulistas acham que a sua indústria sustenta a ociosidade de outros. Um entusiasta do progresso paulista já chegou a comparar São Paulo a uma locomotiva que puxasse o resto do Brasil, que seriam apenas vinte e um carros ou vagões. Possivelmente carros ou vagões dormitórios e restaurantes. Também como os catalães os paulistas tendem a tornar-se orgulhosos, arrogantes, a exagerarem o contraste entre as brilhantes realizações técnicas e econômicas e as dos andaluzes brasileiros da Bahia, de Pernambuco e mesmo do Rio Grande do Sul que seriam todos, segundo os críticos paulistas, uns exuberantes na conversa; e antes poetas e oradores do que homens de trabalho.

A despeito dessa atitude paulista, não só o Brasil, em geral, mas São Paulo, em particular, devem muito aos filhos dessas outras sub-regiões ou regiões: regiões famosas mais pelas suas laranjas-de-umbigo, pelos seus charutos finos, pelos seus poetas, pelos seus diplomatas e escritores do que pelas suas fábricas, suas indústrias modernas e os seus arranha-céus. Alguns dos capitães de indústria de São Paulo têm sido, porém, brasileiros do Norte ou do Rio Grande do Sul que ali se estabeleceram por acharem sonolenta demais ou por demais rotineira a vida na terra ou província natal.

Os filhos do Ceará – região ou sub-região árida – destacam-se especialmente pela sua tendência para procurar cidades mais populosas ou para colonizar regiões ou áreas longínquas do Brasil, prosperando vários deles em zonas que se caracterizam sempre por um dos dois extremos: superpopulação ou quase deserto. Muitos cearenses – de origem portuguesa com sangue índio, e talvez também com a tradição nômade dos índios – têm sido bem-sucedidos em São Paulo e no Rio como inovadores ou renovadores industriais e comerciais, enquanto muitos outros foram pioneiros da colonização brasileira na vasta área da Amazônia. Por mais de um aspecto do seu *ethos* e da sua atividade, são eles os modernos bandeirantes do Brasil, sucessores dos velhos paulistas dos dias heroicos das bandeiras.

Se aceitarmos a generalização de Waldo Frank, os paulistas são hoje burgueses, sob "um industrialismo sem plano"; burgueses "no momento, sem espírito, e também sem direção". Apesar de algum exagero, há certa verdade nestas palavras. Os cearenses caem também nesse "industrialismo ou comercialismo ou economismo sem plano" quando se fazem burgueses e prosperam nas grandes cidades do Brasil. Mas muitos deles tomam o caminho do Oeste. Brasileiros de outras áreas ou regiões áridas e semiáridas do Brasil – regiões conhecidas pelos seus vaqueiros, os seus cangaceiros ou jagunços, os seus místicos, os seus trovadores – ganham o Oeste ou vão para o Amazonas, quando não se decidem pelo Exército ou pela Marinha, ou pela Aeronáutica. São homens ávidos de aventura. Com o mesmo espírito guerreiro dos velhos paulistas, os quais, em contraste com os de hoje (cuja presença no Exército, na Marinha e na Aeronáutica ou na arriscada colonização do Amazonas e do Oeste é relativamente insignificante), combateram, nos dias coloniais, os índios mais bravos do sul da América, os jesuítas e os espanhóis. Sem os paulistas, o Brasil não seria o quase continente que é hoje.

Os brasileiros do Nordeste – das zonas áridas e semiáridas dessa região ou sub-região – são, como os primeiros paulistas, tipicamente caboclos, ou indígenas, e mais teluricamente e tradicionalmente brasileiros pelo espírito e pela conduta do que qualquer outro tipo regional. Muitos deles são – ou imaginam ser, o que às vezes tem o mesmo efeito sociopsicológico – descendentes de algum próximo ou remoto índio selvagem, ainda que algumas vezes essa espécie de "etnocentrismo", para usar a expressão de Sumner, esteja em contradição com o cabelo louro, quase escandinavo, e os olhos azuis do suposto caboclo, ou com os fortes sinais de sangue africano no corpo.

Mas tão telúricos e, ao mesmo tempo, tão tradicionais como os brasileiros do Nordeste ou do Norte – da Bahia inclusive – são os velhos paulistas de São Paulo. Um deles foi bem o intérprete de todo um grupo quando exprimiu o seu orgulho por ser paulista ou brasileiro há mais de quatrocentos anos. Mas os velhos paulistas de São Paulo tornam-se cada vez mais raros, profundamente afetados como têm sido na sua antropologia e na sua psicologia pelo intenso contato com numerosos europeus de origem recente e com brasileiros de outras regiões ou áreas que vão para São Paulo atraídos pela prosperidade industrial do grande e rico estado. Quase tão telúricos e tradicionais como os brasileiros da região ou sub-região do Nordeste são, também, os do Rio de Janeiro, de Minas Gerais e de certas zonas mais antigas do Rio Grande do Sul, do Pará e outros estados do Brasil. São vários os brasileiros que, em regiões ou sub-regiões diversas, têm o direito de considerar-se "velhos caboclos".

Notem-se, ainda, outros aspectos do Brasil, quanto à sua diversidade regional, que o tornam comparável à Espanha. Porque a Espanha é o exemplo clássico, e o mais dramático, de um país onde uma estúpida política de centralização e de extrema unificação resultou em revigorar o invencível poder de regiões e de culturas regionais.

Desenvolvendo a sugestão do escritor Ribeiro Couto, pode-se hoje considerar Minas Gerais como sendo, de algum modo, a Castela do Brasil; e Ouro Preto a sua Toledo. Como o castelhano da Espanha, o mineiro caracteriza-se pela sua austeridade e pela tendência à introspecção, ainda que não tenha o intenso misticismo e o individualismo do verdadeiro castelhano. Embora aparentemente simples, o mineiro é complexo, sutil, e isso bem transparece no senso de humor que o leva a rir-se de si mesmo quando necessário; e não apenas dos outros.

É verdade que a generalização vale como generalização: não se aplica a todos os mineiros. Tenho conhecido homens de Minas sem nenhum senso de humor, que estão sempre a tomar-se demasiadamente a sério. Mas, em geral, o que se conhece de mais profundo ou de mais deliciosamente imprevisto e agudo no humor do Brasil vem de Minas Gerais. Nunca vi o poeta Carlos Drummond de Andrade rir. Quando muito, sorri. Mas temos nele um brasileiro de humor agudíssimo, o que o torna caracteristicamente mineiro ou supremamente típico de Minas Gerais.

A mesma coisa poderia dizer de certo típico mineiro que conheci quando ele estava em Lisboa, como emigrado político, em 1930, depois de ter sido um dos homens políticos mais influentes do Brasil. Emigrado embora, conservou sempre o seu magnífico senso de humor. De todo o grupo de emigrados com que estive quase diariamente em contato durante meses, o grande realista era ele; e nesse grupo notavam-se figuras que haviam ocupado as posições de maior relevo no governo do Brasil. Vários deles alimentavam ideias fantásticas sobre o que deveria acontecer no Brasil com o desenvolvimento da revolução de 1930, mas o velho mineiro, fumando o seu cigarro de palha, não tinha ilusões. Ele sabia que um político astuto e de novo tipo ou espécie se tinha posto à frente do Brasil para governá-lo por muitos anos e não apenas por alguns meses. Chegou mesmo a esboçar algumas das tendências contraditórias mas politicamente hábeis que havia de tomar o novo regime até estabilizar-se para um longo domínio. A alguns dos seus companheiros de exílio disse um dia: "Politicamente estamos mortos". Era clarividente. A sua intuição, espantosa. Era profético sem tomar o ar de profeta. Muito tímido para falar com voz de profeta ou de orador, tinha, ao mesmo tempo, um tal espírito que a sua atitude era principalmente a de um crítico que conhecesse bem os homens do seu país.

Igual conhecimento psicológico dos brasileiros foi revelado, quando no poder, por Getúlio Vargas. Motivo por que alguns observadores acham ser ele do Rio Grande do Sul apenas por acidente: na realidade, mineiro. Um engano, penso eu, desses observadores. É como se não conhecessem bem o Rio Grande do Sul. Getúlio Vargas é produto psicológico, senão lógico, da área obscura, mas interessantíssima, do Rio Grande do Sul, onde nasceu: a área *missionera*. É verdade que existe uma antítese entre essa área e a forma de espírito que se costuma associar ao gaúcho, ou ao homem do Rio Grande do Sul. Os homens da região ou área *missionera* não são gaúchos típicos; e tendo mais sangue índio do que os gaúchos típicos e, também, sendo descendentes daqueles índios educados e às vezes oprimidos pelos jesuítas espanhóis, conservam alguma coisa dos seus mestres jesuítas: são silenciosos, introspectivos, sutis, realistas, distantes, frios. Têm também alguma coisa dos seus bravos ancestrais, os índios das Missões, que os jesuítas nunca puderam dominar de todo. São telúricos, instintivos, fatalistas, orgulhosos, dramáticos, quase trágicos nas suas reações diante de crises.

Getúlio Vargas é como se fosse uma espécie de "Dr. Jekyll e Mr. Hyde": tendo em si próprio alguma coisa do jesuíta, parece ter também alguma coisa do índio. Ávido de poder e de mando, esteve, no entanto, várias vezes, ao lado do povo: contra convenções estéreis e contra grupos plutocráticos poderosos. Não deixa de ter a sua significação o fato de ter ele dado ao primeiro filho o nome de Lutero. E o seu primeiro artigo de jornal, quando ainda rapaz, foi uma defesa de Zola. Por outro lado, o "Dr. Jekyll", em Getúlio Vargas, consentiu em perseguições políticas, da parte de auxiliares seus contra brasileiros ilustres: perseguições a que assistiu com indiferença.

Há alguns anos, sugeri uma caracterização psicológica de tipos regionais, ou sub-regionais, brasileiros que poderia ser baseada sobre os vários estilos de danças carnavalescas que existem no Brasil. O carnaval é uma festa de que o povo do Brasil participa com grande entusiasmo. Dura três dias seguidos, durante os quais se dança nos clubes, nos teatros, nas praças e nas ruas. Em certas regiões, classes, raças, sexos e idade misturam-se de tal forma, com uma tão livre exuberância democrática e uma tal alegria de confraternização, que ninguém percebe até onde isso é ainda pagão ou até onde começa a ser liricamente cristão. O fato é que embora largamente pagão o carnaval brasileiro, parece haver alguma coisa de cristão nessa sua exuberância e nessa sua alegria fraternal.

Mas as danças de carnaval apenas superficialmente é que parecem iguais em todo o Brasil. Em algumas regiões ou áreas, elas são "dionisíacas", para usar a velha palavra revivida por um antropologista norte-americano para designar bem conhecido tipo de conduta humana; em outras regiões ou áreas são "apolíneas"; ou, ainda, de um tipo intermediário. Partindo de que o carnaval para o brasileiro seja só exagero – algumas vezes concordo, mórbido exagero – da sua conduta característica e comum, ou cotidiana, sugeri que através de cuidadoso estudo das danças de carnaval seria possível classificar diferenças regionais ou sub-regionais de temperamento, *ethos* ou personalidade; e, igualmente, verificar a unidade típica de conduta em harmonia com o que há de universal na personalidade humana do brasileiro. O primeiro resultado de tal estudo parece que será indicar considerável diferença no temperamento ou personalidade mesmo entre vizinhos próximos como os gaúchos e os *missioneros* do Rio Grande do Sul. Ou entre baianos e pernambucanos. Ao lado desse estudo sugeri outro em torno da maneira brasileira mais característica de jogar o *foot-ball*. O jogo brasileiro de *foot-ball é* como se fosse dança. Isso pela influência, certamente, dos brasileiros de sangue africano, ou que são marcadamente africanos na sua cultura: eles são os que tendem a reduzir tudo a dança – trabalho ou jogo –, tendência essa que parece se faz cada vez mais geral no Brasil, em vez de ficar somente característica de um grupo étnico ou regional.

Depois que publiquei as minhas primeiras notas sobre esses dois assuntos – as maneiras regionais de dançar e de jogar *foot-ball*, o *foot--ball* ainda como uma dança com alguma coisa de africano – li excelente página de Waldo Frank, onde ele acha que o tango é "uma dança-música escultural"; e ao mesmo tempo diz que, observando um grupo de brasileiros a jogar *foot-ball*, notou que jogavam procurando levar a bola para o *goal* como se executassem "a linha melódica de um samba".[8] Reproduz quase a mesma observação por mim feita em artigo escrito em 1938, que, estou certo, nunca foi lido por Waldo Frank, assim como outro que publiquei em 1940, sobre as diversas maneiras de dançarem os brasileiros das várias áreas – da Bahia à área *missionera* do Rio Grande do Sul – as danças de carnaval. Alegra-me a coincidência das observações de Waldo Frank com as minhas, desde que considero o autor de *South American Journey* um dos poucos norte-americanos que têm escrito sobre o Brasil páginas de verdadeira e aguda penetração. Páginas proveitosas tanto para estrangeiros como para os próprios brasileiros.

Bem sei que às vezes Waldo Frank torna-se bombástico. Mas nas suas melhores páginas revela admirável compreensão do que é ibérico ou latino na cultura americana. Somos-lhe gratos, os brasileiros, por essas páginas, e gratos, também, pela sua intuição da complexidade e da diversidade brasileira e por seu respeito pelo que significam *regiões* e *províncias* em uma cultura complexa como a do Brasil. Não é ele desses muitos observadores estrangeiros que tendem a ver somente no Brasil os dois extremos – o metropolitano ou o pitoresco. O que revela extremo de progresso ou extremo de primitividade e de arcaísmo. São Paulo ou Rio, de um lado, selvagens nus ou o rio Amazonas, do outro. Na realidade, é entre esses dois extremos aparentemente antagônicos que se vai encontrar o verdadeiro Brasil, com a sua variedade de situações regionais ou sub-regionais.

Como no tempo do Império, houve durante o "Estado Forte" uma como tendência para reprimir toda a diversidade regional e provincial em favor da centralização e da unificação política. Por outro lado, há atualmente agitadores ou supostos modernistas, que se colocam contra toda a centralização: defendem o total desaparecimento das diferenças nacionais tanto como das regionais. Mas no Brasil as energias

---

8 Waldo Frank, *South American Journey*, New York, 1943, p. 50.

regionais ou sub-regionais são bastante poderosas: não se deixam facilmente reprimir por simples coerção política ou mero capricho ideológico de poderosos do dia. Vargas foi um político demasiadamente sagaz para querer ser novo Filipe II; e hoje os centralistas que, em países como o Brasil, se enchem de impaciência, não tolerando ouvir falar em diferenças regionais, são em menor número do que anos atrás. Alguns deles veem que a própria União Soviética está seguindo inteligente política de combinação do internacionalismo com o regionalismo.

O estudo das condições sociais, ou antes, da formação social brasileira, parece indicar que, no Brasil, como em outras nações não menos vastas e complexas, deve permitir-se a cada um particular lealdade à sua comunidade básica: região, área ou província. Não importa que, nos seus apegos transnacionais, o homem vá tão longe quanto se possa imaginar e se torne verdadeiro cidadão do mundo. A sua condição de membro de grupo primário – para usar a exata expressão sociológica – parece, ainda assim, necessária para a sua saúde tanto pessoal como social.

IV
Condições étnicas e sociais do Brasil moderno

Como procurei mostrar no Capítulo I, os antecedentes europeus da história brasileira, apenas em parte, é que foram europeus. Também foram africanos e asiáticos. Foram complexos. A complexidade étnica e cultural portuguesa parece ter sido, desde o mais remoto começo do Brasil, um estímulo para a sua diferenciação da Europa e para sua libertação de um *status* estritamente colonial ou subeuropeu.

Geograficamente, o Brasil está mais estreitamente relacionado com a África do que com a Europa. Segundo alguns ecologistas – um deles o prof. Konrad Guenther – a América do Sul é, na realidade, um continente diferente da América do Norte. As características não só de clima, mas botânicas e zoológicas da América do Norte, fazem lembrar antes as da Europa. As da América do Sul, ao contrário, mostram certo grau de independência e individualidade. Referindo-se aos sucessivos períodos geológicos do continente sul-americano, onde se vê rica e diversa fauna, diz o prof. Guenther "que durante todos esses longos períodos houve tempo para desenvolver-se com independência".[1] Essa

---

1 Konrad Guenther, *A Naturalist in Brazil: The Flora, the Fauna, and the People of Brazil* (traduzido do alemão por Bernard Miall), London, 1931, p. 160.

independência e essa diversidade alguns autores explicam com o fato de a América do Sul em tempo ter-se constituído de numerosas ilhas, cada uma delas com sua própria fauna e flora.

Mas explicação de ordem diferente tem sido sugerida por outros geólogos e ecologistas, que levam em conta, sobretudo, o longo isolamento do continente e a sua divisão em muitos tipos topográficos perfeitamente diferenciados entre si.

Do ponto de vista da ecologia animal, o prof. Von Ihering – os von Ihering, descendentes do célebre jurista, tornaram-se brasileiros – distingue seis regiões no Brasil: a região do Amazonas; a região do sul do Pará; o sertão do Nordeste; o interior dos estados do Sul; a zona costeira do Nordeste, no começo cheia de florestas; e a zona costeira meridional, com as suas planícies verdes ou frescas. Isso para falar somente das regiões, pois as sub-regiões são em muito maior número. Como dizem os ecologistas, a multiplicidade de formas é a característica essencial da natureza, especialmente da natureza tropical, e se um jardineiro europeu quiser projetar um jardim no Brasil deverá "seguir a natureza como a sua mestra"; e nesse caso o seu jardim, conforme palavras de Guenther, há de apresentar a principal característica da vegetação tropical, isto é, a variedade.

A natureza tropical e a complexidade dos antecedentes europeus deveriam ter levado os primeiros colonizadores portugueses que se estabeleceram no Brasil como plantadores de cana-de-açúcar a uma necessária variedade na produção agrícola. Mas a conduta humana não depende de nenhuma lógica e o que se desenvolveu foi a agricultura exclusivista, ou a monocultura. Especialmente a da cana-de--açúcar, que se tornou a característica predominante da paisagem natural e social das regiões que a invasão portuguesa dominou primeiro. Mais tarde o açúcar veio a ser substituído pelo café, mas com as mesmas consequências perniciosas para a natureza e para a sociedade humana. Em ambas as esferas, a harmonia essencial nas relações entre as criaturas vivas foi destruída quando, em vez de agricultura variada ou diversificada, se adotou a monocultura.

Essa predominância ou exclusividade de cultura dada, em largas regiões, ou sub-regiões, a uma planta única com desprezo de outras foi uma forma de perverter-se a natureza tropical essencialmente diversificada. E pelo lado humano foi uma forma de fazer o colonizador dominar a sociedade colonial em formação através de um único tipo de organização social: o feudal ou quase feudal.

Felizmente a natureza tropical parece ter-se revoltado contra a uniformidade imposta pela monocultura latifundiária e feudal dos europeus. Pequenas ilhas de culturas secundárias desenvolveram-se no meio dos vastos oceanos de cana-de-açúcar. O tabaco, o milho e a mandioca repontaram de início entre as formas nativas e quase espontâneas de agricultura que os portugueses adotaram dos ameríndios; ou que os ameríndios nômades cultivavam por iniciativa própria, fugindo ao império da monocultura europeia e escravocrata.

E de certo modo a mesma coisa aconteceu na esfera da ecologia humana. Os índios, por exemplo, revoltaram-se, contra a imposição de um sistema de plantação que os reduziria a escravos. Alguns tornaram-se colaboradores unicamente dos colonos um tanto nômades das fronteiras ou dos sertões. A maioria deles foram indomáveis inimigos dos plantadores que praticavam a monocultura e procuravam os indígenas para escravos de seus engenhos de açúcar. Os índios brasileiros eram de hábitos e gostos nômades. Vida sedentária, rotina agrícola, trabalho monótono da terra significava a morte para eles. Isso explica por que os negros da África foram importados em tão grande número para a América portuguesa e por que os seus descendentes representam hoje um elemento de tanta importância na composição étnica e na estrutura social do Brasil.

Se o equilíbrio da natureza brasileira foi dramaticamente perturbado quando a cana-de-açúcar se fez a única base da dominação portuguesa da América, a introdução do negro africano nas sub-regiões do açúcar é considerada por alguns historiadores e sociólogos motivo ainda maior de perturbação da vida americana. É que o negro fora trazido para regiões que não eram propriamente as suas. Como rival ou competidor econômico do indígena.

Mas Henry Bates, cientista britânico que passou longos anos no Brasil durante o meado do século XIX, chegou à conclusão de que o negro se tornou mais feliz na América tropical do que o próprio índio. Bates notou "a aversão constitucional ao calor" por parte do índio, em contraste com a adaptação perfeita do negro. E o seu bom raciocínio foi que o negro e não o índio é que "é o verdadeiro filho dos climas tropicais";[2] o verdadeiro filho do Brasil tropical tanto como da África tropical.

Do ponto de vista das relações do homem com a natureza, a adaptação do negro ao clima e a outras condições físicas do Brasil parece ter sido perfeita. Do ponto de vista social, o africano surge culturalmente mais bem preparado do que o ameríndio nômade para ajustar-se ao sistema escravagista de vida – agrícola e doméstica – existente na América portuguesa nos primeiros tempos de colonização. A sua adaptação às condições americanas foi tão perfeita como a da cana-de-açúcar, o seu companheiro simbiótico no papel de modificar a paisagem brasileira transformando-a de vasta região de florestas virgens em uma outra dominada pela civilização agrária, pelo latifúndio, pela monocultura.

Alguns dos milhões de negros importados para as plantações do Brasil vieram das regiões mais avançadas da cultura negro-africana. Isso explica por que houve escravos africanos no Brasil – homens de fé maometana e de instrução intelectual – que foram culturalmente superiores a alguns dos senhores, brancos e católicos. Para mais de um estrangeiro dos que visitaram o Brasil no século XIX, foi motivo de surpresa o fato de o principal livreiro francês da capital do Império contar, entre os seus fregueses, negros maometanos da Bahia; e por meio dele esses negros extraordinários, alguns aparentemente cristãos mas intimamente maometanos, importavam exemplares caros dos seus livros sagrados, para lê-los em segredo. Outros mantinham escolas. E havia também entre os negros maometanos da Bahia sociedades de auxílio mútuo, que serviram à libertação de grande número de escravos.

Na província de Minas Gerais, entre os escravos, floresceram, da mesma maneira que na Bahia, sociedades de auxílio mútuo. E o norte-americano Ewbank, quando em 1845 a 1846 esteve no Brasil, jantou uma vez com certo plantador e senhor de escravos baiano que lhe disse que os escravos de Salvador conservavam a sua própria

---

2 *The Naturalist on the River Amazon*, Humboldt Library of Science, New York, [s.d.], I, p. 725.

língua, assim como organizavam sociedades ou associações e traçavam planos revolucionários – os mesmos planos que os seus irmãos de outras áreas várias vezes tentaram executar. Contou mais ao norte-americano, o senhor de escravos, que alguns escravos baianos eram capazes de "escrever fluentemente o árabe" e eram "muito superiores aos seus senhores".[3]

Tive a sorte de achar documentos que confirmam as palavras de Ewbank; e provam que, ao lado de fortes escravos, bons somente para o trabalho do campo, também veio para o Brasil bom número de negros já de cultura relativamente avançada. Talvez nenhuma outra colônia da América tivesse, entre os seus africanos importados, negros da qualidade dos que vieram para a Bahia. E essa importação de negros de qualidade, culturalmente avançados, vindos das regiões africanas sob a influência civilizadora do poder maometano, explica por que no Brasil, mais comumente do que em qualquer outra colônia da América, negras bonitas e até belas chegaram a tornar-se famosas como amantes de ricos e preeminentes comerciantes portugueses da Bahia, de Ouro Preto, do Rio e do Recife. Algumas delas excederam em prestígio as suas rivais brancas ou ameríndias. Em Minas Gerais, mais de uma tornou-se rica, casando as filhas com jovens socialmente importantes e de cor branca, uns europeus, outros já brasileiros. Houve uma tal Jacinta, por exemplo, que encontrei citada em interessante documento genealógico pertencente a um arquivo de família daquela região; muito brasileiro hoje com posição de relevo na vida política ou profissional traz nas veias o sangue de Jacinta.

Os negros estão agora desaparecendo rapidamente do Brasil, fundindo-se com os brancos e com os ameríndios e constituindo-se numerosa população de "morenos". Em algumas regiões a tendência, ao que parece, é para a estabilização dos mestiços em novo tipo étnico, semelhante ao da Polinésia. Embora a tendência para a fusão com mulheres de cor se note mais comumente entre os imigrantes, ou os brancos pobres, outras Jacintas têm havido nas origens ou na história das famílias aristocráticas do Brasil. São raras mas têm exis-

---

3   Thomas Ewbank, *Life in Brazil, or The Land of the Cocoa and the Palm*, London, 1856, p. 441.

tido. Constituem assunto de mexericos, mas de modo nenhum se sente desgraçado o indivíduo que tenha entre seus antepassados remotos uma formosa africana a quem não seja exagero atribuir a condição de princesa.

Ewbank escreveu, no livro já citado sobre o Brasil no começo do reinado de Pedro II: "Tenho passado por senhoras de cor vestidas de seda e com joias, acompanhadas de escravos que as seguem de libré. Hoje vi passar uma de carro, acompanhada por um cocheiro e um lacaio uniformizados. Várias delas têm maridos brancos. O primeiro médico da cidade é um homem de cor; e de cor é também o presidente da Província". E descreveu Ewbank a viscondessa de C ... como negroide.[4]

Tem existido e ainda existe no Brasil distância social entre os diferentes grupos da população. Essa distância, porém, é – e hoje mais verdadeiramente do que no tempo colonial ou durante o Império (quando a escravidão era o fato central da estrutura ou do drama social) – o resultado de consciência de classe, mais do que qualquer preconceito de raça ou de cor. De como é de larga tolerância a atitude dos brasileiros em relação a pessoas que, embora com sangue africano, podem passar por brancos, nada mais expressivo do que o dito popular: "Quem escapa de negro, branco é".

Já Richard Burton havia observado no Brasil imperial que "aqui, todos os homens, especialmente os que são livres, quando não são negros são brancos; e muitas vezes um homem é oficialmente branco, mas na verdade quase negro. O que é francamente oposto ao sistema dos Estados Unidos onde brancos e negros não se misturam".[5] Visitando o Brasil meio século depois de Burton, Bryce incluiu-o entre os países onde a distinção entre raças é uma distinção "de posição ou de classe, mais do que de cores".[6]

Mesmo na época colonial, se uma pessoa era politicamente ou socialmente importante, nenhuma significação tinha que o seu passado étnico não fosse virgem de sangue africano: ele ou ela passava por branco.

---

4 Ibidem, p. 266.
5 *The Highlands of Brazil*, London, 1867, I, p. 393.
6 James Bryce, *South America, Observations and Impressions*, New York, 1913, p. 470.

Tenho procurado estudar ou examinar esse processo brasileiro de "arianização" social em mais de um ensaio. Tenho procurado destacar em mais de um estudo, na solução brasileira dos problemas resultantes do contato de raças, o seu contraste com outras soluções. E creio que a solução brasileira, em grande parte, se explica à luz da experiência, quer social, quer cultural, peculiar aos portugueses, como povo de transição entre Europa e África.

Outro povo de transição entre a Europa e outro continente de população de cor é o russo, que revela hoje ao mundo um tipo novo, sob certos aspectos já vitorioso, de organização social e que inclui a miscigenação, especialmente a mistura de raças conhecida por euro-asiática entre as suas soluções para os problemas sociais do homem. Em mais de um aspecto da sua situação étnica e social, o Brasil lembra a Rússia.[7] A experiência de bicontinentalidade étnica e cultural, começada há séculos em Portugal, tomou nova dimensão no Brasil: três raças e três culturas se fundem em condições que, de modo geral, são socialmente democráticas, ainda que até agora tenham permitido a definição de um tipo ainda imperfeito tanto na sua base econômica como nas suas formas políticas de expressão. Mas com todas as suas imperfeições, de base econômica e de formas politicas de convivência democrática, o Brasil impõe-se hoje como uma comunidade cuja experiência social pode servir de exemplo ou estímulo a outras comunidades modernas. Decerto não existe nenhuma outra comunidade moderna da complexidade étnica da brasileira, onde os problemas das relações sociais entre os homens de origens étnicas diversas estejam recebendo solução mais democrática ou mais cristã que na América portuguesa. E a experiência brasileira não indica que a miscigenação conduza à degeneração.

As conclusões do prof. Charles R. Stockard que "a mestiçagem entre raças humanas muito diferentes provavelmente causa a degradação e até a eliminação de certos grupos", e que "a extinção de

---

7 A comparação que faz o autor do Brasil com a Rússia é anterior à mesma comparação, pelo conde de Keyserling. A que se repete aqui é reproduzida do ensaio do autor: "Aspectos de um século de transição", publicado no *Livro do Nordeste*, Recife, 1925.

várias raças antigas tem aparentemente seguido de muito perto a absorção em grande escala de escravos estrangeiros", e que, "se examinarmos a história de alguns dos países do sul da Europa e da Ásia Menor, de um ponto de vista estritamente biológico e genético, se achará relação muito bem definida entre o amalgamamento dos brancos e dos escravos negroides e a perda da potência intelectual e social"[8] – são conclusões que não encontram confirmação na experiência do povo luso-brasileiro. É verdade que Portugal não tem hoje o prestígio bélico e político que teve quatro séculos atrás. Mas isto é também verdade dos "arianos" da Holanda e dos "arianos" da Dinamarca ou da Suécia.

De acordo com a teoria do prof. Stockard, o Brasil, onde a miscigenação se vem fazendo mais livremente do que em Portugal e na Espanha, deveria ser bem mais inferior em poder intelectual e social não somente a Portugal, mas a nações quase brancas da América do Sul, como a Argentina e o Chile. Os estudos objetivos sobre as realizações nacionais ou regionais da América Latina, e sobre o seu desenvolvimento cultural, não parecem confirmar a inferioridade do mestiço do Brasil, comparado com seus vizinhos mais "arianos". No Brasil e não nos países mais "arianos" da América Latina é onde hoje se encontra o grupo mais fortemente criador de jovens arquitetos, de jovens pintores e de jovens compositores da América do Sul, senão de todo o continente americano; e ainda no Brasil mestiço é que se encontra o grupo mais criador de médicos e de cientistas dados ao estudo das doenças chamadas tropicais e dos problemas de saúde e de higiene peculiares às zonas tropicais. O Brasil é universalmente conhecido pela obra de cientistas como Oswaldo Cruz, Carlos Chagas, Cardoso Fontes, Roquette-Pinto, os irmãos Almeida, Silva Melo, Vital Brazil, Manuel de Abreu, Josué de Castro, Afrânio do Amaral e Sinval Lins. São famosas as felizes experiências científicas de investigadores brasileiros, alguns deles mestiços, com os soros antivenenosos para anular os efeitos do veneno das cobras, que todos os anos salvam centenas de vidas em vários países.

---

8 *The Genetic and Endocrine Basis for Differences in Form and Behavior*, Philadelphia, 1941, p. 37-38.

Outro fato que parece desmentir os que enfaticamente generalizam sobre os efeitos intelectuais e sociais do que chamam "mongrelização" é que, durante anos, as zonas brasileiras donde sai o maior número de líderes políticos, ou de homens de letras ou de cientistas, ou de homens de talento artístico, têm sido as zonas notáveis precisamente pela extensão e intensidade do amalgamamento étnico e da interpenetração cultural: o extremo Nordeste, Bahia e Sergipe, o Rio de Janeiro, Minas Gerais e São Paulo. Durante o Império, a Bahia foi conhecida como a "Virgínia brasileira", porque a maioria dos presidentes de gabinete vinha dessa província de vasta população mestiça. Alguns dos presidentes de gabinete do Império, ainda que oficialmente se comportassem com o mesmo solene rigor dos membros do Parlamento britânico, eram homens com sangue negro. E embora as qualidades dos estadistas brasileiros durante o período do Império fossem imitativas mais do que criadoras, alguns deles tornaram-se notáveis pelo seu talento político e, ainda, pelo seu tato e habilidade como diplomatas.

Como Império o Brasil foi um país cuja estabilidade e paz contrastavam com a vida política turbulenta da maioria das repúblicas latino-americanas. E já então ele era governado por uma aristocracia bastante democrática desde que homens com sangue negro se podiam associar a ela, se bem que, em sua mais larga composição, se formasse de brancos ou de quase brancos ou de mestiços apenas de sangue indígena. No período republicano é que se intensificou a ascensão ao poder político e aos postos de direção intelectual, industrial e eclesiásticos, de brasileiros de origem africana.

Considerada como sistema político, a República estabelecida no Brasil em 1889 não foi diferente do Império: conservou-se mais imitativa do que criadora. Diminuiu a honestidade entre os homens públicos; perdeu-se também um pouco o sentido daquela elegância e dignidade que eram bem características do Parlamento brasileiro, no tempo de Dom Pedro II. Mas, por outro lado, aumentou a eficiência na maneira de tratar os problemas práticos. Não foram raros os novos líderes políticos que se fizeram notáveis pela sua habilidade ou capacidade no trato de problemas econômicos e sanitários, de algum modo negligenciados pelos estadistas e políticos do Império.

Com a República é que surgiram audaciosos projetos para a construção de portos e de grandes edifícios, obras hidráulicas, planos de saneamento, pavimentação, drenagem e embelezamento da cidade, e, ainda, planos para uma organização comercial mais eficiente da produção do café. O Brasil republicano apaixonou-se pelo progresso material. E em muitas dessas obras pode-se adivinhar a dinâmica impaciência dos brasileiros que ingressaram na vida pública com a República de 1889: a sua ânsia por fazer do Brasil um país moderno, progressista, diferente de Portugal e diferente da estrutura colonial ou monárquica do próprio Brasil.

Dos novos chefes republicanos grande número eram mestiços, homens de origem humilde e de modo nenhum aristocrática. Parecem eles ter feito do regime republicano uma expressão das suas próprias aspirações a um novo e melhor estado social de vida.

Isso deve explicar a importância política que teve o Exército no novo regime. Em contraste com a Marinha, que ostentou sempre no Brasil com especial orgulho o fato de ter como oficiais somente brancos caucásicos ou indo-caucásicos e filhos de famílias aristocráticas ou de burgueses ricos; e em contraste, também, com o clero, que durante o Império foi principalmente branco e aristocrático ou burguês – o Exército brasileiro cedo começou a desenvolver-se em organização social e etnicamente democrática, com grande número de oficiais de origem social modesta e alguns com sangue índio e até negro nas veias.

Alguns desses homens tiveram parte ativa e dinâmica na vida política da nação. Quando o sistema agrário-patriarcal do Brasil começou a desintegrar-se – desintegração essa que se processou rapidamente depois da abolição dos escravos – o Exército e a Igreja permaneceram os dois únicos grupos organizados do país. E dos dois foi o Exército o mais liberal, progressista e democrático, e a Igreja o mais conservador, ainda que raramente antiliberal ou violentamente oposto a reformas sociais.

Não poucos dos mais jovens oficiais do Exército caíram sob a influência do Positivismo de Comte; e os mais entusiastas deles, convencidos de que no Positivismo tinham não *uma* mas *a* solução de todos os problemas brasileiros, agiram sob esse critério. Outros republicanos idealistas – esses, civis – convenceram-se, lendo mestres ingleses e norte-americanos de política, de direito ou de finanças, de que uma constituição federal e democrática copiada da dos Estados Unidos resolveria todas as dificuldades do Brasil.

Entre esses dois grupos de ideólogos extremos havia os líderes republicanos cujo método era o britânico de tratar cada problema como esse se apresentava; e não de acordo com algum rígido sistema filosófico ou alguma ideologia inflexivelmente lógica. Nesse terceiro grupo de líderes jovens mas realistas, objetivos, plásticos, havia, como nos dois outros, brasileiros negroides notáveis pela ambição de alcançar o poder pelo valor intelectual e pelas qualidades pessoais de sedução – homens como Francisco Glicério e Nilo Peçanha; como havia também descendentes de imigrantes europeus de outra origem que não a portuguesa, filhos e netos de camponeses ou artesãos, de franceses, alemães, ingleses, italianos, homens dos quais poderiam ser destacados Lauro Müller, filho de colono alemão, e Paulo de Frontin, filho de imigrante francês. Psicológica e sociologicamente eram todos – filhos de imigrantes e descendentes mais ou menos remotos de africanos – como peregrinos da mesma romaria: impacientes por se erguerem socialmente realizando triunfante carreira política como líderes do novo regime. E os mais sagazes parecem ter compreendido que a atitude mais inteligente era a de não se comprometerem com nenhum bem definido sistema filosófico nem com nenhuma ideologia política inflexível, cujo prestígio pudesse desaparecer rapidamente, mas darem-se eles mesmos à causa que por muito tempo seria cara a quase todos os brasileiros: a causa do progresso material. Daí os planos para melhoramentos gerais terem sido a mais característica expressão da atividade republicana no Brasil: da atividade de grande parte dos novos líderes políticos depois de 1889.

Foi nessa ocasião que o Brasil contraiu dívidas em grande escala, tomando emprestado a banqueiros europeus quanto necessitava em ouro para construir portos, edifícios, obras hidráulicas, instalações sanitárias, avenidas, caminhos de ferro, navios de guerra. Embora muito desse dinheiro fosse gasto extravagantemente, não se pode negar que os dirigentes da chamada "primeira República" enriqueceram o Brasil com obras públicas notáveis, muitas delas de engenharia sanitária; e essenciais não somente ao desenvolvimento econômico, mas ao social, da nação brasileira.

Tais obras materiais, tais realizações concretas não podem nem devem ser subestimadas. Algumas foram valiosíssimas. Foram a primeira grande contribuição do sistema de governo republicano para o progresso do Brasil.

Os antigos senhores de terra, os homens da velha aristocracia escravocrata, foram substituídos, como líderes políticos, por novo e inquieto elemento da população. Um elemento diferente dos seus predecessores quanto à origem social e também quanto à composição étnica e aos interesses econômicos e intelectuais que representavam. Essa substituição deve ser considerada fato importante. A maioria daqueles predecessores não tinha dos problemas sociais brasileiros senão a visão patriarcal, feudal ou aristocrática que lhes convinha. Olhavam o açúcar (e depois o café) como o grande problema do Brasil; consideravam-se patriarcalmente os chefes naturais de vastas famílias de escravos e semiescravos produtores de açúcar ou de café – vastas famílias cuja constelação constituía o Brasil. Os novos dirigentes, alguns deles remotos descendentes ou descendentes em segunda e terceira geração de escravos ou de camponeses ou de modestos imigrantes da Europa, surgiram com uma experiência e uma visão mais democráticas da vida, embora não tanto como seria necessário para se tornarem líderes efetivos da reconstrução social do Brasil. A maioria deles preocupava-se mais em chegar a altas situações políticas e sociais do que com qualquer problema largamente humano ou social, salvo os de melhoramento sanitário das grandes cidades: aspecto estritamente burguês do grupo de problemas sociais com que se defrontava então o povo brasileiro. E em relação aos problemas econômicos os novos líderes foram sempre antes conservadores que inovadores do ponto de vista social. Apenas em vez de conservadores feudais, a sua maneira de ser conservadores passou a ter alguma coisa de grande-burguês. Não nos esqueçamos de que a mestiçagem – a meia-raça – fez no Brasil as vezes de classe média.

Do contato de alguns dos novos líderes republicanos com o poder – que era, agora, mais sombra de poder que poder de fato – da velha aristocracia do açúcar e do café que se desintegrava com rapidez, surgiu um plano para a defesa da produção do café no Brasil – plano que ficou como uma das contribuições mais originais da América portuguesa depois de tornada republicana (intensamente mestiça e mesmo negroide na composição da sua elite política e intelectual) para a ciência econômica e para a técnica, até então ainda vaga, de controle oficial dos mercados. Para o que hoje chamaríamos economia dirigida; e essa economia dirigida mais favorável a interesses grande-burgueses que arcaicamente aristocráticos.

Segundo um economista norte-americano especialista no assunto, o plano brasileiro de "valorização do café" (1905) foi seguido pelo Equador em relação ao cacau, pelo México para controlar o seu *henequén*, pela Malásia britânica e Ceilão para o controle da borracha, por Cuba em relação ao açúcar, pelo Egito para o algodão e pela Itália para o citrato de cálcio. Acrescenta o mesmo especialista que a valorização pelo processo brasileiro se tem aplicado a muitos outros artigos e em mercados puramente domésticos, como, por exemplo, seriam os esforços da *Federal Farm Board* para levantar o preço do trigo nos Estados Unidos. Charles R. Whittlesey diz-nos em artigo que sobre o assunto escreveu para a *Encyclopedia of the Social Sciences* que o termo *valorização* "foi introduzido nos países em que se fala o inglês desde 1906 procedente do Brasil, onde tinha sido aplicado a medidas para regular o mercado de café".[9]

Bem-sucedidos na valorização do seu café, os primeiros líderes republicanos do Brasil não cuidaram dos problemas humanos. Não desenvolveram nenhum plano para a "valorização" do homem brasileiro. Valorizar o humano pareceu-lhes menos que valorizar o sub-humano.

Por muito perspicazes que tenham sido no que respeita aos assuntos financeiros e aos problemas relacionados com o progresso material, fracassaram quase sempre no trato dos problemas humanos, à falta de contato mais íntimo com a chamada realidade brasileira: a realidade humana, social e cultural. Assim é que se descuidaram de problemas muitíssimo importantes como o de dirigir a transição do

---

9 "Valorization", *Encyclopedia of lhe Social Sciences*, XV, p. 211-212.

trabalho escravo para o trabalho livre. Parece mesmo que os mais realistas deles não consideraram tal problema digno de estadistas mas assunto para devaneios de filantropos, missionários e poetas líricos.

Além disso, alguns deles – os que tinham sangue negro de escravo nas veias – não queriam aparecer como campeões de uma causa cuja defesa talvez fizesse nas suas pessoas ressaltar um elemento hereditário que estavam doidos por esquecer ou esconder; e ansiosos também por que fosse esquecido por toda a gente. Daí se concentrarem na mística do progresso material: numa política de empréstimos e de construções, com ela atraindo não só o capital como também o trabalho estrangeiro.

A atração do capital e da mão de obra estrangeira foi de certo modo bem típica da política estreitamente econômica adotada pelos líderes republicanos para a europeização do Brasil, especialmente nas cidades do litoral. Pouca importância se dispensou ao lado humano, superiormente social e cultural, do problema da colonização europeia. Só o aspecto mecânico ou material parece ter preocupado aqueles líderes republicanos e mesmo alguns dos seus predecessores que se preocuparam, ainda no Império, com o problema chamado caracteristicamente de "braços".

Logo no século XIX começara a deliberada importação de imigrantes europeus para o Brasil. Aumentou poucos anos mais tarde, quando os ingleses tomaram tais e tão severas medidas contra o tráfego de escravos que difíceis se tornaram os contrabandos de pretos, pelos navios capazes de abastecer ilegalmente de africanos as plantações do Brasil. Os estadistas dos últimos anos do Império compreenderam que, em face da escassez do trabalho escravo, as perspectivas da agricultura brasileira não eram de encher os olhos de ninguém.

O problema porém não era para ser olhado somente do lado econômico; mas também do lado social. Como podia um país dominado pelo sistema agrário-patriarcal, dominado por uma monocultura latifundiária e com uma organização feudal, ou quase feudal, atrair europeus ansiosos por encontrar na América melhores e mais livres condições de vida do que nos seus próprios países? Como podia um país quase morbidamente devotado à plantação do café ou da cana-de-açúcar, em propriedades imensas, que estavam nas mãos de pequeno número de latifundiários, transformar-se em país de pequena lavoura, de pequena propriedade, de plantação de café por camponeses, de agricultura variada? Como poderia ocorrer tal transformação sem ser por meio de violenta revolução?

Um grande fazendeiro de café dos últimos anos do Império, Monteiro de Barros, quando ocupou o Ministério das Relações Exteriores, mostrou-se homem de espírito realista, ao observar que os imigrantes europeus deviam "somente trabalhar por suas próprias mãos e nas suas próprias terras". Mas o que os grandes plantadores de café ou de açúcar queriam, em matéria de imigrantes, era um tipo de trabalhadores que se conformassem em ser meramente os sucessores passivos dos escravos. Braços brancos ou amarelos que substituíssem os pretos e pardos. E a isso é que os imigrantes europeus não se sujeitavam.

Para se ver quanto o aspecto humano do problema era desprezado em favor do estreitamento econômico basta citar as tentativas de estadistas do Império a fim de trazer *coolies* chineses para as plantações, onde ocupariam o lugar dos escravos negros. A nova forma de escravidão teria sido introduzida na América portuguesa se, em 1883, quando um tal Tong King Sing veio ao Brasil para discutir o projeto que sobre essa matéria estava sendo seriamente examinado pelo governo do Brasil, não tivesse o fato provocado no Rio e em outras cidades forte reação do sentimento público contra os grandes fazendeiros ou senhores de terras, partidários da substituição do braço preto pelo amarelo. Fechados nos seus estreitos hábitos feudalísticos e nos seus interesses puramente econômicos, nada viam tais fazendeiros, nesse ou noutros problemas, de maior amplitude nacional, que a conservação das suas fazendas. O ano de 1883 deve ser considerado ano histórico na luta pela democratização econômica do Brasil, porque foi então que os interesses estreitamente da classe dos plantadores de café perderam importante batalha, vencendo os interesses nacionais ou gerais. Batalha para preservar um sistema que embora *criador*, nos começos da agricultura e da sociedade brasileira, tornara-se totalmente *parasitário* e oposto ao desenvolvimento de novas condições de vida no país. Felizmente o sistema arcaico não logrou o seu intento: o de substituir o escravo africano pelo quase escravo asiático.

O fato de a opinião pública se ter mostrado tão enérgica contra a introdução dos *coolies* chineses é prova de que, pelo menos nos últimos anos do Império, havia já opinião ou sentimento público no Brasil. Quando intérpretes superficiais da vida brasileira sustentam que o único governo para o Brasil é alguma forma de ditadura ou império paternalista, sob o fundamento de que "não existe opinião pública no país", é porque se esquecem de episódios como o dessa vigorosa reação popular de 1883. É verdade que o Brasil possuía então como imperador um homem bom e liberal mas que, fraco como era diante não de qualquer classe ou grupo, mas de problemas cuja solução pudesse ser retardada, provavelmente teria agido como queriam que agisse os grandes plantadores de café e açúcar, se a opinião pública não se tivesse manifestado tão eloquentemente contra o prolongamento do sistema de escravidão sob nova e perigosíssima forma.

Nessa época o povo do Brasil podia exprimir os seus sentimentos em reuniões públicas e na imprensa. Era um direito seu. E tão livre era a imprensa que os abolicionistas e os republicanos chegavam a referir-se algumas vezes a Dom Pedro II como a "Pedro Banana", para melhor o acusarem de fraco instrumento de poderosos interesses privados: e tal qual uma banana de mole. Rei mais banana do que homem. O que não era de todo exato, muito menos justo. Mais de uma vez soube Dom Pedro II encarnar o interesse nacional contra os privados, sabendo impor a sua vontade a poderosos.

Outros líderes de governo, do mesmo tipo paternalista que Dom Pedro II, têm recebido, no Brasil, seus apelidos, porque embora homens bons, honestos, bem-intencionados, colocaram às vezes poderosos interesses privados acima do interesse público e das necessidades nacionais: "Tio Pitá", por exemplo. Epitácio Pessoa, presidente da República dos mais ilustres, recebeu tal apelido dos homens da oposição, devido às suas tendências para o que se poderia chamar talvez benevolência nepotista ou, mais pedantemente falando, benevolência "avuncular".

O governo de tipo paternalista não parece dar bom resultado quando as condições sociais deixam de ser favoráveis ao puro paternalismo e exigem direção forte porém responsável da coisa pública:

tão diretamente responsável quanto possível, perante os elementos mais vigorosos e instruídos da comunidade. O paternalismo parece tornar-se prejudicial quando não se contenta em ser simples regime de transição, interessado em incorporar o povo comum à vida cívica da nação. Quando em vez de fecundamente transitório, pretende eternizar-se em governo para quem a nação não passa nunca de criança inerme.

Mas a reação do sentimento público não foi a única força que serviu para frustrar o projeto de importação de *coolies*. Outra intervenção houve, talvez não inspirada inteiramente em motivos humanitários, e sim na esperança de possível competição de seus produtores de açúcar e de café com os do Brasil: a intervenção do Império britânico. Carta significativa sobre o assunto é a que foi publicada em dezembro de 1883, no *Anti-Slavery Reporter* de Londres, assinada por Charles H. Allen e dirigida ao mui nobre conde de Granville, secretário Principal de Estado de Sua Majestade para Assuntos Estrangeiros. Diz o autor da carta que os abolicionistas britânicos falaram francamente a Tong King Sing do extremo perigo de se transformarem virtualmente em escravos os *coolies* chineses que, sob contrato, fossem importados para o Brasil, e concluía com o seguinte: "O Comitê pede-me para agradecer a Vossa Excelência as prontas medidas que adotou, chamando a atenção dos representantes de Sua Majestade no Rio e Pequim para a questão da imigração chinesa no Brasil, e para exprimir a esperança de que Vossa Excelência peça a esses representantes que não se descuidem, e bem considerem este assunto, já que poderiam apresentar-se no futuro planos semelhantes ao atual e em que os plantadores poderiam ter que tratar com cavalheiros menos astutos e não tão generosos como o Senhor Tong King Sing".

Mais de uma vez grandes potências, que têm ultrapassado o regime de escravidão ou de semiescravidão em seu desenvolvimento econômico, têm favorecido reformas liberais e democráticas nos países mais fracos ou mais atrasados; porque tais países, continuando a ter escravos ou servos, podem tornar-se competidores perigosos, na produção agrícola, daquelas grandes e adiantadas potências. Isso deve explicar o fato de que, em épocas diversas, os liberais do Brasil têm contado com o apoio de políticos europeus conhecidos antes pelo realismo cru que pelos sentimentos humanitários da sua política estrangeira. Deve explicar também o fato ainda mais fácil de ser observado: que mesmo os governos ditatoriais do Brasil e de outros países da América Latina têm contado, para surpresa de muita gente, com o apoio dos liberais e democráticos de grandes potências interessadas menos na democratização das nações mais fracas do que em aumentar o poder aquisitivo das mesmas nações em relação com os produtores daquelas potências.

Logo que os plantadores de café do Brasil sentiram que não havia mais possibilidades de importar escravos para as suas fazendas, os mais empreendedores dentre eles procuraram atrair camponeses europeus, alguns adotando um sistema chamado de *parceria*, não muito diferente do sistema de servidão. É verdade, como têm observado críticos objetivos desse sistema de parceria, que, com a qualidade de *parceiro*, ficava ao colono a satisfação de considerar-se trabalhador independente; mas, como ele começava contraindo empréstimos, sem possuir terra, a sua sorte era sempre a de um pobre-diabo, desde que falhasse a colheita ou que o fazendeiro não fosse homem de boa-fé. Mal chegava o colono e já era devedor: devedor da passagem dele e da família. Recebia casa para morar e certa quantidade de alimento, é certo. Mas era obrigado a cultivar certo número de pés de café ou um lote de cana-de-açúcar, e a levar a sua produção ao moinho do dono da terra, tendo então direito a metade do resultado,[10] em geral já absorvida pelas despesas. Sob esse sistema ele ficava inteiramente na dependência da boa ou má-fé do plantador ou senhor de terra.

Alguns apologistas do sistema de *parceria* costumam citar com ênfase o fato de alemães, pés de boi no trabalho, que, tendo-se estabelecido em São Paulo, vindos da Baviera e de Holstein, conseguiram pagar regularmente as suas dívidas em quatro anos, sobrando-lhes dinheiro depois. Mas é um fato que apenas diz bem da honestidade de alguns plantadores de café nos seus negócios com camponeses ou imigrantes europeus, desde que os podia conservar indefinidamente como semiescravos, sempre endividados e sempre dependentes.

---

10 Elliott, op. cit., p. 61.

Deve-se contudo acrescentar que não foram os alemães, mas os italianos do norte da Itália, que provaram ser os melhores sucessores dos escravos negros nas plantações de café do Sul do Brasil.

A despeito dos muitos atritos entre plantadores brasileiros e colonos europeus durante a fase de transição da escravatura para o trabalho livre, chegou-se eventualmente a um acordo quando nova instituição oficial, denominada Patronato Agrícola, passou de certo modo a regular as relações entre fazendeiros e trabalhadores brancos ou imigrantes europeus, que, daí em diante, ao menos assistência médica passaram a receber. Onde esse acordo realmente surtiu melhor efeito foi em São Paulo, e com a colonização italiana: tal foi o êxito dessa colonização naquele estado que um terço, aproximadamente, da sua população atual é de sangue italiano e muito se distingue na vida comercial e industrial tanto como na vida social da comunidade paulista.

As regiões, ou áreas, do Brasil onde a colonização europeia tem sido mais bem-sucedida são aquelas quase sem herança do sistema agrário-patriarcal: Rio Grande do Sul, Santa Catarina, Paraná, parte de Minas Gerais, do Rio de Janeiro, do Espírito Santo e de São Paulo. Todas as tentativas para estabelecer os colonos europeus nas vizinhanças das velhas regiões feudais de latifúndio escravocrata – Bahia, a parte antiga do Rio de Janeiro e Pernambuco, principalmente – têm dado em maior ou menor fracasso.

Por outro lado, fracassou também a tentativa da maioria dos colonos anglo-americanos que vieram no século XIX do Sul dos Estados Unidos para o Brasil, porque era esse país ainda de escravos e estavam eles, homens do Sul dos Estados Unidos, habituados a ser senhores de negros e a dominá-los. De dezenas de norte-americanos do Sul, que, depois da Guerra Civil dos Estados Unidos, desapontados com a derrota sofrida pelos estados escravocratas, vieram para o Brasil, poucos foram os que se saíram bem ou prosperaram em terra brasileira. O que parece é que a maioria deles teria vindo com pouco dinheiro, não podendo estabelecer-se como plantadores e donos de escravos, e assim viver a vida a que estavam acostumados no Velho Sul dos Estados Unidos. Começar a vida como pequenos agricultores independentes em regiões quase virgens do Brasil como camponeses europeus haviam feito no Rio Grande do Sul e noutras áreas do Brasil meridional – não era tarefa suave para homens que se haviam criado rodeados de negros que faziam por eles todo o trabalho pesado de lavoura ou de campo. Alguns experimentaram a cultura do algodão mas em condições bem pouco favoráveis. E essas condições como outros fatores é que explicam os seus muitos fracassos num Brasil que, ainda escravocrata, era, entretanto, país de escravos difíceis e caros.

Cerca de trinta anos depois da vinda daqueles homens do Sul dos Estados Unidos para o Brasil, uma geógrafa, a sra. L. E. Elliott, procurando informar-se sobre a sorte daqueles patrícios que tinham vindo para o Brasil depois da Guerra de Secessão, ouviu histórias a esse respeito que lhe pareceram mais "cômicas do que trágicas". Uma delas é a respeito do grupo de norte-americanos que se foi estabelecer em Santa Bárbara e aí plantar, em larga escala, melancia. Depois de um ano, justamente quando a melancia ia amadurecendo, rebentou – é o que diz a história – o cólera em São Paulo. Foi então proibida a venda de melancias e os seus cultivadores arruinaram-se. E como um novo cônsul dos Estados Unidos tinha sido designado para Santos pelo novo presidente daquele país, Cleveland, que era do Partido Democrata, supuseram os sulistas que o novo cônsul devia também ser particularmente amigo dos correligionários. Assim é que à sua chegada logo lhe enviaram uma carta de congratulações, onde, ao mesmo tempo, contavam a situação econômica difícil em que se achavam. O cônsul, ao que parece, respondeu cordialmente, sugerindo que, na qualidade de cônsul, iria visitá-los. Pelos colonos foi logo preparada entusiástica recepção. Então, diz Elliott: "Na tarde da sua chegada à colônia achava-se toda a gente alinhada na plataforma da estação e um coronel sulista à frente da comissão de recepção. Chegou o trem, abre-se a porta de um dos carros de primeira classe e desce um cavalheiro com maleta de mão que marcha para o coronel com a mão estendida. Era o cônsul, mas um cônsul preto como um ás de espadas. Conta-se que o coronel se portou nobremente: apertou a mão do cônsul, dando-lhe, como os outros sulistas, o melhor acolhimento, mas logo que ele partiu, protestaram nunca mais confiar em governo chefiado por homem do Partido Democrata".[11]

---

11 Elliott, op. cit., p. 65-66.

A maioria desses sulistas norte-americanos que permaneceram no Brasil acabaram esquecendo os seus preconceitos de raça contra os negros e os mestiços. Isso em virtude do contato a que eram obrigados com profissionais ou chefes de indústrias de importância ou com senadores e deputados brasileiros, nem todos homens puramente brancos, antes gente de sangue misturado, branco e negro, e não de branco e ameríndio somente, embora a mistura mais comum em São Paulo tenha sido a do branco e ameríndio. Essa é a mistura dominante que está na base da velha e orgulhosa aristocracia daquele estado, como de outras sub-regiões do Brasil, onde é ainda motivo de orgulho para uma família antiga ter entre os seus ancestrais algum ameríndio, geralmente idealizado como herói de alguma das guerras coloniais: contra os franceses ou contra os holandeses. Ou admirado pela sua atitude de resistência aos portugueses. Quando mulher, o antepassado ameríndio era idealizado em princesa: a bela filha de algum poderoso cacique.

O primeiro cardeal da América Latina, o cardeal Arcoverde, era descendente de uma princesa índia de Pernambuco: a Nova Lusitânia do século XVI. Uma Pocahontas brasileira. Orgulhava-se aquele "príncipe da Igreja" do seu sangue ameríndio e insistentemente falava da necessidade de um clero brasileiro para o Brasil, isto é, um clero composto de homens nascidos no Brasil ou integrados na vida brasileira, em vez de um clero inteiramente constituído de padres e frades estrangeiros. Sem ser estreitamente nacionalista, soube ver o perigo para os países latino-americanos de se conservarem colônias intelectuais e econômicas da Europa com a ajuda indireta de padres que, sendo europeus, teriam naturalmente uma atitude de autocrático paternalismo em relação aos sul-americanos quando não de absoluta superioridade, diante das populações ameríndias, indo-hispânicas ou afro-hispânicas.

Tal foi a extensão do indianismo no Brasil, não somente na literatura mas na vida diária, que, quando o Brasil se separou de Portugal e se manifestou forte sentimento contra qualquer tentativa portuguesa de reconquista, não foram poucas as famílias brasileiras que trocaram o seu nome de batismo ou o seu nome de família, portugueses ou europeus, por nome ameríndio. Eram nomes, os adotados por esses nativistas, na sua maioria poéticos, de rios e plantas. Alguns deles, porém, nos soam hoje prosaicos, ainda que expressivos: nomes de peixes, ou que até cheiravam a mercado ou a cozinha, como Carapeba.

Os índios ou ameríndios, do Brasil, segundo a observação de cientistas modernos, eram notáveis pelo seu minucioso conhecimento da flora e da fauna do país; e até hoje muitos rios, plantas, animais, montanhas, cidades e medicamentos têm no Brasil nomes, não europeus ou portugueses, mas ameríndios. Conforme o já mencionado cientista alemão, Konrad Guenther, no Brasil, como na América espanhola, não só são muitas as famílias que aludem com orgulho à existência de caciques indígenas entre os seus antepassados – fato a que já me referi – mas muitos são os descendentes dessas famílias que, em algumas áreas ou regiões, fazem lembrar, pelo tipo físico, uma volta aos caracteres do ameríndio.

No que toca ao africano pode-se dizer que vai sendo gradual e pacificamente absorvido pela população branco-índia, desde que há largos anos não vêm novos negros da África para o Brasil.[12] O ecólogo alemão Guenther – homem da época pré-nazista – depois de conhecer o Brasil, manifestou-se partidário da mistura de raças e do indianismo no Brasil, como meio, a ser desenvolvido entre os brasileiros, de criação de uma civilização caracteristicamente brasileira que crescesse como que organicamente, das suas próprias forças nativas, com as suas várias formas de expressão sempre ligadas à sua fonte suprema: a natureza tropical, americana, brasileira. E a propósito sugeriu que os muitos nomes ameríndios de objetos naturais estariam em harmonia com a origem indígena da cultura brasileira. Pelo que recomendou que mais ainda se deveria fazer nesse sentido, popularizando-se entre as crianças brasileiras contos ameríndios de animais. Novelas como as de José de Alencar – o Cooper brasileiro – e uma mais larga utilização de motivos índios na arte moderna do Brasil poderiam aumentar no brasileiro o orgulho das suas origens ameríndias e dos fundamentos naturais da sua cultura.

Não nos devemos esquecer de que os indígenas do Brasil foram gente agreste, com uma cultura das que são tecnicamente denomina-

---

12 Konrad Guenther, op. cit., p. 371-372.

das de floresta ou de selva. Os ameríndios remanescentes e as sobrevivências das culturas indígenas são elementos de importância na vida brasileira. Não podem, assim, deixar de ser levados na devida conta em qualquer política cultural brasileira que vise a uma mais profunda harmonia dos brasileiros como seu meio natural. Política de harmonia, aliás, que teve sólida base na atitude dos colonos portugueses que se entrelaçaram pelo casamento com a população ameríndia: uma atitude de tolerância e algumas vezes de entusiasmo daqueles europeus pelas diferenças físicas e culturais apresentadas pelas populações ameríndias.

O fato de os ameríndios, dentro do seu feitio de nômades, terem-se revelado tão maus escravos nas primeiras plantações de cana-de-açúcar estabelecidas no Brasil e terem combatido com extraordinário vigor os portugueses que procuravam escravizá-los, fez surgir a lenda da sua "independência", "bravura" e "nobreza". Essa lenda é responsável ainda hoje pela tendência, entre os brasileiros, de considerarem o ameríndio superior ao negro, embora um estudo rigorosamente científico das contribuições de cada um para o desenvolvimento cultural do Brasil nos conduza a conclusão diversa. Mas o próprio entusiasmo da maioria dos brasileiros pelos missionários jesuítas do século XVI e da primeira parte do século XVII – padres que fizeram o possível para que se respeitasse a liberdade dos ameríndios proclamada pelos papas e pelos reis de Portugal – é baseada nessa lenda.

A obra dos jesuítas foi continuada, no Brasil já República, cuja ação à frente do Serviço Federal ou Nacional de Proteção aos Índios excedeu a de qualquer missionário de batina dos seus dias. Quero referir-me ao general Cândido Mariano da Silva Rondon, ele próprio descendente de ameríndios. Rondon começou sua obra indianista, quando ainda simples tenente, em 1890. Participou então da expedição oficial que, sob as ordens do major Gomes Carneiro, foi enviada para a "região dos Bororos", no Brasil Central. Pretendia-se a ligação telegráfica daquela parte remota da então jovem república brasileira com as áreas mais civilizadas. Por essa época uma política inteligente de relações amistosas com as tribos indígenas foi inaugurada pelo Exército brasileiro.

Trata-se nada menos da política de assimilação dos ameríndios, cujo plano já havia sido esboçado, no começo do século XIX, por

José Bonifácio, líder do movimento de independência do Brasil e o maior estadista que teve até hoje a América portuguesa. Bonifácio, que também era cientista – e cientista com reputação europeia – tem sido por mais de um crítico ou historiador retratado como homem essencialmente idealista e prático, ao mesmo tempo. Conforme têm observado esses críticos e historiadores da vida e das ideias do maior dos brasileiros, a principal preocupação de José Bonifácio foi um Brasil que se desenvolvesse em nação caracteristicamente americana, livre dos preconceitos europeus de raça ou de casta. Assim uma ideia básica do seu programa de organização social foi a assimilação do indígena, tanto como do negro, pelo europeu. Ele não temia o mestiço ou a mistura de raças. Pelo contrário: opôs-se à política de segregação pelos jesuítas em várias regiões do Brasil. Pouco lhe interessava a vaga e fictícia igualdade dos ameríndios diante da lei. O que defendia era a sua assimilação por uma cultura brasileira que enriquecesse a ambos os elementos: o europeu e o indígena. Ou o civilizado e o primitivo, incluído no grupo primitivo o africano.

O Brasil tem que encarar ainda o problema de assimilação de certas tribos ameríndias – aliás poucas – e também daqueles pequenos grupos de descendentes de negros cuja cultura se conserva ainda predominantemente africana. Embora existam, no Brasil, indivíduos com preconceitos europeus de raça, que consideram desgraça afastarmo-nos de qualquer modo dos padrões de moral, de costumes e jurídicos, consagrados pela Europa ou pela Igreja, a tendência geral entre os brasileiros mais esclarecidos é no "sentido de manterem, em relação a tais africanos, tanto como em relação aos ameríndios, uma política de lenta e inteligente assimilação, de maneira que o grupo assimilador possa incorporar à sua cultura valores de interesse geral ou de importância artística que se encontrem vivos entre subgrupos ou subculturas profundamente diferenciados da europeia". Mais integrativo, portanto, do que propriamente assimilação.

Uma política semelhante vem sendo praticada em relação aos alemães e a outros colonos europeus, e também com os japoneses nas sub-regiões do Brasil onde tais elementos têm vivido por mais de uma geração em estado de isolamento ou segregação. Alguns estudiosos desse problema acham que os valores culturais luso-brasileiros, tidos por básicos para o desenvolvimento do Brasil como nação e como comunidade largamente cristã – incluídos o idioma português e a liberdade de preconceitos de raça caracteristicamente portuguesa – devem ser considerados valores gerais, fundamentais, irredutíveis.

Contudo não deve existir nenhuma subordinação de subgrupos ou subculturas de origem não portuguesa a uma cultura ou a uma raça luso-brasileira rigidamente uniforme. Com uma política amplamente democrática – etnicamente e socialmente democrática – o Brasil viria a ser país ideal para aqueles europeus cansados tanto de estreitos preconceitos de raça como de arcaicos nacionalismos intransigentes e de duros sectarismos religiosos. Não somente operários ou artesãos haviam de encontrar num Brasil assim condições favoráveis para exprimir o seu poder criador, mas também o bom agricultor, o bom horticultor, o bom comerciante. Pois, como percebeu a geógrafa Elliott, ao pioneiro audacioso e decidido não falta oportunidade de vitória no Brasil de hoje. Apenas não lhe será possível continuar individualista como o homem de há um século ou de há menos de meio século, quando não existia nenhum serviço público eficaz para proteger os ameríndios ou para conservar as florestas e os recursos minerais das invasões de indivíduos ou de grupos desprovidos de escrúpulos humanitários ou de sentido social de colonização.

São valores, todos esses, agora protegidos por leis inspiradas no necessário respeito aos interesses da comunidade brasileira mais do que em qualquer tendência para favorecer a exploração puramente individual da natureza ou da economia. Os programas recentes de imigração e colonização do Brasil, que têm tido, entre seus orientadores, oficiais do Exército de espírito público, incluem a colonização dirigida e a criação de "núcleos de colonização" mistos para brasileiros (trinta por cento) e estrangeiros (setenta por cento). O que representa velha e boa ideia de José Bonifácio, atualizada ou adaptada a novas condições brasileiras de vida.

O Brasil é famoso por suas revoluções "brancas" ou pacíficas. Revoluções quase sem sangue, em contraste com as de outros povos, menos felizes na solução dos seus desajustamentos sociais. A da Independência foi uma delas: quase sem sangue em comparação com as revoluções autonomistas ou nacionalistas da América e da Ásia.

Também por uma revolução pacífica é que ele se transformou de Império – porque o Brasil, ao contrário dos outros países republicanos da América Latina, conservou-se até 1889 Império no meio de numerosas repúblicas – em República. E a revolução que o transformou de nação escravagista em outra onde todo mundo devia nascer livre também foi pacífica. Tão pacífica como a que separou, depois, a Igreja do Estado, resolvendo assim suavemente um problema que tem sido fonte de muita discórdia em outros países latinos. Ainda quase pacífica foi a Revolução de 1930 que favoreceu grande número de operários brasileiros das cidades com uma legislação social que, em teoria, se não sempre na prática, é uma das mais avançadas dos nossos dias. O Brasil, portanto, poderá revolucionar o problema da sua política de imigração sem que daí resulte nenhum constrangimento para os imigrantes nem para os brasileiros antigos. Há muito por fazer com relação à colonização de terras não ocupadas quer por brasileiros, quer por imigrantes. A valorização do caboclo impõe-se como uma necessidade urgente. A do caboclo e a de todo o homem rural pobre, descendente de branco, de ameríndio ou de negro.

A falta de saúde causada especialmente pela malária, a anquilostomíase, a tuberculose, a sífilis e a doença de Manson-Pirajá explica, em grande parte, a preguiça do homem do campo, isto é, do caboclo brasileiro. A preguiça de que esse caboclo tem sido tão acusado por críticos estrangeiros superficiais.

Aliás tudo no homem do Brasil que desagrada aos olhos desses críticos logo representa para eles prova ou evidência dos maus efeitos da mistura de raça ou do clima tropical. Há mais de cinquenta anos um intelectual brasileiro que, embora contraditório, sustentou algumas das ideias de José Bonifácio – Sílvio Romero – escreveu que os indivíduos de vários e misturados sangues formavam a massa da população brasileira, acentuando, entretanto, que ameríndios e negros eram, em alguns casos, peças ainda desarticuladas na cultura e na sociedade do Brasil. É que havia então a moda entre brasileiros sofisticados de tudo esconder que fosse de origem africana: sangue, alimento, costumes, palavras e toda outra influência ou elemento possível de ocultar.

Um bom traço do Brasil atual é que essa quase freudiana censura à influência do indígena ou do africano ou do mestiço na vida ou na cultura nacional já deixou de ser força dominante na psicologia ou na vida cultural e social dos brasileiros. E a consequência dessa espécie de cura psicanalítica do que já era complexo nacional é que a música, a cozinha, a literatura e a arte brasileiras tornam-se cada vez mais expressão da vida, das necessidades e dos valores populares, na sua maioria valores mestiços.

Julgados em conjunto, os brasileiros têm o que os psiquiatras chamam um passado traumático. A escravidão foi o seu grande trauma. Para muitos a cor menos branca foi, em certo tempo, lembrança desagradável de situação social infeliz de pais ou avós ou de episódio vergonhoso do passado pessoal ou de família.

Certos oficiais do Exército brasileiro – tradicionalmente democrático – procuraram há anos impedir o seu desenvolvimento em instituições étnica e socialmente democráticas, introduzindo restrições de caráter étnico pelas quais os negros e os negroides evidentes não poderiam vir a ser oficiais. Tal tentativa deve ser considerada retardada expressão neurótica daquele complexo. Mas foi caso a bem--dizer isolado. A tentativa geral no Brasil dos nossos dias é para considerarmos a escravidão episódio já encerrado, embora ainda com reflexo, na história da personalidade do brasileiro, mestiço ou não. Mesmo os brasileiros com um passado de família ou individual que nada tenha a ver, biológica ou etnicamente, com a África, juntam-se aos brasileiros negroides, no sentimento, agora geral ainda que não universal, de que nada é honestamente ou sinceramente brasileiro que negue ou esconda a influência, direta ou indireta, próxima ou remota, do ameríndio e do negro na formação ou na cultura nacional.

V
O Brasil como civilização europeia nos trópicos

Desde o século XVI os europeus viam com certa suspeita as terras da América e do Brasil tropicais: imaginavam a América do Sul, o trópico americano, o trópico brasileiro, ora como um paraíso, ora como um inferno.

Homens do norte da Europa, por exemplo, tentaram conquistar as terras amazônicas e ali estabelecer colonização. Mas falharam em seu intento. Somente os hispano-portugueses e seus descendentes lograram conquistar aquelas terras onde se dizia que água e floresta corriam lado a lado mesclando-se de tal forma que tornavam a presença humana na região dificílima para uns e impossível para outros.

H. W. Bates foi o homem que mais fez, no século XIX, para destruir algumas das superstições europeias acerca do clima amazônico, tendo vivido durante onze anos na selva, onde tomou contato com os rústicos estabelecimentos de pioneiros portugueses ou brasileiros na floresta amazônica. Quando chegou a hora de voltar à Inglaterra, hesitou em abandonar o trópico. Escreveu, então, que a ideia de tornar a viver em países frios, europeus, fazia surgir em seu pensamento "quadros espantosamente nítidos, que lhe recordavam sombrios invernos, longas e cinzentas tardes, sombras alongadas, primaveras frias, verões lamacentos, chaminés de fábricas (...), quartos confinados, vida artificial (...)", enquanto que, deixando o Brasil tropical, "abandonava um país de verão eterno (...)". Mas também é verdade que, ao reencontrar-se com a Europa, escrevera: "depois de três anos de renovada experiência na Inglaterra é que percebo o quanto a vida civilizada é incomparavelmente superior" à vida não de todo civilizada como ele conhecera na Amazônia brasileira.[1]

A mudança de opinião de Bates sugere a pergunta: é ou não possível combinar as vantagens da vida civilizada com as do clima tropical? A experiência ou tentativa brasileira parece dar resposta a essa interrogação. E a resposta parece ser um "sim". O Brasil é um dos maiores espaços nacionais do mundo. É como uma Rússia americana ou uma China tropical. Nesse vasto espaço nacional dos trópicos vive um povo cuja cultura europeia é principalmente hispânica – ou ibérica – e católica, e cuja composição étnica também é consideravelmente hispânica ou ibérica: principalmente de origem portuguesa. E hoje a sua é talvez a maior, ou, pelo menos, a mais avançada, civilização moderna criada e em processo de desenvolvimento em região tropical.

É verdade que a vasta área amazônica pertencente ao Brasil continua a ser um desafio à capacidade brasileira de lidar com as dificuldades tropicais que ali são tão acentuadas. Mas já se apresentam sinais encorajadores do esforço brasileiro para sobrepujá-las, criando ali a mesma civilização que os pioneiros portugueses e seus descendentes, geralmente homens de sangue mestiço, branco e ameríndio, conhecidos como "bandeirantes", conseguiram criar em outras regiões do Brasil. A realização desses "bandeirantes" foram notáveis, o bastante pelo menos para podermos aceitar a mistura de brancos e ameríndios como combinação étnica saudável. Os "bandeirantes" enfrentaram, com rara energia, toda sorte de oposição humana – a oposição das ferozes tribos ameríndias, a dos espanhóis, a dos jesuítas. E houve ainda, contra eles, outros obstáculos: o perigo dos insetos, o dos animais bravios, as altas montanhas, os desertos, os pântanos, as chuvas tropicais. Ilustre historiador disse desses ho-

---

1 Henry Walter Bates, *A Naturalist on the River Amazon*, London, 1915, p. 388.

mens que não só tornaram possível o vasto Brasil de nossos dias como, também, lançaram milhões de libras de ouro na economia mundial nos anos cruciais em que a Inglaterra se transformava no maior poder bancário e industrial dos séculos XVIII e XIX. Esse historiador, o professor Paul Shaw, continua sua apreciação sobre as "bandeiras" brasileiras,[2] lembrando-nos as palavras de Werner Sombart, o conhecido sociólogo alemão: "Sem o ouro brasileiro não teríamos o homem econômico atual", e a declaração igualmente significativa de outro historiador, este inglês, Wingfield Stratford, de que o influxo do ouro brasileiro, desde o século XVII, na Inglaterra, contribuiu para a criação da economia moderna que desabrocharia de modo vigoroso no século XVIII. Se isso é verdade, temos que concluir que grupos de mestiços brancos e ameríndios – gente enérgica e brava – não somente lançaram as bases de novo tipo de civilização na América tropical, o Brasil moderno, como ainda contribuíram para a base da moderna economia europeia. Foram personagens de um drama americano e de outro, mundial.

Também aqui o negro africano e seus descendentes brasileiros representaram importante papel nesses dois dramas. Ameríndios e africanos, assim como europeus e seus descendentes mestiços, contribuíram de forma ativa para o desenvolvimento do Brasil.

Isso parece explicar por que na América portuguesa se encontra, atualmente, uma civilização de tão vivas características sendo descrita por alguns autores como uma democracia étnica, senão perfeita – bastante imperfeita, ainda –, avançada.

Muitas das características da moderna civilização brasileira se originam no fato de que o negro, devido ao tratamento comparativamente benigno que recebeu em nosso país, pôde expressar-se, desde os começos nacionais do Brasil, como brasileiro, sem nunca ter sido sistematicamente obrigado a agir como um intruso étnico e cultural nesse novo e socialmente flexível sistema nacional de convivência. Daí ele vir se comportando como brasileiro de origem africana e não como "negro brasileiro" – diferindo assim fundamentalmente do

---

2 Ensaio não publicado escrito quando o professor Shaw ensinava História das Américas na Universidade de São Paulo.

"negro americano", dos Estados Unidos. Claro que a mesma coisa aconteceu, de maneira ainda mais vívida, com o ameríndio; o mesmo está acontecendo com os imigrantes japoneses; o mesmo vem sucedendo com os alemães, italianos, poloneses, sírios, libaneses hoje brasileiros. Alguns deles logo na segunda geração têm-se tornado preeminentes na vida política brasileira, não como teuto-brasileiros, ítalo-brasileiros, polono-brasileiros, nipo-brasileiros; siro-brasileiros, mas como brasileiros; e por outro lado eles também vêm assumindo – eles e judeus e descendentes de judeus – seu lugar na arte e na literatura brasileira (escrita, é claro, em língua portuguesa: uma língua portuguesa crescentemente enriquecida com palavras de outros idiomas sem perder sua estrutura portuguesa). A nova literatura brasileira começa a atrair tanta atenção dos europeus e norte-americanos como sua moderna arquitetura, sua música e sua cozinha.

Pode-se dizer que a civilização que o Brasil está desenvolvendo nos trópicos não é puramente ocidental ou europeia. É, sob vários aspectos, extraeuropeia. Ou mais-que-europeia. Esse aspecto foi já devidamente considerado por um cientista anglo-americano, Marston Bates. Marston Bates escreve em livro famoso sobre os trópicos que "a América Latina talvez pudesse ser citada em apoio à tese de que a civilização ocidental, em sua forma mais pura, não se adapta rapidamente às condições tropicais". Mas acrescenta: "Essa teoria dificilmente será aceita a não ser por aqueles que consideram a variante ocidental como a única forma possível de civilização".[3] Assinala, em relação à arte mexicana – uma das maiores expressões da cultura moderna nos trópicos –, que seu interesse reside exatamente em não ser tipicamente ocidental, em virtude do enriquecimento alcançado e do aproveitamento realizado pelos mexicanos de elementos locais, ou seja, os tropicais.

A mesma coisa pode ser dita quanto à civilização que os brasileiros estão desenvolvendo na América tropical. Não se trata apenas de uma civilização subeuropeia. Ela é predominantemente europeia, mas não inteiramente europeia. Em alguns aspectos, repita-se que, sem se

---

3   Marston Bates, *Where Winter Never Comes*, New York, 1952, p. 83.

ter tomado antieuropeia chega a ser extraeuropeia. Procura adaptar-se a condições que não são europeias e sim tropicais: clima tropical, vegetação tropical, paisagem tropical, luz tropical, cores tropicais.

São Paulo, tendo-se transformado no que é geralmente descrito como o maior centro industrial da América Latina, não desmente tal tendência. São Paulo pode ser a antecipação de um desenvolvimento técnico ou tecnológico, que parece preceder outros tipos de desenvolvimento em outras áreas do Brasil – inclusive o Nordeste e o extremo Norte, a parte equatorial do país – sem que esse desenvolvimento ou essa modernização de formas tecnológicas de produção ou de transporte venha a importar em desclassificação de país tropical que assim se moderniza.

O que vem acontecendo na indústria, na criação de gado e na agricultura do Brasil – sua modernização sem prejuízo de sua tropicalidade – também ocorre em relação a outras atividades humanas que fazem parte de uma civilização ou de uma cultura. A arte da jardinagem, por exemplo. Através do uso dos mesmos métodos ou das mesmas técnicas, combinando a experiência tropical com a ciência europeia, o Brasil tem desenvolvido seu estilo próprio de jardins ornamentais complementares ao seu estilo já diferente dos europeus tanto quanto dos anglo-americanos. Nisso, como em outros aspectos, os brasileiros concordam com G. V. Jacks e R. O. Whyte, quando os autores de *The Rape of Earth* afirmam com a aprovação de R. J. Harrison Church, em seu livro *Modern Colonization* (Londres, 1951), que os europeus, a despeito de sua capacidade de dominar a natureza, aprenderam somente a cultivar o solo europeu em seu clima próprio: o temperado. Não sabem lidar com solos tropicais.

Daí alguns estudiosos atuais, desse e de outros problemas relacionados com a expansão de civilização em áreas não europeias, acham que uma nova ciência tem que ser criada – ou sustentada – a fim de lidar com problemas assim complexos sob um ponto de vista tropicológico, que seria complementar ao europeu, ou boreal, que até agora tem dominado ciências e tecnologias. Ou que talvez viesse a substituí-lo totalmente, a esse exclusivismo europeu – no trato de certos problemas ecologicamente tropicais. Por que não uma ciência especial – a tropicologia – que lidaria com a adaptação da ciência e da tecnologia europeias a situações tropicais, chegando mesmo à invenção de novas técnicas que venham a ser criadas para resolver problemas peculiares aos trópicos? Problemas não apenas relativos à criação de gado, à agricultura, à arquitetura, à urbanização e ao planejamento regional, mas também à psicologia, à educação, à organização política e à higiene mental, sobretudo nos trópicos. Pois o comportamento do homem nos trópicos tem que ser encarado, sob alguns aspectos, em relação a situações e condições peculiares ao ambiente tropical; ao fato, por exemplo, de que um clima tropical favorece o contato íntimo e informal entre multidões e seus líderes políticos, nas praças públicas, sem a necessidade de reuniões feitas a portas fechadas, as quais tenderiam a favorecer exclusivismos ideológicos ou fanáticos de seita ou de partido. A música, o drama, as representações teatrais, os ritos religiosos podem ser analogamente afetados pelo clima tropical, de maneira a desenvolverem novas formas através de novas relações sociais e psicológicas entre os artistas, os líderes religiosos, e as grandes multidões: uma relação que não será alcançada pelo rádio ou pela televisão, cuja importância, provavelmente, permanecerá muito maior nos países boreais do que nos tropicais.

Uma coisa, pelo menos, é certa: o desenvolvimento de uma civilização moderna no Brasil está plasmando o desenvolvimento de novo tipo de civilização. O que poderá fazer dos brasileiros, já pioneiros históricos, pioneiros de um novo e fascinante futuro: o de homens civilizados situados nos trópicos. Mais do que qualquer outro povo eles estão desenvolvendo, nos trópicos, novas formas de civilização cujos traços fundamentais são europeus, mas cujas perspectivas – é preciso insistir neste ponto – são extraeuropeias. Mais-que-europeias.

Os portugueses encontraram na América tropical espaço ideal para a expansão e o desenvolvimento de sua civilização etnicamente democrática – apesar dessa civilização ter sido, em alguns aspectos, aristocrática e mesmo feudal – a civilização que começou a florescer nos trópicos africanos e asiáticos.

Seguindo métodos que parecem ter aprendido dos mouros, os portugueses conseguiram êxito maior do que o de qualquer outro povo europeu pelo fato de terem assimilado a instituições de formas sociais e estilos de cultura de Portugal, ou da Europa cristã e latina, populações tropicais que, mesmo hoje em dia, apesar de predominantemente amarelas, no seu aspecto étnico, como acontece em Macau, ou predominantemente pardas, como na Índia, ou mesmo negras, como entre os negros assimilados, na África, se consideram, acima de tudo, portuguesas. O professor H. Morse Stephens, de Cambridge, cujos estudos sobre a presença de Portugal no Oriente tornaram-no autoridade no assunto, refere-se, numa de suas páginas mais lúcidas, a essa política dos portugueses como "única na história dos europeus na Índia" e "de longo alcance quanto a seus resultados...". Na verdade, foi mesmo única na história da expansão europeia nos trópicos: produziu fartos e compensadores resultados, e teve influência sobre as atuais condições dos europeus nas regiões tropicais, apesar de termos que admitir que os espanhóis, em algumas dessas regiões, agiram de modo semelhante ao dos portugueses.

O Brasil é uma área tropical muito mais vasta do que a Índia portuguesa e no entanto aqui, em 450 anos de presença étnica e, especialmente, cultural, os portugueses conseguiram assimilar não somente considerável número dos não muitos ameríndios encontrados na parte da América que é atualmente o Brasil, mas também os escravos africanos importados de várias regiões do continente negro para trabalhar na agricultura e, mais recentemente, além de espanhóis – por algum tempo senhores absolutos do Brasil – italianos, alemães, poloneses, sírios, japoneses e outros imigrantes. Hoje em dia o Brasil é notável pela sua unidade, apesar de alguns grupos de imigrantes, quando ainda no primeiro estágio do processo de assimilação, aparentemente virem contradizendo essa afirmativa. Mas o provável é que também esses sigam os passos dos grupos mais antigos e se tornem ecologicamente brasileiros através do modo de vida já telúrico, português, ou luso-brasileiro. O que não significa que para assim procederem tenham que renunciar suas características não portuguesas que se harmonizem com sua condição de brasileiros. O Brasil foi, e parece continuar a ser, exemplo de diversidade ou de pluralidade étnica e cultural, dentro da unidade, embora a diversidade possivelmente esteja se tornando menos evidente do que a unidade.⁴

Cabe indagar se, dentro desse processo de integração, os grupos étnicos e culturais de origem não portuguesa não tenham a desempenhar, cada um deles, um papel característico e peculiar na moderna sociedade e na cultura, crescentemente complexa, do Brasil. Na sociedade brasileira em seu desenvolvimento como complexa sociedade nacional – sim: esses grupos já deram, e continuam a dar, notáveis contribuições para um desenvolvimento total, compreensivo e pan-humano, e não estreitamente português, ou somente luso-brasileiro de valores e de estilos nacionais de vida. Na política não tem sido assim, pois não existe, no Brasil, um "voto alemão" ou um "voto italiano", e, muito menos, um "voto negro", como acontece nos Estados Unidos.

---

4   Referindo-se à cidade de São Paulo, como ele a viu durante a primeira década do século atual, o observador britânico Charles W. Domville-Fife escreveu: "O elemento cosmopolita, tal como os italianos, que formam quase metade da população da cidade, os portugueses e os espanhóis, apesar de, em muitos casos, nascidos sob céus europeus, e devendo lealdade a Suas Majestades os reis da Itália, Espanha e Portugal, esquecem logo suas terras de origem e se tornam brasileiros de coração". (*The United States of Brazil*, London, 1910, p. 209.) De acordo com o mesmo observador, na cidade de São Paulo "a multidão de nacionalidades variadas" era "confusa", apesar da alegria predominante "na maior parte dos setores", com "trabalho e espaço para todos". Contudo ele achou que o trabalhador, num lugar como São Paulo, não gozava de "tanta liberdade e segurança como sob a monarquia constitucional da Grã-Bretanha".

É interessante assinalar-se que, meio século antes de Domville-Fife, outro inglês, William Hadfield, não se mostrara assim tão otimista quanto às possibilidades da imigração europeia para o Brasil. Hadfield escreveu em seu livro *Brazil and the River Plate* (London, 1869), "que o trabalho escravo constituía estorvo a um afluxo maior de europeus" (p. 15). Achava que "os grandes latifundiários, cujas terras, atualmente, são utilizadas apenas em parte, poderiam reservar uma parcela das mesmas aos recém-chegados (...)" (p. 155). Quanto às províncias do Nordeste do Império, sua impressão era de que a "natureza" de seu "clima" adaptava-se mais "a povo como o chinês do que aos europeus". Achava ainda que "a introdução futura de africanos como trabalhadores livres poderia ser muito vantajosa" (p. 156).

Bem mais otimista foi Charles Dent, em 1886. No seu livro *A Year in Brazil*, Dent, descrevendo o que vira no vale do "rio Camapuão", observou que havia espaço bastante para "uma imigração europeia em larga escala para um dos climas mais saudáveis que existem, como ficou demonstrado pela colonização alemã em Petrópolis" (p. 134). Dent foi precedido em seu otimismo por Scully

A ausência dessas expressões especificamente políticas, de exclusividade nacional étnico-cultural, de certo modo subnacional, na política brasileira, parece indicar que, em nosso país, a tendência dos grupos étnicos nacionais, ou subnacionais, em permanecer afastados como grupos monolíticos na cultura e, mesmo, na sociedade nacional, mostra-se muito menos vigorosa do que nos Estados Unidos. A tendência para o fusionismo étnico e cultural tem sido no Brasil muito mais decisiva como base para atitudes de significação e de expressão nacional, de ordem política, ou mesmo cultural, do que nos Estados Unidos. Ou – se tomarmos o caso dos índios, ou dos ameríndios, em particular – em algumas outras repúblicas americanas, nas quais o chamado "problema índio" tem assumido, por vezes, a configuração de revoltas – étnico-culturais ou, pelo menos, de revolta etnocêntrica – cultural ou socialmente etnocêntricas – contra os grupos brancos ou quase brancos que vêm, nessas repúblicas, detendo o poder. Grupos – os desses dominadores brancos ou caucasoides – considerados por alguns observadores "oligárquicos" e até com algumas características de "castas", em sua composição e em seu comportamento.

Isso não quer dizer que o Brasil seja, ou tenha sido, um paraíso comparado com as repúblicas irmãs do continente ou com as nações não americanas de estrutura nacional semelhante à sua, isto é, formadas por elementos étnica e culturalmente heterogêneos, dos quais um venha sendo exclusivamente predominante, se não como oligarquia étnica, pelo menos cultural, econômica, ou política. O que acontece, ou vem acontecendo, é que no Brasil os mais importantes desajustes, e as crises mais agudas atravessadas pela nação, têm sido os causados muito menos por conflitos entre grupos étnicos subnacionais – ansiosos pelo controle da situação nacional, ou agastados por serem tratados como "inferiores", devido à sua cor ou à sua raça – do que por conflitos entre culturas regionais, em consequência do isolamento, a desarticulação econômica e, por conseguinte, da diferenciação regional, de alguns desses grupos culturais em relação àqueles técnica e intelectualmente dominantes.

Mesmo os antagonismos de classe – mais poderosos no Brasil do que os conflitos raciais – sempre estiveram tão interligados com outros tipos de desajustamentos – desajustamentos inter-regionais causados pelo isolamento que tem feito com que certos grupos se tenham tornado intensamente "arcaicos" em relação aos "progressistas" – que os sociólogos discriminadores vêm concordando que tais desajustamentos inter-regionais foram, e ainda são, os mais críticos e dramáticos, na moderna organização, ou melhor, desorganização social, cultural, econômica e política do conjunto brasileiro. Falta ao Brasil, geograficamente imenso e surpreendentemente firme como se tem revelado em sua unidade cultural – inclusive a política – um equilíbrio inter-regional dinâmico, baseado em um planejamento econômico no qual a indústria e a agricultura sejam melhor inter-relacionadas, e melhor interligados o litoral e os sertões.

O fato é que a situação mais próxima da guerra civil que o Brasil já conheceu – de vez que o país jamais atravessou uma guerra civil em larga escala como a dos Estados Unidos, ou a chamada Revolução Mexicana, ambas fortemente matizadas por conflitos entre raças, ou travadas a fim de manter ou alterar o *status* de um grupo étnico particular, ou para modificar o tratamento que esse deveria receber de uma nação ou "república", como um todo nacional – foram mais conflitos entre subgrupos, regionalmente diferenciados em sua cultura ou em sua atividade econômica, do que entre subgrupos "nacionais" ou "étnicos" desajustados em relação à comunidade nacional. Exemplo característico de desajustamento do primeiro tipo foi a chamada "Guerra de Canudos": assunto do famoso livro de Euclides da Cunha, *Os Sertões*.

Os "sertanejos" de Canudos – viril e enérgico subgrupo liderado por Antônio Conselheiro, um místico – não formavam um conjunto étnico claramente diferenciado: eram, nesse particular, uma população heterogênea. Sua unidade baseava-se na sua situação regional – no espaço – e no retardamento histórico – tempo – como população isolada daqueles elementos política e culturalmente dominantes devidos tanto a sua localização física, em distante região do interior do Brasil, como pelo fato de que, assim isolados, mantinham, no século XIX, costumes e padrões culturais que haviam prevalecido nos séculos XVI e XVII.

Conflitos anteriores, que agitaram a vida brasileira em sua fase colonial e mais tarde, na imperial e, finalmente, na republicana, foram do mesmo caráter, com uma ou duas significativas exceções. Uma dessas exceções, a chamada Revolução Malê, na Bahia, foi uma revolta de escravos contra um grupo, política, econômica e culturalmente dominante; a revolução de um subgrupo que podia ser considerado como vaga minoria nacional ou étnico-cultural, lutando pelos seus direitos minoritários. Foi essa uma revolta principalmente de escravos africanos (categoria étnica) que seguiam a fé maometana (categoria mais cultural do que nacional) e que, como subgrupo afro-maometano, se sentia oprimido pelos católicos brancos e quase brancos. Mas, mesmo em casos assim, pode-se dizer que a categoria nacional ou étnica era secundária, apesar de presente, e que a verdadeira base da ação violenta desses dominados contra grupos dominantes era a revolta contra o *status* econômico e social que os malês, como subgrupo consciente de sua superioridade cultural em relação a outros subgrupos de escravos africanos, consideravam injusto. Mas seria ir longe demais afirmar que os malês, ou outros subgrupos no Brasil, agiram, em qualquer época – a Revolta de Palmares, no século XVI, pode aqui ser recordada –, de maneira sistemática e contínua como grupo, ou subgrupo étnico, consciente de direitos "nacionais" africanos, ou ameríndios, face a uma população como a brasileira. População que sempre foi, desde os dias coloniais, predominantemente europeia e cristã nos aspectos decisivos e característicos de sua cultura, quer pré-nacional, quer nacional; e nas expressões decisivas e características de seu comportamento político como pré-nação, ou como nação brasileira.

A ausência de atitude de sistemática e contínua oposição africana ou ameríndia à dominação europeia no Brasil parece ligar-se ao fato de que o predomínio europeu na América portuguesa nunca chegou a ser agudamente exclusivo, como o anglo-americano nas áreas de colonização anglo-saxônica e, mesmo o espanhol, em certas partes da América espanhola. Que essa predominância tenha existido na América portuguesa explica que o Brasil, a despeito de suas grandes populações não europeias, continue a ser uma área característica pela presença de uma civilização predominantemente europeia e cristã – preservada, mantida e desenvolvida, com mutações inevitáveis e até desejáveis – não só por descendentes de europeus mas também por descendentes de não europeus; em sua composição étnica e em suas origens culturais.

O professor Eric Fischer parece ter toda a razão quando, em seu *The Passing of the European Age – a Study of the Transfer of Western Civilization and Its Renewal in the Continents*,[5] declara que, além da mudança de centros de poder político de áreas europeias para não europeias, vem ocorrendo toda uma transferência gradual de centros culturais predominantemente europeus da Europa para países não europeus: em particular, para os países americanos. O Brasil é um desses países: o centro da literatura portuguesa, por exemplo, atualmente está no Brasil e não mais em Portugal. E o caso brasileiro parece ser uma firme negação da teoria – mantida por certos brancos da África do Sul – para justificar sua política de *apartheid* – de que, onde uma população se mescla etnicamente, não resta nenhuma possibilidade para a sobrevivência de uma civilização eminentemente caucasoide, como aquela desenvolvida pela Europa cristã.

O Brasil é uma área onde se desenvolveu uma civilização nacional cujas características decisivas são europeias e são, também – com todas as suas deficiências –, cristãs – culturalmente europeias e sociologicamente cristãs. Isso apesar de os não europeus, em relação aos europeus, virem sendo numerosos desde o século XVI, na população brasileira, na qual também não cristãos vêm sendo admitidos em número considerável, nas últimas décadas, através de uma política de tolerância religiosa que põe à prova a vitalidade cultural do cristianismo face a imigrantes maometanos, japoneses e judeus.

Isso não implica que os brasileiros, pelo fato de serem portadores, no sentido sociológico, de uma civilização que deve ser considerada, em seus traços decisivos, rebento de uma civilização cristã de origem europeia, sejam apenas, e passivamente, a expressão de uma civilização subeuropeia. Ao contrário: eles são, cada vez mais, ultraeuropeus; e têm desenvolvido mais e mais formas novas, ou modificadas, de civilização ocidental no continente americano como preservação. Formas e substâncias: valores culturais europeus que em

---

[5] Cambridge/Massachusetts, 1948. É a tese mantida neste livro.

áreas tropicais americanas vêm adquirindo novos aspectos. As condições físicas dessas áreas têm sido as primeiras a exigir a adaptação de vários desses valores e de formas e estilos de cultura de origem europeia a novo ambiente. O próprio fato de a maior parte do Brasil ser tropical, e todo ele tropical, quase tropical e paratropical em sua cultura nacional, constitui estímulo à diferenciação social e cultural dos brasileiros em relação à Europa e à adoção, por brasileiros de várias origens étnicas e culturais – italianos, alemães, poloneses, japoneses etc. –, de maneiras de viver e vestir, de culinária, de estilos arquitetônicos, de formas de recreação e de tendências musicais que representem uma adaptação pioneiramente iniciada por portugueses de valores europeus e situações tropicais. Adaptações baseadas em experiências portuguesas na África tropical e no Oriente tropical, anteriores à colonização lusitana do Brasil.

Talvez isso explique por que imigrantes não portugueses, embora capazes de introduzir, na variante brasileira da civilização europeia e cristã, valores próprios de suas culturas – germanismos, italicismos, anglicismos, galicismos etc. –, venham revelando a tendência para se conformar com uma estrutura luso-brasileira dessa variante de correlações: uma civilização luso-tropical de base lusitana. Essa estrutura lusitana no Brasil é um fenômeno nacional e não regional. Diversos acréscimos étnicos e culturais vêm enriquecendo essa estrutura sem destruí-la: alemães, em Santa Catarina e em parte do Rio Grande do Sul; italianos, no Rio Grande do Sul e em São Paulo; poloneses no Paraná; japoneses, em São Paulo e agora em parte da região amazônica e no Nordeste; sírios, também em São Paulo – todos esses neobrasileiros vêm concorrendo para enriquecer a civilização brasileira. Houve, na região Sul, temperada, do Brasil pequenas tentativas da parte de um ou dois desses grupos étnicos não portugueses para se manterem separados da comunidade luso-brasileira, ou luso-afro--ameríndia, ou seja, da maior parte da comunidade ou civilização luso--tropical. Mas pequenas e inócuas tentativas.

"Civilização luso-tropical" é uma expressão que venho sugerindo para caracterizar aquilo que me parece uma forma particular de comportamento, e também uma forma particular do português vir-se realizando no mundo: sua tendência para preferir os trópicos para sua expansão extraeuropeia, a sua capacidade para permanecer com êxito em espaços e ambientes tropicais e a crescer e multiplicar-se. Êxito tanto do ponto de vista cultural como biológico, intermediários que têm sido, mais que qualquer outro europeu, entre a cultura europeia e as culturas tropicais, como aquelas que encontraram na África, Índia, Malásia e na parte da América que se transformou no Brasil. Essa sugestão não pode ser considerada extravagante, pois harmoniza-se com a tendência existente entre alguns historiadores e sociólogos modernos em dar "nomes intercontinentais" – tal como faz Oscar Halecki em recente artigo "The Place of Christendom", na *History of Mankind*, publicado no *Journal of World History*,[6] a regiões étnica e culturalmente intermediárias como a do tipo eurasiano, por exemplo. Como no caso de uma concepção eurasiana de história, a concepção luso-tropical de história e sociologia parece abrir um campo de estudo inteiramente novo baseado, como é, naquilo que o professor Arnold Toynbee chama de "campos inteligíveis do estudo", criados não pelas nações individualmente, mas sim por grandes comunidades ou culturas transnacionais.

Com o Brasil líder em potencial dessa grande comunidade – a comunidade luso tropical – percebe-se o que tal concepção sugere de vitalidade cultural não só portuguesa como também brasileira, a aptidão e a capacidade que portugueses e brasileiros vêm demonstrando para resistir a tentativas de grupos étnicos subnacionais, como em certa época os alemães em Santa Catarina, para se constituírem em minorias étnico-culturais opostas ao todo nacional. Seria como se estivessem numa sociedade anarquicamente plural, onde vários grupos não somente falassem línguas diferentes, comessem diferentes alimentos, usassem roupas diferentes, habitassem tipos diversos de casas e reverenciassem deuses diferentes mas, também – o que os tornaria de todo indesejáveis de um ponto de vista nacional – tendência para contrariarem uma "vontade nacional comum". Conforme assinala o professor Eric Walker em seu livro *Colonies*, sem essa "vontade comum" não há comunidades ou culturas propriamente

---

6 Paris, n. 4, avril 1954, p. 927-950, v. I.

nacionais.[7] Tais tentativas da parte de subgrupos alemães, japoneses ou poloneses, em levarem no Brasil uma vida separada, como subgrupos que se acreditavam supergrupos – baseados na mística de serem não somente *diferentes*, mas *superiores* à comunidade luso-brasileira –, têm falhado completamente; e já agora seriam absurdas. Seria difícil para um sociólogo encontrar na América uma sociedade nacional que, a despeito do vasto território que ocupa, na verdade um subcontinente – seja tão psicológica e culturalmente unificada como a do Brasil de fala portuguesa, em relação não só a todos os sentimentos e estilos culturais que formam seu complexo nacional como também quanto às formas decisivas que o caracterizam como sociedade e não apenas como cultura. Sociedade e cultura que podem servir de "campo claramente compreensível" para o estudo histórico, sociológico e sociopsicológico do conjunto que formam e que é um conjunto, além de nacional, transnacional.

O Brasil não está isolado como complexo sócio-histórico e ecológico. É parte, e parte vital, da grande comunidade luso-tropical, e, como tal, um exemplo da aplicação que pode ser feita, à maneira de Oscar Halecki, da teoria do professor Toynbee a análises históricas e sociologicamente concretas de situações regionais. Para Halecki, enquanto os poucos historiadores procuram unidades menores do que os continentes, ou pelo menos independentes de seus limites físicos, que possam servir como campo claramente compreensível de estudo, e constituam aproximações ou antecipações à tremenda tarefa de uma síntese mundial, os estudiosos das civilizações devem estudar antes regiões do que nações, de modo a melhor compreenderem a "relação concreta entre o homem e a terra". Essa última e recente afirmativa de tão lúcido sociólogo harmoniza-se perfeitamente com minha já antiga sugestão de que, para compreender a civilização brasileira, é preciso considerá-la o analista como civilização regional nos trópicos, intimamente relacionada com outras civilizações estabelecidas e mantidas pelos portugueses em terras tropicais. Por conseguinte, como parte de um conjunto vastamente transregional de sociedades dinamicamente tendentes a

---

7 Cambridge, UK, 1944, p. 73.

homogêneas. O contrário, portanto, de dependências coloniais, sob a forma de sociedades plurais estratificadas, que vêm resultando dos métodos que holandeses e ingleses têm empregado nas áreas tropicais sob seus domínios: os de pluralismo rigidamente paralelo em vez de, como se vem verificando entre portugueses, com tendências a convergente. Paralelismo sociológico que, ao contrário do outro, tende a deixar de ser paralelismo, encontrando-se as linhas através da interpenetração de etnias e de culturas.

Só poderemos compreender o estado atual dos subgrupos não portugueses por suas origens e nas suas culturas, presentes na comunidade brasileira – estruturalmente uma comunidade luso-brasileira e parte de uma totalidade luso-tropical transnacional – como contrastes transitórios em face do conjunto. O conjunto formado pela realidade luso-tropical, que durante mais de cinco séculos vem se desenvolvendo através de um processo gradual, em novo tipo de civilização nos trópicos. Uma civilização que, sendo decisivamente europeia e cristã em suas características principais, não tem procurado permanecer, nem permanece, exclusivamente europeia e cristã em seus estilos de vida.

Por outro lado, essa ausência de exclusividade jamais significou aquele pluralismo social ou cultural que, baseado em motivos e anseios estreitamente econômicos ou estratégicos ou étnicos de europeus dominadores de áreas tropicais, permitiu o fenômeno que perspicaz analista inglês dos problemas coloniais nos trópicos asiáticos, J. S. Furnivall, descreve como uma "sociedade plural": a sociedade plural na qual diferentes comunidades viviam lado a lado, mas separadamente, não tendo interesses comuns, a não ser o de todos ganharem dinheiro, uns mais, outros menos.[8] O gérmen do *apartheid*.

Tendências a um relativo pluralismo não têm estado de todo ausentes dos esforços da colonização portuguesa nos trópicos. Mesmo hoje em dia, são visíveis em certas subáreas do conjunto luso-tropical que inclui territórios tropicais em tão diferentes partes do mundo. Mas a verdade é que tais tendências nunca chegaram nem chegam hoje ao ponto de obscurecer, em qualquer dessas subáreas, uma característica

---

8 J. S. Furnivall, *Colonial Policy and Practice. A Comparative Study of Burma and Netherlands India*, Cambridge, UK, 1948.

comum a todas elas: a tendência para convergirem numa unidade fundamental – tanto social como psicológica – a despeito daquilo que os etnógrafos poderiam considerar, comparando as diferenças de composição étnica e mesmo configurações de cultura nessas várias subáreas luso-tropicais, como sendo "mosaicos multicores de diversidade". No próprio Brasil não há convergência absoluta de etnias nem de culturas em todas as suas subáreas. Persiste numa ou noutra algum pluralismo ou algum paralelismo. Mas são exceções à tendência geral que se inclina à convergência, através da interpenetração de etnias e de culturas, atingindo-se, por esse meio, um como padrão comum.

Esse padrão comum deriva do fato de que tais sociedades luso-tropicais (e o Brasil é a mais avançada de todas, econômica ou culturalmente falando, assim como a mais amadurecida politicamente) correspondem já, embora imperfeitamente, àquela condição quase ideal para o desenvolvimento humano e social nos trópicos – desenvolvimento, é claro, do ponto de vista europeu e baseado numa concepção europeia de progresso – descrita pelo professor Eric A. Walker, em seu excelente ensaio sobre *Colonies*, já mencionado. Essa condição quase ideal se estaria tornando possível pela existência – conforme admite o citado autor e como vem sendo confirmado pela realidade da civilização luso-tropical de nossos dias – de "sociedades mistas" que sejam bastante homogêneas porque seus vários grupos raciais pertencem à mesma civilização e têm as mesmas ideias fundamentais, independentemente de sua pigmentação ou do feitio de seu nariz. Essa "feliz situação", acrescenta, "ainda é muito rara". Ela se contrapõe à situação daquelas sociedades tropicais sob influência europeia, que consistem "em grupos mais ou menos autoconscientes, comumente diferenciados entre si por cores distintas, que tentam viver vidas separadas dentro de um único arcabouço político". Parece-me que o professor Walker tem razão quando generaliza que "a cor da pele é o problema mundial de minorias transladado em termos tropicais, com essa diferença: que em muitas colônias as classes oprimidas constituem a maioria".[9]

---

9 Walker, op. cit., p. 72.

A posição de minorias étnicas em termos de cor ou de raça nunca foi problema grave no Brasil, nos dias pré-nacionais ou nos nacionais; e sim problema de menor importância. Problema social e politicamente insignificante, embora se tenha por vezes feito sentir entre nós. Nas sociedades há pouco mencionadas, estabelecidas e aí desenvolvidas através de coexistências paralelas pelos europeus nos trópicos e em algumas repúblicas latino-americanas irmãs do Brasil, o "problema índio" – o problema dos ameríndios face ao desenvolvimento nacional de países como o Peru, a Bolívia, o Equador – tem por vezes assumido formas dramáticas, sendo que as relações entre grupos étnicos se têm transformado até, senão em motivos, em combustível para guerras civis e para revoluções sangrentas. No Brasil, a assimilação incompleta, mas considerável não somente dos ameríndios, mas também de negros africanos, em uma sociedade nacional cujos traços decisivos vêm sendo os cultural e psicologicamente portugueses e cristãos, tem-se processado, quase sempre, de modo relativamente suave e pacífico, embora não tenham sido de todo raros exemplos de conflitos culturais e lutas de classes, nos quais o antagonismo racial se tenha feito sentir; e de abusos de indígenas por "civilizados". Na política brasileira, porém, nunca um problema predominantemente étnico se apresentou como questão importante, à semelhança do "problema índio" no Peru, no México, na Bolívia e em outras repúblicas latino-americanas. A própria maneira pacífica com que se fez a abolição da escravidão no Brasil é bastante conhecida por todos os estudiosos da história social da América Latina.

Quanto ao problema das "minorias" alemã, polonesa e japonesa, durante a Segunda Grande Guerra, o que houve foi mais uma série de tentativas deliberada, da parte dos poderes nazista e parafascista, de aplicar, no nosso país, teses nazistas, porventura politicamente válidas em outras áreas onde as minorias étnicas já se tivessem constituído grupos separados, do que problema criado por condições brasileiras. É verdade que em algumas sub-regiões do Sul do país, partidos políticos, ou elementos desses partidos, antes de 1937 vinham tratando eleitores de origem alemã ou de procedência italiana como "eleitores alemães" ou "eleitores italianos". Através de intermediários da mesma origem, tais eleitores votavam com o Governo, não sem reclamarem mais para seu grupo, cultural mais do que étnico, certos privilégios que normalmente, e de acordo com as mais genuínas tradições brasileiras não lhes deveriam ser concedidos: o direito, por exemplo, de terem suas próprias escolas, onde o ensino fosse ministrado exclusivamente em seu idioma nacional. Paralelismo do pior. Mas circunscrito a subáreas tão pequenas que não se tornou problema nacional grave.

Quando um regime, senão parafascista, conforme alguns de seus críticos, pelo menos, autoritário, se estabeleceu em 1937, sob a chefia de Getúlio Vargas, independente de eleitores de qualquer espécie, executou no Sul do Brasil – com a colaboração do Exército – uma política nacionalista que talvez apresentasse alguns excessos, mas que foi benéfica para o desenvolvimento do país como comunidade intransigentemente nacional. Inspirou-se essa política na velha tendência luso-tropical para populações ou culturas predominantemente, ainda que não exclusivamente, de origem portuguesa, estabelecidas nos trópicos, tendo a língua portuguesa como língua geral, quer pré-nacional, quer nacional, firmarem sua unidade cultural à base da adoção de um conjunto de valores e de estilos de vida comuns, aos quais se adaptassem adventícios ou elementos de outras origens, quer étnicas, quer culturais. É como o Brasil vem se desenvolvendo em nação espalhada sobre vasto espaço quase todo tropical.

A política nacionalista evitou que alemães, poloneses, japoneses e italianos tivessem escolas nas quais o ensino fosse todo ministrado em suas próprias línguas como se estivessem não no Brasil, mas sim, cada um desses subgrupos, em território não brasileiro. Outras medidas foram tomadas, sendo algumas delas por demais severas ou rígidas em sua execução rígida. Tinham por finalidade a tentativa de desenraizar completa e violentamente brasileiros de origem não portuguesa de suas culturas maternas. Evidente exagero. Pois eram e são culturas capazes de contribuir, dentro dos limites razoáveis, para o enriquecimento – através de culturas sub-regionais, temperadas por essa ou aquela cultura não portuguesa da cultura nacional, pan-brasileira, do Brasil. Analistas e intérpretes dessa cultura geral, pan-brasileira, e que a consideram combinação particularmente feliz de um tipo plástico da civilização europeia e cristã com culturas tropicais, como as ameríndias e as africanas, sem pretenderem que a mesma deva ser exclusivamente ou quase exclusivamente portuguesa e cristã, não deixam de reconhecer como a nação brasileira pode beneficiar-se de uma participação mais livre, no seu desenvolvimento cultural, de brasileiros de origens não lusitanas e mesmo de brasileiros não cristãos, isto é, budistas, maometanos, judeus. A única restrição seria contra os não portugueses, e não cristãos que exigissem o direito de viver desligados da comunidade luso-tropical que o Brasil vem sendo há mais de quatro séculos com um idioma nacional e através de processos básicos de adaptação de europeus aos trópicos, que o tempo já mostrou serem idioma e processos sociologicamente válidos para a organização dos brasileiros em vasto sistema nacional.

De modo geral, essa acomodação já foi alcançada de forma bastante satisfatória. Os primeiros grupos de europeus não portugueses a se estabelecerem no Brasil cedo revelaram a tendência ou atitude – as exceções não invalidam a regra geral – para adotarem valores dos luso-tropicais, assim como seus métodos de viver e de lidar com a natureza tropical, com populações tropicais e com culturas humanas tropicais. E assim agindo, alguns deles vêm conseguindo introduzir italicismos, germanismos, anglicismos, galicismos, na cultura brasileira, de modo que se vêm mostrando colaboradores valiosos para o enriquecimento dessa mesma cultura, sem levarem a sociedade brasileira ao perigoso excesso do "pluralismo paralelo" – gérmen do *apartheid;* e sem introduzirem na política brasileira hábito igualmente perigoso, de grupos étnico-culturais votarem solidamente, de um modo ou de outro, como grupos "nacionais" ou estritamente etnocêntricos.

Aliás, é interessante assinalar-se que brasileiros de origem italiana, por exemplo, tão numerosos no cstado de São Paulo e em partes do Rio Grande do Sul, em lugar de se concentrarem em um só partido político, ou em votar como um grupo monolítico, têm-se espalhado em vários partidos a ponto de parecer totalmente impossível ligar o "voto italiano", no Brasil moderno, a qualquer tendência, a qualquer ideologia política particular. Alguns brasileiros de origem italiana são conservadores e tiveram, por algum tempo, como seu representante durante anos, deputado, e no fim da vida embaixador do Brasil na Bélgica, Cirilo Júnior, brilhante advogado e eloquente orador, que presidiu durante algum tempo a Câmara dos Deputados com o tato e a *finesse* de um cardeal italiano intimamente familiarizado com as mais características sutilezas linguísticas luso-tropicais, assim como com as variantes psicológicas do comportamento dos brasileiros nas várias regiões do país. Nesse ponto ele teve Lauro Müller – brasileiro de origem alemã – como predecessor nos primeiros dias da República. Filho de modestos colonos alemães, natural de Santa Catarina, Lauro Müller rapidamente se transformou num político tão astuto e tão brasileiro nas suas manhas como se tivesse nascido na Bahia. Durante anos, foi uma "possibilidade presidencial", assim como David Campista – brasileiro filho de judeu alemão e, por algum tempo, membro competentíssimo do Congresso Nacional, que revelou, também, seu talento político no cargo de ministro da Fazenda. Ambos andaram muito perto de ser candidatos à Presidência da República e de se tornarem presidentes de um Brasil que souberam compreender, amar e servir. E, em ambos os casos, a condição de filhos de colonos não portugueses em nada influiu para que deixassem de chegar a postos eminentes na vida pública do país.

É verdade que brasileiros filhos de colonos não portugueses e que atuam na política, ou mesmo na vida industrial e comercial da nação, têm, em alguns casos, revelado falta de maiores escrúpulos morais: o que lhes vem dando a reputação de serem moral ou etnicamente inferiores. Isso foi verdade com relação a alguns dos mais preeminentes líderes de grupos políticos da República de 1930: brasileiros com sobrenomes não portugueses, que se fizeram pelo reverso de espírito público ou da mais elementar ética política: e citados, por critérios leviano, como exemplos de que os filhos de "imigrantes" são sempre moralmente inferiores aos filhos das velhas famílias em atividades de não só líderes políticos como de negociantes ou de pioneiros industriais. É claro que os filhos de imigrantes que seguem tais carreiras são mais livres do que os filhos das velhas e conhecidas famílias quanto a certas restrições morais que atuam sobre os homens profundamente enraizados em suas cidades, países ou regiões. Alguns neobrasileiros tendo deixado de sofrer a saudável influência dos padrões morais do seu grupo nacional de origem, sem terem adquirido a ética ou a moral da nova pátria, tornam-se homens de transição. Sucumbem facilmente às tentações que cercam os líderes políticos, industriais e comerciais na fase – também fase de transição – de rápida industrialização como a que o Brasil vem atravessando nas últimas décadas.

Seria, contudo, injusto aceitar-se a generalização de que os filhos de imigrantes, quando empenhados em tais atividades, agem sempre dentro de padrões morais etnicamente inferiores. Inúmeros exemplos em contrário podem ser avocados. O de homens como o dr. Raul Pilla, filho de colonos italianos que, durante muitos anos, foi grande líder político, um brasileiro notável pela sua integridade moral, quer como cidadão particular, quer como político e membro do Congresso Nacional. Exemplos dessa espécie são tão numerosos como aqueles de homens do "tipo de transição" que para conseguir fortuna nos negócios, na indústria ou na política, não hesitam em praticar velhacarias ou patifarias. Em relação a esse assunto é preciso não esquecer que homens do tipo patológico de transição têm surgido também entre brasileiros de antiga origem portuguesa, oriundos das províncias agrárias ou pastoris do Nordeste ou do Brasil Central: e que, vindos para os centros industriais do Sul do país, resvalam nos mesmos desmandos dos filhos de imigrantes europeus. São todos vítimas do mesmo ambiente para eles estranho, da mesma ausência dos controles morais a que estavam habituadas suas famílias provincianas. Controles muito mais poderosos num ambiente ancestral do que em outro novo estranho.

Aqui nos defrontamos com um problema que não é peculiar ao Brasil, mas comum a todas as comunidades em que a maioria dos filhos de imigrantes atravesse período de transição que seja, ao mesmo tempo, de assimilação incompleta do adventício pelo meio. Assim sendo, em lugar de serem positivos no papel que representam na sociedade e na política do país, para eles, novo, alguns se tornam famosos pelas suas atividades negativas: negativas sob o ponto de vista ético.

Ao lidar com problemas semelhantes – aquele dos imigrantes incompletamente assimilados que se têm tornado *gangsters* nos Estados Unidos, o professor Max Ascoli assinala em inteligente página sobre o assunto, que alguns deles "se tornaram americanos antes mesmo de serem italianos, sendo assim largamente inconscientes da civilização de sua terra de origem pelo fato de não terem, na Itália, passado de rústicos camponeses", e sugere que, "para eles, Milão seria uma cidade tão estrangeira como Nova York". Quanto à "segunda geração" – isto é, a primeira geração de americanos nascidos de pais italianos –, os especialistas no assunto vêm observando que uma carreira política regular, sendo para eles extremamente difícil, porque teriam de agir "dentro de *máquinas* nitidamente judaica ou irlandesa", explica-se que indivíduos com essa vocação têm recorrido a processos irregulares de se tornarem líderes parapolíticos. Daí suas tentativas de obter êxito por meios irregularíssimos. Felizmente, no Brasil, nunca tivemos, na política eleitora, "máquinas" judaicas ou irlandesas; e os filhos de imigrantes não portugueses têm, atualmente, amplas oportunidades de alcançar altas posições de liderança, não somente na carreira política, mas também nas carreiras eclesiástica, militar, técnica e comercial.

Isso explica o número sempre maior de famílias não portuguesas nas "colunas sociais" dos jornais; e também o número crescente de tais nomes entre os membros do Congresso Nacional e no serviço diplomático brasileiro; e, ainda, no Exército, na Aeronáutica e na Marinha – em cuja oficialidade, durante algum tempo, só tinham ingresso os nomes estrangeiros aristocráticos como os Von Hoonholtz, ao lado de velhos nomes portugueses como Saldanha da Gama. Isso explica, igualmente, o grande número de bispos da Igreja Católica Romana brasileira que são filhos e netos de imigrantes não portugueses e alguns de humilde origem pastoril, que vêm conseguindo ultrapassar, nessa e em outras posições de liderança e de autoridade, os descendentes da velha aristocracia agrária ou urbana de origem ibérica, às vezes – como no caso do primeiro cardeal da América Latina, que era um brasileiro de velha família pernambucana – com um índio ou ameríndio, princesa, cacique ou capitão, entre seus ancestrais.

Filhos e netos de imigrantes modestos têm chegado e chegam rapidamente, no Brasil de hoje, à liderança no comércio, na indústria,[10] na política, na religião, na imprensa; na medicina, homens como Lutz; na ciência, como César Lattes; na arte, como Cândido Portinari; na arquitetura, como Henrique Mindlin; na música, como Mignone. E também alcançam preeminência na literatura, uma atividade na qual alguns deles vêm sobrepujando os descendentes de velhas famílias lusitanas, como mestres das sutilezas do idioma português, muitos como filólogos, outros como artistas literários. Quase no mesmo nível de um Machado de Assis – o maior ficcionista que o Brasil produziu, que era de ascendência portuguesa, mas também africano em sua condição étnica, e plebeu em sua origem social – há agora, na literatura brasileira, muitos autores de origem não portuguesa que estão contribuindo grandemente para a transformação da língua portuguesa num dos maiores idiomas literários do mundo moderno: Augusto Meyer, erudito e entusiástico analista dos clássicos portugueses; Viana Moog, novelista e ensaísta; Menotti del Picchia, poeta, e como poeta, nacionalista; Augusto Frederico Schmidt, outro poeta de alcance tanto nacional como universal; Sérgio Milliet, crítico literário; Marcos Konder, jovem poeta; Gastão Cruls, novelista que se especializou tanto em assuntos da região amazônica como na análise da sociedade burguesa

---

10 No capítulo "Indústria, Comércio e Finanças" do seu livro *Brazil* (obra coletiva organizada por Lawrence F. Hill, Berkeley/Los Angeles, 1947), o prof. Frederic William Ganzert escreve quanto à relação entre a imigração e a industrialização no Brasil moderno: "O ímpeto industrial do século XX resultou da superprodução do café, a qual liberou grande número de trabalhadores que se voltaram para a indústria (...)". À medida que a onda imigratória proveniente da Europa trazia mais trabalhadores, e à medida, também, que as ferrovias e estradas eram construídas e abundantes fontes de força elétrica eram utilizadas, as indústrias se multiplicaram e novos e importantes mercados se desenvolveram" (p. 254-255). Visitando o Brasil na última década do século XIX, Maturin M. Ballou teve a impressão que os imigrantes italianos não eram do tipo mais desejável, sendo que muitos deles "davam muito trabalho à polícia" (*Equatorial America*, Boston/Nova York, 1892, p. 163). Uma generalização precipitada mas característica da atitude de alguns anglo-saxões que, naquela altura, eram hostis à imigração italiana. A verdade é que os imigrantes italianos se constituíram elemento valiosíssimo para a vida brasileira, mostrando uma plasticidade de adaptação às condições tropicais que perdia somente para aquela dos portugueses.

do Rio, na primeira metade do século XX; Raul Bopp, outro especialista em assuntos da Amazônia que enalteceu em bons versos modernistas: tão bons quanto os do brasileiríssimo – paulista e mulato – Mário de Andrade sobre Belo Horizonte.

Quando a assimilação vai ao ponto de incluir a literatura da espécie mais lírica e íntima, isso significa que brasileiros de origem europeia não portuguesa de fato se estão transformando em nova força na vida e na cultura de nosso país, ao lado dos descendentes de portugueses, ameríndios e negros; e empregando instrumentos de expressão para eles novos, como a língua e a tradição lírica portuguesa, com um domínio sobre essa língua, e uma sensibilidade a essa tradição, iguais aos dos brasileiros de origem lusitana e não só netos como tetranetos de brasileiros enraizados há séculos no Brasil.

VI
A política exterior do Brasil e os fatores sociais e étnicos que a condicionam

O *status* nacional do Brasil não é expressão de consciência de raça, pois que nenhuma raça única, pura ou quase pura, formou a gente brasileira.

Dos povos europeus que se lançaram à colonização da América nenhum menos dominado pelo complexo de superioridade ou de pureza de raça do que o português, uma nação quase não europeia. A sua mística de unidade ou de pureza foi de religião ou de *status* religioso – a religião católico-romana ou o *status* cristão – e não de raça.

O *status* nacional do Brasil é etnicamente negativo. Poucas nações modernas são tão heterogêneas, do ponto de vista étnico, como a única república de fala portuguesa do continente americano. No Brasil, nenhuma minoria ou maioria étnica exerce de fato domínio cultural e social absoluto, sistemático e constante, sobre os elementos política e economicamente menos ativos ou menos numerosos da população.

É possível que entre reduzido número de brancos se note o desejo de dominar os muitos homens de cor da comunidade brasileira. Mas esse reduzido número é muito desarticulado para formar uma aristocracia étnica ou cultural que tenha decidida influência sobre a política cultural do Brasil na esfera doméstica; ou que valha como fator bastante poderoso para determinar a política externa do Brasil no que um complexo de exclusividade de cultura ou de superioridade de raça pudesse afetá-la.

Creio que o Brasil, como comunidade nacional, tem que ser interpretado em termos de uma comunidade cada vez mais consciente do seu *status* ou do seu destino de democracia social. Social e étnica.

Nesse particular só lhe fica acima a Rússia moderna, a União Soviética, única que vem em lugar mais destacado que o Brasil como comunidade quase oficialmente, senão oficialmente, comprometida a desenvolver uma política abertamente igualitária em relação a raças. Mesmo o México parece menos tolerante do que o Brasil com relação aos negros. Dessas comparações, entretanto, não se deve concluir que o Brasil seja uma democracia étnica perfeita. Não atingiu de modo nenhum a perfeição.

O Brasil destaca-se como comunidade inclinada para a democracia étnica sobretudo pelo contraste da sua política democrática de raça com a da maioria das nações modernas. Em muitos países ostensivamente cristãos, interesses estreitos de raça, de nação ou de classe têm de tal modo alterado a prática do cristianismo que somos levados a julgar a atitude de certas ordens religiosas católico-romanas que florescem em tais países – e no próprio Brasil há ordens que não admitem negros nem mulatos no seu seio – como atitude menos cristã do que a de organizações seculares, ou apenas semirreligiosas, que, no Brasil, livremente admitem pessoas de cor.

Quando C. S. Stewart, oficial da marinha norte-americana, visitou o Brasil no meado do século XIX, muito o impressionou "o aspecto terrivelmente mestiço" da maioria da população. Mas impressionou-o, ao mesmo tempo, uma instituição portuguesa que floresce na América desde os primeiros dias da colonização do Brasil: a das "Misericórdias". As Misericórdias fizeram-no admirar a tolerância reinante no Império brasileiro com relação à gente de cor. Observou Stewart que as portas dos hospitais da Santa Casa de Misericórdia do Rio de Janeiro estavam abertas a todas as horas do dia e da noite para doentes de ambos os sexos, de todas as religiões e de qualquer nacionalidade ou cor, dispensando-se para a sua entrada qualquer formalidade.[1]

---

1 *Brazil and La Plata: The Personal Record of a Cruise*, New York, 1856, p. 228-229.

Quebrando um pouco a força dos elogios de Stewart à tolerância brasileira com relação aos vivos, poderia notar-se que até data relativamente próxima os brasileiros eram conhecidos pela sua intolerância em relação aos mortos ou a cemitérios: não somente a negros pagãos ou sem batismo mas a europeus e norte-americanos protestantes negava-se o direito de serem enterrados nos chamados campos-santos ou nos cemitérios oficiais. Mas essa particularíssima intolerância afetava somente os mortos.

Alguns dos sociólogos que têm estudado ultimamente a política internacional ou inter-regional tal como a condicionam motivos ou fatores étnicos, pensam que o Estado soviético, com a sua teoria de igual oportunidade para homens de todas as raças, vai mais longe, na prática, do que a maioria das comunidades ou Estados ostensivamente cristãos, no esforço de efetivamente remover não somente as causas psicológicas e emocionais dos conflitos de raça – mas também – ou principalmente – as de natureza econômica. Outro não é o ponto de vista de uma das maiores autoridades no assunto, o prof. Hans Kohn. Para o prof. Kohn é hoje a União Soviética a única grande região do mundo que, habitada por muitas raças, não dá sinal, no que respeita pelo menos às relações oficiais, de nenhum preconceito de raça, sob qualquer forma. É o único país "onde a crença racional na completa igualdade de todas as raças veio a tornar-se doutrina oficial, e onde se realizam enérgicos esforços de valor educativo no sentido de melhorar as condições sociais e econômicas das classes e raças não privilegiadas".[2]

Não estive nunca na União Soviética e por isso não posso confirmar com depoimento pessoal o que assevera o prof. Kohn. Mas sei que o Brasil, embora longe de estar inteiramente livre do preconceito de raça, tem, contudo, instituições oficiais, tanto como semioficiais e privadas, mais avançadas do que algumas organizações ostensivamente cristãs, no que se relaciona com os problemas de relações entre as raças, consideradas sob critério democrático e cristão.

---

2 "Race Conflict", *Encyclopedia of Social Sciences*, XIII, p. 40. Veja-se também Hans Kohn, *Orient and Occident*, New York, 1934, e Paul Lewinson, *Race, Class and Party*, London, 1932.

Tão geral é no Brasil essa atitude que a própria política externa do país tem sido obrigada a adaptar-se a ela: se nem sempre pela iniciativa de líderes oficiais e de diplomatas às vezes impregnados de convencionalismo europeu, ao menos pela pressão dos seus líderes intelectuais – líderes mais efetivos do que aqueles, ainda que a sua ação não se revista de caráter oficial, cuja influência não faz senão aumentar, tanto entre os elementos do povo comum que formam a opinião pública fundamentalmente brasileira como entre a juventude intelectual e a *intelligentzia*. No que diz respeito a atitudes em face dos problemas ligados às relações entre as raças, nenhum país se pode encontrar, entre as mais poderosas nações da América, que tenha, como o Brasil, tantos pontos de semelhança ou tantas afinidades com a União Soviética. E tendo em conta, como devemos ter, a crescente importância desses problemas na vida internacional e no campo das relações inter-humanas, é fácil poder antecipar que essa solidariedade tende a ser alguma coisa mais do que vago ou sentimental humanitarismo: é provável que venha a ser a base para uma ação comum ou para iniciativas comuns no campo do direito internacional. À Rússia e ao Brasil caberá talvez o papel de, juntos, sugerirem importantes transformações nas atitudes e no comportamento político ou jurídico dos modernos povos democráticos, com relação a problemas de raça. Essas sugestões basear-se-iam não em teorias vagas ou puramente sentimentais, mas em experiências concretas de cada uma das suas comunidades – a soviética e a brasileira – como regiões quase livres, ou cada vez mais livres, de preconceitos ou conflitos de raça ou de discriminação racial.

A União Soviética e o Brasil, ainda que fundamentalmente diferentes no modo de conceberem ou entenderem o que seja democracia de organização social, se unirão, possivelmente, em futuro próximo, como pioneiros de um movimento no sentido de fazer da igualdade social das raças problema internacional a ser enfrentado quer sob aspecto político ou jurídico, quer sob aspecto econômico. Um movimento semelhante ao que em 1919 uniu comunidades politicamente tão diferentes como a China e o Japão.

Conforme recorda ilustre historiador e internacionalista, "unicamente sobre um problema, dos debatidos em Paris, no ano de 1919, estiveram de acordo chineses e japoneses: no de procurarem induzir o pacto da Liga das Nações a reconhecer a igualdade racial. A França e a Itália apoiaram essa sugestão, mas a Inglaterra, a Austrália e a Nova Zelândia levantaram-se intransigentemente contra ela. A proposta foi aprovada por uma votação de onze contra seis, abstendo-se de votar Wilson e o coronel House. Wilson, porém, que era o presidente, decidiu que a votação não seria válida desde que não houvera unanimidade".[3]

Quaisquer que tivessem sido as razões de Wilson para essa decisão, ela não foi menos criticada pelo Japão, que muito se ressentiu com essa atitude dos Estados Unidos. No Brasil, o fato teve pouca repercussão e mal afetou a enorme popularidade de Woodrow Wilson. Mas o Brasil vai adquirindo cada dia mais consciência desse fato ou realidade: a sua população mestiça favorece no povo brasileiro sentimentos de solidariedade com as nações asiáticas, africanas e indo-hispânicas também mestiças ou de cor.

Ocupa hoje o Brasil lugar mais importante na vida internacional do que em 1919. É que desde esse tempo tem sido considerável o seu desenvolvimento intelectual, tanto como o seu desenvolvimento econômico: os seus escritores, artistas e homens de ciência sentem-se agora mais livres para exprimir – algumas vezes para glorificar – os aspectos não europeus ou não caucásicos da cultura brasileira. Essa atitude significa que o Brasil provavelmente tomará papel importante no movimento que se acentua em nossos dias a favor da promulgação do princípio da igualdade de raças.

Existe já, por antecipação, pedido da China nesse sentido: pedido para que a futura organização que tiver por objetivo a segurança mundial reconheça a doutrina da igualdade de raças. E a Rússia vem agitando constantemente o problema. Falando aos mexicanos, há algum tempo, o embaixador soviético no México, Constantin A. Oumansky, observou, num dos seus brilhantes discursos, que tanto na guerra como na paz a União Soviética haveria de pôr sempre em primeiro plano "a abolição da discriminação de raças"; e também que,

---

3   Hallett Abend, *Treaty Ports*, New York, 1944, p. 242.

na conferência das três potências em Moscou, Stalin projetara na política estrangeira russa o princípio, já estabelecido na sua constituição, da abolição da discriminação de raças.

Na mesma época em que o embaixador Oumansky fazia tais observações sobre a atitude da Rússia, Carleton Beals, especialista norte-americano em questões latino-americanas, ouvia de alto funcionário mexicano das Relações Exteriores – admirador entusiasta dos Estados Unidos – que, devido à discriminação norte-americana de raças "tão grandemente temida na América Latina, e por causa do nosso (referindo-se aos Estados Unidos) apoio às ditaduras, estávamos em vias de perder a nossa direção moral e política nos países situados ao sul do nosso; que os povos e os governos voltar-se-iam cada vez mais para a União Soviética".[4] É precisamente o que vemos acontecer. Latino-americanos de espírito democrático ou liberal, desiludidos diante da política estrangeira dos Estados Unidos, que eles acreditam ser de tão decidido apoio à Espanha de Franco quanto à dos elementos mais conservadores da Grã-Bretanha, e também com a atitude antidemocrática dos Estados Unidos em face do problema da igualdade de raças, se estão inclinando para os socialistas ou trabalhistas britânicos e, particularmente, para a Rússia, agora considerada por muitos deles – talvez com certa ingenuidade – nação tão messiânica como a França da Revolução para os seus antepassados dos fins do século XVIII e os Estados Unidos de Washington, Jefferson e Woodrow Wilson para os idealistas da América Latina do começo do século passado ou dos dias que se seguiram à vitória de 1918: a das democracias sobre os impérios centrais.

Norte-americano perito em assuntos internacionais escreveu no *Time*, de 13 de novembro de 1944, que dificilmente existia então um país no mundo em que a influência da Rússia não se fizesse sentir. Segundo esse observador norte-americano só existe um meio de as nações ocidentais – aquelas para as quais uma vida economicamente

---

4 Veja-se Carleton Beals, "The Soviet Wooing of Latin America", *Harper's Magazine*, Aug. 1944, p. 212. Deve-se notar que em anos recentes têm-se verificado, na União Soviética, explosões de preconceitos de raça quer contra judeus, quer contra pretos africanos, estudantes da "Universidade da Amizade".

segura mas sem liberdade política pouco vale – fazerem frente a essa influência: libertarem-se elas mesmas da miséria, do medo e de quaisquer sofrimentos causados por situações materiais, permanecendo livres politicamente. Essa é que seria a solução ideal para os latino-americanos, que persistem fundamentalmente hispânicos no seu amor à liberdade e à dignidade pessoal e na sua aversão por tudo que é regulamentação dura ou rígida da vida. Mas o desapontamento deles no que diz respeito ao liberalismo anglo-saxão faz-se cada dia mais profundo. E é o que explica por que, diante da França reduzida a nação de segunda categoria e da Espanha paralisada por um regime tido por semifascista, alguns continuam a olhar para a Rússia como para uma nação messiânica. Até católicos brasileiros têm ousado tomar essa atitude, um deles – o bispo de Maura – havendo-se extremado de tal modo no seu furor neófilo que foi obrigado a deixar a Igreja e a tornar-se uma lamentável figura de *defroqué*.

Os brasileiros têm uma maneira especial de exprimir as suas inclinações políticas ou ideológicas: através dos nomes com que batizam os filhos. Houve época em que esses nomes eram os dos santos do calendário católico e da história sagrada. Até que veio o movimento da independência e as crianças tomaram nomes ameríndios. Mais tarde, porém, a preponderância coube aos nomes de heróis revolucionários ou românticos franceses, espanhóis e hispano-americanos: Danton, Lamartine, Lafayette, Benjamin Constant, Chateaubriand, Cid, Bolívar. Tive um tio-bisavô cujo nome, em vez de ser o de um santo português, foi o de "Voltaire". Veio ainda outra fase: a de nomes tirados da literatura grega e da história romana. Essa fase corresponde ao reinado de Dom Pedro II, homem bom e de bem que levava o seu gosto pelos estudos clássicos a exageros talvez pedantes.

Como viesse depois o movimento republicano, pais antimonárquicos ou extremamente liberais começaram a dar aos filhos nomes tomados à história da Inglaterra e dos Estados Unidos: Milton, Newton, Washington, Jefferson, Lincoln, Gladstone, Franklin. Alguns mais anticlericais foram ao extremo de dar os temíveis nomes de Lutero e Calvino aos filhos. Juarez foi outro nome dado a muito menino brasileiro. E logo depois da Primeira Grande Guerra não se contam as crianças brasileiras que receberam o nome de Wilson. É significativo que, agora, a tendência entre alguns pais brasileiros seja dar aos filhos nomes que venham de novelas russas, senão da própria história russa.

Parece fora de dúvida que a atitude da Rússia no que toca ao problema das raças vem fascinando brasileiros de espírito democrático ou liberal e talvez ingênuo. Enquanto o preconceito dos Estados Unidos contra a mestiçagem continua sendo um obstáculo para o desenvolvimento de relações realmente amistosas entre os dois povos.

Há já alguns anos, o eminente professor da Universidade de Yale, Hiram Bingham, escreveu que a diferença fundamental de atitude entre um americano anglo-saxão e um latino-americano em face do problema de raças tornava difícil, por parte dos americanos anglo-saxões, tratar "com imparcialidade" os seus vizinhos do Sul. A dificuldade não desapareceu inteiramente com a política de "boa vizinhança"[5] e é bem possível que astutos diplomatas russos, assim como europeus, igualmente hábeis, tirem partido da situação, contra os Estados Unidos, se a chamada "política do poder", com suas rivalidades entre as grandes potências, continuar a dominar nas relações internacionais, com a América Latina feita um dos melhores mercados para as nações imperiais, senão imperialistas, durante os próximos decênios.

Alguns estudiosos de assuntos internacionais acham que, em vez de se mandar a países como o Brasil diplomatas do tipo convencional, que não se ligam senão com os homens do poder, com as autoridades eclesiásticas e com o que tenha de mais fino a sociedade elegante, o governo dos Estados Unidos faria melhor designando para os seus postos de representação na República brasileira homens que pudessem dar a conhecer aos brasileiros o trabalho já realizado na América do Norte para se chegar a sistema mais democrático de relações entre as raças: homens mais familiarizados com as atividades do Conselho contra a Intolerância na América do Norte, por exemplo; e com o Bureau de Educação Internacional, com a Associação Nacional para o Progresso das Populações de Cor, com o Conselho Federal das Igrejas de Cristo, com a Conferência Nacional de Cristãos e Judeus, com a União Marítima Nacional, com o Comitê de Justiça na Escolha

---

5 *The Monroe Doctrine*, New Haven, 1915, p. 24.

de Empregados e com o Bureau de Assuntos Indígenas. Poucos brasileiros conhecem alguma coisa da esplêndida obra que vem sendo realizada por *líderes* democráticos e cristãos dos Estados Unidos, no sentido de relações mais democráticas entre brancos e índios, entre brancos e orientais, entre brancos e negros. Do que mais frequentemente ouvem falar é da "democracia étnica" – aliás nem sempre exemplar – da Rússia.

Os resultados de uma política de igualdade de raças tal como é oficialmente – mas nem sempre efetivamente – seguida na Rússia moderna, ou de uma igualdade aproximada entre as raças, como a que há muito tempo se faz ou pratica no Brasil, não parecem confirmar os temores dos que, nos Estados Unidos e noutros países, falam ou escrevem da mestiçagem como de uma catástrofe biológica. Pelo contrário: todas as provas parecem antes a favor dos que descrevem os resultados na miscigenação como, mesmo do ponto de vista estético, aceitáveis ou interessantes. Os teóricos da "integridade racial" precisam remoçar os seus argumentos contra a mistura de raças ou inventar novos. Pois os russos, hoje tão em evidência pelas suas realizações e que, em boa parte, são de sangue mestiço, estão longe de ser o povo de "degradados" ou "decadentes" ou "passivos" ou composto de "raças femininas" como, dominados por preconceitos de purismo étnico, costumavam chamá-los certos antropólogos e sociólogos do século XIX ou dos começos do atual. Desses sociólogos ou antropólogos, alguns não vacilavam em afirmações como as seguintes: "os russos, com a sua forte infusão de sangue mongoloide, distinguem-se antes pela sua capacidade de sofrimento e de resistência do que pela ação que preserva a liberdade" (Fritz Lentz); ou: "o povo russo (...) é por temperamento passivo, de natureza antes dócil, pronta a obedecer, mais feminino do que masculino, em caráter" (F. R. Radosalvlevich); ou: "as raças europeias com uma forte infusão de sangue mongoloide são de espírito lento; aferram-se ao tradicional", e "os métodos técnicos avançados encontram-se muito mais fracos ali do que nas regiões onde predomina a raça nórdica" (Lentz).

Diante das realizações russas, dos métodos técnicos avançados desenvolvidos pelos russos senão em sua agricultura – ainda tão ineficiente –, em suas indústrias e em suas pesquisas científicas, da bravura revelada pelos russos na sua guerra com a potente Alemanha nazista, essas afirmações, nos últimos anos, têm sido feitas mais frequentemente em relação a países como o Brasil do que em relação à Rússia. O desenvolvimento do Brasil, porém, como que já começa a tornar inexata a aplicação de tais generalizações ao caso brasileiro. Igualmente os mexicanos, povo de sangue misturado, já não são julgados o mesmo povo "passivo", que nele enxergavam críticos estrangeiros no tempo da ditadura de Diaz.

Nem todos os cientistas alemães, ingleses e norte-americanos que têm estado no Brasil se mostraram, diante "do aspecto terrivelmente mestiço da maioria da população", tomados do mesmo pessimismo do diplomata e literato francês, conde de Gobineau, ou do oficial da marinha norte-americana do século passado, C. S. Stewart. Os mais autorizados, do ponto de vista da sua instrução científica e da sua visão sociológica – homens como Von Martius, no começo do século XIX, Alfred Russell Wallace, Bates e o prof. Konrad Guenther, para não mencionarmos especialistas em antropologia como os profs. Rüdiger Bilden e Donald Pierson –, têm-se manifestado quase entusiasticamente a respeito dos resultados sociais e estéticos da fusão das raças no Brasil. "Mongoloide" ou "negroide", o Brasil vai-se impondo com um poder criador em mais de um campo de atividade artística e técnica; e é um país que hoje já recebe elogios pela sua tradicional tolerância de diferenças de raça e pela maneira como tratou os seus escravos e lhes deu afinal liberdade.

Um dos viajantes mais inteligentes que visitaram o Brasil durante a primeira metade do século XIX foi um norte-americano, o rev. Walter Colton. E ele é quem observa, em relação aos escravos africanos, que, em muitos casos, eles tinham, no Brasil, "a liberdade ao alcance da mão, podendo obtê-la, como muitas vezes a conseguem, com a sua pura aplicação ao trabalho e a sua frugalidade". Também dele é essa outra observação: que, "uma vez livre, ele (o escravo) vai às urnas e pode ser eleito para ocupar uma cadeira na Assembleia Nacional. Nem ninguém chegaria a ficar histérico vendo-o casar com uma mulher cuja pele fosse mais branca do que a sua. Cabe a nós, norte-americanos, fazer a pregação do humanitarismo, da liberdade e da igualdade, mas depois, na prática, se um africano se senta a bordo na mesma mesa que a nossa, logo torcemos o nariz. É pena que quem mais pregue a igualdade seja comumente quem menos a pratica".[6] Dois outros clérigos norte-americanos que visitaram o Brasil no reinado de Dom Pedro II reagiram da mesma maneira diante da situação etnicamente democrática que nele encontraram; quero referir-me a J. C. Fletcher e D. P. Kidder, autores do livro *Brazil and the Brazilians*. O rev. Fletcher escreveu: "Alguns dos homens mais inteligentes que conheci no Brasil – homens educados em Paris e em Coimbra – eram de ascendência africana; e os seus antepassados tinham sido escravos. Assim, se alguém tem liberdade, fortuna e mérito, seja embora preto, por isso não lhe é recusado nenhum lugar na sociedade. Surpreende observar também a ambição e o desejo de progresso de alguns desses homens com sangue negro nas veias".

Ainda que admitisse a existência, no Brasil, de certo preconceito, jamais com raiz profunda, em favor dos homens de ascendência branca pura, notou Fletcher que, nas escolas de medicina, direito e teologia, nenhuma distinção se fazia quanto à cor da pena dos alunos.[7]

Já em outra parte aludi ao livro sobre o Brasil escrito há mais de vinte anos por um norte-americano que é homem de formação científica, Roy Nash, como um dos melhores ensaios que já se escreveram sobre o Brasil. Referindo-se ao processo de miscigenação, diz esse autor que "no Brasil não se foi ainda tão longe que não se venha encontrar grande número de portugueses, índios e negros sem mistura, e ainda alguma consciência de cor e até mesmo de casta; mas, por outro lado, tem-se ido bastante longe para que se possa esperar que tudo isto desapareça talvez antes de cinco ou seis gerações".[8] A pergunta: "Provam os quatrocentos anos de história do Brasil que a mistura de tantas e diferentes raças leva à degeneração?" é enfaticamente respondida pelo autor norte-americano: "De nenhum modo. A acusação que se possa fazer de uma classe dirigente, de um sistema econômico, de uma falsa filosofia, não é acusação contra um povo (...). Muitos são os brasileiros que melhor do que eu sabem quanto o Brasil do futuro tem que

---

6 *Deck and Port*, New York, 1850, p. 112-113.
7 *Brazil and the Brazilians*, Boston, 1879, p. 133.
8 Nash, op. cit., p. 60.

ser construído com os tijolos bem cozidos do trabalho e da cooperação, da saúde pública e da educação popular".[9]

Este é também o ponto de vista dos brasileiros mais capazes e conscienciosos que têm estudado, ou ainda estudam, a história social e as condições étnicas e sociais do seu país, como Alberto Torres e o prof. Roquette-Pinto. Em ensaios sociológicos e em obras antropológicas, eles não têm cessado de reclamar a urgente necessidade de uma política brasileira de recuperação social. As regiões em que a escravidão foi, durante séculos, o sistema dominante de organização social, podem comparar-se àquelas que sofreram as devastações de grandes e sucessivas guerras: pedem recuperação social e não a simplista substituição da população mestiça por "arianos", desejada por alguns ingênuos.

A política exterior do Brasil tende a ser cada vez mais afetada por uma progressiva mudança na base econômica da estrutura social do povo brasileiro, mudança que vai da escravidão e de um regime semifeudal de agricultura ou de monocultura e de latifúndio, a um regime econômico e socialmente democrático, caracterizado pela diversidade das culturas e pela fragmentação das grandes ou imensas propriedades de indivíduos ou famílias economicamente estéreis. Essa mudança permitirá ao Brasil atrair o melhor tipo de imigrantes, livrando-se da necessidade – que experimentou no fim do século passado – de procurar *coolies* chineses para substituir a mão de obra escrava. Torna também possível a elevação do nível de vida dos descendentes de índios, negros e também europeus que têm vivido mal alimentados, dentro de uma pobreza quase oriental, e, o que é mais, sem terra para plantar, num país famoso pela enorme extensão de fazendas malcuidadas e pela muita terra desocupada e até virgem que ainda tem.

Antropólogos e sociólogos dos que melhor parecem conhecer o Brasil acreditam que a parte pobre e miserável da população totalmente branca ou mestiça não necessita senão de melhores oportunidades para provar a sua capacidade e a sua resistência. E tendo convivido com os brasileiros do centro do país, Theodore Roosevelt –

---

9   Ibidem, p.356-357.

estadista arguto e experimentado – escreveu que os homens do povo que ele conheceu no Brasil eram "resistentes e fortes como touros". E ante a "inteligência" dos oficiais do Exército brasileiro com quem viajou – tantos deles mestiços – muito se admirou "diante da ignorância dos que não se dão conta da energia e da força que muitas vezes possuem os homens dos trópicos e que tão facilmente se podem desenvolver nesses mesmos homens".[10]

Poucos brasileiros conscienciosos, particularmente os das gerações mais novas, revelam quaisquer dúvidas quanto à energia e à capacidade dos seus compatriotas mestiços. O que sucede é que são, muitos desses mestiços, homens doentes e necessitados de terra e de amparo e a quem não se tem dado nenhuma oportunidade para desenvolver as suas qualidades e tornarem-se aptos a contribuir eficientemente para o crescimento do Brasil. Atualmente muitos são os que consideram a integração desses homens na comunidade brasileira como elementos ou valores criadores mais importantes do que atrair imigrantes para o Brasil. Ambos os problemas – o de desenvolver o potencial humano indígena ou mestiço por meio da educação, do saneamento e da democratização da propriedade ou da terra, e o de atrair imigrantes – reclamam do Brasil uma atitude cada vez mais democrática no que diz respeito às relações humanas dentro do país ou a essas mesmas relações com povos estrangeiros.

A política exterior do Brasil está condicionada também pelo fato de que, sendo um país que se encontra no começo de uma fase de industrialização, de mecanização da sua agricultura e de colonização científica de regiões como a do Amazonas, necessita, até certo ponto, de imigrantes técnicos ou trabalhadores qualificados. Mas tal necessidade não afeta somente a sua política exterior: afeta também a sua política interna, desde que não é possível nenhuma colonização do Brasil por homens livres sem uma disposição mais democrática das terras públicas.

Bryce lamentou a ausência, não só no Brasil mas em outros países sul-americanos que conheceu há mais de trinta anos, de peque-

---

10 *Through the Brazilian Wilderness*, New York, 1914, p. 254.

nos proprietários, em quem o interesse por uma boa administração fosse bastante inteligente e forte para despertar neles o dever cívico.[11] Somente em certas regiões do Sul do Brasil é que se está verificando hoje o desenvolvimento da propriedade pequena ou média de modo apreciável, ao lado do cooperativismo que permita empresas grandes e até monumentais. E a propósito cabe-me destacar de novo esse aspecto do problema: na colonização da maioria das áreas do Norte e do Centro da Brasil será inútil todo o esforço de imigrantes-pioneiros sempre que se fizer por forma puramente individual. Alargando a tradição das *bandeiras*, eles terão que se organizar em grupos de cooperativas protegidas pelo governo brasileiro ou por organizações especialmente devotadas a esforços de colonização, senão dirigida, orientada e planificada.

Como indivíduos, os brasileiros do Nordeste, os que se fixaram, ou se vêm fixando, no Amazonas, têm sido simplesmente heroicos. Alguns deles têm feito maravilhas pela colonização dessa zona. Mas pouco é o que se pode conseguir por esse método puramente individual. A colonização brasileira do Amazonas terá provavelmente que ser esforço de cooperação. Nesse esforço, o Exército Nacional encontrará maior e melhor oportunidade para promover, em grande escala, o saneamento de vasta região tropical, do que teve o Exército dos Estados Unidos no Panamá.

Alguns brasileiros insistem de vez em quando na conveniência de empregar-se o Exército, cuja missão é principalmente a de defesa nacional, em realizações de obras públicas ligadas à mesma defesa; e uma dessas realizações seria a construção de caminhos de ferro, que servissem, ao mesmo tempo, a fins estratégico, econômico e cultural. É essa antiga ideia francesa, nem sempre bem recebida pelos apologistas ortodoxos dos exércitos dedicados a fins exclusivamente militares. Apesar disso, houve um francês bastante audacioso para sugerir, há anos, que se a Nação coopera com o Exército em tempo de guerra não é nada demais que o Exército coopere com a Nação em tempo de paz. Até certo ponto, isso tem sido feito no Brasil. Até no

---

11 Bryce, op. cit., p. 537.

estrangeiro se conhece a obra notável realizada pelo general Rondon e por outros oficiais do Exército brasileiro entre as tribos selvagens do Centro do Brasil, ao lado da construção de caminhos de ferro e de linhas telegráficas nessa parte do país. O Exército brasileiro pode realizar obra dessa natureza, em escala ainda maior, na região do Amazonas, cuja colonização constitui empresa pesada demais para caber a simples indivíduos.

A ideia do desenvolvimento social, por processo semimilitar, de uma região selvagem ou quase selvagem, não é nova. Há mais de meio século um brasileiro, Henrique Veloso de Oliveira, apresentou inteligente plano para a colonização por "exércitos industriais" tanto das antigas regiões brasileiras – as dominadas, durante séculos, por proprietários feudais – como das terras virgens. Os membros dos chamados "exércitos industriais", em vez de agir como pioneiros individuais, teriam que agir sob um plano e em conjunto. O método seria principalmente o da cooperação. Teriam que se desenvolver também uma agricultura diversificada e, ao mesmo tempo, seria estimulado nos homens o espírito de pioneiro.

O elemento básico de tais "exércitos industriais" seria formado por jovens brasileiros. E logo que prosperassem viriam a ele reunir-se colonos europeus. Um certo número de raparigas europeias teriam que ser importadas para se casarem com os jovens brasileiros dos "exércitos industriais" que, bem-sucedidos e prósperos, preferissem, para esposas, mulheres louras. Entre os brasileiros haveria brancos, descendentes de europeus, mas também mestiços. Como os imigrantes portugueses, espanhóis, italianos e mesmo alemães, homens e mulheres, não têm hesitado em casar com brasileiras ou brasileiros de origem índia ou negra, não teria sido difícil o desenvolvimento de uma democracia étnica entre os "exércitos industriais" imaginados por Veloso de Oliveira.

Parece-me coisa para lamentar que o plano de Veloso de Oliveira não tivesse sido posto em prática logo depois de sugerido pelo seu autor. Provavelmente teria resolvido alguns dos problemas relacionados com a colonização europeia do Brasil, especialmente o da disposição ou redistribuição democrática das terras públicas ou feudais. Como disse antes, o problema da terra é grave e complexo, desses que o Brasil tem que enfrentar antes que camponeses e agricultores, europeus ou japoneses, dos bons, dos sólidos, dos desejáveis, venham com entusiasmo ou gosto estabelecer-se no nosso país, livres do rigoroso controle dos agentes dos seus respectivos governos, tal como aconteceu, durante algum tempo, com os japoneses e com alguns grupos europeus. O controle dos imigrantes compete ao governo brasileiro, ainda que se possam fazer acordos entre o Brasil e países de emigração, concedendo-se aos governos europeus ou de outros continentes o direito de ter representantes próprios, como colaboradores do governo brasileiro no que se entenda com os problemas de migração que forem de interesse comum.

Quanto às Forças Armadas do Brasil note-se que, nos últimos anos, vêm contribuindo de modo notável para o desenvolvimento nacional na construção de estradas, ampliações de comunicações, alfabetização de jovens do interior, assimilação de filhos de imigrantes.

A política externa do Brasil durante muito tempo será influenciada por essas suas relações com os países cuja tendência é para continuar a enriquecer a América portuguesa com o seu sangue, os seus valores humanos, o trabalho dos seus camponeses, dos seus lavradores, dos seus operários, dos seus artesãos, dos seus técnicos. Pois o Brasil necessita de imigrantes, embora só de imigrantes qualificados. Para fazer frente a essa necessidade, espera o Brasil receber de vários países da Europa e do Japão trabalhadores agrícolas e industriais. Alguns observadores do assunto acham que o agricultor italiano adapta-se particularmente bem ao modo de vida brasileiro. Mas quer do ponto de vista político, quer do econômico e cultural, o mais acertado para o Brasil é admitir o maior número possível de imigrantes agrícolas procedentes de Portugal; esses e os espanhóis são o tipo de imigrantes de que o país necessita para base ou lastro – o lastro de cultura tradicional – de uma nova camada de imigração europeia.

O rápido desenvolvimento industrial do Brasil afetará muitíssimo – aliás já está afetando – a sua política externa. Diz-se que a América portuguesa mais dia menos dia estará pronta para produzir todo o aço de que necessita para o seu próprio uso, e, eventualmente, em quantidade bastante para exportar. Isto implica importante mudança na economia do país e também na sua vida política e nas suas relações exteriores. Do ponto de vista político internacional, por exemplo, a diversidade da produção e a industrialização significam que a economia do Brasil deixa de ser passiva ou semicolonial. Como muito bem disse o prof. Normano no seu *Brazil: A Study of Economic Types*, "o caráter monoprodutivo da economia brasileira submeteu o Brasil ao cativeiro dos preços mundiais" e "a mudança nos principais produtos influi não somente sobre a política nacional como ainda sobre a internacional. (...) O principal mercado para o açúcar, o ouro e o algodão era a Europa. A borracha e o café eram a ponte para os Estados Unidos".[12] Com o desenvolvimento, porém, de indústrias próprias, a economia brasileira está a tornar-se ativa, em vez de passiva; e isso significa maior independência nas suas atitudes políticas. O fim, ou o começo do fim, do seu semicolonialismo econômico.

Com a expansão da sua indústria têxtil o Brasil está se tornando também grande exportador de tecidos de algodão para outras nações da América Latina. Até certo ponto, corresponde isso à adaptação de vestuário ao clima tropical e aos gostos, quase iguais ou comuns, que tornam grande parte da população brasileira semelhante à parte, igualmente grande, da população da América espanhola, especialmente da América indo-espanhola. Muitos, porém, dos produtos brasileiros de algodão e seda são hoje vendidos nas repúblicas latino-americanas que ficam na zona temperada. E esse fato significa outra transformação na vida e nas relações econômicas brasileiras, pois semelhante aumento de comércio do Brasil com as repúblicas vizinhas tende a estimular o desenvolvimento, na América Latina, do que alguém chamou "mútuo descobrimento".

A conversão dos atuais aeródromos militares do Brasil em aeroportos comerciais provavelmente há de estreitar as relações da República brasileira com as demais repúblicas americanas e também com a África portuguesa, as ilhas do Cabo Verde, os Açores, Madeira e Portugal. O Brasil já conta com uma fábrica de motores para aeroplanos. Graças ao desenvolvimento das suas regiões industriais, a exploração mecânica, de alguns dos seus muitos e valiosos recursos, e o

---

12 p. 55-56

seu progresso técnico e intelectual, o Brasil está tomando o papel de país líder, sob muitos aspectos, de todos os povos de língua portuguesa. É mesmo possível que esses povos não estejam longe de se organizar numa espécie de federação, em que a cidadania seja comum, ao lado de outros direitos e responsabilidades da mesma forma comuns. Naturalmente que a isso deverão seguir-se deveres recíprocos. E esses deveres recíprocos exigirão obra cuidadosa de ajustamento de interesses não só internacionais como inter-regionais.

Não deixa de ser interessante notar a crescente tendência das novas gerações de homens de letras e de ciência da África portuguesa, das ilhas do Cabo Verde, e dos Açores, para seguir inspirações e sugestões procedentes do Brasil. A nova literatura e a nova arte brasileira, assim como os recentes progressos nos estudos sociais e científicos, feitos no Brasil, por cientistas e intelectuais brasileiros e conforme métodos mais ousados e modernos do que os conhecidos em Portugal, parece estar afetando o tradicional sistema de inter-relações no mundo de língua portuguesa, de modo a fazer do Brasil o seu centro intelectual, artístico e científico, senão sob todos os aspectos, sob vários e dos mais importantes.

Júlio Dantas, notável intelectual português, não fez senão concordar com a opinião de outros críticos portugueses, quando disse, em memorável pronunciamento, que os melhores escritores da língua portuguesa encontram-se hoje no Brasil. E pode observar-se ainda que alguns dos mais eminentes eruditos portugueses se têm fixado no Brasil, onde ensinam em escolas ou universidades e onde escrevem e publicam os seus livros. Foi o caso do insigne Jaime Cortesão. O que não quer dizer que Portugal não continue o reservatório dos muitos valores ancestrais ou tradicionais que nenhuma das suas colônias atuais ou antigas é capaz de produzir. Nem mesmo o já amadurecido Brasil.

A política externa brasileira acha-se condicionada também pela situação geográfica do país como nação americana. Devemos estar na primeira fase de desenvolvimento de outra federação de que o Brasil parece ser membro tão natural como o é da federação de língua portuguesa: a federação pan-americana ou interamericana. E essas duas federações, se se desenvolverem, podem vir a ser subfederações em relação a uma outra ainda mais larga: a federação Atlântica, em que o lugar a ser ocupado pelo Brasil será determinado pela sua geografia, pela sua história e pelo seu potencial.

Do ponto de vista da ecologia vegetal ou animal, a América do Sul pode ser um continente, e a América do Norte, outro. Do ponto de vista da ecologia humana, a América Latina pode ser um continente, e a América anglo-saxônica, outro. Do ponto de vista mais largo, porém, e em que se tomem em consideração todos os aspectos de interdependência entre as nações americanas – interdependência não só quanto a espaço mas quanto a todas as relações físicas e sociais – o continente americano adquire cada vez mais características de continente único. E como tal exige uma política continental combinada em que a variedade prevaleça sobre a preocupação de excessiva uniformidade.

As nações americanas parecem ter inimigos comuns. Todas as evidências nos levam a acreditar que um imperialismo feudal, japonês ou alemão, seria muito menos tolerante de uma América Latina étnica e culturalmente livre e democrática nas suas aspirações e tendências, do que o é, ou tem sido, o imperialismo burguês, britânico ou anglo-americano. Com todas as suas imperfeições, a Grã-Bretanha e os Estados Unidos vêm constantemente aperfeiçoando, ou procurando aperfeiçoar, os seus sistemas politicamente democráticos, ou antes, os seus métodos de valorizar as relações inter-humanas e igualmente as diferenças humanas dentro de critério democrático.

As nações latino-americanas afirmaram a sua existência por uma rebelião, generalizada entre as várias colônias, contra os sistemas autocráticos europeus de repressão das diferenças humanas e de cultura e de exploração do trabalho humano. Resultou a sua independência política de um movimento de revolta cujo motivo foi em essência o mesmo da Revolução dos norte-americanos: taxação sem representação. Separaram-se da Espanha e de Portugal porque estavam sendo exploradas e, ao mesmo tempo, reprimidas – reprimidas intelectualmente, economicamente e politicamente – por estreitos políticos portugueses e espanhóis. Ou por estreita política metropolitana de exploração de colônias.

Desde a sua primeira tentativa para tornar-se nação independente que o Brasil procurou entrar em aliança ofensiva e defensiva com os

Estados Unidos, contra as ameaças portuguesas de reconquista. O primeiro *charge d'affaires* brasileiro nos Estados Unidos foi ao ponto de propor uma aliança entre o Brasil e os Estados Unidos "para resistir à intervenção europeia no caso de Portugal pedir auxílio a aliado".[13] Mesmo antes, na tentativa do Brasil para separar-se de Portugal em 1817, através de uma romântica e malsucedida revolução republicana, os rebeldes de Pernambuco procuraram atrair o auxílio dos Estados Unidos para a sua causa. E anteriormente, no século XVIII, os rebeldes de Minas Gerais procuraram, sem nenhum êxito, através de um estudante chamado Maia, a esse tempo na França, interessar Thomas Jefferson no primeiro esforço sério dos brasileiros no sentido da independência política. Segundo Oliveira Lima, o apelo dirigido de Filadélfia ao presidente dos Estados Unidos pelo plenipotenciário *in partibus* dos republicanos brasileiros de 1817 continha os princípios essenciais do Pan-americanismo. Continha em forma empírica o plano ou a "concepção científica" de Bolívar, de união americana.

Talvez o fracasso dos republicanos brasileiros de 1817, em obter a ajuda dos Estados Unidos, tenha sido em parte devido ao fato de terem eles enviado um homem de cor como seu emissário. Mas isso é outra história.

Somente em 1857 é que a ideia de uma aliança dos Estados Unidos com o Brasil haveria de ser oficialmente considerada pelo governo norte-americano. O então ministro dos Estados Unidos no Rio, Richard Kidder Meade, no discurso em que apresentou as suas credenciais ao imperador D. Pedro II, disse que "tal aliança asseguraria, para a defesa mútua, uma unidade de ação e de sentimento que se provaria invencível no futuro".

Logo depois, porém, a ideia dessa aliança política desapareceu sob concepção mais larga das relações interamericanas: a chamada "concepção científica" de Pan-americanismo, que Bolívar foi o primeiro a esboçar. O que, entretanto, não desapareceu foram as semelhanças e diferenças que aproximam o Brasil dos Estados Unidos e fazem que os dois países se completem entre si de uma forma tão particular.

---

13 Oliveira Lima, "Brazil's Foreign Policy" (conferência pronunciada em Williamstown, ago. 1922, manuscrito).

Do ponto de vista puramente social, têm sido tais as mudanças para melhor nas relações entre os dois povos, que hoje um homem de cor, enviado como emissário do Brasil aos Estados Unidos, teria provavelmente ali recepção, senão calorosa, ao menos polida. Pelo menos da parte dos norte-americanos mais cultos.

Esse ponto é importante: a mudança na atitude norte-americana em relação a homens de raças de cor parece, a alguns estudiosos das relações interamericanas, essencial ao desenvolvimento do Pan--americanismo, se Pan-americanismo vier efetivamente a significar reciprocidade e respeito mútuo.

Não devemos nos esquecer de que o êxito comercial dos alemães no Brasil antes de 1914 foi, em grande parte, devido ao fato de serem eles mais socialmente democráticos na América Latina do que os anglo-saxões. Se alguns alemães se têm ligado a antigas e ilustres famílias brancas ou branco-índias, do Brasil, muitos deles – como muitos portugueses, italianos, espanhóis e franceses – se têm casado com belas mulatas, quarteironas ou octoronas. Não quero dizer com isso que o matrimônio inter-racial seja requisito indispensável para um bom e completo Pan-americanismo. Nem tampouco insinuar que todo o americano, do Norte ou do Sul, deva casar fora da sua classe ou da sua raça para ser um bom pan-americano do ponto de vista democrático. Nada disso. Os casamentos internacionais ou inter--raciais são sempre aventuras da mesma maneira que é aventura, com a atual organização social da civilização do Ocidente, o homem casar--se com mulher de posição acentuadamente inferior à sua. Uma das consequências desagradáveis pode ser o conflito doméstico de culturas, em que as sogras desempenham um papel importante. Mas na América democrática, a cor e a raça não devem ser por si mesmas tabu contra aventuras dessa espécie, em que tantos indivíduos têm sido felizes ou bem-sucedidos. Ninguém que tivesse esposa mais devotada e mais compreensiva do que o psiquiatra brasileiro Juliano Moreira, que era negro escuro; e ela, alemã. Claro que outros casos poderiam ser mencionados.

Reciprocidade e mútuo respeito parecem-me a base essencial para o desenvolvimento de relações interamericanas realmente amistosas. Esse mútuo respeito deve levar em consideração o fato de que a tradição democrática é tradição comum a todos os americanos: latinos e anglo-saxões. Os latinos têm desenvolvido o aspecto étnico da democracia mais do que o político, e os anglo-saxões o puramente político mais do que o étnico ou o econômico. Desde que se tornem realmente bons vizinhos e cada vez mais democráticos na sua organização – inclusive na sua economia – e na sua cultura, naturalmente que uns e outros se enriquecerão com os resultados dos seus respectivos progressos nessa ou naquela especialidade.

Seria, porém, erro psicológico trabalhar alguém pela uniformidade no continente americano, em vez de trabalhar pela unidade dentro da variedade. Apenas o respeito pela variedade não deve ir tão longe que possa tolerar no continente americano instituições tão antidemocráticas e tão antiamericanas como o caudilhismo e os linchamentos, o antissemitismo e o kukluxismo.

Ainda que a parte, por assim dizer, estática do povo, ou da população brasileira, influenciada por quatro séculos de vida e de trabalho sob o regime da escravidão, se incline a tolerar o paternalismo despótico dos caudilhos, há uma outra parte, viva e dinâmica, cujo desejo de elevar-se social e culturalmente, e de melhorar as suas condições de vida material e intelectual, se manifesta na direção oposta. Essa é também a atitude da maioria dos brasileiros que descendem dos velhos senhores: também esses brasileiros se opõem ao caudilhismo como forma de governo que corresponda à cultura do seu país. Pode ser que alguns deles se inclinem para formas de governo antes parecidas com as dos britânicos, na sua combinação do controle aristocrático dos negócios públicos com a oportunidade democrática aberta a todos os que sejam capazes de participar desse controle, do que com as dos norte-americanos. Mas também aqui estamos diante de outra história.

Os observadores estrangeiros que generalizam acerca do Brasil, não levando em conta senão o lado politicamente morto ou desarticulado do seu povo, parecem apressados demais nas suas conclusões de regimes fortemente paternalistas para a América portuguesa, ou para a América Latina em geral. Vários séculos antes que o fascismo e o nazismo se manifestassem na Europa, já o Brasil havia provado tanto o bom como o mau de um regime quase fascista ou quase nazista, sem se entregar às suas seduções. Refiro-me às missões ou reduções dos jesuítas. É bem sabido que os jesuítas exerceram um controle paternalmente benévolo sobre numerosos grupos de índios do Brasil e do Paraguai. E a sua técnica de domínio era perfeita: faziam grandes imagens de madeira de santos de aspecto terrível, dentro das quais se metia um homem (um jesuíta) para dizer aos índios o que eles deviam fazer.

Tive ocasião de conhecer algumas dessas velhas imagens – ou "santos de pau oco" – no Rio Grande do Sul; uma criança não poderia vê-las sem o risco de ser tomada de profundos pavores noturnos. Não se pode, contudo, negar que, no Brasil como no Paraguai, os jesuítas, embora excessivos no seu paternalismo, tenham sido administradores eficientes. Procuraram desenvolver o mais possível a agricultura e a indústria nas reduções; e nelas introduziram plantas úteis. Conservaram sempre, sob a sua rígida disciplina paternalista, cada pormenor da vida diária do índio das Missões. O prof. Walter Goetz, tratando do "Estado" jesuítico do Paraguai – do qual houve um como prolongamento no Sul do Brasil –, escreveu que "era uma autocracia virtual, que controlava a população indígena por meio de regulamentos comunistas – econômicos e sociais",[14] acrescentando: "Que os indígenas recebiam bom tratamento dos jesuítas é coisa fora de dúvida". Mas, no fim, um "bom tratamento" que tendia a conservar homens feitos na eterna situação de crianças. E aqui é que o excesso de paternalismo pode prejudicar os povos ainda em formação, ou política ou socialmente imaturos, em vez de beneficiá-los.

Outro estudioso, não menos autorizado, do assunto, José Ots y Capdequi, reconhece a eficiência dos jesuítas das Missões no que diz respeito à prosperidade material. Mas não oculta que "o regime das Missões tornava impossível o desenvolvimento de personalidades confiantes em si próprias".[15] O regime das Missões era também imperialista: imperialista pela sua falta de fé no indígena. Os seus organizadores parecem ter tido pouca ou nenhuma confiança na capacidade dos indígenas e dos descendentes dos colonos espanhóis e

---

14 Walter Goetz, "Jesuits", *Encyclopedia of the Social Sciences*, VIII, p. 388.
15 José Ots y Capdequi, "Native Policy", *Encyclopedia of the Social Sciences*, XI, p. 259.

portugueses da América, tanto crioulos como mestiços, para qualquer espécie de autonomia: autonomia cultural ou autonomia política.

Se visitarmos hoje a parte do Brasil que esteve sob o domínio mais direto dos jesuítas, não encontraremos, entre os descendentes dos índios das Missões, recordações agradáveis desse regime paternalista, e sim ódio à memória dos bem-intencionados mas autocráticos missionários. Não sei de nenhum brasileiro, dentre os nativos dessa região, que tenha o mais leve entusiasmo pela memória dos antigos senhores teocráticos das Missões do Rio Grande do Sul. Nada que se pareça com o sentimento de tolerância do antigo paternalismo benévolo das casas-grandes, que se nota entre alguns dos descendentes dos escravos de engenho do Norte do Brasil. Pelo contrário: parece que o grito de guerra dos índios do século XVII contra os jesuítas das "reduções" ainda hoje inspira, nos seus descendentes, sentimentos de revolta contra toda a disciplina autocrática que se queira exercer sobre as suas vidas. É célebre o seu grito de guerra: "Me mata mas não me reduz".

Com essas tradições ainda vivas no Brasil – vivas entre os grupos mais dinâmicos da sua população, tanto de instruídos como de analfabetos – é possível concluir que esse país está à vontade, e não à força, entre as nações ou as comunidades modernas que se inclinam para as formas socialmente democráticas de vida; entre os povos que se inclinam para essas formas de convivência não somente através do processo social e etnicamente democrático de amalgamamento de raças e de interpenetração de culturas – processo sempre ativo entre o povo brasileiro – mas, também, através da tendência de muitos brasileiros para formas de governo em que o desenvolvimento da personalidade humana não seja duramente sacrificado a qualquer despotismo totalitário, por mais eficiente.

Parece que o ideal brasileiro de felicidade humana (ideal formado por tradições e tendências vindas tanto da *intelligentzia* como da gente comum) não se reduz à conquista de vantagens ou comodidades puramente materiais. Esse ideal inclui o desenvolvimento da personalidade humana por processos que parecem ter sido, senão determinados, condicionados através de largo intercâmbio de valores intelectuais e morais que o contato democrático entre várias raças e culturas tornou possível.

Parece que ao Brasil há de caber notável contribuição em relação ao desenvolvimento da personalidade humana no mundo moderno. Essa contribuição virá provavelmente do tipo extraeuropeu de civilização que os grupos mais dinâmicos e criadores da população brasileira estão desenvolvendo, a respeito de imensas dificuldades. E se manifestará na política interamericana e exterior do Brasil tanto como na arte e na literatura autenticamente brasileiras. Política, arte e literatura que dão em pura hipocrisia toda vez que o Brasil procura exprimir-se, intelectual ou politicamente, como nação inteiramente branca ou caucásica; toda vez que age como se os seus interesses, os seus problemas e os seus ideais fossem os de uma nação europeia ou subeuropeia. E não os de uma comunidade americana, nova e dinâmica, que em vez de envergonhar-se dos seus elementos básicos de raça e de cultura – ameríndios, judeus, asiáticos e africanos, e não apenas europeus – se orgulhasse de todos eles.

Em 1941 visitei a Argentina, o Uruguai e o Paraguai e em cada um desses países – especialmente no primeiro – notei que, a despeito de a maioria do povo e de os melhores elementos da imprensa serem bons amigos da gente brasileira, existia bem articulada campanha ou movimento contra o Brasil que me fez lembrar as agitações astuciosamente preparadas por agentes secretos alemães nos Bálcãs: movimentos caracterizados pela mesma técnica da guerra psicológica. A agitação na Argentina contra o Brasil, devida, talvez, a agentes nazistas, tomou, naquela época, a cor ou o aspecto ideológico ou místico de um movimento "nacionalista" a favor de grande figura argentina do passado – o ditador Rosas – representado no espírito do povo como um poderoso e bravo inimigo dos "judeus" e dos "mulatos brasileiros". Segundo certa lenda "rosita", "mulatos brasileiros", por meio de manhosa diplomacia, teriam feito passar para o Brasil terras que de direito pertenciam ao "povo branco" da Argentina. A nota do ódio de raça mostrava-se de modo característico no movimento pró-fascista, antidemocrático e antibrasileiro, na Argentina: um movimento cujo fim principal seria separar o povo da Argentina do povo do Brasil. Movimento que não foi para diante. As relações entre os dois países são hoje as de compreensão mútua e de identificação dos seus principais destinos como nações americanas.

Observações, de ordem geral, sobre a existência de mulatos no Brasil, em cargos importantes, assim como as afirmações específicas sobre casos, também específicos, de mulatos brasileiros que durante o Império e na República têm sido responsáveis pela política nacional e internacional, ainda inquietam alguns brasileiros sensíveis a tais reparos – os homens de idade superior a sessenta ou setenta anos. Mas não chegam a perturbar a maioria dos jovens ou dos homens das novas gerações, praticamente livres de qualquer sensitividade, que se poderia considerar mórbida, ao fato de possuir o Brasil numerosa população mestiça, da qual têm saído homens de Estado e não apenas intelectuais e artistas notáveis.

Tão fortes são as provas de capacidade construtora ou criadora – capacidade para construir nova e original civilização na América – já dadas pelos brasileiros de origens étnicas diversas, que os jovens do Brasil, observando a verdade como lhes vem sendo revelada por historiadores e antropólogos, sociólogos e pesquisadores que deixaram de ser subeuropeus nas suas opiniões ou nos seus critérios e tornaram-se americanos ou atlânticos, no melhor sentido da palavra, se mostram hoje orgulhosos dos seus heróis mestiços, dos seus compositores mestiços, dos seus estadistas mestiços, dos seus escritores, seus artistas, seus industriais, seus inventores, seus administradores mestiços. E poderiam recordar aos puristas raciais argentinos que um grande estadista argentino do século XIX foi mulato, e que o famoso escritor argentino Manuel Ugarte é também mulato.

Como já antes observei, sob o regime monárquico do século XIX, qualquer brasileiro, sem que importasse a sua origem, raça ou cor, podia vir a ser primeiro ministro e dirigir o país se fosse homem de talento ou personalidade excepcional. Durante a primeira República foi coisa natural ver-se homem como Nilo Peçanha, mulato de origem humilde, suceder, como ministro das Relações Exteriores, a Lauro Müller, homem louro e de olhos azuis, puramente "ariano", filho de colonos alemães de Santa Catarina. Há hoje puristas de raça no Brasil: mas constituem grupo muito pequeno e quase ridículo.

Os jovens brasileiros tomam cada vez mais como um dever de inteligência, quando não de sentimento cristão ou americano, opor-se a todas as formas do preconceito de raça ou de cor que possam impedir o Brasil e a população daquelas regiões de fala portuguesa de que o Brasil é hoje, sob vários aspectos, o líder intelectual, de levarem para a frente a sua vasta experiência de democratização étnica e social. A esse respeito é interessante observar que, no Brasil, mesmo a organização quase nazista ou quase fascista chamada "integralismo" não levantou nunca, oficialmente, a voz a favor de qualquer preconceito de raça; nem contra os que são a favor da incorporação de todos os elementos étnicos na comunidade brasileira. O que dá bem a sentir o vigor daquela tendência. Daí a observação do prof. Lewis Hanke de que "as ideias raciais nazistas não podem esperar senão oposição dos fusionistas latino-americanos". Por outro lado – e isto é, talvez, mais importante – acha o prof. Hanke que "este grupo" – o fusionista – "é mais nobremente nacionalista do que qualquer outro da América Latina".

Sendo o fusionismo a tendência dominante no Brasil, esse não pode passivamente harmonizar-se com as nações brancas, europeias ou subeuropeias, sempre que elas falem ou atuem em função desse caráter e olhem de alto as nações não europeias ou extraeuropeias. Também estaria deslocado o Brasil entre as comunidades predominantemente de cor cuja consciência de raça seja mais forte do que a sua consciência nacional. Devido às oportunidades ou possibilidades de aperfeiçoamento ou ascensão social e de expressão cultural, de que desfrutam todos os homens sem distinção de raça ou de cor, no Brasil, não houve nunca, entre os descendentes brasileiros de africanos, oportunidade para neles se desenvolver a consciência de "ser negro" que existe nos Estados Unidos; até em indivíduos de distante ou remota ascendência africana e de características físicas que se conformam perfeitamente com os padrões estéticos, greco-romanos ou nórdicos, da figura humana.

VII
Escravidão, monarquia e o Brasil moderno

Há mais de trinta anos publiquei um livro em português – um ensaio – no qual afirmo que a escravidão – escravidão do tipo patriarcal – mais do que qualquer outra instituição ou de qualquer outro processo social marcará o desenvolvimento social do Brasil, o caráter e a cultura da gente brasileira. No ano de 1941 apareceu nos Estados Unidos livro semelhante ao meu. Refiro-me a *The Mind of the South*, de W. J. Cash, no qual se encontra a análise penetrante dos efeitos da escravidão sobre a mente e o *ethos* do americano do Sul dos Estados Unidos. Em vários pontos essa análise confirma aquilo que a análise brasileira já evidenciara quanto aos efeitos psicológicos de uma instituição como o trabalho escravo – com a inevitável correlação entre senhor e escravo – sobre descendentes, tanto de senhores como de escravos. Apesar dos efeitos sociológicos nas duas áreas terem sido, sob certo ponto de vista, diferentes, em virtude de fatores históricos e ecológicos, os efeitos psicológicos se revelaram quase os mesmos.

Um dos fatores de diferenciação foi a presença, no Brasil, de uma instituição, nuns pontos complementar da escravidão patriarcal, noutros oposta aos seus abusos: a monarquia patriarcal, de um tipo mais clássico do que romântico. Esse corretivo dos efeitos psicológicos do sistema escravocrata sobre descendentes de senhores e de escravos faltou aos Estados Unidos.

O romantismo foi um dos efeitos psicológicos do sistema brasileiro de agricultura baseado sobre o trabalho escravo que mais se projetaram sobre os descendentes de senhores de escravos no Brasil. E justamente com o romantismo nasceu o amor pela retórica, comum aos brasileiros e aos anglo-americanos nas duas áreas do Novo Mundo onde a escravidão floresceu com maior vigor: o Sul dos Estados Unidos e as regiões canavieiras e cafeeiras do Brasil. Tal como no Sul dos Estados Unidos, nessas regiões do Brasil a retórica tornou-se "não apenas uma paixão", mas, conforme é assinalado por Cash em seu famoso livro, "um padrão primário de julgamento, o *sine qua non* exigido para a liderança". Esse amor pela oratória sempre esteve associado, no Brasil como no Sul escravocrático dos Estados Unidos, com o "amor pela política".

No Brasil até mesmo a campanha pela abolição da escravidão sofreu de excesso de retórica: concorreu para a queda da monarquia – sistema de governo que, sendo mais clássico do que romântico, foi, para os brasileiros, um corretivo de excessos românticos geralmente associados com o republicanismo da América do Sul e do Sul dos Estados Unidos. Excessos românticos que se expressavam no exagero do individualismo, do paternalismo e familismo.

Por outro lado, a monarquia no Brasil também exerceu saudável influência em favor da unidade política e da cultura nacional; e mesmo em favor da objetividade em certas práticas políticas e nesse ponto ajudada pela observância, na política exterior do Império, de normas diplomáticas ou de métodos de intercâmbio diplomático formais, apolíneos, sóbrios, pouco comuns entre os republicanos latino e anglo-americanos. O que por sua vez prejudicou as relações internacionais dessas repúblicas: particularmente, as continentais.

Pelo fato de ser uma espécie de superpaternalismo, com o prestígio que lhe era dado pela família imperial em benefício do papel nacional que, como sistema, tinha a representar, a monarquia brasileira manteve-se acima dos paternalismos regionais e das rivalidades entre as famílias poderosas que constituíam parte tão importante da sociedade patriarcal. E foi também base para aquela política internacional: uma política – repita-se – em que os métodos e estilos apolíneos deram ao Brasil, nesse particular, uma visível superioridade sobre as jovens repúblicas românticas, cujos diplomatas cometeram não poucos erros por lhes ter faltado a disciplina dessa espécie de diplomacia. A presença no Rio de Janeiro de uma família primeiro real, depois imperial, cercada por estadistas e diplomatas com treinamento europeu, parece explicar por que, ao lidar não somente com repúblicas dominadas por *caudillos*, como por algum tempo o Paraguai, mas também com os Estados Unidos, a diplomacia do Brasil monárquico tenha sido, na maioria dos casos, superior, pela sua objetividade e pela forma clássica de seus modos de agir e de expressar-se – quase sem verbalismo – à excessivamente romântica retórica e anárquica diplomacia da América republicana. No seu livro *Diplomatic Relations between The United States and Brazil*, o professor Lawrence F. Hill cita exemplos interessantes de discrepância entre os dois tipos de diplomacia. Creio que ele concordaria comigo em classificar um dos tipos – o republicano – como romântico, e o outro – o monárquico – como clássico.

O familismo, ligado ao do sistema escravocrático, foi comum ao Brasil e ao Sul dos Estados Unidos; e também a outra áreas da América, como Cuba e o Peru. O Brasil, assim como o Sul dos Estados Unidos, no isolamento proporcionado pela vida nas propriedades rurais, o lar, a família, o pequeno mundo doméstico representado pela casa-grande patriarcal, e o complexo que a cercava, transformou-se num centro de múltiplas atividades. Em ambas as áreas cresceu aquilo que Cash chama de "intensa desusada afeição e respeito pelas mulheres da família (...) pela esposa e pela mãe, de cuja atividade dependia grandemente o conforto e o bem-estar de todos".

No meu ensaio *Casa-grande & senzala* (1933), tentei analisar situação idêntica ou semelhante, tal como ela se desenvolveu na área dos grandes engenhos e das grandes fazendas patriarcais do Brasil. E, como em outros ensaios que venho desde então publicando sobre o assunto, ou sobre temas correlatos, sugeri que a devoção católica pela Virgem Maria, glorificada como Rainha – *Regina* –, em nenhuma outra região do mundo parece se ter tornado tão forte como no Brasil. Resultado, talvez, da extrema idealização da mulher aristocrática e mesmo da mulher negra – através do simbolismo da Mãe Preta – como componentes básicos e vitais do complexo de vida familiar nas plantações. Complexo desenvolvido durante os dias da escravidão.

Nessa devoção particularmente intensa pela Virgem Maria, característica da área de engenhos e de fazendas patriarcais do Brasil, é possível perceber-se a sublimação, ou a idealização, da mulher, através de um culto que encontrou outros meios de expressão nos Estados Unidos; inclusive – entre os anglo-americanos – a identificação do culto da pureza da mulher com o da pureza da raça. Tal identificação não a encontramos no Brasil, onde o culto pela mulher esteve sempre mais associado ao orgulho de família do que ao orgulho de raça.

No Brasil parece que o culto à Virgem Maria está associado de maneira tão estreita com o complexo patriarcal que, em grande número de mansões, ou de casas-grandes, as respectivas capelas eram batizadas não com o nome de família do proprietário, mas sim com o de sua esposa, de sua mãe ou de alguma filha, disfarçado em uma das muitas denominações dadas, nos países latinos, à Virgem Maria, respeitosamente precedido pelo tratamento como que matriarcal de "Nossa Senhora": Nossa Senhora da Anunciação, Nossa Senhora da Boa Viagem, da Boa Esperança, do Bom Parto – denominação particularmente maternal –, do Perpétuo Socorro, das Dores, da Solidão. Em muitos casos essa mística Senhora – espécie de deusa que, mais do que o próprio Deus, ou o Cristo, supunha-se guardar toda a plantação, protegendo-a contra todos os tipos de inimigos – era a madrinha das crianças, fidalgas, plebeias e escravas do sexo feminino, nascidas em engenho ou em fazenda e batizadas na capela pelo capelão desse engenho ou dessas fazendas, que geralmente se sentia mais subordinado ao patriarca do que ao bispo, recebendo a criança o nome da Virgem Maria particular da fazenda ou do lugar em que nascia. Nome, esse, que também de ordinário era o da dona da casa e o de sua filha mais velha.

O poder patriarcal no Brasil, durante a escravidão, não foi absoluto. Havia um tão intenso respeito pela mulher, em sua forma romântica e sobretudo mística, que o mesmo se refletia na vida prática: no cotidiano. Os homens eram os verdadeiros senhores no sistema escravocrático brasileiro: os homens brancos. Senhores absolutos das mulheres brancas, dos engenhos ou das fazendas e dos escravos. Mas o seu poder limitava-se psicologicamente pelo respeito romântico ou místico às mulheres: não somente às suas mães, às suas esposas e às suas filhas, mas também à Virgem Maria, que para muitos era um poder místico mais forte – é preciso repeti-lo – do que Deus ou do que Jesus Cristo. Não uma deusa universal, mas uma manifestação particular ou doméstica do poder divino que protegia matriarcalmente uma família ou um lar, contendo, por vezes, acessos de poder patriarcal.

Em interessantíssimo livro escrito por uma mulher, sobre a África do Sul – *Color and Culture in South Africa*, de Sheila Patterson –, tenta-se comparar o complexo escravocrático da África do Sul com o mesmo sistema no "Old South" dos Estados Unidos e no Brasil. Uma discriminação muito inteligente é feita na referida obra, quando a srta. Patterson fala do culto da "pureza do lar" que prevaleceu no Brasil, durante os dias da escravidão, muito mais do que o culto da "pureza da raça" (ou sangue) como acontecia nos Estados Unidos e na África do Sul. Vai mais além a autora, sugerindo que, no Brasil, o sistema escravocrático derivava daquilo que chama "um protótipo português", diferente do anglo-saxão, ou do holandês.

Nesse particular, alegra-me encontrar num livro inglês, de 1953, conclusões semelhantes às sugestões que esbocei em meu ensaio de 1933, no qual baseei minha análise do sistema escravocrático, no Brasil, sobre a premissa de ter sido o mesmo diferente dos sistemas de escravidão moderna dos anglo-americanos, dos holandeses, e mesmo franceses e até dos espanhóis. O complexo patriarcal escravocrático brasileiro foi uma extensão do português, como esse o era do sistema mouro ou árabe, e maometano: um sistema de escravidão mais doméstica do que industrial. Em recentes contatos com a África e com a Ásia encontrei novas e maiores provas para tal teoria, durante prolongada viagem que me proporcionou contatos rápidos porém esclarecedores com países maometanos como a Arábia, o Paquistão, o Egito, a Índia – em parte maometana – e, mais tarde, a África negra em suas áreas islamizadas. E não somente nessas regiões da África profundamente afetadas pela cultura maometana, como nas completamente virgens do impacto islâmico, e também em regiões mais ou menos industrializadas da África sob a influência de franceses, ingleses, belgas ou holandeses, como acontece na África do Sul, pude observar o fenômeno quer como presença, quer como ausência sociologicamente significativa.

Em toda parte, fiquei impressionado pelo fato de que o parentesco sociológico entre os sistemas português e maometano de escravidão parece responsável por certas características do sistema brasileiro. Características que não são encontradas em nenhuma outra região da América onde existiu a escravidão.

O fato de que a escravidão, no Brasil, foi, evidentemente, menos cruel do que na América inglesa, e mesmo do que nas Américas francesa e espanhola, já me parece documentado de forma idônea. E por que foi assim? Não pelo fato de os portugueses serem um povo mais cristão do que os ingleses, os holandeses, os franceses ou os espanhóis, a expressão "mais cristãos" significando, aqui, eticamente superiores na moral e no comportamento. A verdade seria outra: a forma menos cruel de escravidão desenvolvida pelos portugueses no Brasil parece ter sido o resultado de seu contato com os escravos maometanos, conhecido pela maneira familial como tratavam seus escravos pelo motivo muito mais concretamente sociológico do que abstratamente étnico de sua concepção doméstica da escravidão ter sido diversa da industrial. Pré-industrial e até anti-industrial.

Sabemos que os portugueses, apesar de intensamente cristãos – mais do que isso até, campeões da causa do cristianismo contra a causa do Islã –, imitaram os árabes, os mouros e os maometanos em certas técnicas e em certos costumes, assimilando deles inúmeros valores culturais. A concepção maometana da escravidão, como sistema doméstico ligado à organização da família, inclusive às atividades domésticas, sem ser decisivamente dominada por um propósito econômico-industrial, foi um dos valores mouros ou maometanos que os portugueses aplicaram à sua colonização predominantemente, mas não exclusivamente, cristã do Brasil.

Quando, em 1938, falei ao meu velho professor da Universidade de Colúmbia, o grande Franz Boas, sobre as ideias que tinha a esse respeito, ele me disse que as mesmas poderiam servir de base a nova compreensão e mesmo interpretação da situação brasileira; e que eu devia continuar minhas pesquisas relativas à conexão existente entre a cultura portuguesa e a moura – ou maometana –, particularmente entre seus sistemas de escravidão. Argumentou ainda que os maometanos, árabes e mouros, durante muitos séculos, haviam sido superiores aos europeus e cristãos em seus métodos de assimilação de culturas africanas à sua civilização.

Outro antropólogo da mesma geração de Boas, e, como o mestre da Colúmbia, autoridade no estudo de contatos, raciais e culturais, de europeus e não europeus, o professor Fox Pitt-Rivers, da Inglaterra, em um de seus livros relativos ao que ele chama de "choque de culturas", aponta o fato, geralmente negligenciado pelos europeus, quando esses apresentam os árabes e maometanos da África como seres terríveis e até mesmo monstruosos, especializados em escravizar os negros, de que seu sistema de escravidão era diferente do europeu. Para citar as próprias palavras do antropólogo britânico: "A escravidão no Oriente foi muito diferente, bem mais nobre e menos degradante do que na Europa e nos Estados Unidos".[1] Mesmo a sua "poligamia" – acha Fox Pitt-Rivers – merece o respeito dos ocidentais.

Daí a forma de escravidão que os portugueses adotaram no Oriente e no Brasil ter-se desenvolvido mais à maneira árabe que à maneira europeia; e haver incluído, a seu modo, a própria poligamia, a fim de aumentar-se, por esse meio maometano, a população. Alguns preferem dizer que o fim era tão somente aumentar-se o número de escravos, de trabalhadores, de animais produtores de riqueza. Mas é preciso nos lembrarmos de que, a partir do século XV, os portugueses usaram a escravidão para a seleção eugênica de elementos humanos que, uma vez cristianizados, domesticados no sentido de se tornarem parte do sistema familial e patriarcal cristão-europeu, eram vários deles alforriados, tendo então a oportunidade de se tornarem socialmente e culturalmente iguais aos brancos e aos cristãos europeus. Já no século XV jovens africanos tiveram em Portugal a oportunidade, através de uma espécie de seleção não significativa e exclusivamente racial, de se fazerem sacerdotes, o que significava então ocupar alta posição na sociedade portuguesa. E essa oportunidade de

---

1 *The Clash of Culture and the Contact of Races*, London, 1927, p. 238.

ascensão social estendeu-se por vezes a jovens que já não eram africanos levados muito crianças de seu continente para a Europa, como escravos, mas sim filhos de portugueses com escravas africanas. Talvez pressionados por um problema que tinham que enfrentar – o da escassez de população para a tremenda tarefa de se expandirem na Ásia, na África e na América –, os portugueses seguiram o exemplo maometano ou árabe. De acordo com os maometanos, bastava ao filho da ligação de árabe com mulher escrava adotar a fé, os rituais e os costumes de seu pai, para se tornar igual ao mesmo pai, socialmente falando.

Os portugueses não foram tão longe quando estabeleceram no Brasil um sistema, quer escravocrático, quer não, de relações com não europeus, mais amplo do que aqueles que tinham criado na Índia e na África, seguindo – parece evidente a alguns de nós – sugestões maometanas. Mas assim que se estabeleceram no Brasil começaram a anexar ao seu sistema de organização agrária de economia e de família uma dissimulada imitação de poligamia, permitida pela adoção legal, por pai cristão, quando esse incluía, em seu testamento, os filhos naturais, ou ilegítimos, resultantes de mães índias e também de escravas negras. Filhos que, nesses testamentos, eram socialmente iguais, ou quase iguais, aos filhos legítimos. Aliás, não raras vezes, os filhos naturais, de cor, foram mesmo instruídos na casa-grande pelos frades ou pelos mesmos capelães que educavam a prole legítima, explicando-se assim a ascensão social de alguns desses mestiços.

Devo mencionar aqui que os casamentos de colonos portugueses com moças ameríndias, tornadas cristãs, ocorreram com alguma frequência no Brasil colonial. Algumas dessas moças, tal como a índia norte-americana Pocahontas, eram autênticas princesas: descendiam de caciques. Descender de princesa ameríndia e de um português – de preferência português nobre – continua a ser razão de especial orgulho de brasileiros que se ufanam de ser do Brasil há quatro séculos. O primeiro cardeal, não só do Brasil mas de toda a América Latina, descendia de um Albuquerque do século XVI que, além de se ter casado com mulher portuguesa de boa origem – uma Mello – enviada ao Brasil pela rainha de Portugal para com ele contrair matrimônio, adotou e legalizou os filhos que já tivera de uma princesa índia. Assim, o cardeal era produto dessa suave poligamia tolerada pela Igreja sempre que bons católicos (como acontecia com a maioria dos colonos) adotavam seus filhos ilegítimos ao ditar seus testamentos. Conheço um grande número desses testamentos – do período colonial brasileiro – e sei o quanto essa poligamia suavemente disfarçada contribuiu para o aumento da população de nosso país, seguindo normas que teriam obtido a aprovação de especialistas em eugenia, pois os pais, em muitos casos, eram homens de primeira qualidade, não somente sob o ponto de vista sociológico, mas também – a julgar pelas suas realizações e a de seus filhos e netos ilegítimos, e mais tarde por toda sua descendência – sob o ponto de vista biológico.

Uma escravidão desse tipo sob vários pontos de vista não foi só útil ao desenvolvimento social no Brasil como também mostrou ser valiosa contribuição para a unidade política e a disciplina social – a disciplina patriarcal – de um país imenso como o nosso, pois era um sistema comum a diferentes províncias e sub-regiões. Nas casas-grandes as crianças cresciam cercadas pelos parentes – avôs e avós, alguma tia solteirona, primos, e até mesmo amigos íntimos da família – de maneira que, desde o nascimento, tais crianças viam "muitas variações de idade e de experiência humana dentro ou nas proximidades de seu lar", conforme assinalou a antropologista Margaret Mead com relação aos filhos das velhas famílias patriarcais anglo-americanas.

Por outro lado, o sistema patriarcal de economia e de família, no Brasil, foi, sob alguns aspectos, prejudicial ao desenvolvimento nacional e ao próprio caráter brasileiro em geral, o que contribuiu para que os brasileiros se tornassem por demais dependentes do paternalismo e de governos paternalistas: Também fez que o trabalho manual fosse considerado coisa pouco digna de um homem livre. Deu valor exagerado a carreiras como o sacerdócio – mesmo quando não se tinha vocação para essa nobre profissão –, a militar e a acadêmica, desdenhando as atividades industriais, técnicas e comerciais, deficiência que só atualmente está sendo superada pelos brasileiros. Contribuiu também para que certos brasileiros se mostrassem sádicos no exercício do poder, assim como para a associação da política interna com a retórica – exemplo ilustre: Rui Barbosa –, como aconteceu também no Sul dos Estados Unidos, sendo o excesso verbal o meio mais fácil que os líderes políticos usavam para impressionar a gente impressionável.

Mas, felizmente para o Brasil, a escravidão não foi o único fator que atuou sobre o desenvolvimento social brasileiro e a formação de nosso caráter, ou do nosso *ethos*. Aqui voltamos à afirmativa de que a escravidão, em nosso país, foi corrigida de alguns de seus excessos por outra poderosa instituição que os portugueses trouxeram para o Brasil e que os brasileiros tiveram a inteligência de conservar mesmo após se separarem politicamente de Portugal. Essa instituição, o sistema monárquico de governo, merece dos estudiosos do desenvolvimento brasileiro tanta atenção quanto a escravatura.

Enquanto as casas-grandes mais autocráticas dos engenhos de cana-de-açúcar e, mais tarde, das fazendas de café, por vezes manifestaram certa tendência para dividir o país em blocos patriarcais antagônicos e até violentos – cada um deles protegido pela sua Virgem Maria ou por santo particular, de tal forma que os trabalhadores escravos de uma propriedade não raro entravam em luta ao se encontrarem com os de outras propriedades –, a monarquia atuava como força por demais nacional para tomar partido ao lado de autocratas locais, ou provinciais, ou mesmo de santos que protegiam determinadas famílias patriarcais excluindo outros de sua proteção mística. E atuava, também, em defesa das leis, da justiça, da moral, contra abusos paternalísticos do poder. Pelo fato de os autocratas das casas--grandes desejarem mostrar seu prestígio participando da vida política local, e sendo distinguidos pela Coroa com títulos – com os barões ou já viscondes querendo ser marqueses e, se possível, duques –, era de seu interesse agir de maneira a agradar o imperador e seus conselheiros. Afortunadamente, para o Brasil, os quatro monarcas que reinaram desde o dia em que o Rio de Janeiro se tornou a sede, primeiro da monarquia portuguesa, e, mais tarde, da brasileira, foram pessoas que possuíam em alto grau o sentido das responsabilidades nacionais e reais: o rei, regente e, depois, Dom João VI, os imperadores Dom Pedro I, Dom Pedro II, e a princesa Isabel. Eram grandemente respeitados pelo povo brasileiro, e esse respeito em boa parte resultava da atitude generalizada dos brasileiros em relação à autoridade suprapaternalística dos mesmos monarcas: somente o rei, imperador, e a princesa eram reconhecidos por quase todos como um poder maior, que se sobrepunha ao dos autocratas locais. Por outro lado, a autoridade monárquica no Brasil estabeleceu durante muito tempo o princípio de que, como autoridade máxima, deveria contar com a cooperação leal dos autocratas locais. Essa interdependência era completa; de tal forma que, ao assumir a Coroa a defesa da abolição da escravidão, exercendo papel importante no movimento que visava a libertar os escravos do Império, esse mesmo Império perdeu imediatamente grande parte da sua vitalidade e conseguiu sobreviver à escravidão – que deixou de existir no Brasil em 1888 – somente por um ano. Em 1889 proclamava-se a República.

Uma república fraternalística, inicialmente, que assim permaneceu somente durante pouco tempo. Pois acabou tendo de imitar a monarquia que substituíra e passando a ser, até certo ponto, paternalista. Tornou-se predominantemente paternalista; e os seus presidentes tornaram-se fortes e autoritários como chefes de Estado. Deviam proteger o país contra a desordem e a anarquia como se fossem reis ou majestades.

A nota irônica, no que respeita ao desaparecimento simultâneo das duas instituições – a escravidão e a monarquia – foi que, como homens livres, os antigos escravos viram-se repentinamente tanto sem imperador ou princesa, como sem autocratas da casa-grande para protegê-los. E tornaram-se assim, como brasileiros livres, vítimas de um sentimento de insegurança que resultava da sua liberdade de gente desprotegida ou desamparada.

Alguns deles passaram a sentir nostalgia do imperador e das casas-grandes ao se considerar por vezes tragicamente inseguros como trabalhadores livres. Foram necessários longos anos para que os líderes políticos do Brasil republicano compreendessem a situação real, psicológica e social, desses antigos escravos disfarçados em trabalhadores livres; e privados da assistência patriarcal que lhes era dada pelas casas-grandes quando ficavam velhos ou doentes. Pelas casas-grandes e, quando essas falhavam, pelo imperador, pela imperatriz ou pela princesa imperial, sempre paternal e maternalmente interessados no bem-estar dos escravos. Tanto que o imperador era considerado, e chamado por muitos deles, "Pai Grande", e a imperatriz de "Mãe", num sentido semelhante ao da Virgem Maria, que, como rainha (*Regina*), também era sua Mãe.

Isso explica – para compreendermos o Brasil contemporâneo – a grande popularidade alcançada por Getúlio Vargas quando, presidente durante algum tempo com poderes ditatoriais, decidiu dar aos brasileiros menos privilegiados uma legislação social que significou, para a maior parte da população trabalhadora do Brasil urbano, amparo na velhice e proteção contra doenças em empresas de comércio e de indústria perante as quais o trabalhador, no passado, não tivera esses direitos. Isso explica por que Vargas tornou-se conhecido como "o Pai dos Pobres", ganhando uma popularidade superior, até, àquela conseguida por Dom Pedro II em quarenta e oito anos de governo bom, honesto e paternal.

Daí talvez se possa concluir que, no Brasil, a tradição monárquica, corrigindo alguns dos excessos da tradição paternalística que se formara, irradiada das casas-grandes, consequência de um sistema agrário – patriarcal-familial – se tenha expressado, em nossos dias, em valores positivos e não somente em sinais negativos. Essa parece ser a conclusão de todos os que analisam as relações de administração e de governo com outros componentes da organização social do Brasil.

Há alguns anos, num ensaio que se tornou clássico, Woodrow Wilson escreveu que em matéria de organização administrativa os Estados Unidos estavam "em desvantagem evidente quando comparados com as nações transatlânticas". Por quê?

Até certo ponto porque muito do que em tais nações se tornara mais eficiente em seu sistema administrativo se desenvolvera como "iniciativa real", isto é, de poderes monárquicos. Real e, é preciso acrescentar-se, paternalista, conforme aconteceu na Prússia, e, em menor escala, na Inglaterra, onde houve uma espécie de antecipação da história política dos Estados Unidos: uma história, segundo a análise de Woodrow Wilson, não tanto de desenvolvimento administrativo como de supervisão legislativa; não de progresso quanto à organização governamental, mas de adiantamento no estabelecimento de leis e na crítica política. Desenvolvimento de resultados menos eficazes, para os elementos desprotegidos das populações nacionais, do que aquelas iniciativas monárquicas. O Brasil parece estar em situação única quanto à história política entre as repúblicas das Américas – do Norte, Centro e Sul. A história dessas repúblicas foi influenciada a tal ponto pelos exemplos anglo-americanos e revolucionários franceses com o estabelecimento de leis liberais e, algumas vezes, com uma crítica política excessivamente abstrata em seu modo de ser liberal que a organização de governos do tipo eficientemente paternalístico e real, responsável pela maior parte dos avanços europeus nas medidas de proteção de operários contra grupos privilegiados, requereu esforços violentos, manifestados em frequentes revoluções e na frequente instalação de governos republicanos ditatoriais ou caudilhescos. Essa é uma situação, comum a quase toda a América, que o Brasil, com sua tradição paternalística e monárquica – uma tradição assimilada até mesmo pelo seu sistema republicano quando nesse sistema a prática suplantou a teoria –, jamais conheceu.

Isso parece explicar por que o Brasil – país que acrescentou à tradição paternalista e monárquica, lenta e pacífica imitação de parlamentarismo legislativo, de tipo britânico, e de uma crítica política tão livre como a que vem vigorando nos Estados Unidos – permanece, hoje em dia, como um caso, extremamente complexo, de nação que, sendo muito americana, muito liberal, muito democrática em alguns dos aspectos mais expressivos da sua organização social e de seu sistema político, é, por outro lado, tão classicamente europeia; mais do que a Argentina, o Uruguai ou o Canadá. Isso por ser sensível a uma tradição paternalista-monárquica que é sua herança peculiar na América. Essa tradição, em lugar de predispor os brasileiros a permanecerem arcaicos, evitando o chamado Progresso com P maiúsculo, vem agindo como estímulo constante, especialmente em dias críticos, para a solução legal, pacífica quase sempre civilista, de problemas que em outras repúblicas da América Latina – mesmo na Argentina e no Chile – têm sido resolvidos somente através de ditaduras abertamente militares e, muitas delas, brutais, embora republicanas na forma, e, às vezes, na substância. Soluções marcadas por excessos de violência e pelo mais completo desprezo pelas leis escritas, reduzidas frequente e simplesmente a "trapos de papel", e não desprezadas em dias excepcionalmente críticos; como tem acontecido no Brasil.

É fato incontestável que, no Brasil, a Coroa agiu sempre como força ou influência acima dos partidos e do antagonismo político dos grupos; e também como influência – como já foi referido neste ensaio – a favor de uma política internacional objetiva, executada pelo seu Ministério das Relações Exteriores, cujo conhecimento especializado, dos assuntos com que vem lidando, e familiaridade dos seus diplomatas bem treinados com os estilos e as técnicas europeias de diplomacia, coloca-o em situação singular na América Latina e até no continente americano, dando à nação brasileira nesse particular evidente superioridade sobre outros países: mesmo sobre os Estados Unidos.

Parece também incontestável o fato de o Exército brasileiro, desde o estabelecimento da República, vir considerando uma de suas maiores responsabilidades, como força nacional, assumir aquela antiga função da Coroa: a de comportar-se como influência superpartidária na vida nacional.

Notável publicista e diplomata, Joaquim Nabuco foi talvez o primeiro a rejubilar-se com o fato de que o Exército, e não qualquer partido republicano, ou seita ideológica, assumisse o controle efetivo da situação brasileira quando caiu a monarquia, como consequência – em grande parte – da abolição da escravatura: medida um tanto temerária tomada pela princesa Isabel durante a ausência de seu pai, Dom Pedro II, que se encontrava na Europa. O Exército desempenhou então função outrora da Coroa: aqui como força suprapartidária em benefício do todo nacional.

É possível generalizar o fato de que, desde o fim do século XIX até nossos dias, o Exército brasileiro – e nas últimas décadas as Forças Armadas em conjunto – Exército, Marinha e Aeronáutica – vêm agindo como substituto do papel representado pela Coroa durante os dias da monarquia, isto é, como influência corretiva de excessos de subgrupos; intervindo, especialmente em momentos de crise, a fim de evitar abusos do poder por parte de um indivíduo – Vargas, por exemplo – ou por qualquer subgrupo político, econômico, ideológico ou religioso, dentro da organização nacional. Isso parece explicar por que tem sido rara, excepcional e até anormal a presença de líder militar de "caudilho" ou de ditador propriamente militar na vida brasileira – Floriano foi talvez o único; e também por que Vargas quando semiditador do Brasil (pois ele jamais foi ditador absoluto, tendo-se, ao contrário, cercado voluntariamente de controles legais que o transformassem numa espécie de regente ativo, numa monarquia limitada), tenha sido uma exceção à normalidade puramente constitucional; e que foi, como tal, tolerado e supervisionado por um Exército socialmente democrático, na sua composição e nas suas tendências. O paternalismo ditatorial de Vargas não foi o do tipo "caudilhesco" republicano, comum na América Latina, mas sim um esforço – nem sempre bem desenvolvido – em prol de uma organização administrativa que, dentro da tradição monárquica e paternalística do Brasil, inaugura, no setor social, uma política a favor de elementos populares das populações urbanas do país, até então desprotegidos.

Uma das grandes realizações de Vargas foi essa; outra de suas realizações foi a das medidas que tomou a favor de um maior equilíbrio de formas entre os estados que compõem a Federação brasileira. Muitos dos líderes militares que apoiavam Vargas encararam tais esforços como ajustamentos necessários à vida brasileira. Ajustamento que os legisladores não conseguiram realizar durante quase meio século de atividades parlamentares dentro de uma república presidencialista do tipo norte-americano, não de todo adaptada à realidade brasileira.

Organizar uma administração "é muito mais difícil para a democracia do que para a monarquia", escreveu Woodrow Wilson no ensaio a que já me referi. E o exemplo brasileiro favorece sua opinião. Sendo definitivamente uma democracia – uma das mais avançadas do continente e do mundo moderno naquilo que se refere à democracia étnica e à democracia social – o Brasil, no seu desenvolvimento político, sempre foi um país singular no cenário americano por ter começado sua vida política independente como monarquia. Paradoxalmente essa monarquia foi predominantemente democrática e democratizada. Corrige excessos autocráticos regionais e locais, estimulados em larga escala pela predominância de um sistema político e de uma organização social apoiados num sistema econômico de grandes propriedades – latifúndios etc. – e de trabalho escravo.

Por isso mesmo é que, desde que se transformou em república, o Brasil, nos seus dias de crise política, em lugar de agir como, outrora, várias das repúblicas latino-americanas – isto é, através de revoluções, de caudilhismo, de ditaduras cruamente militares – vem quase sempre agindo de maneira diferente. De maneira, até, singularmente brasileira.

É preciso procurar as razões desse comportamento político-social numa sociedade em que os excessos autocráticos de subgrupos particulares vêm sendo moderados, no Brasil, não pelo republicanismo racial, que se tornou característica de outras nações do continente, mas pela ação e pelo exemplo de uma monarquia democrática. À sombra desse exemplo é que vêm sendo tomadas medidas eficazes a favor dos chamados grupos desprotegidos da sociedade, não tanto por diligência do Congresso, ou de Parlamentos ou de Assembleias Legislativas, mas, em maior grau, por estadistas de tipo executivo e dentro de uma tradição – a monárquica – em que essas iniciativas pertencem ao poder executivo. Tradição preservada por uma república presidencialista, na qual o Exército vem quase sempre representando – repita-se – papel semelhante ao desempenhado pela Coroa durante o período propriamente monárquico.

VIII
A literatura moderna do Brasil considerada em alguns dos seus aspectos sociais

A literatura e a arte não pertencem apenas ao domínio da crítica literária ou de arte: incidem também no domínio do sociólogo, do historiador social, do antropólogo e do psicólogo social. Porque através da literatura e da arte é que os homens mais parecem projetar a sua personalidade, e, através da personalidade, o seu *ethos* nacional. Através das artes eles descrevem as condições mais angustiosas do meio em que vivem e refletem os desejos mais revolucionários dos outros homens. E ainda, através das artes, exprimem os aspectos mais particularmente oprimidos, tanto como os mais vigorosamente dinâmicos, da personalidade ou do *ethos* nacional.

Durante muito tempo a arte e a literatura brasileiras permaneceram quase desarticuladas, senão passivamente coloniais ou subeuropeias. O Aleijadinho, o escultor mulato das igrejas coloniais do século XVIII, na região das minas de ouro do Brasil, foi um dos poucos artistas que surgiram com uma mensagem artística socialmente significativa e uma técnica notável pelo ânimo criador ou inovador e pela audácia e pelas características extraeuropeias, em um tempo em que predominavam, no Brasil, a literatura acadêmica e a arte puramente de imitação ou de cópia.

O Aleijadinho, filho de um artesão português e de uma negra, nasceu à sombra da escravidão; e terrível doença que, se não lhe comeu, entortou ou entravou a maior parte dos dedos, parece ter-lhe aumentado ainda mais a consciência de estar ligado à parte da população angustiada ou proscrita; e aumentado, também, os seus sentimentos de revolta contra o meio social. Trabalhava ajudado por escravos fiéis. Escravos negros. E é fácil ver quão significativas eram as condições materiais e sociais que haviam de favorecer as qualidades tecnicamente extraeuropeias e, algumas vezes, psicológica e socialmente antieuropeias, das suas esculturas. Se corretamente interpreto a sua obra, dela pode-se dizer que foi, e continua sendo, expressão de revolta contra o meio social e do desejo do brasileiro, nativo ou mestiço, de se libertar dos senhores brancos ou europeus e dos exploradores reinóis do trabalho escravo ou da energia colonial.

A arte religiosa foi o seu meio de expressão. Às vezes, considerando a obra do Aleijadinho, cuido descobrir nela a revelação de consciente ou inconsciente identificação, por um lado, do mulato extremamente sensível e potencialmente revolucionário, com Cristo e com os primitivos mártires cristãos (masoquismo), e, por outro lado, com os mais terríveis profetas do Velho Testamento que pregavam contra os pecados sociais e castigavam os pecadores quase fisicamente, com suas duras e tremendas palavras (sadismo).

A sua maneira satírica ou sarcástica de exagerar brutalmente, nos oficiais e soldados romanos e nos altos sacerdotes judeus que perseguiram Jesus, não só o nariz mas outras características de raça, parece indicar também a sua revolta contra a dominação e a exploração de uma região rica, como era a das minas de ouro do Brasil, por arrogantes oficiais e soldados portugueses, e, segundo alguns historiadores, por padres e frades desbragados, tanto como por comerciantes judeus, que ali chegaram atraídos pelo ouro e pelos diamantes. Em Minas Gerais, por causa dos grandes lucros que davam as minas de ouro, no começo do século XVIII, surgiu rivalidade particularmente dramática entre portugueses de Portugal (alguns dos quais, no século XVIII, eram oficiais e soldados arrogantes) e os brasileiros nativos ou natos, alguns deles mestiços de branco e índio, e, por último, mulatos. A população escrava, nessa região, rapidamente se tornara uma das mais numerosas da América portuguesa.

Deve-se também notar que, na região das minas de ouro, as relações entre senhores e escravos eram, desde o começo, diferentes das dominantes na região das plantações: menos patriarcais e mais impessoais. E, segundo informações de viajantes e de outras fontes, mais cruéis.

Aleijadinho foi produto natural, senão lógico, da sua região. Uma intenção simbólica parece existir em toda a sua obra. Provavelmente foi intenção bem conhecida por alguns dos seus contemporâneos, ainda que venha escapando à observação da maioria dos críticos e intérpretes do admirável escultor. É possível que a visão física do Aleijadinho se deformasse com o seu desejo de transmitir aos outros homens uma mensagem política por meio de uma forma então popular de arte: a escultura religiosa. Se não me engano, ele foi, nesse particular, um pioneiro: espécie de El Greco mulato, nas suas audaciosas distorções da forma humana. Antecipou em dois séculos a obra de Rivera e Orozco, de Portinari, Di Cavalcanti e Cícero Dias, artistas latino-americanos de hoje em cuja arte há frequentemente intenção ou simbologia política, ao mesmo tempo que tendências ao exagero, à deformação, à caricatura social. Antecipou-se também à arte literária moderna do Brasil; à arte de romancistas como José Lins do Rego, Jorge Amado, Rachel de Queiroz, para não mencionar senão três dentre os mais característicos; à arte de poetas como Manuel Bandeira, Carlos Drummond de Andrade, Jorge de Lima, Cassiano Ricardo, Murilo Mendes, Vinicius de Moraes e Odorico Tavares para citar sete nomes dentre os mais ousados na sua associação de problemas sociais à arte poética e no impulso para procurar fazer da literatura, ou da arte, expressão de um Brasil extraeuropeu ou ultraeuropeu; e não simples eco colonial de uma filosofia da vida puramente europeia e de uma técnica, literária ou musical, também exclusivamente europeia. Impulso que se encontra também em Heitor Villa-Lobos, o grande compositor brasileiro, e que, em época mais recente, animou a literatura de ficção do extraordinário Guimarães Rosa, escrita num português tão brasileiro – a pintura, tão nordestina, de Lula Cardoso Ayres e Francisco Brennand, o teatro, também muito nordestino, de Ariano Suassuna.

Embora os escritores mais jovens do Brasil tenham crescido à sombra de influências literárias europeias, e alguns, pelo lado mecânico ou técnico da sua arte, tenham imitado, ou ainda imitem, os europeus, persistem eles fortemente brasileiros em sua maneira de caracterizar, exagerar e interpretar a vida; no frescor e no vigor da sua visão dos homens e das coisas; e também na fidelidade – fidelidade essencial, e não formalista ou convencional – à atualidade viva do Brasil e ao passado colonial ou nacional que conseguem reviver ou ressuscitar. Alguns deles são também mestres em deformações de estilo à maneira de El Greco: gostam de deformar a realidade quando sentem a necessidade de fazer a realidade mais real ou mais brasileira do que aparenta ser. Deformações dessas podem achar-se em algumas das páginas de Jorge Amado, por exemplo, onde a verdade puramente visível é francamente superada pela dramatização poética e algumas vezes misticamente política das situações reais.

A sátira, traduzindo um interesse pelos problemas sociais e a revolta contra os abusos políticos, é velha característica da literatura brasileira. Pois embora nenhum vice-rei, nenhum rei, nenhum imperador, nenhum presidente, nenhum bispo, se conheça em toda a história do Brasil que tenha sido assassinado por motivo político, alguns, todavia, se conhecem que sofreram, nas mãos dos satiristas literários e populares, quase o que possa equivaler à morte ou ao assassínio. Já em 1666, a um governador colonial enviado para Pernambuco pelo rei de Portugal, era dado pelos colonos apelido tão ridículo, e ele satirizado tão impiedosamente em verso e prosa por suas trapaças e sua incompetência, que fácil fora a um grupo de brasileiros assaltá-lo quando um dia andava a passear, acompanhado do seu ajudante de ordens. Tomaram-lhe a enorme espada, puseram-no tranquilamente num navio e mandaram-no embora, para a metrópole. Isto provavelmente não teria sido possível se os bigodes que ele usava – copiados dos de general alemão do século XVII – não fizessem dele um tão excelente alvo de ridículo.

Nesse mesmo século viveu na Bahia e em Pernambuco um homem de muito talento, Gregório de Matos. Tornou-se principalmente notável pelo seu talento satírico no verso. E, mais do que isso, foi crítico social de importância considerável. Alguns dos seus versos, em que descreve tipos locais, são obra de um mestre da caricatura e de um penetrante crítico social, ao mesmo tempo. Também foi ele o primeiro poeta brasileiro a interpretar as tristezas e as alegrias da vida brasileira na sua primeira fase de transição de padrões quase puramente europeus de cultura para os padrões de uma cultura mestiça ou extraeuropeia. Há pouca piedade ou ternura nos seus retratos de bispos, governadores, senhores de terras, mulheres e padres em evidência, nos quais sempre achava alguma fraqueza humana a destacar como motivo de riso. Alguns dos seus versos fizeram-se populares. Sou dos que pensam que ele deve ser considerado precursor da literatura social, da arte social e da caricatura social ou política do Brasil: literatura, arte e caricatura que têm atestado sua máxima expressão em Nelson Rodrigues, tão admirável pelo vigor da sua palavra de escritor e pelas suas audácias de crítico social como pela sua obra de teatrólogo.

Gregório de Matos é tão importante como o Aleijadinho. E se, dos dois, Gregório foi o mais intelectual, o Aleijadinho reuniu mais força emocional na sua arte e mais simbolismo nas suas deformações do corpo ou da figura humana. É provável que a arte popular e o verso popular tenham influído mais no escultor do que em Gregório de Matos, pois que, como já disse, o Aleijadinho era filho de negra. Viveu, portanto, em mais íntimo contato com os camponeses e com os escravos do que Matos, bacharel um tanto sofisticado.

A grande arte popular do Brasil colonial foi a dos ex-votos, a das promessas, a das miniaturas votivas, suspensas pelas paredes das igrejas. A arte de ingênua exageração de milagres, como, por exemplo, salvamentos de náufragos por Nossa Senhora ou por algum santo. Essa arte foi variadíssima: esculturas, em madeira, barro ou cera, de cabeças, torso, mãos, pés, corações, fígados, olhos e outros membros e órgãos do corpo humano que eram oferecidos aos santos cuja proteção fora pedida com fervor para a cura desta ou daquela doença.

A queima dos judas foi outro aspecto dessa arte popular. Era uma oportunidade, de que se aproveitava a gente do povo, para satirizar a conduta anticristã de algum senhor local, representado pela figura grotesca de um judas de palha, vestido com roupas velhas. Até da confeitaria indígena, até da confeitaria popular, via-se, no Brasil antigo, repontar um elemento caricaturesco: caricatura de coisas sagradas como rosários, ou de seres respeitáveis como freiras. Os bolos e os doces tinham – alguns deles têm ainda – nomes que provavelmente os católicos ortodoxos dos países anglo-saxões considerariam sacrílegos. *Rosários* era o nome de um deles, um gostoso bolo mencionado pelo norte-americano Ewbank na sua lista dos artigos populares da confeitaria que ele conheceu no Brasil quando aqui esteve no meado do século XIX;[1] *Pedaços do céu* era o nome de outro; *Cabelo de anjo*, o nome de ainda outro; *Barriga de freira*, o nome de mais outro, e esse terrivelmente sacrílego. Tão sacrílego como o *Toucinho do céu*, nome de gostoso pudim composto de pasta de amêndoas, ovos, açúcar, manteiga e uma colherada ou duas de farinha.

Mas o sagrado e o profano misturavam-se de outras muitas maneiras, como se a caricatura fosse coisa ubíqua na vida brasileira. Alguns desses bolos e doces com nomes sacrílegos os faziam as próprias freiras, nos conventos. E os vendedores de bolos e doces eram também vendedores de toscas imagens de santos. Cada uma dessas artes – a de confeitaria e a de escultura de santos – era arte popular que se distinguia pela caricatura. A escultura de santos tendia a exagerar, ampliar, exaltar este ou aquele poder do santo – e assim se parecia com o ex-voto.

Nascidos nesse ambiente, cercados dessas influências, influenciados por essas deformações, era natural que o Aleijadinho e, em grau menor, Gregório de Matos, acabassem mestres da caricatura. Especialmente da caricatura social.

A mesma tendência encontra-se nas canções dos brasileiros analfabetos e nos versos populares escritos por poetas do povo para os trabalhadores e camponeses quase analfabetos que não leem ou soletram apenas coisas muito simples. Essas canções e esses poemas contam episódios de mais profunda impressão na imaginação popular; e nada neles se nota no sentido de ocultar a verdade. O esforço dos poetas populares é antes para fazer claras, violenta e brutalmente claras, as características mais importantes de uma personalidade ou de um fato, do ponto de vista do leitor ou do auditório. Essa, também, é a técnica da caricatura. Daí poder considerar-se também cari-

---

1 Thomas Ewbank, *Life in Brazil, or The Land of the Cocoa and the Palm*, London, 1858, p. 136.

caturesca essa espécie de poesia popular, tão generalizada no Brasil; e de que, nos nossos dias, o poeta Ascenso Ferreira se faz expressão pitoresca, embora prejudicada pelo que há nele de intencional e de deliberadamente histriônico.

Por outro lado, essa técnica marca ainda o que existe de mais caracteristicamente brasileiro no teatro nacional no Brasil: a chamada revista. Um observador estrangeiro, que esteve no Brasil há mais de trinta anos, ficou admirado com a liberdade dos autores de revistas nas suas caricaturas de personagens políticas, confessando que supunha haver um limite nas críticas de teatro, tanto como da imprensa brasileira, além do qual entrasse em ação a lei contra a calúnia. Mas esse limite, ele não podia imaginar até onde ia. O que viu foi a gente dos teatros abrir-se em gargalhadas quando apareciam em cena caricaturas as mais grotescas de personagens políticas bem conhecidas.

Parece conto mas é verdade que alguns políticos brasileiros, e mesmo estadistas, do Império e da primeira República, sentiam-se mal quando não se viam caricaturados nas revistas, nos jornais ou nas anedotas de café. Um deles, quando nada de irreverente ou cáustico se estava escrevendo ou dizendo a seu propósito, tomava ele mesmo a iniciativa de escrever alguma coisa de tom bem crítico sobre as suas ideias políticas ou sobre a sua personalidade, que enviava sob pseudônimo a algum jornal da oposição. Então, e somente então, é que se sentia bem; sentia-se vivo, dizia, era *alguém* que se temia.

Os que bem conhecem a sociologia psicológica de Pareto sabem quão inteligente era essa atitude de alguns dos líderes brasileiros do tempo do liberalismo político. Às vezes uma espécie de fadiga política parece atingir o povo em face dos seus líderes, com os mesmos efeitos da fadiga industrial entre os operários. E segundo um especialista nos problemas humanos das civilizações industriais, o prof. Elton Mayo (em cujas ideias e obra tive o prazer de ser ultimamente iniciado por um dos seus antigos alunos), cuidadosa pesquisa científica sobre a fadiga industrial parece indicar que o simples fato de se ouvirem as queixas dos operários, mesmo sem nada se decidir sobre elas, diminui a fadiga entre eles e, por conseguinte, aumenta a sua eficiência no trabalho. É possível que alguma coisa de semelhante se repita entre os povos politicamente conscientes com relação aos seus líderes, os quais – se esse fato é verdadeiro – muito se enganam quando procuram suprimir a crítica jornalística ou popular aos seus atos e às suas pessoas, a sátira e a caricatura que visem não só aos seus atos como às suas pessoas.

No Brasil, o rei Dom João VI foi ridicularizado por muitos porque comia como um glutão, às vezes trazendo nos bolsos pedaços de galinha assada; mas parece ter tolerado bem tanto as anedotas verdadeiras como as falsas que circulavam em torno dele. E foi a tradição que seguiu o seu neto, o imperador Dom Pedro II, livremente criticado e caricaturado pela imprensa do Brasil por causa do seu entusiasmo pela astronomia e pelo hebraico, entusiasmo que o fazia às vezes esquecer tantos dos problemas sociais e tantas das necessidades imediatas do seu povo; por causa também da sua quase feminina suavidade frente a problemas prementes para cuja solução, segundo alguns dos seus críticos, era preciso que o chefe de Estado agisse com mão de ferro. Como já disse, Dom Pedro era chamado por muitos dos seus súditos "Pedro Banana" – apelido geralmente dado no Brasil às pessoas moles e preguiçosas, mas apelido que pode também exprimir – o que os próprios estrangeiros sabem – insulto pesado e grosseiro. Entre os presidentes da República, um marechal do Exército brasileiro, Hermes da Fonseca, recebeu o apelido de Dudu, e durante os quatro anos de presidente inúmeros foram os artigos e as caricaturas da imprensa a fazerem troça dele e do poder que lhe era atribuído de espalhar má sorte. Com o tempo, os três – o rei Dom João VI, o imperador Dom Pedro II e o presidente Hermes da Fonseca – tornaram-se, senão heróis nacionais, pelo menos figuras queridas e por todos tratadas com simpatia senão mesmo com afeição. O próprio sr. Washington Luís, quando presidente da República, apesar de conhecido como "Braço Forte", não escapou de ser caricaturado em *revistas* de teatro como regalão e boêmio; e foi alvo de muita sátira e de muitos comentários ferinos da imprensa diária.

Outra não foi a atmosfera em que a literatura e a pintura do Brasil vieram a desenvolver-se em expressão de crítica e, às vezes, de revolta social. Tanto José Lins do Rego como Jorge Amado são em seus romances mestres na caricatura, em vez de realistas fotográficos. Seus romances lembram as esculturas do Aleijadinho, a poesia satírica de Gregório de Matos e *Os Sertões*[2] de Euclides da Cunha no seguinte: embora agudamente sensível à realidade, cada um dos dois romancistas – os mais famosos do Brasil de hoje, ao lado de Erico Verissimo – participa a um tempo do artista e do crítico social; cada um deles é um poeta em prosa; e ainda que deficiente, talvez, nas formas mais finas do humor, cada um deles é um vigoroso mestre da caricatura e da sátira da espécie que os homens simples compreendem.

Às vezes, José Lins do Rego – espécie de William Faulkner brasileiro, embora esse título já tenha sido atribuído por um crítico norte-americano das letras brasileiras, o admirável Samuel Putnam, ao admirável romancista, há pouco falecido, Lúcio Cardoso – escreve como quem simplesmente copia a vida; e ele tem copiado a vida a tal ponto que algumas das suas páginas são como se fossem antes de memórias – escritas, é certo, com vivacidade e vigor – do que de puro romancista. Tem ele, porém, a tendência para exagerar ou deformar algumas das figuras que recorda mais do que inventa – como para lhes dar valor simbólico. Uma dessas figuras é "Vitorino Carneiro da Cunha". Tem sido esse "Vitorino" proclamado pelos críticos que melhor conhecem o Brasil como uma espécie de "Dom Quixote" dos canaviais do Nordeste. Um símbolo e não simples personagem de romance ou pura evocação de memorialista.

A mesma coisa tem realizado Jorge Amado em alguns dos seus melhores romances, nos quais tem adaptado à literatura parte da técnica do "ABC", isto é, uma espécie de literatura popular do Brasil por meio da qual se propagam histórias ou biografias de heróis do povo entre as massas de matutos e quase matutos analfabetos ou semianalfabetos do Brasil. O "Balduíno", de um dos romances de Jorge Amado, é um herói à maneira dos heróis populares: símbolo da vitalidade do negro no Brasil. A propósito, é interessante notar que o nome Balduíno, tal como é usado por grande número de gente mais rústica do Brasil, não pertence ao calendário cristão, onde muitos pais brasileiros vão ainda buscar os nomes que dão aos filhos. Nem significa homenagem ao Balduíno da história europeia. A popularidade desse nome no

---

2 Esse livro foi traduzido para o inglês por Samuel Putnam, com o título de *Rebellion in the Backlands* (publicado pela Universidade de Chicago, 1944).

Brasil vem da corruptela de *Baldwin*: da locomotiva Baldwin. Quando os matutos ou caipiras brasileiros falam de alguma máquina poderosa é Balduína que lhe chamam. E o herói negro de Jorge Amado parece ter alguma coisa nele da locomotiva que os matutos e os meninos brasileiros tanto admiram: a mesma força. Esse "Balduíno" é como que o símbolo da vitalidade do povo mais rústico, da vitalidade do mestiço afro-brasileiro, da nova locomotiva humana que há de puxar o comboio social no Brasil.

Dos modernos romancistas brasileiros que se ocupam de problemas sociais – autores como Lins do Rego, Jorge Amado, Rachel de Queiroz, Amando Fontes, Viana Moog e Erico Verissimo, cujo *O tempo e o vento* é obra notável de evocação do passado regional do Rio Grande do Sul – pode dizer-se que, embora realistas, são também românticos, o seu impulso romântico voltando-se não tanto para um passado imaginário como para um imaginário futuro. Alguns deles vêm das áreas mais antigas e feudais do Brasil – Pernambuco, o Nordeste. E um, pelo menos, José Lins do Rego, descende dos Cavalcanti, velha mas hoje decadente família do Norte do Brasil, com sangue florentino unido ao indígena. Apesar disso, vêm esses romancistas fazendo mais do que os economistas, mais do que os políticos, mais do que os demagogos para expurgar, não só da literatura brasileira, como do próprio espírito dos brasileiros, os excessos de tradição ou de rotina colonial que perturbam o nosso comportamento, prejudicado, muitas vezes, pela opressão de complexos coloniais de inferioridade em relação à Europa.

Dentro da literatura, tais excessos compreendem escrever alguém romance ou poesia ou ensaio em linguagem portuguesa estritamente acadêmica e de acordo com as prescrições acadêmicas e a rígida técnica lusitana ou europeia da boa composição. O resultado é essa literatura nunca exprimir ou interpretar vigorosamente a realidade brasileira. Sacrificar a espontaneidade à correção requintada em purismo ou falso classicismo.

Mas a obra daqueles romancistas – obra de revolta contra técnicas convencionais –, a sua crítica à vida brasileira e, especialmente, a sua franqueza no que diz respeito aos problemas do sexo e às relações entre brancos e pretos e entre ricos e pobres não se têm realizado ou afirmado sem dificuldades ou oposições. Eles têm entrado em conflito com alguns latino-americanos e também com alguns anglo-americanos, que procuram dar, não só aos de fora mas a eles próprios, a impressão de que tudo vai bem na jovem América; e que nada se encontra de errado na vida americana. Eles têm entrado em conflito com aqueles patriotas brasileiros que defendem a teoria da literatura feita puramente um instrumento de propaganda ou apologia do que é bom e agradável na vida, evitando-se toda irreverência, sátira ou crítica que possa dar a impressão de um Brasil cheio de negros e de problemas sérios de desajustamento, de pobreza e de miséria.

A mesma coisa tem acontecido com alguns dos poetas modernos e com vários dos modernos historiadores, ensaístas, críticos literários e pintores do Brasil, que estão libertando a cultura, e, ao lado da cultura, o espírito do Brasil jovem, da tradição passivamente colonial e rigidamente acadêmica dentro da qual não se via espaço para uma literatura ou uma arte que fosse diferente da literatura e da arte europeias. Essa tradição como que deixava os brasileiros tímidos demais para se exprimirem livremente. Com medo de revelar quanto fosse diferente, no Brasil, da Europa: uma Europa considerada social e intelectualmente perfeita por muitos latino-americanos possuídos de um complexo – complexo psicológico e complexo sociológico – colonial, isto é, de inferioridade eterna e absoluta do Brasil em face da Europa.

Há largos anos publicou-se no Rio um romance que, por certos dos seus aspectos, pode-se considerar verdadeira antecipação do moderno romance social do Brasil. Refiro-me a *Canaã*, escrito por Graça Aranha, aristocrata descendente de antiga família do Norte do Brasil. Conhecido historiador e crítico europeu, Guglielmo Ferrero, tratando do enredo desse romance, destaca como seu verdadeiro assunto "o encontro das raças, a mistura de culturas, a perturbação causada em todos os países americanos pelas massas de homens vindas da superpopulosa Europa".³ Mas penso que *Canaã* é também o drama dos brasileiros sob a pressão do velho complexo colonial de que somente agora se estão livrando pela obra dos seus novos pensadores, histo-

---

3 Guglielmo Ferrero, prefácio a *Canaã*, de Graça Aranha, na tradução de Mariano Joaquim Lorente, Boston, MA, 1920, p. 7.

riadores, ensaístas, romancistas, poetas e críticos: o complexo da inferioridade em face da Europa.

Uma das personagens mais importantes desse romance é "Paulo Maciel", jovem advogado brasileiro. O modo dessa personagem falar do começo ao fim é o mesmo usado por muitos advogados, intelectuais e artistas brasileiros de trinta ou quarenta anos passados. Sentiam todos eles que o Brasil não era mais do que "uma colônia da Europa". Não viam nenhuma esperança de que os brasileiros pudessem vir a superar a sua condição colonial. Naquele tempo, homens como "Paulo Maciel", embora conscientes da dependência do Brasil em relação à Europa, não reagiam contra essa dependência por nenhum ato ou de nenhuma maneira efetiva. Quando qualquer deles fazia um discurso ou escrevia um artigo ou uma dissertação, um livro ou um poema, era como se fosse para submeter a sua gramática, a sua composição, o seu estilo, o seu vocabulário e as suas ideias a algum comitê de professores portugueses de gramática, a algum tribunal de professores franceses de literatura, de direito ou de sociologia, soberanamente instalado em Paris. Quase todos formavam as suas ideias sobre o Brasil, não por um estudo direto das condições reais de vida ou de composição étnica, da gente brasileira, mas através do que sociólogos franceses distantes, e às vezes ignorantes ou de segunda classe como Le Bon, escreviam sobre a mistura de raças no nosso país ou na América Latina. Os melhores seguiam teóricos europeus como Spencer e Comte, que ignoravam as condições e os problemas extraeuropeus, considerando a sociedade europeia a sociedade humana: deficiência também de Karl Marx, seja dito de passagem e sem desrespeito algum pelo esforço extraordinário de sistemática sociológica que é o marxismo. Natural por isso que a atitude de muitos deles a respeito do Brasil fosse de pessimismo. Ou que, por outro lado, poucos tivessem a coragem de se exprimir em público em sentido contrário ao da filosofia oficial brasileira: a filosofia de um enfático e superficial otimismo de homens que, estando no poder ou participando do poder, se sentiam como que obrigados a ver e proclamar o Brasil o mais cor-de-rosa dos países.

As palavras que seguem são ditas por "Paulo Maciel", a personagem de *Canaã* a que me referi, quando em conversa com alguns colegas brasileiros: "Os senhores falam em independência, mas eu não a vejo. O Brasil é e tem sido sempre colônia. O nosso regime não é livre: somos um povo protegido. (...) Diga-me você: onde está a nossa independência financeira? Qual é a verdadeira moeda que nos domina? Onde o nosso ouro? Para que serve o nosso miserável papel senão para comprar a libra inglesa? Onde está a nossa fortuna? O pouco que temos, hipotecado. As rendas das alfândegas nas mãos dos ingleses. Vapores não temos, caminhos de ferro também não, tudo do estrangeiro. É ou não o regime colonial com o nome disfarçado de nação livre? (...) Escute: você não me acredita; eu desejaria poder salvar o nosso patrimônio moral, intelectual, a nossa língua, enfim, mas a continuar esta miséria, esta torpeza a que chegamos, é melhor que viesse de uma vez para cá um caixeiro de Rothschild para governar as fortunas, e um coronel alemão para endireitar isto".[4] E depois, falando não mais a um compatriota mas a um alemão, "Milkau", para quem o Brasil era Canaã e a Europa o avesso de Canaã, o jovem "Maciel", com ânimo ainda mais pessimista, diz: "O meu desejo é largar tudo isto, expatriar-me, abandonar o país, e com os meus ir viver tranquilo num canto da Europa... A Europa... A Europa! Sim, ao menos até passar a crise... ."[5]

Tudo isso era típico da atitude psicológica da juventude intelectual brasileira há quarenta e mesmo há trinta e tantos anos atrás. Contrastando com um otimismo estritamente oficial, existia uma espécie de pessimismo russo entre vários dos escritores, dos advogados e dos estudantes mais livres nas suas ideias. Pessimismo – repita-se – que vinha da ação de profundo complexo de colonialismo sobre o espírito, senão sobre toda a personalidade, de brasileiros que nasciam e cresciam desalentados com o Brasil e nostálgicos de uma Europa quase mística. Para a maioria deles, a Europa – Paris, Londres ou Berlim – era o lugar ideal, de que real ou imaginariamente se valiam para fugir ao ambiente colonialmente brasileiro. Alguns fizeram da Europa seu refúgio – mesmo o velho historiador e sábio crítico João Ribeiro –, vivendo intelectualmente da Europa e na Europa. Isto é, estando no Brasil,

---
4 Graça Aranha, op. cit., p. 196-197.
5 Ibidem., p. 293.

quase não pertenciam ao Brasil, ligados mentalmente, como se achavam, à Europa, particularmente à França, como coloniais, como exilados, como subeuropeus, subfranceses, subingleses, subalemães.

É curioso que no romance de Graça Aranha a melhor explicação da situação crítica do Brasil, tal como a sentiam alguns – raros, talvez – dos seus intelectuais, não seja dada por uma das personagens brasileiras, mas pelo alemão "Milkau", que o autor apresenta como europeu de inclinações filosóficas. É esse quem diz ao intelectual brasileiro tipicamente pessimista, dos começos do século XIX, que o Brasil, tendo surgido como um conglomerado de raças e de castas, de senhores e de escravos, do contato entre eles criara-se uma raça intermediária de mestiços que fora o traço de união entre as classes, o elo nacional. O número desses mestiços crescia todos os dias; e vários deles vinham apoderando-se das melhores posições. Quando o Exército (e o Exército é sempre muito importante, não só para um alemão como para um latino-americano) deixasse de ser "uma casta de brancos" e passasse a ser dominado pelos mestiços, uma revolução social começaria: a "desforra dos oprimidos".

Essa generalização só em parte pode dizer-se verdadeira, pois, como em outra ocasião observei, a maioria dos homens de sangue mestiço que se tornaram preeminentes no começo do Brasil republicano pouco mais fizeram do que ocupar os lugares dos líderes monárquicos – alguns dos quais eram já homens tocados de sangue negro – e continuar a sua direção.

Mas, segundo o "Milkau" de Graça Aranha, qualquer que fosse o choque entre "a direção branca" e "a direção heterogênea" resultante da Revolução Republicana, era absolutamente necessário que houvesse esse conflito "para se fazer o que se buscava desde séculos por outros meios: a nacionalidade...".[6]

Essa também é uma generalização só em parte verdadeira, porque depois de vitoriosa a luta do século XVII contra os holandeses, alguns brasileiros começaram a sentir e mesmo a agir como se já fossem capazes de constituir uma nacionalidade. E desde esta primeira

---

6   Ibidem, p. 295.

guerra pela independência tem havido no Brasil "direção heterogênea" no que diz respeito à ação militar. Os quatro grandes heróis da guerra contra os holandeses pertenciam a raças diferentes: um era português, outro, brasileiro branco, o terceiro, índio, o quarto, negro. Foi durante essa guerra contra os holandeses que vários homens de sangue africano e de modesta situação social se distinguiram por atos de bravura ou por valiosos serviços na defesa do Brasil. Esses serviços foram reconhecidos, e contribuíram para a elevação social de quem os havia prestado, e em alguns casos para introduzi-los pelo casamento no meio da mais alta sociedade brasileira. Foi também durante a guerra contra os holandeses que o padre Vieira – mestiço nascido fora do Brasil mas educado na América portuguesa, onde chegou ainda criança – se fez notar como líder intelectual, cujos sermões e escritos tiveram não somente um interesse religioso e literário mas a profunda significação psicológica e sociológica de um como manifesto – um manifesto etnicamente democrático – contra a ideia de superioridade de uns homens sobre outros, baseada na cor da pele. Ideia essa que, se fosse verdadeira, disse ele uma vez, o holandês teria que ser considerado raça superior, não podendo ser vencida pelos portugueses e pelos brasileiros. Mas não; nenhuma verdade havia nisso, desde que os holandeses eram hereges protestantes e os portugueses e brasileiros, católicos ortodoxos. Vieira fazia dessa forma depender a antropologia da teologia e da ortodoxia católica.

Embora seu pai fosse elevado à classe dos nobres pelo rei de Portugal, uma mulher mulata é que teria sido a avó de Vieira. Pregando pois a igualdade de raça, ele não deixava de falar *pro domo sua*. Estava em situação lógica para ser o vínculo psicológico e intelectual numa revolução social que começou no Brasil, não com a República de 1889, mas com a guerra contra os holandeses, no século XVII. Uma revolução que antes já havia aberto os lugares de direção no Brasil às pessoas de sangue mestiço e estimulado a formação da nacionalidade brasileira através de uma consciência ou sentimento, a princípio vago e só hoje definido, da diferença tanto étnica como social do Brasil em relação à Europa. Diferença e não inferioridade.

"Milkau", como filósofo da história brasileira, parece esquecido de tudo isso quando diz a "Maciel" que a revolução contra a Europa começou no Brasil com a República: com a vitória em 1889 dos líderes republicanos que eram oficiais do Exército, e alguns, como sabemos, homens com sangue índio e negro. Mas no diálogo entre o brasileiro "Maciel" e o alemão "Milkau" – acentue-se mais uma vez – o brasileiro é que é o "ariano" ou o "racista", e o alemão o que acredita nas vantagens da mistura de raças. É o alemão (copiado da vida e não invenção puramente literária) quem diz ao intelectual brasileiro pessimista – representante do sentimento e das ideias de alguns dos melhores intelectuais brasileiros da época, inclusive Euclides da Cunha, Sílvio Romero e o próprio Graça Aranha – que "não há raças capazes ou incapazes de civilização" desde que "toda a trama da história é um processo de fusão". E, acrescenta "Milkau": "no Brasil, fique certo, a cultura se fará regularmente sobre esse mesmo fundo de população mestiça, porque já houve o toque divino da fusão criadora". Num "futuro remoto, a época dos mulatos passará, para voltar a idade dos novos brancos vindos da recente invasão, aceitando com reconhecimento o patrimônio dos seus predecessores mestiços, que terão edificado alguma coisa, porque nada passa inutilmente na terra...".[7] Quanto à Europa: "Essa Europa, para onde daqui se voltam os vossos longos olhos de sonhadores e moribundos, as vossas cansadas almas, cobiçosas de felicidade, de cultura, de arte, de vida, essa Europa também sofre do mal que desagrega e mata. Não vos deixeis deslumbrar pela exausta pompa da sua civilização, pela força inútil dos seus exércitos, pelo lustre perigoso do seu gênio".[8]

Torno a salientar que essas duas opiniões ou duas filosofias contraditórias da vida e da história do Brasil se refletiram poderosamente na literatura brasileira, predominando ora a europeia, ora a indigenista, até que, pouco depois da Primeira Guerra Mundial, começaram a ouvir-se vozes novas, primeiro vindas de São Paulo e logo depois do Nordeste. Daquelas duas opiniões tradicionais, uma exprimia um otimismo quase absoluto no que respeita ao passado, ao presente e ao futuro do Brasil e, em particular, à base ameríndia da "raça" e do *ethos* brasileiro. A expressão extrema dessa opinião encontra-se em

---

7   Ibidem, p. 296.
8   Ibidem, p. 297.

um livro intitulado *Porque me ufano do meu país*, escrito por Afonso Celso, brasileiro bom e bem-nascido, ainda que ingênuo, a quem a Santa Sé concedeu o título de conde em atenção aos seus serviços à Igreja. A outra filosofia combinava um pessimismo quase suicida no que diz respeito às condições étnicas e sociais do Brasil com um sôfrego amor pela Europa, vista com uma espécie de veneração filial, como se Londres e Paris, Lisboa e Berlim, tivesse cada uma um papa a quem os intelectuais brasileiros devessem seguir passivamente nos seus estudos do direito ou de sociologia, na composição dos seus poemas e dos seus romances, no seu modo de escrever ensaios ou de fazer discursos.

Entre esses dois extremos, apareceram uns tantos livros como *Os Sertões*, de Euclides da Cunha, *Canaã*, de Graça Aranha, e algumas das melhores páginas de críticos sociais e literários como José Veríssimo, Sílvio Romero e Alberto Torres. Foram vanguardeiros dispersos e às vezes contraditórios de uma nova fase da literatura brasileira: a fase moderna.

Em 1919, publicou-se em São Paulo *Urupês*, que, apesar de mais pessimista do que otimista nas suas opiniões sobre as condições sociais do Brasil, estava, contudo, muito longe de ser livro colonial, acadêmico, subeuropeu; ou ortodoxo *à la française* no seu estilo, na sua forma ou na sua linguagem. Era vigorosamente brasileiro, ouriçado de brasileirismos, fazendo-se notar pelo seu à vontade em relação às regras gramaticais mais rígidas. O paulista Monteiro Lobato escrevera este livro revolucionário.

Urupês é uma coleção de contos sobre as populações pobres ou decadentes do Brasil rural, comumente desdenhado pelos políticos e pelos literatos convencionais, embora em Os *sertões*, de Euclides da Cunha, já se encontrasse estudo vigoroso do Brasil Central: tema dramático não só para a literatura como também para a sociologia, a antropologia e a geografia humana. Mas a personalidade do autor de *Urupês* – mais, mesmo, do que os seus livros – é que havia de tornar-se o centro de uma revolução intelectual e cultural do Brasil. Dinâmico, sugestivo, estimulante, Lobato veio a ser crítico literário tanto como social; artista criador ao mesmo tempo que editor. Durante anos publicou ensaios, novelas, poemas, estudos sociológicos e históricos escritos por jovens de talento, os melhores dos quais marcados por vigorosa honestidade intelectual e corajoso realismo ao tratar os assuntos brasileiros. Seguiam Lobato no seu uso de brasileirismos e, ainda, no seu desdém da Europa como absoluta soberana, intelectual e cultural, do Brasil.

Em São Paulo e, depois, no Rio, seguiu-se ao movimento de Lobato outra revolução literária de forte significação como tentativa no sentido de exprimir o *ethos* brasileiro e, até certo ponto, refletir as condições sociais e étnicas extraeuropeias da América portuguesa. Refiro-me ao movimento que tomou o nome de "modernismo", no Brasil. Um dos líderes mais importantes desse movimento, Mário de Andrade, lamentou recentemente que o "modernismo" brasileiro permanecesse só uma revolução literária ou estreitamente artística; e não tivesse ido mais longe no desenvolvimento das suas consequências sociais. Não resta dúvida, porém, que esse movimento muito faz para despertar nos brasileiros em geral, e não apenas nos intelectuais e artistas, a consciência do Brasil. Nos seus extremos de reação ao artificialismo acadêmico, é certo que o "modernismo" tornou-se também, mais de uma vez, artificial. Mas abriu o caminho para nova e livre maneira brasileira de escrever, que influía e está ainda influindo no próprio português que se escreve em Portugal.

Independentemente do "modernismo" do Rio e de São Paulo, houve um movimento também de revolução cultural – e não apenas literária – na mais velha região do Brasil: no Nordeste. Igualmente exprimiu insurreição ou revolta contra o estreito colonialismo, dominante nos meios intelectuais e artísticos, ainda que não repudiasse a experiência brasileira nem a integração dos valores europeus e extraeuropeus – integração que se vinha processando desde a época colonial no conjunto da cultura brasileira. Proclamava a necessidade de atitudes e valores extraeuropeus, sem deixar de reconhecer a necessidade que tinha o Brasil de íntimo contato com a Europa e com o seu próprio passado europeu. O Brasil devia eleger da sua herança colonial – isto sim – uma série de valores em harmonia com a paisagem ou a situação tropical e com as condições brasileiras de vida. Daí a importância que deram alguns dos líderes do movimento à cozinha tradicional, à confeitaria e à arquitetura tradicionais, aos móveis antigos e à arte popular – não para preservá-los como coisas sagradas sob a forma de relíquias, mas para utilizá-los, como bons motivos ou sugestões, no desenvolvimento de uma arte e de uma maneira de viver realmente brasileiras. Não se devia prender o Brasil a uma tradição única e exclusiva – a da Europa ariana – mas a uma combinação de valores tradicionais, vindos dos árabes e mouros, dos judeus, da África, da Ásia. Valores para serem aproveitados tomando-se principalmente como base do desenvolvimento brasileiro a experiência dos portugueses e a herança dos ameríndios.

Opondo-se ao convencionalismo dominante no século XIX e no começo do XX, quando brasileiros sofisticados tanto se envergonhavam dos seus melhores valores e tradições extraeuropeias, os líderes do movimento do Nordeste sustentavam que o Brasil devia conservar e desenvolver valores e tradições já harmonizados com as condições tropicais e com as condições de vida mestiça do Brasil, em vez de esquecê-los ou abandoná-los para reduzir a América portuguesa a simples e passiva província cultural da Europa. Da Europa ou dos Estados Unidos.

Por força dessa ideia é que se reuniu em 1926, no Recife, capital intelectual do Nordeste, o Congresso Regionalista, com Odilon Nestor, José Lins do Rego, Morais Coutinho, Aníbal Fernandes, Luís Cedro, Júlio Bello e outros. Foi esse – recorde-se mais uma vez – o primeiro Congresso Regionalista reunido no Brasil e talvez na América. O seu pronunciamento literário e artístico não foi menos sociológico e político. A variedade dentro da unidade foi a característica principal do seu programa, não só quanto às suas ideias básicas mas também quanto às pessoas que o Congresso atraiu e reuniu: homens de várias idades e gerações, de temperamentos e de profissões diversas. Pode dizer-se que o grupo de pessoas que se juntaram nesse Congresso – algumas delas ainda estudantes ou formadas recentemente – e aquelas que, desde a reunião do Congresso, ou da definição do Movimento ao mesmo tempo Regionalista, Tradicionalista e, a seu modo, Modernista, do Recife, foram por ele direta ou indiretamente influenciadas, produziram algumas das obras de literatura e de crítica social e literária mais interessantes e mais vitalmente significativas do Brasil moderno. Outros, obras de renovação de várias artes e de vários estudos: principalmente os de história e sociologia regionais.

Resistindo à ideia de que o progresso material e técnico deve ser tomado como a medida da grandeza do Brasil, os Regionalistas brasileiros viam no amor à província, à região, ao município, à cidade ou à aldeia nativa, condição básica para obras honestas autênticas, genuinamente criadoras; e não um fim em si mesmo. Não foram nacionalistas estreitos. Reconheceram sempre que a interdependência entre as diversas regiões do mundo é essencial para uma vida intelectual e artística mais humana e, por isso mesmo, mais necessitada de interpenetração de valores nacionais.

Alguns críticos os têm acusado de reacionários; outros lhes têm chamado "comunistas" ou "anarquistas" por não terem reconhecido a necessidade de centralização ou de rígida uniformidade num país como o Brasil. A verdade é que a obra já realizada por muitos dos mais notáveis de entre os que no Brasil de hoje podem ser chamados, de modo lato, "Regionalistas" – José Lins do Rego, José Américo de Almeida, Manuel Bandeira, Cícero Dias, Luís Jardim, Mário Marroquim, Álvaro Lins, Jorge de Lima, Odorico Tavares, Aurélio Buarque de Holanda, Júlio Bello, Olívio Montenegro, Aníbal Fernandes, Estevão Pinto, Sílvio Rabelo, Ascenso Ferreira, e, dentre os mais recentes, João Cabral de Melo Neto, Mauro Mota, Carlos Moreira, Carlos Pena, Ariano Suassuna, Renato Campos, Lula Cardoso Ayres, Francisco Brennand, Cavalcanti Borges e, ainda, Artur Reis e Leandro Tocantins, com relação à região amazônica, Luís Viana Filho, o arquiteto Rebouças, o escultor Mário Cravo, o romancista Jorge Amado, Genaro, Caymmi, com relação à Bahia, Guimarães Rosa, Carlos Drummond de Andrade, Mário Palmério, com relação a Minas Gerais, Erico Verissimo, Viana Moog, Moisés Velhinho, em relação ao Rio Grande do Sul –, é vigorosamente construtiva. Muito tem contribuído não só para desenvolver melhor compreensão inter-regional no Brasil, como para fazer do Brasil parte vital de um mundo novo e mais harmônico.

O mesmo poderia dizer-se da revolução cultural realizada com êxito literário e artístico mais imediato pelos "modernistas" do Rio e de São Paulo – Tarsila do Amaral, Brecheret, Mário de Andrade, Oswald de Andrade, Graça Aranha, Di Cavalcanti, Noêmia, Alcântara Machado, Manuel Bandeira, Sérgio Buarque de Holanda, Prudente de Moraes Neto, Ribeiro Couto, Cassiano Ricardo, Menotti del Picchia, e outros.

Pois do chamado "modernismo" resultou para o desenvolvimento intelectual e artístico do Brasil uma fase ousadamente experimental, em torno, principalmente, do mesmo desejo de autenticidade que, característico dos esforços regionalistas do Nordeste (Recife), em particular, vem caracterizando, no Brasil, a expressão regionalista, em geral.

Esses dois movimentos ficarão, provavelmente, entre os mais importantes que têm revolucionado as letras e a vida do Brasil, no sentido não só da autenticidade como da espontaneidade na criação intelectual ou cultural. No sentido, também, da confiança dos brasileiros em si próprios. No sentido da libertação intelectual e artística do Brasil de excessos de subordinação colonial à Europa ou aos Estados Unidos.

IX
A moderna arquitetura brasileira: "moura" e "romana"

O escritor francês M. Blaise Cendrars, que visitou o Brasil mais de uma vez e que também estava familiarizado com o Oriente, incluiu a cozinha brasileira entre as que considerava as três melhores do mundo, ao lado da francesa e da chinesa. Outros observadores estrangeiros da nossa civilização vêm se mostrando inclinados a conceder lugar igualmente alto à arquitetura brasileira, incluindo-a entre as melhores no mundo moderno. Ainda outros julgam que a mulher brasileira, mesmo hoje, apesar de estar consideravelmente "americanizada", pelo menos nas cidades mais progressistas, ainda pode ser incluída entre as melhores donas de casa do mundo.

Se tomarmos tais generalizações como verdadeiras, ou, pelo menos, como aproximações da realidade, e se se lhes acrescentar a circunstância de que o Brasil somente agora está começando a ter hotéis toleráveis fora do Rio e de São Paulo – um deles, muito bom, em Salvador da Bahia, é brilhante exceção –, essas três excelências brasileiras parecem expressar algo essencial e caracteristicamente brasileiro. Talvez as suas raízes estejam no passado patriarcal do Brasil.

A civilização brasileira foi nos seus começos mais o esforço de uma organização familial do que realização do Estado ou da Igreja, de reis ou de líderes militares. Daí seu desenvolvimento como civilização que tem por valores fundamentais ou domésticos, patriarcais e sedentários: 1) os edifícios de residência agrários, associados e uma economia familial de características permanentes e não nômades; 2) a cozinha, sempre complementar a uma civilização assim familial e sedentária, como aconteceu com a chinesa, no Oriente; 3) a dona de casa, como administradora de atividades culinárias e outras todas importantes atividades dentro de um sistema doméstico de economia, de assistência social, de religião, de arte.

E, como sempre acontece com civilização desse tipo, a hospitalidade foi, no Brasil, através dos três séculos de seu desenvolvimento como sistema principalmente patriarcal, um dever quase sagrado das famílias patriarcais. Isso talvez explique por que, durante largo tempo, as residências particulares foram o lugar adequado no qual os forasteiros se sentiam à vontade ao viajar pelo nosso país. Tinham camas ou redes onde dormir, escravos para servi-los, e prato garantido na vasta e bem sortida mesa patriarcal. As hospedarias do Brasil colonial, quando existiam, eram somente para estranhos ou estrangeiros tão insignificantes que não podiam ser admitidos como hóspedes nas casas patriarcais. Daí o fato de o Brasil não ter boa tradição hoteleira: alguns novos estabelecimentos do gênero começam, muito avisadamente, a associar certa atmosfera familial e doméstica a estilos internacionais da organização hoteleira, a fim de manter a velha tradição. Num desses novos hotéis os hóspedes são atendidos por empregadas vestidas como "baianas" enquanto que os *boys* trajam à antiga maneira colonial brasileira de pajens; e a comida, em lugar de ser feita somente de pratos do cardápio internacional, inclui também os brasileiros, regionais e patriarcais. Chega-se até a ter a impressão de que o gerente, dividido entre as concessões que precisa fazer aos estilos nacional e internacional de hospitalidade, tem uma dupla personalidade, sendo, apesar de homem, meio *ménagère* suíça, meio dona de casa brasileira.

A mesma concessão também acontece com relação à arquitetura no Brasil, a qual emerge do passado patriarcal como um sistema de construção capaz de adaptar-se às modernas condições e estilos de vida, sem perder seus valores básicos tradicionais, os quais são domésticos, particulares, familísticos – isto é, "mouros", mas não estreitamente domésticos, porque também são "romanos" em suas raízes patriarcais e, assim, inclinados ao contato com o mundo exterior. Combinados, os dois elementos – o "mouro" e o "romano" – parecem responsáveis pela tendência existente nos modernos edifícios típicos brasileiros, em serem peculiarmente humanos e personalísticos, em lugar de apenas eficientes e funcionais sob o ponto de vista de seu uso, como edifícios coletivos, seja esse uso oficial, industrial ou comercial.

A expansão da arquitetura no Brasil, do que era como arquitetura para uso mais particular, doméstico, patriarcal, personalístico do que impessoal e coletivista, para uma outra, de tipo moderno, e para condições que são mais coletivistas e públicas do que personalísticas e particulares, tornou-se possível porque o velho tipo de casa colonial brasileira era algo mais do que mera residência. Como já demonstraram os estudiosos da história social, a casa – a casa-grande dos fazendeiros de açúcar e café – além de servir de residência para uma grande família, com seus muitos escravos domésticos, era também hospital, igreja (pois para isso tinha, em numerosos casos, suas capelas e capelões particulares), asilo de órfãos, fortaleza em caso de ataque por parte dos índios selvagens, e banco, no qual, graças às suas grossas e sólidas paredes de pedra ou tijolo, fazia-se depósito de joias, de dinheiro e de outros valores. Em consequência, o prédio alcançava grandes dimensões e seus arquitetos tinham que resolver problemas que em outros países seriam enfrentados somente pelos construtores de palácios oficiais, de igrejas, de mosteiros, de fortalezas, e não pelos que construíam apenas residências particulares.

Algumas das velhas casas-grandes dos engenhos e das fazendas brasileiras eram, em sua aparência, dimensão e número de quartos, mais mosteiros do que residências particulares. Uma delas foi até descrita por um escritor brasileiro como um "Escorial rústico", devido aos seus inúmeros quartos e também às várias sepulturas existentes na ampla capela, sepulturas de diversos membros da família, de acordo com um velho costume patriarcal do Brasil. Nessa residência, descrita por Luís Pedro como "Escorial rústico", é interessante notar que algumas das sepulturas eram de esposas do último senhor do engenho que ali vivera como verdadeiro *grand-seigneur* e que não somente tivera três esposas – uma depois da outra, é claro, de vez que, pelo menos oficialmente, como católico ortodoxo, tinha de ser monógamo – como também muitos filhos e netos de suas sucessivas esposas. O que não era excepcional, porém típico.

Esse aspecto de Escorial era característico das casas-grandes dos engenhos e das fazendas brasileiras dos dias coloniais, cuja arquitetura parece ter sido, no Brasil, quase tão importante como a arquitetura religiosa; e certamente superior à religiosa como tipo ecológico de arquitetura para cujo desenvolvimento os portugueses parecem ter feito o melhor para adaptar às condições brasileiras e tropicais sua maneira europeia de construir prédios, mesmo na Europa tocada por certa influência moura ou oriental e logo enriquecida, no Oriente, com as lições sobre construção de residências nos trópicos, que aprenderam na Índia e mesmo com chineses. Daí a estrutura longa e baixa das casas-grandes típicas dos dias coloniais, com sala de visita, sala de jantar, às vezes vinte quartos, uma vasta e protetora varanda, alpendre ou copiar; e com telhado à maneira chinesa – estilo oriental de telhado introduzido no Brasil pelos portugueses – e que logo se mostrou capaz, quando prolongado em alpendre, de eliminar os excessos da luz e proteger a casa contra as pesadas chuvas tropicais.

A maioria das janelas das casas de residência no Brasil colonial eram de madeira, em estilo mouro; os quartos destinados às moças solteiras – camarinhas – ficavam no interior da casa, sem janelas voltadas para o exterior. De ordinário, um pátio proporcionava às senhoras – sinhás – e moças – sinhazinhas – da família espaço para sua recreação sem a necessidade de entrarem em contato com o mundo exterior: um mundo que, de acordo com a ortodoxia social dos patriarcas, era dos homens e só raramente das mulheres. A grande missão das mulheres no sistema patriarcal do Brasil – um sistema que desenvolveu um tipo tão útil de arquitetura – era a de administrar grande variedade de atividades domésticas que incluíam o bem-estar, não somente dos autocratas mais velhos, suas esposas e dos filhos pequenos mas, também, dos escravos, assim como dos agregados da vizinhança que, apesar de não serem escravos, dependiam do senhor e da senhora da casa-grande para inúmeras coisas, não só relativas à assistência religiosa, mas também à assistência médica.

Só quando se leva em consideração o quanto eram complexas as atividades da casa-grande típica de uma fazenda no Brasil patriarcal é que se compreende por que esse tipo de arquitetura não morreu inteiramente com a velha ordem social, tornando-se, pelo contrário, valiosa inspiração para modernos e arrojados tipos de construção que, na América portuguesa, constitui uma arte, assim como uma ciência; e que já se tornou conhecida pela sua praticabilidade, funcionalidade e efetividade, e não somente pelos seus brilhos estéticos, como em Brasília: nos palácios de Brasília, alguns dos quais, contra a melhor tradição brasileira da arte – ciência de construir –, mais esculturais que funcionais.

Essa arte, e também ciência, talvez tenha sua maior expressão criadora em trabalhos não brasileiros do arquiteto Lúcio Costa apesar de alguns reclamarem essa preeminência para outro arquiteto mais novo e também de grande talento: Oscar Niemeyer. As realizações de Lúcio Costa parecem resultar do fato de ele ser homem que estudou cuidadosamente o passado social do Brasil e de Portugal, refletido em suas formas tradicionais, regionais e funcionais da arquitetura. Ele mesmo já mostrou, em alguns de seus mais recentes trabalhos, a tendência para usar abertamente a cor no exterior de seus prédios, associando assim seu modernismo com as tradições mouras, portuguesas e brasileiras de uso livre e ostensivo de cores vivas e tropicais, e não somente o azul e o verde convencionais dos azulejos com motivos religiosos, na decoração externa dos prédios. Até mesmo grandes edifícios de apartamentos, onde o uso de cores fortes requer um cuidado todo particular na combinação de azuis com vermelhos, já estão sendo construídos no Rio: uma vitória para os escritores brasileiros que clamaram por isso desde o início do movimento "modernista" na arquitetura do Brasil. Escritores ligados ao Movimento Regionalista do Recife.

Outra preocupação recente é a de associar-se a vegetação tropical com a arquitetura moderna, o que também é tradição da velha arquitetura doméstica e patriarcal do Brasil, famoso pelos seus floridos jardins,[1] muitas vezes ligados com hortas em que se cultivavam legumes para o consumo doméstico, não somente para finalidades culinárias mas também médicas, higiênicas e profiláticas, assim como para decorar e perfumar o interior da casa quando se celebrava um aniversário ou outro evento familiar com um grande jantar ou uma vasta ceia. Para esse fim usava-se abundantemente a folha da palmeira, assim como as aromáticas e brilhantes folhas da árvore de canela.

É preciso não esquecer que o caráter doméstico mouro, de alguns dos mais modernos edifícios de apartamentos no Brasil, parece ser nova expressão da vitalidade de uma tradição arquitetônica herdada, pelos brasileiros, dos mouros – assim como a romana – através do português. Como resultado dessa herança, transmitida a espaço tropical tão grande como é o Brasil, tal tradição encontrou nesse espaço campo ideal para sua modernização. Ela se modernizara primeiramente no século XVIII, quando as casas senhoriais do próprio Norte de Portugal se tornaram maiores e mais elaboradas, graças ao grande impulso proporcionado à sua ampliação ou à sua reconstrução – ou à construção de novas casas – graças àquilo que ilustre estudioso inglês do assunto, Rodney Gallop, chamou de "o ouro brasileiro". Foi então que, de acordo com o mesmo observador, as referidas casas senhoriais tomaram sua "forma definitiva" – coisa que também aconteceria no Brasil com as casas-grandes, urbanas, de engenhos e de fazendas nas regiões mais prósperas: do açúcar, do ouro, e em época menos remota do café e do gado.

Em Portugal, como nas regiões mais prósperas do Brasil, é possível concordar com Gallop em que certo número de fatores – alguns diferentes, na Europa, dos que atuaram na América – manifestaram-se,

---

1 Em relação às "mansões particulares" da cidade de Belém, uma cidade caracteristicamente tropical, Charles W. Domville-Fife, em seu livro *The United States of Brazil* (London, 1910), usa as seguintes palavras: "As mansões particulares – já que na maioria dos casos elas podem ser assim classificadas – são bem construídas, com entradas imponentes, flanqueadas por grandes colunas de pedra. Situam-se no meio de jardins tropicais e raramente têm mais do que dois andares, sendo o segundo sempre circundado por uma varanda geralmente coberta por trepadeiras emaranhadas e floridas" (p. 121).

então, na arquitetura doméstica, em sentido contrário ao da influência moura. Associados às tendências neoclássicas da época, tais fatores concorreram para acentuar na arquitetura de residência, na da oficial, qualidades de solidez e de sobriedade. Somos tentados a dizer: qualidades romanas. De acordo com Gallop, "a fachada das grandes casas rurais portuguesas tornou-se notável por suas proporções harmoniosas e pela distribuição simétrica das muitas janelas com suas molduras de pedra, mais ou menos ornadas".[2] Essas duas características, a "distribuição simétrica" das janelas e seu grande número, tornaram-se típicas da arquitetura doméstica brasileira à medida que a mesma se foi tornando menos moura – isto é, menos ortodoxamente particularista – e mais romana, ou clássica – mais pública. E esse tipo de arquitetura doméstica, que o ouro tornou possível – o ouro e também o café: outro ouro –, parece ter-se desenvolvido em Portugal sob influência brasileira. E no Brasil sob influência neoportuguesa. A primeira, influência de substância; a segunda, influência de forma.

Há quem pense que o classicismo dotou os Estados Unidos de uma tradição arquitetônica insuperável em suas qualidades de monumentalidade e dignidade. No Brasil, o classicismo foi modificado por uma tendência experimental que é sentida ainda hoje no impulso em direção àquilo que Fiske Kimball – o conhecido historiador da arquitetura doméstica dos Estados Unidos – teria provavelmente considerado "formas originárias, expressivas de novos elementos na vida moderna". Os brasileiros parecem ter adquirido essa tendência experimental do português, que se tornou pioneiramente experimental em sua arquitetura nas Índias, onde teve que enfrentar "novos elementos" de vida: elementos tropicais e extraeuropeus. Foi então que ele os adotou experimentalmente, assimilando orientalismos das Índias e da China, além dos mouros, já assimilados na própria península ibérica, mas sem deixar de ser clássico no seu apego aos elementos de continuidade dentro de seu passado europeu, romano-mourisco.

É claro que nas condições atuais algumas das desejáveis combinações da tradição com modernidade na arquitetura do Brasil são

---

2 *Portugal: A Book of Folk, Ways*, Cambridge, UK, 1936, p. 42.

extremamente difíceis de manter, pelo menos nas áreas urbanas, pois apesar de alguns arquitetos estarem desenvolvendo uma arte que é genuinamente brasileira, vários planejadores urbanísticos, pouco ecológicos e pouco tropicais nas suas preocupações, não seguem os mesmos métodos: são por demais imitadores do que é "moderno" e que lhes chega da Europa e dos Estados Unidos; e por demais indiferentes ao planejamento de acordo com as condições peculiares a um país tropical como, em grande parte, o Brasil. Uma dessas desejáveis combinações é, evidentemente, a harmonia da vegetação com a construção. Mas a terra está cara demais e os planejadores urbanísticos nas capitais brasileiras não vêm tomando o devido cuidado para garantir a indispensável presença de vegetação nas áreas urbanas, a não ser sob a forma convencional de pequenos jardins públicos, puramente ornamentais, geralmente no estilo artificial e simétrico de Versalhes. Exatamente o menos adaptado a um país tropical como o Brasil. Mesmo Petrópolis, perto do Rio de Janeiro – que desde os dias de Dom Pedro II é para a antiga capital brasileira aquilo que Newport foi para Washington, Altaussee para Viena e Yalta para São Petersburgo –, está altamente afetada pelo divórcio, quase sempre tão violento no Brasil moderno, entre a arquitetura e o planejamento urbanístico. Mesmo ali a vegetação deixou de ser defendida contra a expansão desordenada dos edifícios estritamente comerciais.

Quanto ao Rio, nenhum europeu ou anglo-americano encontra ali, atualmente, como teria encontrado nas primeiras duas décadas deste século, "caminhos repousantes, como aqueles das cidades marítimas do norte de Portugal", tão exaltados por um inglês que visitou o Brasil durante a Primeira Grande Guerra: "pequenas praças madornando ao sol, ao lado de jardins europeus onde as crianças brincam e riem, e pátios sombrios, cujo pavimento de mármore ou azulejo brilha entre flores brancas ou púrpuras, e belas samambaias". Mesmo no coração da cidade – no Largo da Carioca, por exemplo – havia lugares assim, repousantes e "cheios da fragrância etérea das noites tropicais".[3]

---

3 J. O. P. Bland, *Men, Manners, and Morals in South America*, London, 1920, p. 54.

Uma das tarefas inerentes ao planejamento urbanístico no Brasil é preservar essa fragrância, essa atmosfera ou esse encanto tropical, em cidades que estão perdendo sua alma para precariamente se modernizarem. Aquilo que os melhores arquitetos brasileiros de hoje estão conseguindo fazer com êxito é demonstrar que é possível construir edifícios totalmente modernos que conservam, ao mesmo tempo, formas patriarcais, personalísticas e familiais do passado brasileiro: algo de um passado que representa longo processo de adaptação de valores europeus a condições tropicais.

Há já algum tempo um geógrafo inglês assinalou que inúmeras belas orquídeas eram mandadas para o seu país – isto é, para a Europa – por negociantes residentes na América do Sul, especialmente no Brasil, e assim introduzidas nos jardins europeus. É fato conhecido que os europeus, especialmente os comerciantes ingleses, tornaram-se famosos no Brasil devido à sua preferência em viver não em casas recém-construídas mas em velhas quintas, chácaras ou casas suburbanas, construídas por brasileiros de acordo com velhas tradições portuguesas adaptadas ao trópico: ao trópico americano. No Brasil, os ingleses e outros europeus tornaram-se verdadeiros entusiastas das plantas, samambaias e cactos que, em geral, já se encontravam associados com as casas que transformaram em suas residências brasileiras, às vezes durante longos anos. Deles é o mérito de terem percebido que o problema da residência europeia no Brasil tropical já tinha sido resolvido por portugueses, e por seus continuadores brasileiros; e o que alguns desses estrangeiros acrescentaram a essas casas ecológicas foi tão somente melhoramentos em suas instalações sanitárias e, em alguns casos, o desenvolvimento maior do que aquele conseguido pelos brasileiros, do espaço reservado em seus jardins residenciais às orquídeas, às acácias e a outras belas flores tropicais notáveis pelo seu viço e pelas suas cores.

Tudo indica que os ingleses, e outros povos, que a princípio criticaram as residências brasileiras pelo fato de não terem assoalhos de madeira, em geral acabaram convertidos ao sistema brasileiro. Um deles, tendo chegado ao Brasil nos últimos anos da década dos sessenta do século XIX, descobriu que as casas não possuíam assoalho de madeira e que as residências mais importantes tinham assoalho de mármore ou ladrilho de acordo com o gosto e as possibilidades do proprietário, sendo que as mais humildes não possuíam nenhum tipo de assoalho. A princípio, ele ficou profundamente chocado com tal situação, mas depois de quarenta anos de moradia no Brasil, esse mesmo inglês – certo Mr. Bennett, que viveu primeiramente em Pernambuco e depois no Rio Grande do Sul – escreveu que os pavimentos de mármore ou ladrilho, tal como ele os conhecera em casas de Pernambuco, eram "muito mais adequados às condições climáticas que prevaleciam no país". Foi nessas casas patriarcais que Mr. Bennett travou conhecimento direto com escravos brasileiros e descobriu, com seus próprios olhos, que os mesmos tinham casa, comida e vestuário pagos pelos seus senhores, sendo que, em muitos casos, "viviam melhor do que muita gente livre (...) na Inglaterra dos nossos dias, que, apesar de seu árduo trabalho, não ganham o suficiente para se manter em boas condições (...)". Assim sendo, ele não se mostrou inteiramente indignado contra a escravidão, como instituição doméstica e patriarcal, ao observar que, no Brasil que ele conheceu, por volta de 1868, "havia uma linda casa (em Pernambuco) construída por um homem que amealhou sua fortuna no comércio de escravos, e que no jardim dessa casa havia várias estátuas, as quais certa manhã apareceram todas pintadas de negro!".[4] Mr. Bennett ficou simplesmente divertido com o episódio, o qual, incidentalmente, nos relembra o costume predominante entre os arquitetos, durante o Império, de decorarem não só os prédios residenciais, mas também os comerciais e públicos, com estátuas, a maioria fabricada na cidade do Porto, em Portugal. Muitas ainda são encontradas em nossos dias: representam as "quatro estações" (primavera, verão, outono e inverno), os "quatro continentes" (Europa, Ásia, África e América), Júpiter, Netuno e os outros deuses clássicos. Bustos de homens famosos também eram usados para os mesmos propósitos decorativos, harmonizando-se muito bem a brancura do seu mármore ou da sua cerâmica com cores vivas – vermelho, azul, púrpura, amarelo, rosa – dos prédios, e o verde da vegetação tropical. Entre os homens famosos cujos bustos ainda podem ser encontrados, decorando

---

4   Frank Bennett, *Forty Years in Brazil*, London, 1914, p. 10.

velhos prédios, no Brasil, estão Camões, o marquês de Pombal, e Dom Pedro II, imperador do Brasil.

Os europeus que visitavam o Brasil até os primórdios deste século mostraram-se agradavelmente impressionados pela harmonia de cores oferecida pelos velhos prédios, alguns deles pintados ou recobertos com azulejos verdes, azuis, amarelos, rosa ou castanhos; e cercados, como acontecia com a maioria das residências patriarcais de então e mesmo os edifícios públicos, pela vegetação: plantas, árvores, jardins de um verde brilhante. Algumas das cidades brasileiras, nas quais a vegetação era complemento da arquitetura das casas residenciais, davam a impressão de terem sido construídas no meio daquilo que outro viajante inglês, certo Mr. Martin, descreveu como "várias pequenas plantações que se assemelhavam a parques".[5]

Tal como o seu compatriota, Bennett, em relação ao assoalhamento com madeira pouco comum no Brasil – desde que não poucos brasileiros passaram a considerar o mármore melhor material que a madeira para assoalhos não apenas para os prédios oficiais mas também para os residenciais –, Martin converteu-se ao costume brasileiro de dar aos prédios residenciais numerosas portas e janelas abrindo para aquelas "plantações que se assemelhavam a parques". Escrevendo particularmente sobre Belém, Martin observou que tanto as portas como as janelas nas casas residenciais eram tão altas e largas quanto possível, a fim de assegurar a entrada de uma constante corrente de ar. Sobre as portas construíram aberturas de ventilação, sendo que as próprias portas muitas vezes possuíam uma metade em veneziana.

Outros brasileirismos na arquitetura doméstica atraíram a atenção de idôneos observadores estrangeiros durante o século XIX, tudo indicando que obtiveram a aprovação de vários ingleses como Mr. Martin – inglês típico do final do século XIX quanto à educação, mas cosmopolita o bastante a fim de admitir que os brasileiros estavam criando uma arquitetura ecológica. Um desses outros brasileirismos consistia em apresentarem-se "as paredes sem forros de papel (...)

---

5 Percy F. Martin, *Through Five Republics of South America*, London, 1905, p. 167.

mesmo nas residências mais luxuosas": eram "caiadas de branco ou verde". Ainda outro brasileirismo arquitetônico eram os tetos, "de madeira, pintados da mesma cor das paredes ou então envernizados". E um terceiro: Martin observou que as escadas de madeira eram deixadas invariavelmente descobertas, sem tapete, o que lhes dava um aspecto um tanto ou quanto despido, mas incontestavelmente refrescava os interiores. E um quarto: notou ainda que todas as janelas eram providas de venezianas, construídas de modo a evitar a luz solar intensa, mas permitindo a entrada do ar livremente.[6] Função idêntica, ou semelhante, parece ter sido a da varanda, que em muitos casos cercava toda a casa.[7]

---

6   Ibidem, p. 168-169.
7   De acordo com Mário de Andrade em seu ensaio *Arte*, incluído no livro *Brazil* (organizado por Lawrence F. Hill, Berkeley/Los Angeles, 1947, p. 184), a planta básica retangular nas construções da arquitetura colonial brasileira "parece revelar uma certa promiscuidade de classes que nasceu da necessidade de defesa. (...) Contudo as distinções de classe levaram, eventualmente, a distinções correspondentes nos planos de construção. Os exemplos mais característicos são os terraços e os pórticos cobertos, os quais eram encontrados nas capelas e também nas "casas-grandes". (...) Apesar de sua sombra ser uma proteção contra a intensidade tropical do clima, a função dos balcões e terraços foi primordialmente social: eles serviam para as comunicações entre senhores e escravos, ou então, para as transações comerciais".

É duvidoso que a função desses terraços fosse primordialmente "social". Para mim, os pórticos, nas capelas, parecem ser um tropicalismo desenvolvido pelos portugueses, primeiro na Índia, e mais tarde no Brasil, apesar de terem sido, em raros casos, precedidos por igrejas europeias com pórticos. Ler a esse respeito o capítulo "The Arts in Brazil", em *Portugal and Brazil, Introduction*, um excelente livro do professor Robert Smith, editado por H. V. Livermore, Oxford, 1953, p. 370, nota 13.

Tal como observou Richard Burton, em *The Highlands of the Brazil*, London, 1869, II, 39, há quase um século, ao falar sobre uma casa-grande que ele visitou em Minas Gerais e caracterizou como "casa senhorial de estilo normal", esse tipo de residência, quando ortodoxa, tinha na frente uma grande varanda, da qual o proprietário podia fiscalizar a destilaria, a moenda (cana-de-açúcar) (...) e também a capela, as senzalas e outras atividades. Esqueceu-se o autor de mencionar que o proprietário permanecia na varanda sentado, ou reclinado, em seu trono – uma rede – apesar de em outra passagem de seu livro referir-se a habitantes de um vilarejo do século XIX – moradores em casas modestíssimas – que passavam as horas mais quentes do dia reclinados em suas redes "balançando-se, fumando e comendo melancia" ou sentados num lugar sombrio da casa e "recebendo visitas" (II, 357). É preciso não esquecer que sempre foi tradição na arquitetura

Tais brasileirismos não eram peculiares ao Nordeste do Brasil e podiam ser vistos, nos primeiros anos do século, nas residências do Rio e de São Paulo, mais tipicamente brasileiras, onde ainda não se encontravam tapetes, nem chão de madeira, nem papel de parede nem outros costumes norte-europeus, que passariam a ser considerados o máximo do refinamento pelos imitadores passivos da Europa. Imitadores de modelos europeus que não levavam em consideração o clima tropical ou quase tropical do Brasil, copiando aquilo que viam nas casas de brasileiros recém-chegados da Europa, ou nas de estrangeiros superficialmente radicados no trópico. Alguns estrangeiros residentes em cidades brasileiras viviam, com efeito, como inimigos declarados de tudo o que fosse tropical e sentiam a necessidade de guardar a maior lealdade possível aos estilos e costumes europeus. A imitação de tais costumes e estilos começou a afetar os brasileiros nos começos do século XIX, quando o uso do vidro começou a substituir os muxarabis, de origem moura, nas janelas, e o chalé suíço passou a ser a moda para as residências, apesar de em vários desses chalés utilizar-se uma espécie de meio-termo entre o estilo europeu de construção e alguns dos já mencionados brasileirismos arquitetônicos, tais como portas e janelas muito altas e largas, e venezianas. Venezianas que em algumas das mais velhas moradas brasileiras

---

doméstica do Brasil as casas terem varandas, terraços ou alpendres ou lugares sombrios onde o proprietário recebia visitas ou apreciava, protegido contra o sol e o calor, o exterior. Recentemente o prof. Lynn Smith, notável sociólogo norte-americano, viajando pelo Sul do Brasil, observou que nas melhores e mais modernas fazendas de café e de outros produtos as casas dos colonos eram construídas de maneira a formar uma espécie de vilarejo e que o "ponto de orientação" dessas fazendas continuava a ser, como nos velhos tempos patriarcais, "a casa-grande", "geralmente bem construída e confortável (...) cercada por gramados muito bem tratados e jardins, que quase sempre incluíam uma piscina azulejada (...) terrenos para secagem do café, o moinho para limpeza e seleção do grão, e os estábulos para o gado (...), o armazém, os escritórios (...), o abatedouro (...), geralmente uma escola e uma capela (...) e muitas vezes uma estação na via férrea (...) casas para os colonos que fazem o trabalho manual *(Brazil: Its People and Institutions*, New York, 1954, 2. ed., p. 324). Em relação aos contatos entre as casas-grandes e as residências de gente menos importante, numa rústica subárea tropical do Brasil, consultar: *Amazon Town: A Study of Man in the Tropics*, New York, 1953, do prof. Charles Wagley.

foram precedidas por aqueles muxarabis de origem moura, e pelos postigos de origem indiana.

É preciso não esquecer nunca – repita-se – que o português que colonizou o Brasil, fazendo de nosso país desde o século XVI seu lar permanente, e não apenas lugar de aventuras de nômades nos trópicos – como acontecia com os franceses, os ingleses e a maioria dos holandeses, nos séculos XVI e XVII –, trouxe do Oriente uma quantidade de orientalismos, alguns deles aplicados à arquitetura, ou à higiene doméstica. O estilo chinês das telhas e dos telhados foi um desses; as portas largas, outro. Com o uso amplo de azulejos para o interior e exterior das casas, os portugueses já tinham assimilado dos mouros e árabes, desde os dias da ocupação mourisca da península ibérica, alguns orientalismos básicos que foram introduzidos em sua arquitetura doméstica no Brasil como proteção contra os excessos – sob o ponto de vista europeu – do clima tropical. Um desses orientalismos básicos parece ter sido a construção de paredes muito grossas, contra o calor. Essas paredes, feitas de pedra ou tijolo, davam a algumas residências brasileiras a aparência de fortalezas; e fortalezas algumas delas o foram durante os críticos dias em que os ameríndios atacavam os estabelecimentos europeus; ou os franceses e ingleses, as casas portuguesas.

Mas esse fato não nos deve levar à crença de que os ameríndios e os portugueses, os portugueses e outros europeus, estivessem sempre em luta no Brasil; e não tenham tido relações amigáveis, no século XVI, nos dias heroicos e difíceis quando as bases para uma civilização permanente – inclusive uma arquitetura doméstica permanente – estavam sendo lançadas. As relações de amizade se alternavam com as hostilidades entre os grupos rivais; mas talvez em nenhuma outra parte da América as duas etnias e suas culturas – a europeia e a ameríndia – se tenham encontrado com tal reciprocidade étnica e cultural como aconteceu no Brasil, através da união de portugueses com mulheres ameríndias, e da adoção, pelos ameríndios, de valores europeus, e de valores ameríndios pelos europeus.

Em relação a uma arquitetura de tipo permanente, não havia nada que os ameríndios nômades pudessem oferecer aos portugueses, mais inclinados que outros europeus a adotar valores tropicais dos povos tropicais, adaptando-se assim a esforços não europeus de acordo com técnicas e métodos já usados pelos nativos. Foi preciso, mesmo assim, algum tempo – e algum esforço – da parte dos portugueses, para transformarem em características de suas casas no Brasil tropical ou semitropical – inclusive em São Paulo no século XVI – o uso, nos alpendres, de redes ameríndias. Muitos dos colonizadores adotaram tais redes como cama habitual e até mesmo leito conjugal. Os ganchos, para a colocação de redes nos alpendres e nos quartos, tornaram-se característicos nas casas brasileiras. Se concordarmos com os modernos observadores europeus em que as cortinas pesadas e o mobiliário estofado devem ser evitados num clima tropical, temos que reconhecer que, adotando a rede, e transformando-a em acessório essencial de suas casas, o português no Brasil foi o pioneiro da moderna arquitetura funcional, assim como do moderno mobiliário funcional para os trópicos, já que as duas coisas – arquitetura e mobiliário – são inseparáveis. Europeus e anglo-americanos mostram-se surpreendidos com o uso, em larga escala, da rede em lares brasileiros, especialmente no Norte do Brasil, mas alguns estão chegando à conclusão de que, sendo facilmente laváveis, as redes são muito mais higiênicas do que as camas. Um arquiteto suíço de nossos dias, Siegfried Giedion, já chamou a atenção dos seus colegas para a atualidade da rede, do ponto de vista funcional e estético.

Sendo o material empregado na fabricação das redes brasileiras de origem a mais local possível – capim, barbante, fibras, penas de pássaros – apesar de alguns burgueses refinados preferirem materiais europeus, como o linho e a seda, tentando assim combinar uma forma tropical simples, quase franciscana, com ricos e refinados materiais europeus – a rede é complemento tão necessário a uma residência tipicamente brasileira que a sua ausência parece indicar estrangeirice, falta de adaptabilidade ao ambiente tropical, inabilidade em trocar o bom sofá de molas forrado de couro, da burguesia inglesa, ou anglo-americana, por algo tão leve, franciscanamente simples e apenas aparentemente desconfortável, como seja a rede. Mas, sob o ponto de vista artístico, as redes podem ser o oposto da simplicidade franciscana, harmonizando-se mais do que o franciscanismo com o barroco ou rococó português que, durante o século XVIII, tornou-se característico das residências luso-brasileiras de campo.

Algumas redes chegam a ser muito elaboradas quanto à sua feitura. São vistosas, com seu colorido brilhante. E acrescentam aos seus belos bordados, mouro-portugueses, franja de beleza quase principesca ou quase oriental. Existiam redes assim luxuosas destinadas ao uso especialíssimo na noite de núpcias. Outras, suavizadas com penas de pássaros tropicais, servem para o digno repouso dos *grand seigneurs*: os que, outrora, podiam dar-se ao luxo de passar a maior parte de seu tempo em casa.

Em um de meus ensaios anteriores, disse que, nas velhas casas dos engenhos coloniais, a rede, instalada nas varandas das casas-grandes, era o verdadeiro trono do qual os senhores dos grandes engenhos e das grandes fazendas brasileiras reinavam sobre seus domínios quase como monarcas absolutos. Isso explica por que certas redes se apresentavam tão elaboradas e ricas em cores vivas: eram o trono de autênticos pequenos reis.

Será que certos brasileiros se vêm envergonhando da rede como outros da velha arquitetura doméstica? Até certo ponto, parece que sim. Em lugar de rivalizar com a cama burguesa, a rede é usada, atualmente, em lares brasileiros, simplesmente para repouso, na varanda da casa. Somente entre a população rústica do Norte do Brasil continua a substituir a cama. Mas todos os verdadeiros brasileiros se rejubilarão ao ouvir os elogios feitos à rede por arquitetos europeus que se interessam também pelo mobiliário complementar às casas modernas, num sentido mais funcional do que o antigo. É lamentável que a iniciativa de criar um mobiliário ultramoderno, leve, flexível, inspirado nas curvas sugestivas da rede tropical, venha sendo europeia quando, logicamente, deveria ser brasileira.

Os brasileiros sentem orgulho da modernização de seu velho estilo arquitetônico por modernos arquitetos brasileiros que são louvados pelos europeus e anglo-americanos como um dos grupos mais arrojados de jovens especialistas na importante arte e ciência da construção. A verdade, porém, é que tal modernização significa que na velha arquitetura brasileira – resultante de um processo de adaptação de valores europeus aos trópicos, processo que se desenvolveu através de vários séculos – existiam já, em potencial, soluções adequadas aos problemas atuais. É uma arquitetura que simboliza importante vitória humana sobre um tipo não europeu de espaço: o espaço tropical. Que significa uma vitória básica à qual talvez seja comparativamente fácil acrescentarem-se outras vitórias, essas sobre moderno espaço-tempo. Importam essas novas vitórias na adaptação da conseguida através do sistema patriarcal de vida, nos trópicos, aos interesses, às necessidades e às conveniências de uma civilização, como a brasileira de nossos dias, que cessou quase que completamente de ser patriarcal, tornando-se menos personalista e mais coletivista do que a patriarcal que a precedeu. E não somente a precedeu, mas a fez possível como civilização adaptada a um espaço tropical e a um novo ritmo de vida.

Esse o trabalho grande e básico dos pioneiros portugueses no Brasil e dos seus descendentes imediatos: eles fizeram que tal adaptação fosse real, permanente e flexível. Tão flexível que poderia ser continuada por homens, mulheres e crianças cujas inter-relações tivessem deixado de ser reguladas ou ordenadas por um sistema patriarcal de organização social ou familial.

Quando os reverendos Daniel P. Kidder e James C. Fletcher, dos Estados Unidos, visitaram o Brasil nos meados do século XIX, fizeram inteligente comentário sobre a psicologia dos brasileiros como povo patriarcal. Depois de notarem que *"os antigos romanos viviam em público, sua existência parecia fazer parte do 'forum' do banho público, do circo e do teatro"*, sem que deixassem de estimar a vida de família, observaram da gente portuguesa: *"é mais romana neste aspecto do que qualquer outro povo vivo. O lar e a família existem e indubitavelmente para os lusitanos, que devem este fato aos mouros. Os mouros enxertaram nessa raça latina algo do exclusivismo oriental. Os portugueses, e seus descendentes americanos, até hoje, vigiam, com olhares ciumentos, seus lares, e, passando muitas horas dentro de tais recintos, que são seus castelos, isto fez que o apego ao lar e às ligações familiares aumentasse e fosse perpetuado".*[8]

Isso explica por que os brasileiros puderam desenvolver uma arquitetura doméstica (e um mobiliário complementar à sua arquitetura) a qual já foi reconhecida por europeus e anglo-americanos

---

8 Fletcher; Kidder, op. cit., p. 162.

como arte realmente original: arte e ciência. Tal arte fez que um sistema de vida predominante, mas não exclusivamente europeu, se tornasse possível em vasta região tropical, ou semitropical, como aquela em que, há quatro séculos, se desenvolve a civilização brasileira. Talvez seja essa a maior das contribuições portuguesas e brasileiras para a civilização humana.[9] Pois alguns europeus, ou europeizados, não portugueses, no momento, enfrentam o mesmo problema – o de adaptar valores europeus a ambientes tropicais, através da arquitetura, assim como do mobiliário, da culinária, e do vestuário – em várias regiões da Ásia, África e América semelhantes em clima e em condições físicas ao Brasil, descobrindo então que lições valio-

---

9 De acordo com Mário de Andrade, a solução para o controle do calor e da claridade sobre superfícies de vidro, graças ao uso de toldos, desenvolveu-se principalmente em torno de uma ideia de Le Corbusier, desenvolvida pela "escola do Rio de Janeiro", isto é, por um grupo de modernos arquitetos liderados por Lúcio Costa; e foi mais tarde melhorada por Oscar Niemeyer. Andrade menciona o fato de que o arquiteto norte-americano Philip L. Goodwin considera essa solução como "a maior contribuição do Brasil para a arquitetura moderna" (*Brazil*, obra coletiva organizada por Lawrence F. Hill, p. 193). Tal "contribuição" pode ser incluída entre as recentes invenções que criam novos valores e novas possibilidades à vida no lar, tanto nos trópicos como em outras regiões, juntamente com o ar-condicionado, a refrigeração elétrica, o rádio e a televisão.

O mais importante passo para um novo desenvolvimento com relação à moradia provavelmente surgirá de maior integração da casa em sua vizinhança, de acordo com o planejamento arquitetural antecipado, associando casa a parques públicos, a gramados, a *playgrounds*, a escolas, igrejas, lojas e hospitais: tendência que começa a fazer-se sentir no Brasil, onde, entretanto, a arquitetura caminha muitos passos à frente do planejamento social das cidades. Nos Estados Unidos, esforços semelhantes resultaram altamente compensadores para a elevação do nível de salubridade e de moral, tal como foi demonstrado por S. McKee Rosen e Laura Rosen, em *Technology on Science*, New York, 1951, p. 265.

Esses problemas foram lucidamente estudados pelo prof. Lewis Mumford no seu *Technics and Civilization*, New York, 1934. É lamentável que um sociólogo como Mumford não esteja mais familiarizado com sociedades e arquiteturas em períodos de transição sociologicamente significativa, como a brasileira. A mesma deficiência – a falta de conhecimentos exatos dos aspectos sociológicos da arquitetura brasileira, a qual se está tornando moderna sem deixar de ser brasileira – também é lamentável em outros excelentes livros sobre o assunto, como *The Evolving House*, Cambridge/Massachusetts, 1936, de Albert F. Bemis, e *Tropical Architecture* por Maxwell Fry e Jane Drew, New York, 1956.

sas podem ser aprendidas da nossa nação. O trabalho pioneiro do Brasil em tais adaptações é, na verdade, um exemplo para os citados europeus e europeizados não somente em suas formas mais toscas, mas também nas mais refinadas, adaptáveis às condições modernas por arquitetos brasileiros de nossos dias como Costa, Niemeyer, Mindlin, Bernardes, e os irmãos Roberto.

Os povos modernos começam a viver numa civilização predominantemente industrial e coletivista, o que torna imperativo aos homens e mulheres de nossos dias viver a maior parte de sua existência em público. A arquitetura brasileira é suficientemente flexível para permitir a homens, a mulheres e a crianças viver a maior parte de suas vidas em parques tropicais, onde as últimas podem brincar à vontade, os jovens manter seus líricos contatos pré-nupciais, e os trabalhadores cansados e os velhos, descansarem, passeando entre as árvores, repousando em atraentes redes ou em seus substitutos de madeira ou alumínio.

Mas a arquitetura brasileira parece manter algo essencialmente doméstico: talvez o seu elemento mouro em contraposição ao romano. Essa intimidade, essencialmente doméstica, é encarada por alguns psicólogos modernos como uma espécie de necessidade – talvez necessidade total – dos homens e das mulheres modernos, para amenizar a fadiga que sentem de uma vida passada publicamente em estádios, cinemas, teatros e igrejas, ou em longas horas em fábricas, oficinas, escritórios e outros lugares de atividade pública. Alguns estudiosos acham que o rádio e a televisão vieram trazer uma espécie de renovação dos sentimentos de apego ao lar e do sentimento gregário das famílias nas populações superindustrializadas. Se tal realmente está acontecendo, o elemento de intimidade doméstica, característico da arquitetura brasileira – elemento, esse, geralmente associado apenas às reuniões de família mas que pode ser levado ao ponto de incluir reuniões não familiares de grupos cujos vínculos sejam mais personalísticos do que mecanicamente coletivistas –, faz a arquitetura brasileira psicologicamente ideal como cenário ou ambiente para esse tipo de associação "doméstica" ou "privada". É preciso visitar um moderno edifício de apartamentos – dos amplos, mas cordiais – do Rio, para compreender como a conciliação entre os elementos de arquitetura romana e moura, o público e o privado, mobiliário e planejamento urbanístico, são possíveis em uma arquitetura como a brasileira que desde o início mostrou tendência em adaptar-se ao espaço tropical – ao sol, ao ar livre, às brisas – sem deixar de valorizar o "particular" e a "intimidade" pessoal.

Em seu livro sobre a arquitetura brasileira, Philip L. Goodwin comenta que a "característica principal das velhas casas brasileiras é o contraste interessante entre a grande varanda – ou alpendre ou terraço – com sua ampla vista, e pátio interior". É como se ele tivesse sentido, quase sem o querer ou saber, o elemento romano nessas casas, representado pela "grande varanda com sua ampla vista"[10] – em outras palavras, uma espécie de expressão pública do sistema patriarcal –, como sendo complementar do elemento mouro, representado pelo pátio interno e fechado, onde a intimidade era resguardada contra o excesso de contato com o mundo exterior. Pois a típica arquitetura brasileira – aquela desenvolvida durante os séculos coloniais, e modernizada recentemente por arquitetos que, não sendo coloniais no seu espírito, sabem, porém, que devem acrescentar à fria atitude experimental o respeito àquilo que seus predecessores fizeram no Brasil para adaptação de valores europeus ao espaço tropical – harmoniza inteligentemente extremos. Especialmente os dois aqui destacados, com propósitos de classificação sociológica ou de simples caracterização, como elemento romano e elemento mouro, tal como vêm sendo, antes sentidos, ou percebidos na arquitetura brasileira, em particular, e na sua cultura da gente brasileira, em geral, por grande número de observadores, quer nacionais, quer estrangeiros. Nestas páginas tenta-se substituir a simples intuição pela percepção de tais elementos; e ir além: classificar sociologicamente os mesmos elementos.

Goodwin observou que os modernos edifícios de apartamentos do Rio, em frente ao mar, dificilmente "deixam de ter um espaço livre, em parte recoberto", e vidraças contínuas que formam uma espécie de biombo, absolutamente essencial na maior parte dos Estados Uni-

---

10 *Brazil Builds: Architeture New and Old*, New York, 1943.

dos, de acordo com o mesmo especialista em arquitetura, mas desnecessário nas cidades brasileiras à beira-mar.

E "isto encoraja abertamente", observa Goodwin, "uma agradável relação entre a vida ao ar livre e a vida dentro de casa. Essa exposição ao ar livre estende-se às lojas que são geralmente abertas, protegidas, durante a noite, apenas por portas de correr, de ferro gradeado".[11]

Aqui temos uma prova do fato de que os velhos elementos mouro e romano, um criando intimidade, outro favorecendo as relações entre o que está dentro de casa e o que está fora, continuam a ser característicos da mais genuína arquitetura, quer doméstica, quer comercial, do Brasil. Tal como assinala o mesmo autor, a exclusividade e a intimidade doméstica sempre atraíram fortemente os latinos sendo "uma das conspícuas diferenças entre a América do Norte e a Latina". Daí sua conclusão de que "a entusiástica acolhida às proteções contra o sol, desde a simples *rótula* até as do tipo mais complicado, deve-se ao fato de que elas proporcionam o tipo de intimidade que os brasileiros apreciam há séculos".[12] Assim sendo, quando um arquiteto de nossos dias construiu em São Paulo duas casas, uma para o sr. Frontini, outra para o sr. Arnstein, combinando aquilo que Goodwin chama de "o mais completo e satisfatório uso de um terreno pequeno com todos os requisitos do íntimo doméstico, sem entretanto, sacrificar a desejável exposição ao ar livre", pode-se afirmar, sem erro, que esse arquiteto trabalhou dentro das mais genuínas tradições da arquitetura doméstica brasileira.

Foi o valor dessa combinação – talvez ideal – que muitos críticos estrangeiros, intolerantes em relação às rótulas das casas brasileiras, não compreenderam que é uma solução nossa para o problema da construção nos trópicos: uma solução que os brasileiros, precedidos pelos portugueses que colonizaram nosso país depois e durante sua frutífera experiência em outras áreas tropicais, alcançaram através da permanente, não nomádica, residência na América tropical, menos como indivíduos, ou expatriados da Europa, do que como fundadores de uma sociedade patriarcal: homens decididos a ficar, a crescer

---

11 Ibidem, p. 97.
12 Ibidem, p. 98-99.

e a multiplicar-se em filhos e netos, nos trópicos. Decididos a ficar e a crescer em um espaço tropical, como parte de um sistema familial e patriarcal que precisava resguardar sua intimidade, mas não ao extremo de se isolar completamente do ensolarado mundo externo, do ar livre, das árvores, dos demais seres humanos, além dos membros de uma família não só biológica como sociológica.

Observadores estrangeiros atuais demonstram melhor compreensão das modernas expressões dessa conquista brasileira realmente antiga na arquitetura doméstica. Um deles, o já tão citado Goodwin, observa que apesar de ter sido Le Corbusier quem usou pela primeira vez, no ano de 1933, as persianas exteriores móveis no seu projeto não executado para Barcelona, "foram os brasileiros que em primeiro lugar transformaram a teoria em prática". Refere-se com certeza às venezianas externas móveis que os franceses chamam de "brise-soleil" e os brasileiros de "quebra-sol", elogiando não somente aquelas existentes no edifício do Ministério da Educação e Cultura, no Rio de Janeiro, mas também as horizontais, da Estação de Passageiros de Cabotagem Correa Lima, também no Rio, e as verticais e ajustáveis usadas por Oscar Niemeyer no *Yacht Club* da Pampulha, em Belo Horizonte, e na Obra do Berço, ainda no Rio, e as venezianas, igualmente verticais – mas diferentes das de Niemeyer – usadas pelos irmãos Roberto para o edifício da Associação Brasileira de Imprensa, também no Rio. Essas versões modernizadas das venezianas permanecem dentro de velha tradição portuguesa ou brasileira – a tradicional rótula mourisca dos tempos coloniais –, a qual pode ser apreciada, em versão modernizada, no novo hotel de Ouro Preto, assim como em gradeados e frisos de madeira, ou cimento, e em venezianas de vários tipos em numerosos edifícios brasileiros. Especialmente nos residenciais.

Devido ao valor dado pelos modernos arquitetos brasileiros e pelos estudiosos estrangeiros da arquitetura brasileira a elementos da mesma arquitetura que nasceram durante o período dos engenhos patriarcais, quando a vegetação rústica representava o papel de parques, nova importância vem sendo dada ao arquiteto-paisagista. É ele quem tem que dar à arquitetura tipicamente brasileira – agora que as fazendas particulares e mesmo as chácaras suburbanas e as casas-

-grandes desapareceram quase que completamente – sua ambientação ou integração na vegetação tropical do país, através de um ajustamento inteligente da construção com a vegetação. Esse é o trabalho que vem realizando um artista brasileiro de excepcional talento: Roberto Burle Marx. Não somente em residências particulares, relacionando-as com a paisagem, mas também em hotéis e cassinos, integrando-os harmoniosamente em jardins e em vias públicas arborizadas. Tal como os arquitetos: irmãos Roberto, Lúcio Costa, Sérgio Bernardes, Henrique Mindlin, ele é um artista cuja audácia, como experimentalista, é moderada pela convicção de que o passado patriarcal do Brasil foi criador e não negativo.

Se o prof. V. Ogden Vogt está certo quando diz que uma das características da arquitetura moderna é a de ter conseguido "ligar os espaços internos com os externos",[13] então a atual arquitetura brasileira deve ser considerada caracteristicamente moderna. Através de seus edifícios, os brasileiros começam a dizer, na linguagem da arquitetura, algo que vem de seu passado: sua experiência, seu desenvolvimento americano numa área tropical, que é ao mesmo tempo uma constante e uma incessante renovação. Com o que voltamos à persistência dos dois elementos que sempre foram característicos do desenvolvimento cultural e social brasileiro: sua integração de "espírito particular" e "cultura social". O que, a ser verdade, parece indicar que, a despeito da escravidão, do latifúndio e da monocultura, esse desenvolvimento favoreceu tal integração, que talvez esteja encontrando sua melhor expressão na arquitetura: uma arquitetura que coloca o Brasil, nesse particular, entre as nações mais criadoras de nosso tempo. Mas é também o característico da culinária brasileira; da música, inclusive da que atualmente associa à tradição lírica, particularista, o protesto coletivista; da literatura de Euclides da Cunha a Guimarães Rosa, a Jorge Amado, a Carlos Drummond de Andrade, igualmente notável pela associação do particularismo lírico ao protesto coletivista. O que é certo também da pintura de Di Cavalcanti e de Lula Cardoso Ayres, de escultura de Celso Antônio e até daquela

---

13 *Cult and Culture*, New York, 1951, p. 126.

Sociologia brasileira em que ao particularismo quase lírico, na apreensão de intimidades nacionais e regionais, junta-se o universalismo público, científico, transferível e outras situações que não a brasileira.

A criatividade brasileira tem suas raízes num sistema familial que foi, durante quatro séculos, o centro do desenvolvimento brasileiro em um novo tipo de civilização. Esse sistema familial criou a cozinha brasileira, a música brasileira, a literatura brasileira, a diplomacia e a arte política brasileiras, a reinterpretação das leis romanas, através do trabalho gigantesco do jurista Augusto Teixeira de Freitas: autêntico produto do patriarcalismo brasileiro e de seu realismo ético. E também foi esse sistema familial que lançou as bases da fundação da moderna arquitetura brasileira, talvez a maior contribuição de nosso país para o desenvolvimento humano nos trópicos.

Um sociólogo norte-americano, estudioso das relações entre família e civilização, o prof. Carle C. Zimmerman, escreve que "os períodos criadores na civilização basearam-se no tipo doméstico".[14] A cultura brasileira, em geral, e a arquitetura em particular, como criações de um sistema patriarcal de família peculiar ao Brasil, e como expressões daquilo que pode ser considerado, mais que um sistema de família, um tipo de civilização – parte integrante de um grande complexo, de uma vasta civilização, além de luso-tropical, hispano-tropical – parece confirmar a generalização deste sociólogo e antropólogo.[15]

---

14 *Family and Civilization*, New York e London, 1947.
15 Thomas Lindley, que publicou *Narrative of a Voyage to Brazil*, em Londres, no ano de 1805, talvez tenha sido o primeiro crítico norte-europeu da arquitetura doméstica patriarcal do Brasil a expressar suas ideias nas páginas de um livro. Lindley pode ser considerado exemplo típico da atitude que muitos autores depois dele tomaram a respeito do assunto. Apesar de admitir ter encontrado no Brasil "grandes e elegantes mansões", construídas para a "classe superior de seus habitantes", achou que a maioria delas, localizada "nas vizinhanças da cidade" (Salvador), quando observadas da rua, tinham uma "aparência triste e poeirenta". E assinalou ainda que as casas pertencentes aos comerciantes e lojistas ainda eram piores: em lugar de janelas envidraçadas elas tinham "postigos de treliças", isto é, muxarabis (p. 247). Tudo indica que a aparência dessas casas caracterizava-se aos olhos de Lindley principalmente pelos "postigos de treliças". Quanto "aos mais humildes soldados, mulatos ou negros", esses viviam em Salvador, em "cabanas", cada uma delas "com uma única janela de treliças". Essas casas seriam já

autênticos exemplos daquilo que os modernos especialistas em arquitetura chamam de "arquitetura folclórica", e que Lindley encarava com desdém, tornando-se assim o primeiro de uma multidão de estrangeiros, mais tarde imitados até por brasileiros, para os quais a arquitetura folclórica do Brasil devia ser considerada de todo desprezível. O prof. Goodwin, contudo, apesar de em seu *Brazil Builds* ter considerado como inteiramente saudável uma campanha brasileira contra os mucambos feitos de folha de coqueiros, pelo fato de os mesmos serem "insalubres" e "feios", reconheceu em 1943 que "a arquitetura folclórica brasileira geralmente corresponde às exigências elementares quanto ao seu uso local, clima e materiais, mais diretamente do que a edifícios de maior pretensão arquitetônica" (p. 73).

Nesse particular, creio poder dizer que me antecipei a esse observador estrangeiro: meu *Mucambos do Nordeste* (Rio de Janeiro, 1937) destaca o valor da arquitetura folclórica do Brasil como resposta às exigências regionais elementares quanto ao uso, localização e materiais, assim como *Casa-grande & senzala* (Rio de Janeiro, 1933), e *Sobrados e mucambos* (São Paulo, 1936), já refletiam o meu apreço pela arquitetura patriarcal brasileira, a de tijolos e pedra, como uma resposta nada má às mesmas exigências, no plano de arquitetura nobre, ou quase nobre.

Talvez o primeiro escritor a se ocupar com a arquitetura brasileira, apontando suas virtudes assim como suas deficiências, tenha sido J. B. Debret, em seu famoso livro em três volumes, *Voyage Pittoresque et Historique au Brésil*, Paris, 1834. Em Debret também encontramos uma antecipação instintiva à ideia de que a mais complexa arquitetura doméstica do Brasil continha elementos orientais ao lado dos europeus. Debret talvez seja o primeiro a descrever residências típicas brasileiras, assinalando seus elementos clássicos herdados dos romanos – *protyrum, oratorio* ou *ararium, atrium* etc., *hospicium, thalamus* e também seus elementos mouriscos, ou orientais, como a *alcova*. Dando o esquema de uma típica residência brasileira dos começos do século XIX, ele aponta que sua analogia com as casas mouras da África e com as antigas casas de Pompeia era "realmente notável" (III, 215).

Depois de Debret foi novamente um francês, L. L. Vauthier, arquiteto, quem na primeira metade do século XIX tratou do assunto – a arquitetura doméstica do Brasil – com grande competência em seu diário, escrito durante o período em que residiu em nosso país (1840-1846), e em suas cartas sobre a arquitetura brasileira, escritas do Recife durante o mesmo período, para uma revista francesa. O diário foi publicado no Rio, em português, numa tradução de Vera de Andrade, sendo que o original francês continua inédito. Também as cartas se acham publicadas, em tradução portuguesa, pela Diretoria do Patrimônio Histórico e Artístico Nacional.

Outro livro muito sugestivo sobre o assunto é *A arte tradicional do Brasil* de Ricardo Severo (1916). José Mariano Filho deixou algumas páginas interessantes sobre a influência moura na arquitetura do Brasil: assunto versado também pelo historiador Estêvão Pinto. Quanto à influência "holandesa", ou norte-europeia, em nossa arquitetura urbana, particularmente do Recife – durante algum tempo ocupada pelos holandeses, cujo governador-geral, o conde Maurício de Nassau, um aristocrata alemão com alguma coisa de príncipe da Renascença, organizou partes da cidade de acordo com seus conceitos de planejamento urbano –, as melhores páginas escritas sobre o assunto até agora são as de Aderbal Jurema no seu O *sobrado na paisagem recifense*, Recife, 1952. Sobre o mesmo assunto encontram-se valiosas informações em *Tempo dos flamengos* (Rio de Janeiro, 1944), um estudo sobre alguns aspectos da influência holandesa no Brasil de J. A. Gonsalves de Mello. Considerável material ilustrativo sobre a história da arquitetura brasileira vem sendo reunido por Gilberto Ferrez, do Rio de Janeiro.

Também a *Revista do Serviço do Patrimônio Histórico e Artístico Nacional* tem publicado um grande número de bons artigos sobre o assunto, inclusive – repita-se – as cartas escritas por Vauthier, e o seu diário, também traduzidos para o português por Vera de Andrade.

Até o momento, porém, não existe nenhuma história especializada da arquitetura doméstica, ou civil, do Brasil, escrita sob ponto de vista técnico e comparável a *Domestic Architecture of the American Colonies and the Early Republic*, de Fiske Kimball, New York, 1922. Talvez esteja em situação de escrevê-la o prof. Paulo Santos, da Universidade do Rio de Janeiro.

X
Por que China tropical?

Por que chamar-se o Brasil "China tropical" quando, a não ser por sua extensão territorial, pelo seu poder de absorção cultural e por alguns traços orientais que podem ser encontrados na civilização brasileira, nosso país é tão diferente tanto da antiga quanto da moderna China? Provavelmente porque sempre houve no Brasil algo de oriental contrastando com suas características ocidentais, algo "mouro" – como demonstramos, a propósito de sua arquitetura – em contraste com os traços romanos ou latinos; algo, enfim, diferente da América republicana, pelo fato de o Brasil ter sido uma monarquia até 1889 (e ainda hoje existem dois herdeiros ao trono brasileiro, dois verdadeiros príncipes, dois autênticos Orleans e Bragança).

Possivelmente também venha a influir a atual tendência por parte de grande número de brasileiros para considerar suas florestas tropicais amazônicas e tudo aquilo que elas contêm, em especial o petróleo e os minerais, como valores quase que sagrados, que só devem ser tocados pelos próprios brasileiros. Tipo de nacionalismo que está assumindo o aspecto de intensa ianquefobia.

Deve também ser levada em conta a atitude de outros brasileiros, que não estão incluídos entre os "nacionalistas" econômicos de vistas estreitas mas que julgam haver algo de específico em certos valores, sociais e culturais, peculiares ao Brasil ou à América tropical. Valores a serem preservados de estandardização americana do tipo ianque.

Se é verdade que ilustre membro de uma equipe de pesquisas de importante firma farmacêutica norte-americana que passou anos estudando doenças na América Latina – especialmente no Brasil Central – tende a pensar que existem lugares na zona tropical do hemisfério americano que estão livres de algumas das doenças que afligem o chamado mundo civilizado ou que afetam outras áreas tropicais, o mesmo cientista teria toda razão quando aponta a urgente necessidade do adequado estudo científico dessa situação. Estudo que precisa ser feito por um conjunto de cientistas de várias especialidades: um bioquímico, um antropologista, um zoólogo, um médico e outros especialistas. Trata-se de necessidade urgente, pois os lugares em que a imunidade a tais doenças parece prevalecer "caminham rapidamente para a civilização industrial" e "seu isolamento em breve terminará, e suas imunidades naturais passarão assim a ser coisa do passado". E aquilo que acontece – se é mesmo que acontece – em relação à imunidade quanto às doenças "civilizadas" ou "tropicais", também pode ocorrer em relação à preservação dos valores sociais e culturais de certas comunidades latino-americanas nas subáreas menos industrializadas desta parte do continente americano. O estudo científico adequado das condições sob as quais elas floresceram poderia indicar o modo de salvá-las, no todo ou pelo menos em parte, de uma cega estandardização.

Se no devido tempo tivesse sido feito um estudo desse tipo que explicasse por que o Brasil se tornou independente permanecendo monárquico, evitando uma radical forma republicana de governo, talvez a primeira tivesse sido preservada em nosso país, para vantagem não só do povo brasileiro, em particular, como da comunidade pan-americana, em geral. Pois o governo monárquico seguramente imunizava o Brasil contra algumas das doenças políticas adquiridas pelos brasileiros quando, para modernizar ou pan-americanizar o seu país, adotaram a forma republicana de governo. Mesmo em nossos dias, a República brasileira está mais protegida de doenças políticas quando utiliza métodos de lidar com problemas brasileiros que constituem inteligente modernização daqueles métodos tradicionalmente monárquicos e, ao mesmo tempo, democráticos, em lugar de serem mera cópia daquilo que os anglo-americanos construíram nos Estados Unidos; ou do que os alemães fizeram ao criar a sua lírica e irreal República de Weimar, – também copiada, em alguns pontos, pelos idealistas brasileiros na década de 30.

Alguns brasileiros pensam hoje em dia que o interamericanismo não deve significar estreita e mecânica forma de estandardização, enfatizando os aspectos maciços quantitativos, ou monolíticos, dos valores e estilos culturais do pan-americanismo, mas sim saudável, ainda que difícil, combinação de diferenças e mesmo antagonismos dentro de um dinâmico sistema – ou estrutura – interamericano. Assim como os latino-americanos devem colher dos Estados Unidos, adaptando às suas diferentes condições regionais ou nacionais, alguns dos valores e técnicas desse país, também os norte-americanos poderiam receber da América Latina proveitosos exemplos e sugestões, em lugar de adotar a rígida atitude de quem, pelo fato de ser líder do progresso industrial, julga que é, ou deve ser, o líder absoluto de tudo na cultura hemisférica e que a América do Sul deve seguir seu exemplo em todas as atividades humanas ou culturais.

Parece haver certa tendência, entre uns tantos americanos, para usar depreciativamente a expressão "latino-americano", sob a impressão de que nas Américas tudo aquilo que é latino seja sempre inferior ao anglo-saxão ou ao nórdico. Trata-se de tendência semelhante ao uso inadequado dos adjetivos "medieval" e "feudal", ou "chinês" e "mouro" em suas relações com a civilização moderna, como se a Idade Média e o Oriente não houvessem contribuído para a humanidade com valores superiores àqueles oferecidos ao homem na era, geralmente glorificada, da chamada "Iluminação"; ou aos que lhe tenham oferecido as revoluções Comercial e Industrial do Ocidente. Como nos lembra o prof. George Sarton, especialista no assunto, valores aparentemente modernos como o dinheiro, a economia, o sistema bancário e o comércio extensivo não passam de invenções das Cruzadas: foram inspiradas pelo Oriente, ou pelo contato do Ocidente com o Oriente. Em outras palavras, uma política cultural em dois sentidos é que deve ser estimulada entre as duas Américas, com a apreciação recíproca de valores e invenções latinos e anglo-americanos. Se tal não acontecer, os brasileiros e outros latino-americanos acabarão formando um bloco compacto contra a estandardização do tipo ianque a ponto de parecerem "chineses".

Quando há, como ocorre no momento, uma onda de "anti-ianquismo" na América Latina, na verdade aguda manifestação de uma quase sempre latente ianquefobia – pois, como é sabido por alguns anglo-americanos, a maioria dos latino-americanos considera ianques todos os anglo-americanos –, os norte-americanos devem considerar tal situação bom motivo ou pretexto para um estudo realmente científico de suas relações com a parte latina do continente. Esse estudo precisa levar em consideração não somente assuntos econômicos ou políticos, através de dados e estatísticas, mas também os aspectos sociais, culturais e psicológicos dessa complexa situação. Pode-se dizer que as relações entre a América Latina e os Estados Unidos estão precisando de uma espécie de Relatório Kinsey que desvende os fatores psicológicos ocultos que as fazem precárias.

A atual impopularidade dos Estados Unidos na América Latina talvez derive, em grande parte, do fato de o "colosso norte-americano", como por vezes os latino-americanos chamam àquela nação, ser, aos seus olhos, um grande poder praticamente sem competidores – os competidores franceses, ingleses, alemães e japoneses com os quais até alguns anos passados os latino-americanos podiam dividir seu ressentimento, até certo ponto feminino, de povos semicoloniais diante de nações imperialistas, masculinas ou economicamente agressivas. Agora todo o seu ressentimento se concentra sobre, ou contra, os Estados Unidos, devido ao fato de termos uma França, uma Alemanha, um Japão e uma Grã-Bretanha fracos e considerados praticamente angélicos e em relação aos quais alguns latino-americanos começam até a sentir certa nostalgia: saudade dos dias em que aquelas eram nações poderosas e, em sua competição para conquistar os mercados latino-americanos, usavam métodos de penetração econômica masculinos, mas, ao mesmo tempo, suaves, sutis. Atitude que alguns norte-americanos da atualidade julgam desnecessária na América Latina, onde não encontram competidores fortes o bastante com que lutar. Só no Oriente Próximo e na África é que eles têm que lidar com a poderosa competição chinesa ou soviética. Assim, negligenciaram a América Latina – uma espécie de esposa legítima – em troca de aventuras exóticas, de dom-juanismo econômico e político, na África, Ásia e Europa. Somente agora é que a União Soviética começa a fazer sentir sua presença no Brasil como competidora enérgica dos Estados Unidos: inclusive no setor econômico.

É verdade que cada um de nós, anglo ou latino-americano, deve considerar as aventuras dos norte-americanos nas terras distantes do Oriente como atividades essenciais ao desenvolvimento democrático pan-americano e mesmo pan-humano, e não somente como atividade em benefício exclusivo de interesses americanos. Mas o exclusivismo de ação a esse respeito pode causar considerável dano às relações interamericanas, numa fase ainda por demais plástica e delicada para que os latino-americanos sejam deixados sozinhos em sua luta pelo desenvolvimento de indústrias e de uma agricultura que depende, largamente, de ajuda financeira para um esforço em conjunto – assistência que não pode assumir o aspecto de dominação ou imposição dos valores dos norte-americanos sobre seus vizinhos latinos.

Cabe perguntar se não seria possível que tais atividades anglo-americanas prosseguissem no Oriente e na África, assim como na Europa, sem o abandono real ou aparente da América Latina pelos Estados Unidos, especialmente se nos lembrarmos de que esse país recebeu, durante seu tremendo esforço de guerra contra o nazismo, o fascismo e o Japão, a cooperação leal de vários países latino-americanos, sobretudo do Brasil. Não deveriam certos líderes norte-americanos evitar, no que toca às relações do seu país com a América Latina, a demonstração de um imediatismo de propósito altamente decepcionante para os latino-americanos, que começam a contrastar tal atitude, que lhes parece uma política extremamente oportunista, volúvel e estreita, da parte dos Estados Unidos, ou dos líderes dessa nação, com aquilo que agora idealizam, nostalgicamente, com a estável, clássica e metódica política dos ingleses, franceses e alemães, quando esses eram poderosos na América Latina e usavam processos – assim se manifesta a idealização de um passado recente – notáveis pela sobriedade e elegância, e por sua desconfiança do inusitado, do excêntrico e do exuberante? Frequentemente, as aventuras norte-

-americanas na América Latina caracterizaram-se pela negligência de fatores psicossociais ou pela indiferença a esses fatores, ou por uma atitude baseada estritamente nas ideias de que "negócio é negócio" e "tempo é dinheiro".

Mais de uma vez as relações pais-filhos têm sido aplicadas por analogia por sociólogos e psicossociólogos ao estudo, à análise e à interpretação das relações políticas, sociais e psicológicas entre os grupos humanos. Talvez o conceito masculino-feminino possa ser aplicado da mesma forma, e com as mesmas reservas, ao estudo e à análise das relações políticas, econômicas e sociais, entre os Estados Unidos e as nações latino-americanas, figurando o primeiro como o elemento másculo nessa situação conjugal. Tais relações parecem ser, em escala nacional, aquelas de um macho sociológico em relação a uma fêmea sociológica que é dependente do macho, ou seja, a América Latina. O continente americano, ao sul do rio Grande, vê nos Estados Unidos um poder masculino que algumas das nações mais femininas da América Latina tendem a encarar como instável, exuberante e irregular, em seu comportamento masculino ou protetor, em relação a elas. Daí a necessidade de um estudo cuidadosamente científico da situação; tarefa para uma equipe em que fossem representadas várias especialidades, e também várias nacionalidades, com cientistas sociais tanto da América do Sul como da do Norte.

Alguns sociólogos já observaram que o nacionalismo é uma das grandes forças sociais de nossos dias: um fenômeno que ninguém pode desprezar e um fator importantíssimo na vida da América Latina. Mas até o momento não apareceu nenhum estudo comparado das diferentes formas que o mesmo fenômeno vem assumindo em nosso continente. Um dos resultados dessa negligência é que os estrangeiros têm a tendência para simplificar exageradamente a realidade latino-americana, negligenciando a sua diversidade.

Há algum tempo atrás, em uma reunião de cientistas sociais realizada pela Unesco, em Paris, sugeri que se fizesse não somente uma revisão dos livros de história usados nas escolas – sugestão já esboçada na Europa por alguns dos idealistas ou pacifistas da extinta Liga das Nações –, mas, também, uma tentativa de reinterpretação de heróis nacionais da Europa, da Ásia, da América, da África, através de biografias comparadas, ou, então, de biografias escritas não por um único escritor, mas por três ou quatro, representando três ou quatro ciências diversas e três ou quatro áreas mais profundamente afetadas pela projeção do herói sob consideração. Pois, às vezes, o herói de uma nação é vilão de outra. Temos exemplos disso no brasileiro Caxias, tal como é visto pelos paraguaios, e no paraguaio Solano Lopez, tal como é visto pelos brasileiros, assim como em mais de um herói mexicano quando visto por seus compatriotas, ou, então, pelos seus vizinhos norte-americanos:

Tarefa semelhante tentar-se-ia em relação a certos elementos da cultura de um povo; elementos considerados nobres pelo grupo anglo-americano mas inferiores pelos latino-americanos. Esses também poderiam ser estudados, analisados e interpretados de uma maneira comparativa e cooperativa, quando considerados não através de heróis mas do comportamento de homens comuns. Por exemplo, a maioria dos anglo-americanos parece hoje encarar a carreira política como atividade inferior, enquanto que em países como o Brasil a política ainda é até certo ponto – menos do que no Império e na primeira República – considerada forma elevada e nobre de atividade humana à qual têm-se dedicado, ou desejariam ter-se dedicado, alguns dos maiores intelectuais do país. Por sua vez os brasileiros, e outros povos latino-americanos, ainda olham com desprezo uma carreira puramente comercial e acham difícil compreender qual a razão pela qual os Estados Unidos insistem em enviar para as repúblicas latino-americanas, como embaixadores, apenas homens bem--sucedidos no comércio ou na indústria. Qual a razão dessas duas atitudes? Até que ponto elas afetam as relações das duas Américas? Pois não resta a menor dúvida que afetam essas relações, tornando-as difíceis e delicadas.

Outra iniciativa que considero essencial para o melhoramento das relações políticas, econômicas e culturais entre a América do Norte e a Latina seria um cuidadoso estudo psicológico e social do *tempo:* de atitudes diferentes, da parte de latinos e de anglo-saxões, em relação ao tempo. A rígida atitude anglo-saxônica – "tempo é dinheiro" – com o culto quase místico dos minutos e até dos segundos, devido ao seu valor prático e comercial, forma um contraste agudo com a atitude latino-americana: uma espécie de culto do "mais ou menos". É fácil compreender por que um nórdico fica tão espantado quando, na Espanha por exemplo, um castiço espanhol, ou latino-americano, pede à portaria do hotel onde vai hospedar-se que o chame, na manhã seguinte, não exatamente às dez, ou às dez e quinze, como o faria um anglo-saxão ou um anglo-americano, mas "às dez ou às onze horas": típica manifestação da atitude do "mais ou menos" em relação ao tempo, em contraste com a outra, estritamente matemática. Contraste que torna tão difícil a simultaneidade entre povos ou nações empenhadas numa atividade comum, como nas relações amorosas entre homem e mulher, por exemplo, quando o primeiro não leva em consideração as diferenças de valores do tempo de sua companheira. Quando, em lugar de um povo, ou de um indivíduo, gozando o mais possível o prazer de viver, há uma ansiosa preocupação com realizações imediatas, de parte de um indivíduo em relação a outro, ou de um povo em relação a outro, as relações entre os mesmos se tornam extremamente difíceis. É preciso assim encontrar um equilíbrio entre *speed-up* e *ralentie*, uma espécie de terceiro "tempo" – um terceiro "tempo" psicológico e sociológico – o qual será usufruído pelas duas partes em total reciprocidade.

De acordo com o sociólogo francês Georges Gurvitch, cada cultura nacional possui seu próprio tempo ou ritmo.

Os anglo e os latino-americanos certamente possuem atitudes completamente diferentes em relação ao tempo e isso é importante não somente para a política e para os negócios, como para as atividades sociais e culturais. Os sociólogos anglo-americanos dizem que a preocupação dominante em relação ao tempo nos Estados Unidos é o futuro. A maioria dos grupos latino-americanos se sente mais inclinada a celebrar o presente, e alguns o passado, em lugar de "viver no futuro". São Paulo, no Brasil, e a Venezuela de nossos dias talvez sejam exceções quanto a essa predominância, sendo voltados para o futuro como qualquer progressista e fáustico grupo anglo-americano. Mas São Paulo é apenas São Paulo, e não o Brasil inteiro; e a Venezuela de nossos dias está longe de ser típica da América espanhola, onde se encontra, geralmente, ou entre grande número, excessivo apego ao passado, enquanto outros, como que se requintam num prazer, talvez igualmente excessivo, em desfrutar o momento presente. Como resultado, verifica-se que entre os latino-americanos há menos inclinação do que entre os anglo-americanos para sacrificar quase tudo na vida ao progresso coletivo e rápido, "hipotecando o presente ao futuro", conforme definição de um sociólogo anglo-americano da atitude predominante entre seus compatriotas.

É fácil compreender que atitudes assim diferentes em relação ao tempo podem causar distanciamento social e psicológico entre dois grupos humanos, não somente em relação a assuntos comerciais e políticos, mas também no que respeita – repita-se – a assuntos diplomáticos e culturais mais sutis. Um povo que encontra grande prazer na simples atividade do presente, ou em celebrar o passado acha muito difícil compreender ou admirar uma civilização que parece especializar-se em desprezar o passado e mesmo o presente, a fim de valorizar e glorificar só o futuro. Talvez o tempo pan-americano ideal pudesse ser – insisto nesse ponto – uma combinação dessas duas atitudes. Mas tal combinação só será possível se os dois grupos tiverem consciência do problema através da análise psicológica e sociológica dos excessos recíprocos. Daí a necessidade de um estudo científico das diferenças que separam as Américas, latina e anglo-americana, como se elas representassem dois sexos sociológicos ou culturais que, como certos homens e certas mulheres estudados por Kinsey, não gozam simultaneamente seus amplexos sexuais.

Ouve-se, cada vez com mais frequência, que a África não é mais um continente isolado, estático, mas sim aquilo que alguém já descreveu como uma área de rápida mudança, cujo destino estaria intimamente ligado ao do mundo livre; e cujo próximo desenvolvimento teria um efeito imediato sobre o interesse nacional dos Estados Unidos e não somente sobre o da Europa ocidental. Os latino-americanos compreendem esse ponto de vista, e reconhecem a importância da África, assim como a da Ásia. Mas acham que bem mais importante pela sua dinâmica social e cultural, e pela sua intimidade com os interesses do mundo livre, particularmente os dos Estados Unidos, é a hoje negligenciada América Latina, se a encararmos como área, ou região, cujo desenvolvimento geral sempre foi, e continua sendo, mais do que o africano, uma expressão, uma prova mesmo, da capacidade de um grupo de povos largamente não europeus em sua composição étnica e na parte folclórica da sua cultura em crescer como um conjunto de civilizações modernas; e em se organizarem como nações de tipo moderno em espaços semi ou totalmente tropicais.

Os livros escritos sobre a América Latina por autores europeus e anglo-americanos nas duas primeiras décadas do século XX, com uma ou duas exceções, dificilmente admitiam – excetuado um ou outro Roy Nash que tal desenvolvimento pudesse ser esperado de parte de povos como os que nela habitam: povos largamente não europeus em sua composição étnica e que acrescentaram a essa trágica deficiência – trágica do ponto de vista de alguns sociólogos europeus e anglo-americanos – a "inferioridade", igualdade fatal, de serem habitantes de áreas tropicais ou quase tropicais. Condição comum à maioria dos latino-americanos.

Assim, era natural que os agentes comerciais anglo-americanos, bem como os missionários e diplomatas dos Estados Unidos, quando enviados para os países tropicais da América Latina, julgassem que sua posição, nesses países, seria tão difícil e desagradável a ponto de considerarem indispensável recomendarem-se a Deus Todo-poderoso, assim como aos seus quase tão poderosos governos ou companhias. Agiam, assim como os ingleses, os alemães e, mesmo, os franceses, quando em situações semelhantes, com relação à América Latina: consideravam-se biológica, cultural e totalmente superiores aos subeuropeus que encontravam em ambientes não europeus, e, sob seu ponto de vista, completamente inferiores – física e culturalmente inferiores. Tem havido considerável mudança de atitude a esse respeito, tanto na Europa como nos Estados Unidos, mas, ainda hoje, se sabe que a América Latina sugere ao anglo-americano típico "raça inferior", "clima insalubre", "mestiços degenerados", "febre amarela" e "malária", em lugar de quaisquer valores positivos.

Leio em revista de Nova York as seguintes palavras de um cidadão norte-americano a propósito de um problema nacional que vem sendo largamente comentado nos jornais e revistas da dinâmica república anglo-americana: "Olhem para o exemplo da América do Sul, onde todas as raças se misturam, e vejam o que eles conseguiram com essa mistura: um povo preguiçoso, improdutivo e atrasado". Os latino-americanos hesitam em manifestar-se sobre qualquer problema estritamente interno da América do Norte. Mas, ainda assim, alguns deles se sentem inclinados a lembrar aos anglo-americanos, isto é, àqueles cidadãos dos Estados Unidos que julgam a América do Sul, a América Latina em geral, ou o Brasil em particular, formadas totalmente por gente "preguiçosa, improdutiva e atrasada", que existem notáveis exceções a essa generalização. Os anglo-americanos encontrarão lugares na América Latina onde o povo é tão progressista, criador e moderno, que até mesmo os norte-europeus e anglo-americanos ficam surpresos ante o progresso e as realizações ali alcançados sem qualquer grande violência às tradições essencialmente latinas. Claro que a América Latina, ou do Sul, não é nenhum paraíso. Mas existirá algum paraíso de perfeição no mundo moderno? Os cristãos ortodoxos – os que creem em Deus vivo – não estarão certos quando dizem que o Paraíso é urna realidade extraterrena?

No entanto encontramos pessoas na moderna África do Sul, por exemplo, que veem a parte latina do continente americano quase como um paraíso. Há alguns anos ouvi um sul-africano expressar-se assim: "Teria sido bem melhor se tivéssemos seguido, na África do Sul, os passos da América do Sul". Como sul-latino-americano fiquei um tanto envaidecido ao ouvir esse comentário, mas não pude deixar de responder: "Não pense que vivemos num paraíso, na América do Sul".

Claro que não. A América do Sul apresenta-se ao observador sob aspectos não só líricos como trágicos. Tem tido terremotos, e revoluções violentas, algumas delas devastadoras. Grandes presidentes de grandes repúblicas – na escala latino-americana – têm cometido suicídio. Graves crimes políticos têm atraído a atenção do mundo, até para pequenas repúblicas. Mas, a despeito da generalização de que os latino-americanos são preguiçosos e improdutivos, incapazes de autogoverno e de civilização, os valores positivos vêm aumentando em número e qualidade entre eles. E alguns dos latino-americanos começam a atingir a maturidade política, através de formas, menos imitadas do que por eles próprios desenvolvidas, de convivência democrática.

A maioria dos povos da América Latina atravessa no momento uma fase antieuropeia ou antianglo-americana de nacionalismo agressivo; fase que os coloca numa situação sociológica semelhante à dos asiáticos e africanos modernos. E esse fato dá alguma base à observação de que o Brasil está se transformando numa China tropical. Mas acontece que alguns países latino-americanos precederam em mais de um século de desenvolvimento político os modernos asiáticos e africanos, que atravessam no momento a fase primária e mais crua da adolescência nacionalista, senão de total infância política disfarçada sob alguma expressão de modernismo precoce. A maturidade nacional só foi alcançada por grupos comparativamente pequenos das populações latino-americanas, e não por qualquer dessas populações como todos nacionais. Nem mesmo em um país politicamente progressista como a pequena República do Uruguai – espécie de Suíça latino-americana – isso se deu.

A Argentina, depois de largo período de desenvolvimento como democracia eleitoral, de feitio europeu e que parecia tão cosmopolita, em seu espírito, a ponto de um de seus líderes políticos ter sido entusiasticamente aplaudido quando, há cerca de trinta anos, sugeriu que a "Doutrina Argentina" já tinha superado a Doutrina de Monroe – a América para os americanos, por ser de maior alcance e significar "a América para a humanidade" –, até mesmo a Argentina adotou com o ditador Perón uma política estreitamente nacionalista e nada democrática. É esse também o caso do Brasil, cujas tradições, desenvolvidas sob uma monarquia democrática, harmonizavam os interesses nacionais com as responsabilidades continentais e internacionais, a ponto de, mesmo como uma ainda jovem nação independente, ter-se tornado famosa pelas oportunidades que dava aos brasileiros naturalizados, e a seus filhos, de alcançarem as mais altas posições no Império – até mesmo o ingresso na carreira diplomática como funcionários a serviço internacional do Brasil. É o caso de Varnhagen, por exemplo – filho de alemães –, que recebeu o título profundamente nacional de barão de Porto Seguro, e de Taylor, inglês, que se tornou um líder naval a serviço da causa nacional brasileira.

Se países como o Brasil e a Argentina agiram por vezes, em questões internacionais, como se ainda fossem nações adolescentes, excessivamente temerosas em relação às mais maduras, mostrando-se ansiosas em rivalizá-las e suplantá-las na expressão de seu "poder" e de sua "vitalidade" nacional, isso se deu porque seu processo de amadurecimento político ainda não ultrapassara a fase de adolescência naquilo que se refere ao seu todo nacional. Quase o mesmo poderia ser dito quanto aos Estados Unidos, em relação à sua política internacional anterior ao segundo Roosevelt. A adolescência parece ser uma fase tão difícil na vida de uma nação quanto na de um indivíduo, e, tão desagradável para o adolescente como para os seus contemporâneos mais maduros, que precisam compreender um indivíduo que não entende suas próprias contradições de sentimentos, ideias e comportamento.

Essa compreensão é necessária. A América Latina precisa de ser compreendida pelos estrangeiros – especialmente pelos anglo-americanos que, como um todo nacional, são politicamente mais adultos do que as demais nações americanas, embora não o sejam completamente – como uma área dinâmica e mutável cujos problemas não são inteiramente nacionais, mas também internacionais; mas cujo comportamento internacional é, em grande parte, a expressão de difíceis situações nacionais que cada uma das nações latino-americanas enfrenta, e tem de enfrentar, com meios e modos que devem corresponder à sua cultura, a seu passado e à sua psicologia; e também ao seu futuro. No meio dessas dificuldades – as dificuldades características de cultura, economia e sistemas nacionais em crescimento – as nações latino-americanas veem os Estados Unidos como uma nação totalmente desenvolvida que não parece saber lidar com os membros adolescentes da mesma família continental; ou para voltarmos a uma analogia já utilizada – como uma nação masculina que não sabe lidar com nações psicologicamente femininas, mas ansiosas, como tal, a participarem, em reciprocidade, de uma experiência sexual total. Para tanto será preciso que desfrutem do equivalente sociológico de uma como que igualdade sexual que não implique serem as nações femininas necessariamente inferiores às masculinas.

Uma das recentes expressões dessa atitude nas nações latino-americanas, em relação ao seu poderoso vizinho anglo-americano, tem sido o nacionalismo econômico, simbolizado por sua vez em algumas das nações latinas do continente – especialmente no Brasil destes últimos anos – por uma ânsia de industrialização que explica a hostilidade sistemática ao superindustrialismo da América do Norte. Sendo os Estados Unidos, em relação a seus vizinhos de hemisfério, uma nação superindustrializada, deve ser tratada como um inimigo cujo propósito, ostensivo ou dissimulado, seria o de conservar esses vizinhos como habitantes de áreas meramente agrícolas – meros compradores – e simples mercados para aquelas superindústrias. As críticas nesse setor se ampliam: os Estados Unidos são vistos por alguns nacionalistas latino-americanos como diabolicamente ativos na África, fazendo muito mais do que deviam – se fossem membros leais da comunidade americana de nações – para estimular a produção agrícola africana a ultrapassar a brasileira, e a de outros países da América Latina. E isso por meio de ajuda financeira que os brasileiros acham justo ser oferecida ao seu país. Assim estimulada, pelo auxílio financeiro e técnico dos norte-americanos, a África se transformará – temem alguns nacionalistas latino-americanos – em sério competidor dos países da América Latina, não pelos seus meios naturais, mas como resultado da intervenção, a seu favor, da parte de uma nação cujo dever seria o de ajudar seus vizinhos continentais tanto na sua produção agrícola como na industrialização.

Contudo, as restrições contra empresas estrangeiras, inclusive as anglo-americanas, em países como o Brasil, em lugar de ser uma reação latino-americana contra o auxílio anglo-americano à África, devem ser vistas como atos que precederam a atual política norte-americana de manter extraordinária atividade econômica na Europa, Ásia e África, com o simultâneo desprezo pela América Latina. Por que, então, tais atos parecem avivar na América Latina o direito de queixar-se contra aquilo que não poucos latino-americanos consideram uma atitude injusta dos Estados Unidos, nação americana líder cujas principais atividades, como força econômica estimulante, deviam ser aplicadas no hemisfério, e não fora dele?

Uma das razões é que os latino-americanos foram levados a pensar por alguns de seus economistas, já na década dos trinta (quando, durante os efeitos provocados pela crise que os Estados Unidos atravessaram depois de 1929, alguns dos mais respeitáveis bancos anglo-americanos e indústrias, que mantinham agência na América Latina, atuaram em países latino-americanos de uma maneira considerada deselegante e pouco ética com relação a empregados que não fossem cidadãos dos Estados Unidos), que eles dependiam demais da ajuda estrangeira – especialmente da anglo-americana – e dos interesses de seus banqueiros, dos seus industriais, de companhias de transportes e de seguros. Assim sendo, deviam libertar-se daquela dependência em lugar de se livrarem tão somente do poder financeiro e industrial europeu para cair sob o cruel domínio do industrialismo ianque e de seus agentes financeiros.

Quando ficou claro que os Estados Unidos emergiram da Segunda Grande Guerra como um superpoder imperial, dentro de uma nova fase da história do capitalismo, o temor dos financistas e industriais ianques começou a aumentar entre os latino-americanos. As nações latino-americanas precisavam concentrar seu nacionalismo em temas econômicos, em lugar de se satisfazerem com aparências meramente políticas de independência. Daí as inúmeras medidas e restrições latino-americanas, a partir dos anos trinta e intensificadas depois do fim da Segunda Grande Guerra, quanto à exploração de minas e de energia elétrica por estrangeiros; quanto à fundação de bancos e de companhias de seguro com maioria de ações não nacionais; quanto à posse por estrangeiros não apenas de terras agrícolas (a não ser que fossem residentes permanentes), mas, também, de empresas consideradas nacionais em seus propósitos. E, ainda, de restrições até mesmo à prática, por estrangeiros, de profissões liberais – restrições que em alguns casos ainda foram consideradas insuficientes por alguns nacionalistas latino-americanos mais extremados, e até mórbidos, pelo fato de não incluírem os cidadãos naturalizados na mesma categoria dos estrangeiros. Evidente excesso de nacionalismo prejudicial aos próprios interesses nacionais.

Atitudes semelhantes foram tomadas na América Latina durante as últimas décadas, a fim de proteger o trabalho nativo contra a intrusão estrangeira, sendo que uma das leis típicas, nesse setor, determina que os estrangeiros não podem constituir mais de um terço dos empregados, nem receber mais de um terço da folha de pagamento em qualquer empresa industrial, comercial ou de utilidade pública, a não ser em certas indústrias. Além disso, tomaram-se várias medidas contra a intrusão estrangeira, com a finalidade de incrementar os chamados programas de industrialização, transformando-os em expressões de um intenso nacionalismo econômico. Nas últimas décadas reclamaram-se privilégios de valor quase sagrado, na América Latina, em geral, e particularmente no Brasil, em defesa das manufaturas domésticas contra os utensílios importados, que no passado eram exaltados como maravilhas angelicais e passaram a ser diabólicas quando importados dos Estados Unidos. Com a influência que exercem na imprensa os industriais lograram criar, em algumas regiões da América Latina, uma espécie de mística industrialista que passou a significar, em mais de um caso, o desprezo da agricultura pelo fato de a mesma ser encarada como atividade digna somente de povos coloniais.

E como foi que os anglo-americanos enfrentaram tal situação? Com Franklin D. Roosevelt, através da "Política da Boa Vizinhança", política que se manifestou por meios e modos que despertaram até mesmo em alguns dos mais fanáticos defensores do nacionalismo econômico confiança em relação ao seu vizinho mais experiente e econômica e tecnicamente mais maduro. É uma realidade que a ajuda financeira e técnica que, com o segundo Roosevelt, o governo dos Estados Unidos estendeu à América Latina, com o propósito de ajudar não somente indústrias "não competitivas" mas também novas indústrias "competitivas" daquelas dos Estados Unidos, inaugurou nova fase nas relações dos Estados Unidos com a América Latina. Atitude que de algum modo se repetiria da parte dos Estados Unidos através da política pan-americana iniciada por John F. Kennedy. O governo norte-americano passou a se fazer sentir, através de formas estatais de assistência à América Latina, como uma influência acima dos interesses estreitamente competitivos ou "imperialistas" de grupos particulares norte-americanos em suas relações com as repúblicas latino-americanas, esperançosas de passarem do *status* "colonial" para outro realmente nacional, por intermédio da industrialização. Em consequência, um trabalho realmente construtivo – econômica e psicologicamente construtivo – passou a ser realizado através de órgãos como o Export-Import Bank e a Inter-American Development Comission, organizados em Washington em 1940 para constituírem unidades de trabalho do Inter-American Financial and

Economic Advisory Committee, com o objetivo de "ajudar o desenvolvimento das repúblicas do Hemisfério Ocidental através do desenvolvimento da agricultura e da indústria, facilidade de transportes e conservação de florestas", assim como, no governo Kennedy, com a Aliança para o Progresso.

Das realizações econômicas concretas que vêm resultando dessas formas de assistência pode ser destacado o estímulo dado ao aumento da produção de fécula de mandioca (tapioca) de boa qualidade: um produto típico da América Latina tropical, inclusive – ou particularmente – o Brasil. Outras iniciativas econômicas igualmente concretas também sobressaem: o estímulo à produção de óleos vegetais e à exploração de minerais. Mas não deve ser esquecido o fato de que para o grande êxito dessas iniciativas contribui um fator psicológico: deram elas aos latino-americanos, suspeitosos do imperialismo econômico dos Estados Unidos, saudável confiança no governo norte-americano como força acima dos interesses estreitamente particulares. Como força acima do chamado poder econômico de empresas poderosas.

Parece que aqueles que, nos Estados Unidos, advogam a abolição de todas as agências governamentais, instrumentos dessa esfera de cooperação – a estatal –, deixando os interesses privados inteiramente livres para agir, esquecem o aspecto psicológico do problema, tal como é visto pelos latino-americanos. O desprezo por esse aspecto parece estar contribuindo largamente para a deterioração das relações interamericanas. A recente preeminência dos interesses privados nessas relações transformou-se em alvo fácil para os comunistas – tão ativos atualmente no Brasil e tão sistemáticos em seus esforços para estimular uma espécie de religião nacionalista entre os brasileiros, principalmente entre os membros das Forças Armadas – em sua ânsia de liquidar todos os remanescentes da "Política de Boa Vizinhança". Agora, dizem eles, a "alta finança" anglo-americana da "pior espécie" está livre para fazer o que bem entende na América Latina e, consequentemente, essa deve intensificar seu nacionalismo econômico a fim de proteger-se contra esse tipo perigosamente imperialista de *big business*.

Outros nacionalistas dizem que a Europa e a África recebem assistência técnica e financeira de um tipo que os latino-americanos não deviam recear e sim aplaudir, como realmente benéfico para suas jovens indústrias e sua agricultura arcaica. Uma atitude contraditória, mas que parece indicar a existência, latente em latino-americanos, de um sentimento de solidariedade quanto aos anglo-americanos. Sentimento que reage de uma maneira um tanto ou quanto feminina – repita-se – ante aquilo que parece a alguns latino-americanos como uma espécie de deslealdade masculina dos Estados Unidos em relação às repúblicas irmãs do Sul, negligenciadas em benefício da Europa, Ásia ou África. Essa situação psicológica, que faz com alguns latino-americanos sintam nostalgia de F. D. Roosevelt (e esse é apenas um dos aspectos de um complexo problema), não devem ser desprezados pelos anglo-americanos, mas sim estudados cuidadosamente e, se possível, não apenas através de estatística, mas também com métodos psicológicos, mais sutis que os estatísticos. Psicológicos e ecológicos, pois, sendo uma civilização europeia desenvolvida nos trópicos, adaptada aos trópicos, alterada pelos trópicos, talvez até deformada sob certo respeito, e em outros reformada, pelos trópicos, o Brasil precisa ser estudado, analisado e interpretado à luz da sua situação tropical.

Preeminente líder do comércio brasileiro, Basílio Machado, de São Paulo, expressou de modo interessante a atitude de grande número de homens de negócio brasileiros em relação ao que eles consideram o abandono do Brasil pelos Estados Unidos em troca de uma política de crescentes concessões de vantagens à África tropical. Basílio Machado antecipou a possibilidade de o Brasil se recusar a colaborar com os Estados Unidos em uma crise internacional como aquela de 1941, pois se isso acontecesse os Estados Unidos deveriam solicitar aos africanos, e não aos brasileiros, a cooperação militar e a concessão de bases aéreas e navais, com a consequente perturbação para a vida de uma sociedade nacional que tais concessões acarretam. Posição semelhante foi adotada por Lourival Fontes, auxiliar direto de Vargas e hábil especialista em problemas internacionais sob o ponto de vista brasileiro. Tais fatos indicam que a atual ianquefobia no Brasil tem suas fontes alheias à propaganda russo-comunista – e ultimamente também chinesa-comunista – nos países tropicais. Os erros praticados pelos Estados Unidos em relação ao Brasil servem tanto para estimular a ianquefobia como a propaganda habilmente manipulada pelos comunistas contra os "ianques imperialistas" como se a Rússia soviética não fosse, hoje, um poder francamente imperialista e a China não pretendesse ser um terceiro.

De acordo com um escritor anglo-americano, Charles Morrow Wilson, em seu livro *The Tropico: World of Tomorrow* (Nova York, 1951), os trópicos inevitavelmente terão muita influência quanto à decisão de quem virá a ser o líder do mundo de amanhã: se Estados Unidos, se a Rússia soviética. Diz ele: "Pelo menos há vinte anos que o pensamento e a estratégia do Komintern tendem a aceitar essa verdade". Daí, uma sistemática política do Kremlin em penetrar nos trópicos e "dominá-los, não através de complicadas atividades comerciais ou conquistas, mas implicitamente, por palavras e gestos, pela exploração de ofensas, preconceitos e emoções, e outros artifícios soberbamente hábeis". Claro que essa política tropical inclui o Brasil, que pode ser considerado como uma China tropical, ou melhor, *a* China tropical. Consequentemente, tal como aponta Wilson, nas páginas finais de seu livro, falando sob o ponto de vista dos Estados Unidos, "chegou a hora de agir acertadamente e de olhar para o Sul". Isto é, para a América do Sul tropical.

Já estarão os Estados Unidos agindo acertadamente em relação ao Brasil? Dificilmente se encontrará um só brasileiro que responda de modo favorável à pergunta. A maioria – mesmo aqueles conhecidos como amigos sinceros dos Estados Unidos – pensa que o seu país foi, e continua sendo, usado pelos anglo-americanos em benefício de suas finalidades estreitamente nacionais, sem reciprocidade ou sem qualquer consideração especial pela tradicional política brasileira de cooperação com a República do Norte. Alguns brasileiros têm chegado à conclusão de que a Argentina vem sendo muito mais feliz na política que adotou frente à América do Norte: uma política de dureza, arrogância, "realismo" brutal. Acham os argentinos que sua política é muito mais produtiva do que a dos brasileiros. Acham que os Estados Unidos tomam o desejo dos brasileiros de cooperar como uma submissão passiva que leva os anglo-americanos a considerarem nosso país como nação submissamente amiga, dando, assim, facilidades às nações tropicais que seguem o método argentino de tratar os Estados Unidos, negadas ao Brasil.[1]

Talvez haja uma dose de acerto em tais argumentos, e existem fatos que parecem apoiá-los. Uma coisa é certa: pela primeira vez, na história das relações do Brasil com os Estados Unidos, a ianquefobia entre os brasileiros se está transformando num fator poderoso. A famosa carta antiEstados Unidos assinada por Vargas antes de sua trágica morte – digo assinada somente, pois a carta está tão mal escrita, é tão grosseiramente demagógica, tão deficiente daquelas qualidades que fizeram Vargas admirado, que, tendo-o conhecido e estimado pessoalmente, recuso-me a acreditar que ele próprio a tenha escrito – contribuiu muito para intensificar a ianquefobia no Brasil. Chegou a hora de os Estados Unidos mandarem para o Rio de Janeiro embaixadores excepcionalmente hábeis – homens como Ewin Morgan, que unia grande encanto pessoal ao profundo conhecimento de nossos problemas econômicos e sociais – a fim de evitar que o Brasil continue a ser uma China tropical, em alguns dos indesejáveis aspectos do conceito.

A ianquefobia se está transformando em algo de religião entre aqueles brasileiros mais predispostos a cair vítimas dos apelos emocionais. Com relação a esse ponto, Vargas tornou-se, depois de sua morte muito mais do que em vida, o exemplo clássico do líder carismático de definição sociológica de Max Weber: aquele que surge numa época de intranquilidade no princípio de um movimento revolucionário, emocional e sectário. Vargas encontrou aderentes, como um típico líder carismático encontraria em qualquer parte do mundo: aderentes que acreditaram fosse ele o único a saber exatamente

---

1 Em *Um estadista da República* (Rio de Janeiro, 1955), o prof. Afonso Arinos de Melo Franco assinala um exemplo significativo de situação em que os Estados Unidos se recusaram a tomar o partido do Brasil em um problema internacional, tratado pelo Ministério das Relações Exteriores com sua maneira tradicionalmente suave para, logo após essa recusa, agir em favor da Argentina em situação idêntica (III, 1.517--1.523). Daí o falecido senador Lourival Fontes, em seu *Discurso aos surdos* (Rio de Janeiro, 1955), ter argumentado a favor da adoção, pelo Brasil, de uma política internacional que fosse mais além da nossa tradicional "cortesia" (p. 34).

aquilo de que o Brasil precisava. E, de acordo com alguns nacionalistas brasileiros, nada continua mais importante do que o fato de o Brasil ser explorado pelos Estados Unidos sob o disfarce da amizade. Daí a atitude desses nacionalistas sectários que, sem serem comunistas, reclamam para o Brasil uma posição semelhante à da China, isto é, uma posição de resistência agressiva contra os Estados Unidos e de receptividade tolerante com relação à Rússia Soviética, o único poder rival dos Estados Unidos no mundo atual.

Um fato porém deve ser levado em consideração com respeito à mística antiEstados Unidos no Brasil de nossos dias, como parte de uma projeção do carisma de Vargas sobre grande parte da população brasileira; carisma intensificado pela sua trágica morte. Esse fato é ter ele reduzido o comunismo, no Brasil, a um movimento cuja única esperança de alcançar o poder residiria na sua infiltração no Exército, na Marinha e na Aeronáutica. Como força entre os proletários e os pobres, o culto de Vargas tornou-se muito mais importante do que o comunismo; e talvez, para chegar a esse ponto, o varguismo tivesse que suplantar o comunismo em sua hostilidade contra os Estados Unidos, como símbolos que seriam da pior espécie do "capitalismo burguês" e de "imperialismo".

Além de Vargas, outros líderes mais ou menos carismáticos vêm surgindo no Brasil moderno. Um médico que se tornou político, coisa rara no Ocidente mas não no Oriente – e nesse como em outros pontos o Brasil apresenta surpreendente semelhança com o mundo oriental –, empenhou-se a fundo, como presidente da República brasileira, em fundar uma nova capital bem no centro do país. Foi uma tarefa monumental na verdade, e suas fundações foram de fato definitivamente lançadas pelo dr. Juscelino Kubitschek, durante o seu período presidencial. Por essa sua realização transformou-se o astuto político numa figura histórica quando ainda um moço. Com seus traços fisionômicos que lembram os de um chinês ou oriental com treinamento europeu ou anglo-americano – e de fato ele tem sangue não europeu misturado ao europeu –, até no físico tornou-se o dr. Kubitschek para não poucos brasileiros uma espécie de líder nacionalista, capaz de substituir, sob certos aspectos, o desaparecido Vargas. Mas só sob certos aspectos.

O plano de estabelecer a capital brasileira no Planalto Central implicou uma série de complexos problemas, alguns dos quais ainda se fazem sentir na vida nacional do Brasil. Os trabalhos urbanísticos foram entregues a dois dos mais brilhantes arquitetos do Brasil moderno: Lúcio Costa e Oscar Niemeyer. Alguns críticos, porém, acham que os problemas urbanísticos de caráter sociológico não foram devidamente cuidados, apesar de um dos assistentes do arquiteto Lúcio Costa declarar que a ideia de um sociólogo brasileiro de que as cidades necessitam de zonas especialmente destinadas à "interpenetração social" mereceu a consideração daqueles arquitetos ao planejarem a nova cidade: mas não souberam, entretanto, pô-la plenamente em prática. Ainda não se ouviu falar de planos relativos à imigração de agricultores europeus – agricultores para áreas tropicais, como os portugueses da ilha da Madeira, por exemplo – para prover às necessidades da nova capital estabelecendo-se com mais vantagem cultural que japoneses, como comunidades de famílias –, oportunidade ideal para esse tipo de colonização numa parte quase virgem do Brasil tropical. É possível que agricultores japoneses realizem tecnicamente a tarefa de abastecer Brasília; já a estão realizando. Mas os portugueses da ilha da Madeira seriam ideais, combinando sua aptidão técnica de lavradores de terras difíceis com a capacidade de colaborar com os brasileiros na autocolonização do Brasil Central.

Numerosos outros problemas de relevância social, para cuja solução deveriam ter sido consultados antropólogos, sociólogos, economistas, psicólogos e educadores, parecem ter sido de todo negligenciados na construção de Brasília, explicando-se, assim, enormes erros cometidos pelos políticos – pelo dr. Kubitschek, principalmente – com a ajuda exclusiva de arquitetos. Talvez os atuais líderes chineses e orientais estejam mostrando bem mais inteligência em relação ao tratamento desses problemas do que os políticos brasileiros, que, em sua maioria, ainda não perceberam que a tarefa de modernizar uma China tropical como o Brasil é, sob certos aspectos, muito complexa, tarefa que pede assessores múltiplos.

Torna-se necessária uma visão mais ampla dos problemas e também uma técnica de planejamento semelhante àquela adotada pelos Estados Unidos em relação ao Vale do Tennessee. E dos Estados Unidos é o exemplo de Suas Excelências os presidentes da República serem assistidos por homens de gênio ou de excepcional saber em várias especialidades.

Tal como na China, a industrialização no Brasil vem significando para grande parte da população camponesa o "deslocamento físico e espiritual (...) que destruiu instituições existentes", conforme o definiu uma técnica anglo-americana em problemas não ocidentais, em livro recente: *The Nature Of the Non Western World*.[2] Na China, de acordo com o mesmo observador, tais deslocamentos deixaram um "vácuo" no qual o comunismo "mostrou-se o mais poderoso elemento de reintegração". Terá o Brasil de depender de uma solução tão radical e violenta para a solução, nesse setor de seus problemas de reintegração social? Uma análise objetiva do problema indica diferentes meios para os brasileiros alcançarem a reintegração entre as atividades rural e urbana, industrial e agrária. Aqui, como em face a outras dificuldades, a escolha será não "ou isso, ou aquilo", mas sim uma política complementar para a qual um estudioso brasileiro do problema adaptou, do idioma inglês, a palavra *rurban*, dando-lhe uma denotação nova e mais ampla do que a que tivera até então e emprestando-lhe um sentido de ajustamento dinâmico entre dois aparentes contrários. Uma política "rurbana" seria essa.

Assim, o Brasil desenvolveria, talvez de forma mais dinâmica do que a China – pois sua população está numa condição mais plástica do que a chinesa –, uma civilização mais "rurbana" do que a dos Estados Unidos. Pois esse desenvolvimento se beneficiaria de facilidades técnicas ultramodernas que favoreçam a descentralização das indústrias, com modernismos que só são hoje vantajosamente associados a cidades nascidas de comunidades rurais: inclusive na União Soviética com as agrovilas.

A transferência da capital do Brasil, do Rio de Janeiro para Brasília, seria um passo decisivo para o desenvolvimento do Brasil como civilização "rurbana" do tipo mais dinâmico, tendo a agricultura e a

---

2 Capítulo II, *The Nature of the Non-Western World*, New York, 1957, por Vera Micheles Dean. Livro bastante interessante, apesar de deficiente em relação à América Latina.

indústria como atividades complementares e não antagônicas como sempre foram no Brasil e têm sido em outros países. Isso constituiria um freio à tendência de alguns líderes brasileiros de transformar a "industrialização" e a "independência nacional" em uma causa simples em vez de complexa, messiânica, em vez de esforço em que o bom-senso se junte à tecnologia, as ciências sociais às técnicas mecânicas. E não é assim.

A experiência brasileira já é prova daquilo que Eugene Staley escreve em *The Future of Underdeveloped Countries*: "a não ser que a agricultura se modernize substancialmente, a expansão industrial em muitos países subdesenvolvidos será em breve favoravelmente limitada pela falta de mercados, pois a grande maioria da população não terá o indispensável poder aquisitivo". Palavras que não devem ser esquecidas pelos atuais líderes latino-americanos.

Apesar de ter sido aparentemente um entusiasta absoluto da industrialização, Getúlio Vargas estava convencido de que, por si só, não era essa a solução para uma "China tropical" como o Brasil. Alguns dias antes do suicídio de Vargas, seu secretário telefonou-me, do Rio para o Recife, dizendo-me que o presidente queria me ver imediatamente. Era muito urgente. Tomei o primeiro avião e, chegando ao Rio, fui logo recebido por Vargas, com quem mantinha velha amizade pessoal, apesar de não possuirmos muitas afinidades políticas. O presidente desejava que eu realizasse uma missão que considerava importantíssima sob o ponto de vista brasileiro ou nacional: mais importante do que qualquer outra de caráter construtivo que se pudesse pensar no momento. Que eu não receasse tratar-se de missão política. Muito ao contrário, a missão pairava de todo acima da política. O presidente planejava executar imediatamente uma reforma agrária – ou uma série de reformas agrárias no Brasil. A reforma significaria a modernização da agricultura e a descentralização das indústrias, projeto que (ele bem sabia) eu julgava essencial ao Brasil. Além de sugestões ou ideias, o presidente me pedia que eu fosse o chefe de um organismo nacional que seria mais importante – frisou esse ponto – do que qualquer ministério, oferecendo ao governo a base para uma política de imigração, colonização e autocolonização. Concordava comigo em que nada poderia ser feito quanto a uma reforma agrária sem imigrantes europeus do "tipo adequado" que permanecessem ligados ao solo como lavradores. Ele também estava de acordo comigo quanto ao valor dos nordestinos como autocolonizadores.

Refiro-me a esse episódio apenas para indicar que Vargas tinha uma clara visão dos problemas brasileiros mesmo quando, no fim de sua carreira, já não passava de um político cercado por políticos, alguns dos quais viam nele apenas o líder carismático de que necessitavam para se manterem no poder. E o meio mais fácil para os políticos no Brasil permanecerem no poder era então – e continuou sendo até há pouco – o de serem, ou darem a aparência de serem, estreitamente nacionalistas, encarando a industrialização como panaceia e manobrando com o comunismo. Um desses políticos tornaria possível, quando no poder, aos comunistas do tipo sectário que seguiam as instruções russas – e agora são tão pouco influentes entre os intelectuais, estudantes e trabalhadores no Brasil, a ponto de serem, por alguns desses elementos, desprezados – a tentarem assumir o controle do país pela penetração de seus agentes no Exército, na Marinha e na Aeronáutica. Evidentemente, isso significava um risco imenso para o Brasil, quer o político manobrista fosse um Jânio Quadros, quer um João Goulart, suscetível de tornar-se um passivo Kerensky. Uma aventura desse tipo acarretaria a repetição do sangrento episódio de 1935, liderado por um comunista brasileiro, treinado na Rússia, ele próprio ex-oficial do Exército brasileiro. A técnica então adotada – russo-asiática – despertou profunda indignação entre os brasileiros; mesmo aqueles que eram simpatizantes de ideologias comunistas ou quase comunista-esquerdistas. Isso ocorreu – repita-se – em 1935. Pequenos grupos de comunistas sectários, sob o mesmo encantamento russo-asiático ou chinês ou cubano, vêm pretendendo aproveitar-se, no Brasil como noutros países latino-americanos, dos atuais líderes políticos – políticos que julgam poder utilizar-se de comunistas, quer contra o "imperialismo ianque", quer contra os liberais que eles consideram do tipo *démodé*, num jogo fácil porém perigoso. Diga-se de passagem que quanto a alguns desses *bourgeois* liberais ou liberaloides estão certos: são realmente *démodés*.

O comunismo, especialmente o de tipo oriental ou asiático, não seria a solução para os problemas brasileiros. A civilização brasileira, apesar de não ser exclusivamente europeia, com o apresentar-se sob formas passivamente subeuropeias, é por demais ocidental, e, sob o ponto de vista sociológico, cristã demais – à revelia, aliás, de um poder clerical que no Brasil quase não existe como tal – para admitir semelhante solução. Mais do que outras nações recentes, como a Índia, o Paquistão ou o Ceilão, o Brasil oferece expressivo exemplo de mistura de ideias, costumes e tradições europeias e não europeias, com a predominância das europeias e ocidentais sobre as demais. Aquilo que já foi dito a respeito da Índia e do Paquistão de que sua mistura de ideias não europeias com ideias ocidentais de bem-estar social, em uma síntese funcional, representaria "o mais significativo desafio até hoje descoberto contra o totalitarismo comunista" – também se pode aplicar, com muito mais razão, ao Brasil: um Brasil que procura solução própria para seus problemas, solução que socialmente já começa a se mostrar como síntese funcional dos elementos europeus e não europeus de sua civilização. Somente no aspecto político é que essa síntese parece atualmente mostrar grandes deficiências pelo excesso na adoção de modelos europeus ou anglo-americanos à revelia de situações em grande parte extraeuropeias.

Entretanto, mesmo sob esse aspecto, a atual situação brasileira, apesar de abalada por uma quase trágica ausência de hábil liderança política, é bastante plástica para admitir um reajuste entre o pensamento avançado em relação às forças de trabalho e aos seus direitos – avançado aqui não traduz comunismo – e um esforço sério em benefício da industrialização e de mecanização da agricultura, no qual a chamada livre-empresa poderá participar ativamente.

Neste ponto a Constituição de 1946 foi sábia: o parágrafo inicial do capítulo referente à "ordem social e econômica" representa inteligente conciliação entre aqueles que querem dar ênfase à chamada "valorização" do trabalho e aqueles que desejam enfatizar a livre-empresa. Como membro independente da Assembleia Nacional incumbida de elaborar a nova Constituição para o Brasil – inteira independência de qualquer partido político, grupo econômico ou seita ideológica, pois foi eleito graças à iniciativa de estudantes universitários –, o autor deste livro tomou parte que considera decisiva na redação do citado parágrafo, extremamente importante para o desenvolvimento social e econômico do Brasil. Sente-se feliz em ter, naquela altura, derrotado uma versão brasileira do "justicialismo" *à La* Perón; mas sente-se feliz, também, em ter contribuído para derrotar excessos de "livre-empresa", inteiramente antagônicos ao *Welfare State*, em um país como o Brasil.

Embora soe como um paradoxo sociológico, o Brasil precisa dos dois. O conflito entre o desejo de preservar "valores tradicionais" e o desejo de viver em harmonia com "as condições do século XX", que vem sendo observado por grande número de estudiosos de países não ocidentais, não é próprio apenas dos povos orientais ou africanos; também pode ser encontrado entre os brasileiros e outros latino-americanos. E uma das expressões desse conflito pode ser vista numa ianquefobia que identifica os Estados Unidos com um capitalismo tido como desrespeitoso de tudo, que não corresponde a seus fins imediatos e imperiais, inclusive do desenvolvimento cultural dos trabalhadores que, como desenvolvimento cultural, não significa lucro para os capitalistas.

Alguns estudiosos brasileiros da situação de seu país estão convictos de que será possível desenvolver, no Brasil, uma civilização moderna em seu aspecto técnico que não seja, entretanto, nem subeuropeia nem subianque em aspectos não tecnológicos, através da conciliação do desenvolvimento técnico com alguns dos valores tradicionais característicos do Brasil e que podem ser preservados quer por operários, quer por outros elementos da produção nacional. Alguns desses estudiosos entendem essa civilização – própria do Brasil, no Hemisfério Ocidental, propriedade que não implica ausência de afinidades com outras repúblicas da América – como uma civilização luso-tropical que, se reconhecida como tal, seria uma vasta civilização ainda mais extensa que a da China – na América, na África, no Oriente, nas ilhas do Atlântico, e na própria Europa, ocupando espaços tropicais ou quase tropicais. Se uma civilização assim unificada está realmente sendo desenvolvida, então o Brasil pode ser considerado como o líder em potencial de um dos sistemas de civilização mais significativos do mundo moderno. Uma China tropical cuja extensão é considerável e cuja língua – a portuguesa – é hoje falada por mais de cem milhões de bocas.

Biobibliografia de Gilberto Freyre

1900 Nasce no Recife, em 15 de março, na antiga Estrada dos Aflitos (hoje Avenida Rosa e Silva), esquina de Rua Amélia (o portão da hoje residência da família Costa Azevedo está assinalado por uma placa), filho do dr. Alfredo Freyre – educador, juiz de direito e catedrático de Economia Política da Faculdade de Direito do Recife – e de Francisca de Mello Freyre.

1906 Tenta fugir de casa, abrigando-se na materna Olinda, desde então, cidade muito de seu amor e da qual escreveria, em 1939, o *2º Guia prático, histórico e sentimental*.

1908 Entra no jardim de infância do Colégio Americano Gilreath. Lê as *Viagens de Gulliver* com entusiasmo. Não consegue aprender a escrever, fazendo-se notar pelos desenhos. Tem aulas particulares com o pintor Telles Júnior, que reclama contra sua insistência em deformar os modelos. Começa a aprender a ler e escrever em inglês com Mr. Williams, que elogia seus desenhos.

1909 Primeira experiência da morte: a da avó materna, que muito o mimava por supor que o neto tinha *deficit* de aprendizado, pela dificuldade em aprender a escrever. Temporada no engenho São Severino do Ramo, pertencente a parentes seus. Primeiras experiências rurais de menino de engenho. Mais tarde escreverá sobre essa temporada uma das suas melhores páginas, incluída em *Pessoas, coisas & animais*.

1911 Primeiro verão na Praia de Boa Viagem, onde escreve um soneto camoniano e enche muitos cadernos com desenhos e caricaturas.

1913 Dá as primeiras aulas no colégio. Lê José de Alencar, Machado de Assis, Gonçalves Dias, Castro Alves, Victor Hugo, Emerson, Longfellow, alguns dramas de Shakespeare, Milton, César, Virgílio, Camões e Goethe.

1914 Ensina latim, que aprendeu com o próprio pai, conhecido humanista recifense. Toma parte ativa nos trabalhos da sociedade literária do colégio. Torna-se redator-chefe do jornal impresso do colégio *O Lábaro*.

1915 Tem lições particulares de francês com Madame Meunieur. Lê La Fontaine, Pierre Loti, Molière, Racine, *Dom Quixote*, a Bíblia, Eça de Queirós, Antero de Quental, Alexandre Herculano, Oliveira Martins.

1916 Corresponde-se com o jornalista paraibano Carlos Dias Fernandes, que o convida a proferir palestra na capital do Estado vizinho. Como o dr. Freyre não apreciava Carlos Dias Fernandes, pela vida boêmia que levava, viaja autorizado pela mãe e lê no Cine-Teatro Pathé sua primeira conferência pública, dissertando sobre Spencer e o problema da educação no Brasil. O texto foi publicado no jornal *O Norte*, com elogios de Carlos Dias Fernandes. Influenciado pelos mestres do colégio e pela leitura do *Peregrino* de Bunyan e de uma biografia do dr. Livingstone, toma parte em atividades evangélicas e visita a gente miserável dos mucambos recifenses. Interessa-se pelo socialismo cristão, mas lê, como espécie de antídoto a seu misticismo, autores como Spencer e Comte. É eleito presidente do Clube de Informações Mundiais, fundado pela Associação Cristã de Moços do Recife. Lê ainda, nesse período, Rui Barbosa, Joaquim Nabuco, Oliveira Lima, Nietzsche e Sainte-Beuve.

1917 Conclui o curso de Barechal em Ciências e Letras do Colégio Americano Gilreath, fazendo-se notar pelo discurso que profere como orador da turma, cujo paraninfo é o historiador Oliveira Lima, daí em diante seu amigo (ver referência ao primeiro encontro com Oliveira Lima no prefácio à edição de suas *Memórias*, escrito a convite da viúva e do editor José Olympio). Leitura de Taine, Renan, Darwin, Von Ihering, Anatole France, William James, Bergson, Santo Tomás de Aquino, Santo Agostinho, São João da Cruz, Santa Teresa, Padre Vieira, Padre Bernardes, Fernão Lopes, São Francisco de Assis, São Francisco de Sales e Tolstoi. Começa a estudar grego. Torna-se membro da Igreja Evangélica, desagradando a mãe e a família católica.

1918 Segue, no início do ano, para os Estados Unidos, fixando-se em Waco (Texas) para matricular-se na Universidade de Baylor. Começa a ler Stevenson, Pater, Newman, Steele e Addison, Lamb, Adam Smith, Marx, Ward, Giddings, Jane Austen, as irmãs Brönte, Carlyle, Mathew

Arnold, Pascal, Montaigne, Euclides da Cunha e Monteiro Lobato. Inicia sua colaboração no *Diário de Pernambuco*, com a série de cartas intituladas "Da outra América".

1919 Ainda na Universidade de Baylor, auxilia o geólogo John Casper Branner no preparo do texto português da *Geologia do Brasil*. Ensina francês a jovens oficiais norte-americanos convocados para a guerra. Estuda Geologia com Pace, Biologia com Bradbury, Economia com Wright, Sociologia com Dow, Psicologia com Hall e Literatura com A. J. Armstrong, professor de Literatura e crítico literário especializado na filosofia e na poesia de Robert Browning. Escreve os primeiros artigos em inglês publicados por um jornal de Waco. Divulga suas primeiras caricaturas.

1920 Conhece pessoalmente, por intermédio do professor Armstrong, o poeta irlandês William Butler Yeats (ver, no livro *Artigos de jornal*, um capítulo sobre esse poeta), os "poetas novos" dos Estados Unidos: Vachel Lindsay, Amy Lowell e outros. Escreve em inglês sobre Amy Lowell. Como estudante de Sociologia, faz pesquisas sobre a vida dos negros de Waco e dos mexicanos marginais do Texas. Conclui, na Universidade de Baylor, o curso de Bacharel em Artes, mas não comparece à solenidade da formatura: contra as praxes acadêmicas, a Universidade envia-lhe o diploma por intermédio de um portador. Segue para Nova York e ingressa na Universidade de Colúmbia. Lê Freud, Westermarck, Santayana, Sorel, Dilthey, Hrdlicka, Keith, Rivet, Rivers, Hegel, Le Play, Brunhes e Croce. Segundo notícia publicada no *Diário de Pernambuco* de 5 de junho, a Academia Pernambucana de Letras, por proposta de França Pereira, elege-o sócio-correspondente.

1921 Segue, na Faculdade de Ciências Políticas (inclusive as Ciências Sociais Jurídicas) da Universidade de Colúmbia, cursos de graduação e pós-graduação dos professores Giddings, Seligman, Boas, Hayes, Carl van Doren, Fox, John Basset Moore e outros. Conhece pessoalmente Rabindranath Tagore e o príncipe de Mônaco (depois reunidos no livro *Artigos de jornal*), Valle-Inclán e outros intelectuais e cientistas famosos que visitam a Universidade de Colúmbia e a cidade de Nova York. A convite de Amy Lowell, visita-a em Boston (ver, sobre essas visitas, artigos incluídos no livro *Vida, forma e cor*). Segue, na Universidade de Colúmbia, o curso do professor Zimmern, da Universidade de Oxford, sobre a escravidão na Grécia. Visita a Universidade de Harvard e o Canadá. É hóspede da Universidade de Princeton, como representante dos estudantes da América Latina que ali se reúnem em congresso. Lê Patrick Geddes, Ganivet, Max Weber, Maurras, Péguy, Pareto, Rickert, William Morris, Michelet, Barrès, Huysmans, Verlaine, Rimbaud, Baudelaire, Dostoievski, John Donne, Coleridge, Xenofonte, Homero, Ovídio, Ésquilo, Aristóteles e Ratzel. Torna-se editor associado da revista *El Estudiante Latinoamericano*, publicada mensalmente em Nova York pelo Comitê de Relações Fraternais entre Estudantes Estrangeiros. Publica diversos artigos no referido periódico.

1922 Defende tese para o grau de M. A. (*Magister Artium* ou *Master of Arts*) na Universidade de Colúmbia sobre *Social life in Brazil in the middle of the 19th Century*, publicada em Baltimore pela Hispanic American Historical Review (v. 5, n. 4, nov. 1922) e recebida com elogios pelos professores Haring, Shepherd, Robertson, Martin, Oliveira Lima e H. L. Mencken, que aconselha o autor a expandir o trabalho em livro. Deixa de comparecer à cerimônia de formatura, seguindo imediatamente para a Europa, onde recebe o diploma, enviado pelo reitor Nicholas Murray Butler. Vai para a França, a Alemanha, a Bélgica, tendo antes passado pela Inglaterra, estabelecendo-se em Oxford. Vai para a França, atravessa a Espanha e conhece Portugal, onde se fixa. Lê Simmel, Poincaré, Havelock Ellis, Psichari, Rémy de Gourmont, Ranke, Bertrand Russel, Swinburne, Ruskin, Blake, Oscar Wilde, Kant e Gracián. Tem o retrato pintado pelo modernista brasileiro Vicente do Rego Monteiro. Convive com ele e com outros artistas modernistas brasileiros, como Tarsila do Amaral e Brecheret. Na Alemanha conhece o Expressionismo; na Inglaterra, estabelece contato com o ramo inglês do Imagismo, já seu conhecido nos Estados Unidos. Na França, conhece o anarcossindicalismo de Sorel e o federalismo monárquico de Maurras. Convidado por Monteiro Lobato – a quem fora apresentado por carta de Oliveira Lima –, inicia sua colaboração na *Revista do Brasil* (n⁰ 80, p. 363-371, agosto de 1922).

1923 Continua em Portugal, onde conhece João Lúcio de Azevedo, o Conde de Sabugosa, Fidelino de Figueiredo, Joaquim de Carvalho e Silva Gaio. Regressa ao Brasil e volta a colaborar no *Diário de Pernambuco*. Da Europa escreve artigos para a *Revista do Brasil* (São Paulo), a pedido de Monteiro Lobato.

1924 Reintegra-se no Recife, onde conhece José Lins do Rego, incentivando-o a escrever romances, em vez de artigos políticos (ver referências ao encontro e início da amizade entre o sociólogo e o futuro romancista do Ciclo da Cana de Açúcar no prefácio que este escreveu para o livro *Região e tradição*). Conhece José Américo de Almeida através de José Lins do Rego. Funda-se no Recife, a 28 de abril, o Centro Regionalista do Nordeste, com Odilon Nestor, Amaury de Medeiros, Alfredo Freyre, Antônio Inácio, Morais Coutinho, Carlos Lyra Filho, Pedro Paranhos, Júlio Bello e outros. Excursões pelo interior do Estado de Pernambuco e pelo Nordeste com Pedro Paranhos, Júlio Bello (que a seu pedido escreveria as *Memórias de um senhor de engenho*) e seu irmão, Ulysses Freyre. Lê, na capital do Estado da Paraíba, conferência publicada no mesmo ano: Apologia pro generatione sua (incluída no livro *Região e tradição*).

1925 Encarregado pela direção do *Diário de Pernambuco*, organiza o livro comemorativo do primeiro centenário de fundação do referido jornal, *Livro do Nordeste*, onde foi publicado pela primeira vez o poema modernista de Manuel Bandeira "Evocação do Recife", escrito a seu pedido (ver referências no capítulo sobre Manuel Bandeira no livro *Perfil de Euclydes e outros perfis*). O *Livro do Nordeste* consagra, também, o até então desconhecido pintor Manuel Bandeira e publica desenhos modernistas de Joaquim Cardoso e Joaquim do Rego Monteiro. Lê na Biblioteca Pública do Estado de Pernambuco uma conferência sobre D. Pedro II, publicada no ano seguinte.

1926 Conhece a Bahia e o Rio de Janeiro, onde faz amizade com o poeta Manuel Bandeira, os escritores Prudente de Morais, neto (Pedro Dantas), Rodrigo M. F. de Andrade, Sérgio Buarque de Holanda, o compositor Villas-Lobos e o mecenas Paulo Prado. Por intermédio de Prudente, conhece Pixinguinha, Donga e Patrício e se inicia na nova música popular brasileira em noitadas boêmias. Escreve um extenso poema, modernista ou imagista e ao mesmo tempo regionalista e tradicionalista, do qual Manuel Bandeira dirá depois que é um dos mais saborosos do ciclo das cidades brasileiras: "Bahia de todos os santos e de quase todos os pecados" (publicado no Recife, no mesmo ano, em edição da *Revista do Norte*, reeditado em 20 de junho de 1942, na revista *O Cruzeiro* e incluído no livro *Talvez poesia*). Segue para os Estados Unidos como delegado do *Diário de Pernambuco*, ao Congresso Pan-Americano de Jornalistas. Convidado para redator-chefe do mesmo jornal e para oficial de gabinete do governador eleito de Pernambuco, então vice-presidente da República. Colabora (artigos humorísticos) na *Revista do Brasil* com o pseudônimo de J. J. Gomes Sampaio. Publica-se no Recife a conferência lida, no ano anterior, na Biblioteca Pública do Estado de Pernambuco: A propósito de Dom Pedro II (edição da *Revista do Norte*, incluída, em 1944, no livro *Perfil de Euclydes e outros perfis*). Promove no Recife o 1º Congresso Brasileiro de Regionalismo.

1927 Assume o cargo de oficial de gabinete do novo governador de Pernambuco, Estácio de Albuquerque Coimbra, casado com a prima de Alfredo Freyre, Joana Castelo Branco de Albuquerque Coimbra. Conhece Mário de Andrade no Recife e proporciona-lhe um passeio de lancha no rio Capibaribe.

1928 Dirige, a pedido de Estácio Coimbra, o jornal *A Província*, onde passam a colaborar os novos escritores do Brasil. Publica no mesmo jornal artigos e caricaturas com diferentes pseudônimos: Esmeraldino Olímpio, Antônio Ricardo, Le Moine, J. Rialto e outros. Lê Proust e Gide. Nomeado pelo governador Estácio Coimbra, por indicação do diretor A. Carneiro Leão, torna--se professor da Escola Normal do Estado de Pernambuco: primeira cadeira de Sociologia que se estabelece no Brasil com moderna orientação antropológica e pesquisas de campo.

1930 Acompanhando Estácio Coimbra ao exílio, visita novamente a Bahia, conhece parte do continente africano (Dacar, Senegal) e inicia, em Lisboa, as pesquisas e os estudos em que se basearia *Casa-grande & senzala* ("Em outubro de 1930 ocorreu-me a aventura do exílio. Levou-me primeiro à Bahia; depois a Portugal, com escala pela África. O tipo de viagem ideal para os estudos e as preocupações que este ensaio reflete", como escreverá no prefácio do mesmo livro).

1931 A convite da Universidade de Stanford, segue para os Estados Unidos, como professor extraordinário daquela universidade. Volta, no fim do ano, para a Europa, permanecendo algum tempo na Alemanha, em novos contatos com seus museus de antropologia, de onde regressa ao Brasil.

1932 Continua, no Rio de Janeiro, as pesquisas para a elaboração de *Casa-grande & senzala* em bibliotecas e arquivos. Recusando convites para empregos feitos pelos membros do novo governo brasileiro – um deles José Américo de Almeida – vive, então, com grandes dificuldades financeiras, hospedando-se em casas de amigos e em pensões baratas do Distrito Federal. Estimulado pelo seu amigo Rodrigo M. F. de Andrade, contrata com o poeta Augusto Frederico Schmidt – então editor – a publicação do livro por 500 mil-réis mensais, que recebe com irregularidades constantes. Regressa ao Recife, onde continua a escrever *Casa-grande & senzala*, na casa do seu irmão, Ulysses Freyre.

1933 Conclui o livro, enviando os originais ao editor Schmidt, que o publica em dezembro.

1934 Aparecem em jornais do Rio de Janeiro os primeiros artigos sobre *Casa-grande & senzala*, escritos por Yan de Almeida Prado, Roquette-Pinto, João Ribeiro e Agrippino Grieco, todos elogiosos. Organiza no Recife o 1º Congresso de Estudos Afro-Brasileiros. Recebe o prêmio da Sociedade Felipe d'Oliveira pela publicação *Casa-grande & senzala*. Lê na mesma sociedade conferência sobre O escravo nos anúncios de jornal do tempo do Império, publicada na revista *Lanterna Verde* (v. 2, fev. 1935). Regressa ao Recife e lê, no dia 24 de maio, na Faculdade de Direito e a convite de seus estudantes, conferência publicada, no mesmo ano, pela Editora Momento: O estudo das ciências sociais nas universidades americanas. Publica-se no Recife (Oficinas Gráficas The Propagandist, edição de amigos do autor, tiragem de apenas 105 exemplares em papel especial e coloridos a mão por Luís Jardim) o *Guia prático, histórico e sentimental da cidade do Recife*, inaugurando, em todo o mundo, um novo estilo de guia de cidade, ao mesmo tempo lírico e informativo e um dos primeiros livros para bibliófilos publicados no Brasil. Nomeado em dezembro diretor do *Diário de Pernambuco*, cargo que exerceu por apenas quinze dias por causa da proibição, por Assis Chateaubriand, da publicação de uma entrevista de João Alberto Lins de Barros.

1935 A pedido dos alunos da Faculdade de Direito do Recife e por designação do ministro da Educação, inicia na referida escola superior um curso de Sociologia com orientação antropológica e ecológica. Segue, em setembro, para o Rio de Janeiro, onde, a convite de Anísio Teixeira, dirige na Universidade do Distrito Federal o primeiro Curso de Antropologia Social e Cultural da América Latina (ver texto das aulas no livro *Problemas brasileiros de antropologia*). Publica-se no Recife (Edições Mozart) o livro *Artigos de jornal*. Profere, a convite de estudantes paulistas de Direito, no Centro XI de Agosto, da Faculdade de Direito de São Paulo, a conferência Menos doutrina, mais análise, tendo sido saudado pelo estudante Osmar Pimentel.

1936 Publica-se no Rio de Janeiro (Companhia Editora Nacional, v. 64 da Coleção Brasiliana) o livro que é uma continuação da série iniciada com *Casa-grande & senzala*, *Sobrados e mucambos*. Viagem à Europa, permanecendo algum tempo na França e em Portugal.

1937 Viaja de novo à Europa, dessa vez como delegado do Brasil ao Congresso de Expansão Portuguesa no Mundo, reunido em Lisboa. Lê conferências nas Universidades de Lisboa, Coimbra e Porto e na de Londres (King's College), publicadas no Rio de Janeiro no ano seguinte. Regressa ao Recife e lê conferência política no Teatro Santa Isabel, a favor da candidatura de José Américo de Almeida à Presidência da República. A convite de Paulo Bittencourt inicia colaboração semanal no *Correio da Manhã*. Publica-se no Rio de Janeiro (José Olympio) o livro *Nordeste* (aspectos da influência da cana sobre a vida e a paisagem do Nordeste do Brasil).

1938 É nomeado membro da Academia Portuguesa de História pelo presidente Oliveira Salazar. Segue para os Estados Unidos como lente extraordinário da Universidade de Columbia, onde dirige seminário sobre sociologia e história da escravidão. Publica-se no Rio de Janeiro (Serviço Gráfico do Ministério da Educação e Saúde) o livro *Conferência na Europa*.

1939 Faz primeira viagem ao Rio Grande do Sul. Segue, depois, para os Estados Unidos, como professor extraordinário da Universidade de Michigan. Publica-se no Rio de Janeiro (José Olympio) a primeira edição do livro *Açúcar* e no Recife (edição do autor, para bibliófilos) *Olinda, 2º guia prático, histórico e sentimental de cidade brasileira*. Publica-se em Nova York (Instituto de las Españas en los Estados Unidos) a obra do historiador Lewis Hanke,

Gilberto Freyre, vida y obra.

1940 A convite do governo português, lê no Gabinete Português de Leitura do Recife a conferência (publicada no Recife, no mesmo ano, em edição particular) Uma cultura ameaçada: a luso-brasileira. E, em Aracaju, na instalação da 2ª Reunião da Sociedade de Neurologia, Psiquiatria e Higiene Mental do Nordeste, lê conferência publicada no ano seguinte pela mesma sociedade; no dia 29 de outubro, na Biblioteca do Ministério das Relações Exteriores e a convite da Casa do Estudante do Brasil, profere conferência sobre Euclides da Cunha, publicada no ano seguinte; no dia 19 de novembro, na Biblioteca do Estado do Rio Grande do Sul, faz uma conferência por ocasião das comemorações do bicentenário da cidade de Porto Alegre, publicada em 1943. Participa do 3º Congresso Sul-Rio-grandense de História e Geografia, ao qual apresenta, a pedido do historiador Dante de Laytano, o trabalho Sugestões para o estudo histórico-social do sobrado no Rio Grande do Sul, publicado no mesmo ano pela Editora Globo e incluído, posteriormente, no livro *Problemas brasileiros de antropologia*. Publica-se em Nova York (Columbia University Press) o opúsculo Some aspects of the social development on Portuguese America, separata da obra coletiva *Concerning Latin American culture*. Publicam-se no Rio de Janeiro (José Olympio) os livros *Um engenheiro francês no Brasil* e *O mundo que o português criou*, com longos prefácios, respectivamente, de Paul Arbousse-Bastide e Antônio Sérgio. Prefacia e anota o *Diário íntimo do engenheiro Vauthier*, publicado no mesmo ano pelo Serviço do Patrimônio Histórico e Artístico Nacional.

1941 Casa-se no Mosteiro de São Bento do Rio de Janeiro com a senhorita Maria Magdalena Guedes Pereira. Viaja ao Uruguai, Argentina e Paraguai. Torna-se colaborador de *La Nación* (Buenos Aires), dos *Diários Associados*, do *Correio da Manhã* e de *A Manhã* (Rio de Janeiro). Prefacia e anota as *Memórias de um Cavalcanti*, do seu parente Félix Cavalcanti de Albuquerque Melo, publicadas pela Companhia Editora Nacional (volume 196 da Coleção Brasiliana). Publica-se no Recife (Sociedade de Neurologia, Psiquiatria e Higiene Mental do Nordeste) a conferência Sociologia, psicologia e psiquiatria, depois ampliada e incluída no livro *Problemas brasileiros de antropologia*, contribuição para uma psiquiatria social brasileira que seria destacada pela Sorbonne ao doutorá-lo H.C. Publica-se no Rio de Janeiro (Casa do Estudante do Brasil) e em Buenos Aires a conferência Atualidade de Euclydes da Cunha (incluída, em 1944, no livro *Perfil de Euclydes e outros perfis*). Ao ensejo da publicação, no Rio de Janeiro (José Olympio), do livro *Região e tradição*, recebe homenagem de grande número de intelectuais brasileiros, com um almoço no Jóquei Clube, em 26 de junho, do qual foi orador o jornalista Dario de Almeida Magalhães.

1942 É preso no Recife, por ter denunciado, em artigo publicado no Rio de Janeiro, atividades nazistas e racistas no Brasil, inclusive as de um padre alemão a quem foi confiada, pelo governo do Estado de Pernambuco, a formação de jovens escoteiros. Com seu pai reage à prisão, quando levado para "a imunda Casa de Detenção do Recife", sendo solto, no dia seguinte, por interferência direta de seu amigo general Góes Monteiro. Recebe convite da Universidade de Yale para ser professor de Filosofia Social, que não pôde aceitar. Profere, no Rio de Janeiro, discurso como padrinho de batismo de avião oferecido pelo jornalista Assis Chateaubriand ao Aeroclube de Porto Alegre. É eleito para o Conselho Consultivo da American Philosophical Association. É designado pelo Conselho da Faculdade de Filosofia da Universidade de Buenos Aires Adscrito Honorário de Sociologia e eleito membro correspondente da Academia Nacional de História do Equador. Discursa no Rio de Janeiro, em nome do sr. Samuel Ribeiro, doador do avião Taylor à campanha de Assis Chateaubriand. Publica-se em Buenos Aires (Comisión Revisora de Textos de Historia y Geografía Americana) a 1ª edição de *Casa-grande & senzala* em espanhol, com introdução de Ricardo Saenz Hayes. Publicam-se no Rio de Janeiro (José Olympio) o livro *Ingleses* e a 2ª edição de *Guia prático, histórico e sentimental da cidade do Recife*. A Casa do Estudante do Brasil divulga, em 2ª edição, a conferência Uma cultura ameaçada: a luso-brasileira, proferida no Gabinete Português de Leitura do Recife (1940).

1943 Visita a Bahia, a convite dos estudantes de todas as escolas superiores do Estado, que lhe prestam excepcionais homenagens, às quais se associa quase toda a população de Salvador. Lê na Faculdade de Medicina da Bahia, a convite da União dos Estudantes Baianos, a conferência Em torno de uma classificação sociológica e no Instituto Histórico da Bahia, por iniciativa da Faculdade de Filosofia do mesmo Estado, a conferência A propósito da filosofia social e suas relações com a sociologia histórica (ambas incluídas, com os discursos proferidos nas homenagens recebidas na Bahia, no livro *Na Bahia em 1943*, que teve quase toda a sua tiragem apreendida, nas livrarias do Recife, pela Polícia do Estado de Pernambuco). Recusa, em carta altiva, o convite para ser catedrático de Sociologia da Universidade do Brasil. Inicia colaboração no *O Estado de S.Paulo* em 30 de setembro. Por intermédio do Itamaraty, recebe convite da Universidade de Harvard para ser seu professor, que também recusa. Publicam-se em Buenos Aires (Espasa-Calpe Argentina) as 1ªˢ edições, em espanhol, de *Nordeste* e de *Uma cultura ameaçada* e a 2ª, na mesma língua, de *Casa-grande & senzala*. Publicam-se no Rio de Janeiro (Casa do Estudante do Brasil) o livro *Problemas brasileiros de antropologia* e o opúsculo Continente e ilha (conferência lida, em Porto Alegre, no ano de 1940 e incluída na 2ª edição de *Problemas brasileiros de antropologia*). Publica-se também, no Rio de

Janeiro (Livros de Portugal), uma edição de *As farpas*, de Ramalho Ortigão e Eça de Queirós, selecionadas e prefaciados por ele, bem como a 4ª edição de *Casa-grande & senzala*, livro publicado a partir desse ano pelo editor José Olympio.

1944 Visita Alagoas e Paraíba, a convite de estudantes desses Estados. Lê na Faculdade de Direito de Alagoas conferência sobre Ulysses Pernambucano, publicada no ano seguinte. Deixa de colaborar nos *Diários Associados* e em *La Nación*, em virtude da violação e do extravio constantes de sua correspondência. Em 9 de junho de 1944, comparece à Faculdade de Direito do Recife, a convite dos alunos dessa escola, para uma manifestação de regozijo em face da invasão da Europa pelos Exércitos Aliados. Lê em Fortaleza a conferência Precisa-se do Ceará. Segue para os Estados Unidos, onde profere, na Universidade do Estado de Indiana, seis conferências promovidas pela Fundação Patten e publicadas no ano seguinte, em Nova York, no livro *Brazil:* an interpretation. Publicam-se no Rio de Janeiro os livros *Perfil de Euclydes e outros perfis* (José Olympio), *Na Bahia em 1943* (edição particular) e a 2ª edição do guia *Olinda*. A Casa do Estudante do Brasil publica, no Rio de Janeiro, o livro *Gilberto Freyre*, de Diogo Melo Menezes, com prefácio consagrador de Monteiro Lobato.

1945 Toma parte ativa, ao lado dos estudantes do Recife, na campanha pela candidatura do brigadeiro Eduardo Gomes à Presidência da República. Fala em comícios, escreve artigos, anima os estudantes na luta contra a ditadura. No dia 3 de março, por ocasião do primeiro comício daquela campanha no Recife, começa a discursar, na sacada da redação do *Diário de Pernambuco*, quando tomba a seu lado, assassinado pela Polícia Civil do Estado, o estudante de Direito Demócrito de Sousa Filho. A UDN oferece, em sua representação na futura Assembleia Nacional Constituinte, um lugar aos estudantes do Recife, que preferem que seu representante seja o bravo escritor. A Polícia Civil do Estado de Pernambuco empastela e proíbe a circulação do *Diário de Pernambuco*, impedindo-o de noticiar a chacina em que morreram o estudante Demócrito e um popular. Com o jornal fechado, o retrato de Demócrito é inaugurado na redação, com memorável discurso de Gilberto Freyre: Quiseram matar o dia seguinte (cf. *Diário de Pernambuco*, 10 de abril de 1945). Em 9 de junho, comparece à Faculdade de Direito do Recife, como orador oficial da sessão contra a ditadura. Publicam-se no Recife (União dos Estudantes de Pernambuco) o opúsculo de sua autoria em apoio à candidatura de Eduardo Gomes: *Uma campanha maior do que a da abolição* e a conferência lida, no ano anterior, em Maceió: *Ulysses*. Publica-se em Fortaleza (edição do autor) a obra *Gilberto Freyre e alguns aspectos da antropossociologia no Brasil*, de autoria do médico Aderbal Sales. Publica-se em Nova York (Knopf) o livro *Brazil:* an interpretation. A Editora mexicana Fondo de Cultura Económica publica *Interpretación del Brasil*, com orelhas escritas por Alfonso Reyes.

1946 Eleito deputado federal, segue para o Rio de Janeiro, a fim de participar nos trabalhos da Assembleia Constituinte. Em 17 de junho, profere discurso de críticas e sugestões ao projeto da Constituição, publicado em opúsculo: Discurso pronunciado na Assembleia Nacional Constituinte (incluído na 2ª edição do livro *Quase política*). Em 22 de junho lê no Teatro Municipal de São Paulo, a convite do Centro Acadêmico XI de Agosto, conferência publicada no mesmo ano pela referida organização estudantil Modernidade e modernismo na arte política (incluída, em 1965, no livro *6 conferências em busca de um leitor*). Em 16 de julho, na Faculdade de Direito de Belo Horizonte, a convite de seus alunos, apresenta conferência publicada no mesmo ano: Ordem, liberdade, mineiralidade (incluída em 1965, no livro *6 conferências em busca de um leitor*). Em agosto inicia colaboração no *Diário Carioca*. Em 29 de agosto profere na Assembleia Constituinte outro discurso de crítica ao projeto da Constituição (incluído na 2ª edição do livro *Quase política*). Em novembro, a Comissão de Educação e Cultura da Câmara dos Deputados indica, com aplauso do escritor Jorge Amado, membro da Comissão, o nome de Gilberto Freyre para o Prêmio Nobel de Literatura de 1947, com o apoio de numerosos intelectuais brasileiros. Publica-se no Rio de Janeiro a 5ª edição de *Casa-grande & senzala* e em Nova York (Knopf), a edição do mesmo livro em inglês, *The masters and the slaves*.

1947 Apresenta à Mesa da Câmara dos Deputados, para ser dado como lido, discurso sobre o centenário de nascimento de Joaquim Nabuco, publicado no ano seguinte. Em 22 de maio, lê no auditório da Associação Brasileira de Imprensa, a convite da Sociedade dos Amigos da América, conferência sobre Walt Whitman, publicada no ano seguinte. Trabalha ativamente na Comissão de Educação e Cultura da Câmara dos Deputados. É convidado para representar o Brasil no 19º Congresso dos Pen Clubes Mundiais, reunido em Zurique. Publica-se em Londres a edição inglesa de *The masters and the slaves*, em Nova York, a 2ª impressão de *Brazil: an interpretation* e no Rio de Janeiro, a edição brasileira deste livro, em tradução de Olívio Montenegro: *Interpretação do Brasil* (José Olympio). Publica-se em Montevidéu a obra *Gilberto Freyre y la sociología brasileña*, de Eduardo J. Couture.

1948 A convite da Unesco, toma parte, em Paris, no conclave de oito notáveis cientistas e pensadores sociais (Gurvitch, Allport e Sullivan, entre eles), reunidos pela referida Organização das Nações Unidas por iniciativa do então diretor Julian Huxley para estudar as Tensões que afetam a compreensão internacional, trabalho em conjunto depois publicado em inglês e francês. Lê, no Ministério das Relações Exteriores, a convite do Instituto Brasileiro de Educação, Ciência e Cultura (Comissão Nacional da Unesco), conferência sobre o conclave de Paris. Repete na Escola de Comando do Estado-Maior do Exército a conferência lida no Ministério das Relações Exteriores. Inicia em 18 de setembro sua colaboração em *O Cruzeiro*. Em dezembro, profere na Câmara dos Deputados discurso justificando a criação do Instituto Joaquim Nabuco de Pesquisas Sociais, com sede no Recife (incluído na 2ª edição do livro *Quase política*). Lê no Museu de Arte de São Paulo duas conferências: uma sobre Emílio Cardoso Ayres e outra sobre d. Veridiana Prado. Apresenta mais uma conferência na Escola de Comando do Estado-Maior do Exército. Publicam-se no Rio de Janeiro (José Olympio) o livro *Ingleses no Brasil* e os opúsculos O camarada Whitman (incluído, em 1965, no livro *6 conferências em busca de um leitor*), Joaquim Nabuco (incluído, em 1966, na 2ª edição do livro *Quase política*) e *Guerra, paz e ciência* (este editado pelo Ministério das Relações Exteriores). Inicia sua colaboração no *Diário de Notícias*.

1949 Segue para os Estados Unidos, a fim de participar, na categoria de ministro, como delegado parlamentar do Brasil, na 4ª Conferência Internacional da Organização das Nações Unidas. Lê conferências na Universidade Católica da América (Washington, D.C.) e na Universidade de Virgínia. Profere, em 12 de abril, na Associação de Cultura Franco-Brasileira do Recife, conferência sobre Emílio Cardoso Ayres (apenas pequeno trecho foi publicado no *Bulletin* da Associação). Em 18 de agosto, apresenta na Faculdade de Direito do Recife conferência sobre Joaquim Nabuco, na sessão comemorativa do centenário de nascimento do estadista pernambucano (incluída no livro *Quase política*). Em 30 de agosto, profere na Câmara dos Deputados discurso de saudação ao Visconde Jowitt, presidente da Câmara dos Lordes do Reino Unido da Grã-Bretanha e Irlanda do Norte (incluído em *Quase política*). No mesmo dia, lê, no Instituto Histórico e Geográfico Brasileiro, conferência sobre Joaquim Nabuco. Publica-se, no Rio de Janeiro (José Olympio), a conferência apresentada no ano anterior, na Escola de Comando do Estado-Maior do Exército: Nação e Exército (incluída, em 1965, no livro *6 conferências em busca de um leitor*).

1950 Profere na Câmara dos Deputados, em 17 de janeiro, discurso sobre o pernambucano Joaquim Arcoverde, primeiro cardeal da América Latina, por ocasião da passagem do primeiro centenário de seu nascimento (incluído em *Quase política*). Apresenta na Câmara dos Deputados, em 5 de abril, discurso sobre o centenário de nascimento de José Vicente Meira de Vasconcelos, constituinte de 1891 (incluído em *Quase política*). Profere na Câmara dos Deputados, em 28 de abril, discurso de definição de atitude na vida pública (incluído em *Quase política*). Discursa na Câmara dos Deputados, em 2 de maio, sobre o centenário da morte de Bernardo Pereira de Vasconcelos (incluído em *Quase política*). Profere na Câmara dos Deputados, em 2 de junho, discurso contrário à emenda parlamentarista (incluído em *Quase política*). Apresenta na Câmara dos Deputados, em 26 de junho, discurso no qual transmite apelo que recebeu de três parlamentares ingleses, em favor de um governo supranacional (incluído em *Quase política*). Discursa na Câmara dos Deputados, em 8 de agosto, sobre o centenário de nascimento de José Mariano (incluído em *Quase política*). Profere no Parque 13 de Maio, do Recife, discurso em favor da candidatura do deputado João Cleofas de Oliveira ao governo do Estado de Pernambuco (incluído na 2ª edição de *Quase política)*. Em 11 de setembro inicia colaboração diária no *Jornal Pequeno*, do Recife, sob o título Linha de fogo, em prol da candidatura João Cleofas ao governo do Estado de Pernambuco. Profere, em 8 de novembro, na Câmara dos Deputados, discurso de despedida por não ter sido reeleito para o período seguinte (incluído na 2ª edição de *Quase política*). Publica-se em Urbana (University of Illinois Press) a obra coletiva *Tensions that cause wars*, em Paris, em 1948. Contribuição de Gilberto Freyre: Internationalizing social sciences. Publicam-se no Rio de Janeiro (José Olympio) a 1ª edição do livro *Quase política* e a 6ª de *Casa-grande & senzala*.

1951 Publicam-se no Rio de Janeiro (José Olympio) a seguinte edição de *Nordeste* e de *Sobrados e mucambos* (esta refundida e acrescida de cinco novos capítulos). A convite da Universidade de Londres, escreve, em inglês, estudo sobre a situação do professor no Brasil, publicado, no mesmo ano, pelo *Year book of education*. Publica-se em Lisboa (livros do Brasil) a edição portuguesa de *Interpretação do Brasil*.

1952 Lê, na sala dos capelos da Universidade de Coimbra, em 24 de janeiro, conferência publicada, no mesmo ano, pela Coimbra Editora: Em torno de um novo conceito de tropicalismo. Publica-se em Ipswich (Inglaterra) o opúsculo editado pela revista *Progress* de Londres com o ensaio: Human factors behind Brazilian development. Publica-se no Recife (Edições Região) o *Manifesto regionalista de 1926*. Publicam-se no Rio de Janeiro (Serviço de Documentação do Ministério da Educação e Cultura) o opúsculo *José de Alencar* (José Olympio) e a 7ª edição de *Casa-grande & senzala* em francês, organizada pelo professor Roger Bastide, com prefácio de Lucien Fèbvre: *Maîtres et esclaves* (volume 4 da Coleção La Croix du Sud, dirigida por Roger Caillois). Viaja a Portugal e às províncias ultramarinas. Em 16 de abril, inicia colaboração no *Diário Popular* de Lisboa e no *Jornal do Commercio* do Recife.

1953 Publicam-se no Rio de Janeiro (José Olympio) os livros *Aventura e rotina* (escritos durante a viagem a Portugal e às províncias luso-asiáticas, "à procura das constantes portuguesas de caráter e ação") e *Um brasileiro em terras portuguesas* (contendo conferências e discursos proferidos em Portugal e nas províncias ultramarinas, com extensa "Introdução a uma possível luso-tropicologia").

1954 Escolhido pela Comissão das Nações Unidas para o estudo da situação racial na união sul-africana, como o antropólogo estrangeiro mais capacitado a opinar sobre essa situação, visita o referido país e apresenta à Assembleia Geral da ONU um estudo publicado pela organização nessa nação em: *Elimination des conflits et tensions entre les races*. Publica-se no Rio de Janeiro a 8ª edição de *Casa-grande & senzala*; no Recife (Edições Nordeste), o opúsculo *Um estudo do prof. Aderbal Jurema* e, em Milão (Fratelli Bocca), a 1ª edição, em italiano, de *Interpretazione del Brasile*. Em agosto é encenada no Teatro Santa Isabel a dramatização de *Casa-grande & senzala*, feita por José Carlos Cavalcanti Borges. O professor Moacir Borges de Albuquerque defende, em concurso para provimento efetivo de uma das cadeiras de português do Instituto de Educação de Pernambuco, tese sobre *Linguagem de Gilberto Freyre*.

1955 Lê, na sessão inaugural do 4º Congresso Brasileiro de Neurologia, Psiquiatria e Higiene Mental, conferência sobre Aspectos da moderna convergência médico-social e antropocultural (incluída na 2ª edição de *Problemas brasileiros de antropologia*). Em 15 de maio profere no encerramento do curso de treinamento de professores rurais de Pernambuco discurso publicado no ano seguinte. Comparece, como um dos quatro conferencistas principais (os outros foram o alemão Von Wreie, o inglês Ginsberg e o francês Davy) e na alta categoria de convidado especial, ao 3º Congresso Mundial de Sociologia, realizado em Amsterdã, no qual apresenta a comunicação, publicada em Louvain, no mesmo ano, pela Associação Internacional de Sociologia: *Morals and social change*. Para discutir *Casa-grande & senzala* e outras obras, ideias e métodos de Gilberto Freyre, reúnem-se em Cerisy-LaSalle os escritores e professores M. Simon, R. Bastide, G. Gurvitch, Leon Bourdon, Henri Gouhier, Jean Duvignaud, Tavares Bastos, Clara Mauraux, Nicolas Sombart e Mário Pinto de Andrade: talvez a maior homenagem já prestada na Europa a um intelectual brasileiro; os demais seminários de Cerisy foram dedicados a filósofos da história, como Toynbee e Heidegger. Publicam-se no Recife (Secretaria de Educação e Cultura) os opúsculos Sugestões para uma nova política no Brasil: a rurbana (incluído, em 1966, na 2ª edição de *Quase política*) e *Em torno da situação do professor no Brasil*; em Nova York (Knopf) a 2ª edição de *Casa-grande & senzala*, em inglês: *The masters and the slaves*, e em Paris (Gallimard) a 1ª edição de *Nordeste* em francês: *Terres du sucre* (volume 14 da Coleção La Croix du Sud, dirigida por Roger Caillois).

1957 Lê, em 4 de agosto, na Escola de Belas Artes da Universidade Federal de Pernambuco, em solenidade comemorativa do 25º aniversário de fundação daquela instituição, conferência publicada no mesmo ano: Arte, ciência social e sociedade. Dirige, em outubro, curso sobre Sociologia da Arte na mesma escola. Colabora novamente no *Diário Popular* de Lisboa, atendendo a insistentes convites do seu diretor, Francisco da Cunha Leão. Publicam-se no

Recife os opúsculos *Palavras às professoras rurais do Nordeste* (Secretaria de Educação e Cultura do Estado de Pernambuco) e *Importância para o Brasil dos institutos de pesquisa científica* (Instituto Joaquim Nabuco de Pesquisas Sociais); no Rio de Janeiro (José Olympio), a 2ª edição de *Sociologia*; no México (Editorial Cultural), o opúsculo *A experiência portuguesa no trópico americano*; em Lisboa (Livros do Brasil), a 1ª edição portuguesa de *Casa-grande & senzala* e a obra *Gilberto Freyre's "lusotropicalism"*, de autoria de Paul V. Shaw (Centro de Estudos Políticos Sociais da Junta de Investigações do Ultramar).

1958 Lê, no Fórum Roberto Simonsen, conferência publicada no mesmo ano pelo Centro e Federação das Indústrias do Estado de São Paulo: Sugestões em torno de uma nova orientação para as relações intranacionais no Brasil. Publicam-se em Lisboa (Centro de Estudos Políticos e Sociais da Junta de Investigações do Ultramar) o livro, com texto em português e inglês, *Integração portuguesa nos trópicos/Portuguese integration in the tropics*, e no Rio de Janeiro (José Olympio), a 9ª edição brasileira de *Casa-grande & senzala*.

1959 Lê, em abril, conferências no Instituto Joaquim Nabuco de Pesquisas Sociais, iniciando e concluindo cursos de Ciências Sociais promovidos pelo referido órgão. Em julho, apresenta na Faculdade de Direito da Universidade Federal de Minas Gerais conferência publicada pela mesma universidade, no ano seguinte. Publicam-se em Nova York (Knopf) *New world in the tropics*, cujo texto contém, grandemente expandido e praticamente reescrito, o livro (publicado em 1945 pelo mesmo editor) *Brazil:* an interpretation; na Guatemala (Editorial de Ministério de Educación Pública José de Pineda Ibarra), o opúsculo *Em torno a algunas tendencias actuales de la antropología*; no Recife (Arquivo Público do Estado de Pernambuco), o opúsculo *A propósito de Mourão, Rosa e Pimenta: sugestões em torno de uma possível hispano-tropicalologia*; no Rio de Janeiro (José Olympio), a 1ª edição do livro *Ordem e progresso* (terceiro volume da Série Introdução à história patriarcal no Brasil, iniciada com *Casa-grande & senzala*, continuada com *Sobrados e mucambos* e finalizada com *Jazigos e covas rasas*, livro nunca concluído) e *O velho Félix e suas memórias de um Cavalcanti* (2ª edição, ampliada, da introdução ao livro *Memórias de um Cavalcanti*, publicado em 1940); em Salvador (Universidade da Bahia), o livro *A propósito de frades* e o opúsculo *Em torno de alguns túmulos afrocristãos de uma área africana contagiada pela cultura brasileira*; e em São Paulo (Instituto Brasileiro de Filosofia), o ensaio A filosofia da história do Brasil na obra de Gilberto Freyre, de autoria de Miguel Reale.

1960 Viaja pela Europa, nos meses de agosto e setembro, lendo conferências em universidades francesas, alemãs, italianas e portuguesas. Publicam-se em Lisboa (Livros do Brasil) o livro

Brasis, Brasil e Brasília; em Belo Horizonte (edições da *Revista Brasileira de Estudos Políticos*), a conferência Uma política transnacional de cultura para o Brasil de hoje; no Recife (Imprensa Universitária), o opúsculo *Sugestões em torno do Museu de Antropologia do Instituto Joaquim Nabuco de Pesquisas Sociais*, e no Rio de Janeiro (José Olympio), a 3ª edição do livro *Olinda*.

1961 Em 24 de fevereiro recebe em sua casa de Apipucos a visita do escritor norte-americano Arthur Schlesinger Junior, assessor e enviado especial do presidente John F. Kennedy. Em 20 de abril profere na Faculdade de Medicina da Universidade Federal de Pernambuco uma conferência sobre Homem, cultura e trópico, iniciando as atividades do Instituto de Antropologia Tropical, criado naquela faculdade por sugestão sua. Em 25 de abril é filmado e entrevistado em sua residência pela equipe de televisão e cinema do Columbia Broadcasting System. Em junho viaja aos Estados Unidos, onde faz conferência no Conselho Americano de Sociedades Científicas, no Centro de Corning, no Centro de Estudos de Santa Bárbara e nas Universidades de Princeton e Colúmbia. De volta ao Brasil, recebe, em agosto, a pedido da Comissão Educacional dos Estados Unidos da América no Brasil (Comissão Fulbright), para uma palestra informal sobre problemas brasileiros, os professores norte-americanos que participam do II Seminário de Verão promovido pela referida comissão. Em outubro, lê, no Instituto Joaquim Nabuco de Pesquisas Sociais, quatro conferências sobre sociologia da vida rural. Ainda em outubro e a convite dos corpos docente e discente da Escola de Engenharia da Universidade Federal de Pernambuco, lê na mesma escola três conferências sobre Três engenharias inter-relacionadas: a física, a social e a chamada humana. Viaja a São Paulo e lê, em 27 de outubro, no auditório da Academia Paulista de Letras, sob os auspícios do Instituto Hans Staden, conferência intitulada Como e porque sou sociólogo. Em 1º de novembro, apresenta no auditório da ABI e sob os auspícios do Instituto Cultural Brasil-Alemanha, conferências sobre Harmonias e desarmonias na formação brasileira. Em dezembro, segue para a Europa, permanecendo três semanas na Alemanha Ocidental, para participar, como representante do Brasil, no encontro germano-hispânico de sociólogos. Publicam-se em Tóquio (Ministério da Agricultura do Japão, série de Guias para os emigrantes em países estrangeiros), a edição japonesa de *New world in the tropics*: *Atsuitai no sin sekai*; em Lisboa (Comissão Executiva das Comemorações do V Centenário da Morte do Infante D. Henrique) – em português, francês e inglês –, o livro *O luso e trópico*: *les Portugais et les tropiques* e *The portuguese and the tropics* (edições separadas); no Recife (Imprensa Universitária), a obra *Sugestões de um novo contato com universidades europeias*; no Rio de Janeiro (José Olympio), a 3ª edição brasileira de *Sobrados e mucambos* e a 10ª edição brasileira (11ª em língua portuguesa) de *Casa-grande & senzala*.

1962 Em fevereiro, a Escola de Samba de Mangueira desfila, no Carnaval do Rio de Janeiro, com enredo inspirado em *Casa-grande & senzala*. Em março é eleito presidente do Comitê de Pernambuco do Congresso Internacional para a Liberdade da Cultura. Em 10 de junho, lê, no Gabinete Português de Leitura do Rio de Janeiro, a convite da Federação das Associações Portuguesas do Brasil, conferência publicada, no mesmo ano, pela referida entidade: *O Brasil em face das Áfricas negras e mestiças*. Em agosto reúne-se em Porto Alegre o 1º Colóquio de Estudos Teuto-brasileiros, organizado por sugestão sua. Ainda em agosto é admitido pelo Presidente da República como Comandante do Corpo de Graduação da Ordem do Mérito Militar. Por iniciativa do Banco Interamericano de Desenvolvimento, o professor Leopoldo Castedo profere em Washington, D.C., no curso Panorama da Civiliza-ção Ibero-Americana, conferência sobre La valorización del tropicalismo en Freyre. Em outubro, torna-se editor--associado do *Journal of Interamerican Studies*. Em novembro, dirige na Faculdade de Letras da Universidade de Coimbra um curso de seis lições sobre Sociologia da História. Ainda na Europa, lê conferências em universidades da França, da Alemanha Ocidental e da Espanha. Em 19 de novembro recebe o grau de doutor *honoris causa* pela Faculdade de Letras de Coimbra. Publicam-se no Rio de Janeiro (José Olympio) os livros *Talvez poesia* e *Vida, forma e cor*, a 2ª edição de *Ordem e progresso* e a 3ª de *Sociologia*; em São Paulo (Livraria Martins Editora), o livro *Arte, ciência e trópico*; em Lisboa (Livros do Brasil), as edições portuguesas de *Aventura e rotina* e de *Um brasileiro em terras portuguesas*; no Rio de Janeiro (José Olympio), a obra coletiva *Gilberto Freyre: sua ciência, sua filosofia, sua arte* (ensaios sobre o autor de *Casa-grande & senzala* e sua influência na moderna cultura do Brasil, comemorativos do vigésimo quinto aniversário de publicação desse livro).

1963 Em 10 de junho, inaugura-se no Teatro Santa Isabel do Recife uma exposição sobre *Casa--grande & senzala*, organizada pelo colecionador Abelardo Rodrigues. Em 20 de agosto, o governo de Pernambuco promulga a Lei Estadual nº 4.666, de iniciativa do deputado Paulo Rangel Moreira, que autoriza a edição popular, pelo mesmo Estado, de *Casa-grande & senzala*. Publicam-se em *The American Scholar*, Chapel Hill (United Chapters of Phi Beta Kappa e University of North Caroline) o ensaio On the Iberian concept of time; em Nova York (Knopf), a edição de *Sobrados e mucambos* em inglês, com introdução de Frank Tannenbaum: *The mansions and the shanties (the making of modern Brazil)*; em Washington, D.C. (Pan American Union), o livro *Brazil*; em Lisboa, a 2ª edição do opúsculo *Americanism and latinity America!* (em inglês e francês); em Brasília (Editora Universidade de Brasília), a 12ª edição brasileira de *Casa-grande & senzala* (13ª edição em língua portu-guesa) e no Recife (Imprensa Universitária), o livro *O escravo nos anúncios de jornais* *brasileiros do século XIX* (reedição muito ampliada da conferência lida, em 1935, na Sociedade Felipe d'Oliveira). O professor Thomas John O'Halloran apresenta à Graduate School of Arts and Science, da New York University, dissertação sobre *The life and master writings of Gilberto Freyre*. As Editoras A. A. Knopf e Random House publicam em Nova York a 2ª edição (como livro de bolso) de *New world in the tropics*.

1964 A convite do governo do Estado de Pernambuco, lê na Escola Normal do mesmo Estado, em 13 de maio, conferência como orador oficial da solenidade comemorativa do centenário de fundação daquela Escola. Recebe em Natal, em julho, as homenagens da Fundação José Augusto pelo trigésimo aniversário da publicação de *Casa-grande & senzala*. Recebe, em setembro, o Prêmio Moinho Santista para Ciências Sociais. Viaja aos Estados Unidos e participa, em dezembro, como conferencista convidado, do seminário latino-americano promovido pela Universidade de Colúmbia. Publicam-se em Nova York (Knopf) uma edição abreviada (*paperback*) de *The masters and the slaves*; em Madri (separata da *Revista de la Universidad de Madrid*) o opúsculo De lo regional a lo universal en la interpretación de los complejos socioculturales; no Recife (Instituto Joaquim Nabuco de Pesquisas Sociais), em tradução de Waldemar Valente, a tese universitária de 1922, *Vida social no Brasil nos meados do século XIX* e o opúsculo (Imprensa Universitária) *O Estado de Pernambuco e expressão no poder nacional:* aspectos de um assunto complexo; no Rio de Janeiro (José Olympio), a seminovela *Dona Sinhá e o filho padre*, o livro *Retalhos de jornais velhos* (2ª edição, consideravelmente ampliada, de *Artigos de jornal*), o opúsculo *A Amazônia brasileira e uma possível-luso tropicologia* (Superintendência do Plano de Valorização Econômica da Amazônia) e a 11ª edição brasileira de *Casa-grande & senzala*. Recusa convite do presidente Castelo Branco para ser ministro da Educação e Cultura.

1965 Viaja a Campina Grande, onde lê, em 15 de março, na Faculdade de Ciências Econômicas, a conferência (publicada no mesmo ano pela Universidade Federal da Paraíba) *Como e porque sou escritor*. Participa no Simpósio sobre Problemática da Universidade Federal de Pernambuco (março/abril), com uma conferência sobre a conveniência da introdução na mesma universidade, de "Um novo tipo de seminário (Tannenbaum)". Viaja ao Rio de Janeiro, onde recebe, em cerimônia realizada no auditório de *O Globo*, diploma com o qual o referido jornal homenageou, no seu quadragésimo aniversário, a vida e a obra dos Notáveis do Brasil: brasileiros vivos que, "por seu talento e capacidade de trabalho de todas as formas invulgares, tenham tido uma decisiva participação nos rumos da vida brasileira, ao longo dos quarenta anos conjuntamente vividos". Em 9 de novembro, gradua-se, *in absentia*, doutor pela Universidade de Paris (Sorbonne), em solenidade na qual também foram homenageados outros sábios de categoria internacional, em diferentes campos do saber, sendo a consagração por obra que vinha abrindo "novos caminhos à filosofia e às ciências do homem". A consagração cultural pela Sorbonne juntou-se à recebida das Universidades da Colúmbia e de Coimbra e às quais se somaram as de Sussex (Inglaterra) e Münster (Alemanha), em solenidade prestigiada por nove magníficos reitores alemães. Publicam-se em Berlim (Kiepenheur & Witsch) a 1ª edição de *Casa-grande & senzala* em alemão: *Herrenhaus und Sklavenhütte (Ein Bild der Brasilianischen Gesellschaft)*; no Recife (Imprensa Oficial do Estado de Pernambuco), o opúsculo *Forças Armadas e outras forças*, e no Rio de Janeiro (José Olympio), o livro *6 conferências em busca de um leitor*.

1966 Viaja ao Distrito Federal, a convite da Universidade de Brasília, onde lê, em agosto, seis conferências sobre Futurologia, assunto que foi o primeiro a desenvolver no Brasil. Por solicitação das Nações Unidas, apresenta ao United Nations Human Rights Seminar on Apartheid (realizado em Brasília, de 23 de agosto a 5 de setembro) um trabalho de base sobre *Race mixture and cultural interpenetration: the Brazilian example*, distribuído na mesma ocasião em inglês, francês, espanhol e russo. Por sugestão sua, inicia-se na Universidade Federal de Pernambuco o Seminário de Tropicologia, de caráter interdisciplinar e inspirado pelo seminário do mesmo tipo, iniciado na Universidade de Colúmbia pelo professor Frank Tannenbaum. Publicam-se em Barnet, Inglaterra, *The racial factor in contemporary politics*; no Recife (governo do Estado de Pernambuco), o primeiro tomo da 14ª edição brasileira (15ª em língua portuguesa) de *Casa-grande & senzala* (edição popular, para ser comercializada a preços acessíveis, de acordo com a Lei Estadual nº 4.666, de 20 de agosto de 1963); e no Rio de Janeiro (José Olympio), a 13ª edição do mesmo livro.

1967 Em 30 de janeiro, lançamento solene, no Palácio do Governo do Estado de Pernambuco, do primeiro volume da edição popular de *Casa-grande & senzala*. Em julho, viaja aos Estados Unidos, para receber, no Instituto Aspen de Estudos Humanísticos, o Prêmio Aspen do ano (30 mil dólares e isento de imposto sobre a renda) "pelo que há de original, excepcional e de valor permanente em sua obra ao mesmo tempo de filósofo, escritor literário e antropólogo." Recebe o Nobel dos Estados Unidos na presença de embaixador, enviado especial do presidente Lyndon B. Johnson, que se congratula com Gilberto Freyre pela honraria na qual o autor foi precedido por apenas três notabilidades internacionais: o compositor Benjamin Britten, a dançarina Martha Graham e o urbanista Constantino Doxiadis por obras reveladoras de "criatividade genial". Em dezembro, lê na Academia Brasileira de Letras, no Instituto Histórico e Geográfico Brasileiro e no Instituto Joaquim Nabuco de Pesquisas Sociais, conferências sobre Oliveira Lima, em sessões solenes comemorativas do centenário de nascimento daquele historiador (ampliadas no livro *Oliveira Lima, Dom Quixote gordo*). Publicam-se em Lisboa (Fundação Calouste Gulbenkian) o livro *Sociologia da medicina*; em Nova York (Knopf), a tradução da "seminovela" *Dona Sinhá e o filho padre*: *Mother and son, a Brazilian tale*; no Recife (Instituto Joaquim Nabuco de Pesquisas Sociais), a 2ª edição de *Mucambos do Nordeste* e a 3ª edição do *Manifesto Regionalista de 1926*; em São Paulo (Arquimedes Edições), o livro *O Recife, sim! Recife não!*, e no Rio de Janeiro (José Olympio), a 4ª edição de *Sociologia*.

1968 Em 9 de janeiro, lê, no Palácio do Governo do Estado de Pernambuco, a primeira da série de conferências promovidas pelo governador do Estado para comemorar o centenário de nascimento de Oliveira Lima (incluída no livro *Oliveira Lima, Dom Quixote gordo*, publicado no mesmo ano pela Imprensa da Universidade de Recife). Viaja à Argentina onde faz conferência sobre Oliveira Lima na Universidade do Rosário, e à Alemanha Ocidental, onde recebe o título de Doutor *Honoris Causa* pela Universidade de Münster por sua obra comparada à de Balzac. Publicam-se em Lisboa (Academia Internacional da Cultura Portuguesa) o livro em dois volumes, *Contribuição para uma sociologia da biografia (o exemplo de Luís de Albuquerque, governador de Mato Grosso no fim do século XVII)*; no Distrito Federal (Editora Universidade de Brasília), o livro *Como e porque sou e não sou sociólogo*, e no Rio de Janeiro (Record), as 2ªs edições dos livros *Região e tradição* e *Brasis, Brasil e Brasília*. Ainda no Rio de Janeiro, publicam-se (José Olympio) as 4ªs edições dos livros *Guia prático, histórico e sentimental da cidade do Recife* e *Olinda, 2º Guia prático, histórico e sentimental de cidade brasileira*.

1969 Recebe o Prêmio Internacional de Literatura La Madonnina por "incomparável agudeza na descrição de problemas sociais, conferindo-lhes calor humano e otimismo, bondade e sabedoria", através de uma obra de "fulgurações geniais". Lê conferência, no Conselho Federal de Cultura, em sessão dedicada à memória de Rodrigo M. F. de Andrade. A Universidade Federal de Pernambuco lança os dois primeiros volumes do seminário de Tropicologia, relativos ao ano de 1966: *Trópico & colonização, nutrição, homem, religião, desenvolvimento, educação e cultura, trabalho e lazer, culinária, população*. Lê no Instituto Joaquim Nabuco de Pesquisas Sociais quatro conferências sobre Tipos antropológicos no romance brasileiro. Publicam-se no Recife (Instituto Joaquim Nabuco de Pesquisas Sociais) o ensaio *Sugestões em torno da ciência e da arte da pesquisa social*, e no Rio de Janeiro (José Olympio), a 15ª edição brasileira de *Casa-grande & senzala*.

1970 Completa setenta anos de idade residindo na província e trabalhando como se fosse um intelectual ainda jovem: escrevendo livros, colaborando em jornais e revistas nacionais e estrangeiros, dirigindo cursos, proferindo conferências, presidindo o conselho diretor e incentivando as atividades do Instituto Joaquim Nabuco de Pesquisas Sociais, presidindo o Conselho Estadual de Cultura, dirigindo o Centro Regional de Pesquisas Educacionais e o Seminário de Tropicologia da Universidade Federal de Pernambuco, comparecendo às reuniões mensais do Conselho Federal de Cultura e atendendo a convites de universidades europeias e norte--americanas, onde é sempre recebido como o embaixador intelectual do Brasil. A Editora A. A. Knopf publica em Nova York *Order and progress*, com texto traduzido e refundido por Rod W. Horton.

1971 Recebe a 26 de novembro, em solenidade no Gabinete Português de Leitura, do Recife, e tendo como paraninfo o ministro Mário Gibson Barbosa, o título de Doutor *Honoris Causa* pela Universidade Federal de Pernambuco. Discursa como orador oficial da solenidade de inauguração, pelo presidente Emílio Garrastazu Médici, do Parque Nacional dos Guararapes, no Recife. A rainha Elizabeth lhe confere o título de *Sir* (Cavaleiro Comandante do Império Britânico) e a Universidade Federal do Rio de Janeiro, o grau de Doutor *Honoris Causa* em filosofia. Publicam-se a primeira edição da *Seleta para jovens* (José Olympio) e a obra *Nós e a Europa germânica* (Grifo Edições). Continua a receber visitas de estrangeiros ilustres na sua casa de Apipucos, devendo-se destacar as de embaixadores do Reino Unido, França, Estados Unidos, Bélgica e as de Aldous Huxley, George Gurvitch, Shelesky, John dos Passos, Jean Duvignaud, Lincoln Gordon e Roberto Kennedy, a quem oferece jantar a pedido desse visitante. A Companhia Editora Nacional publica em São Paulo, como volume 348 de sua coleção Brasiliana, a 1ª edição brasileira de *Novo mundo nos trópicos*.

1972 Preside o Primeiro Encontro Inter-regional de Cientistas Sociais do Brasil, realizado em Fazenda Nova, Pernambuco, de 17 a 20 de janeiro, sob os auspícios do Instituto Joaquim Nabuco de Pesquisas Sociais. Recebe o título de Cidadão de Olinda, conferido por Lei Municipal nº 3.774, de 8 de março de 1972, e em sessão solene da Assembleia Legislativa do Estado de Pernambuco, a Medalha Joaquim Nabuco, conferida pela Resolução nº 871, de 28 de abril de 1972. Em 14 de junho profere no Instituto Joaquim Nabuco de Pesquisas Sociais palestra sobre José Bonifácio e no Instituto Joaquim Nabuco de Pesquisas Sociais as duas primeiras conferências da série comemorativa do centenário de Estácio Coimbra. Em 15 de dezembro, inaugura-se na Praia de Boa Viagem, no Recife, o Hotel Casa-grande & senzala. A Editora Giulio Einaudi publica em Turim a edição italiana de *Casa-grande & senzala* (*Case e catatecchie*).

1973 Recebe em São Paulo o Troféu Novo Mundo, "por obras notáveis em sociologia e história", e o Troféu Diários Associados, pela "maior distinção anual em artes plásticas". Realizam-se exposições de telas de sua autoria, uma no Recife, outra no Rio, esta na residência do casal José Maria do Carmo Nabuco, com apresentação de Alfredo Arinos de Mello Franco. Por decreto do presidente Médici, é reconduzido ao Conselho Federal de Cultura. Viaja a Angola, em fevereiro. A 10 de maio, a convite da Assembleia Legislativa do Estado de Pernambuco, profere discurso no Cemitério de Santo Amaro, diante do túmulo de Joaquim Nabuco, em comemoração ao Sesquicentenário do Poder Legislativo no Brasil. Recebe em setembro, em João Pessoa, o título de Doutor *Honoris Causa* pela Universidade Federal da Paraíba. Profere na Câmara dos Deputados, em 29 de novembro, conferência sobre Atuação do Parlamento no Império e na República, na série comemorativa do Sesquicentenário do Poder Legislativo no Brasil e na Universidade de Brasília, palestra em inglês para o corpo diplomático, sob o título de Some remarks on how and why Brazil is different. Em 13 de dezembro é operado pelo professor Euríclides de Jesus Zerbini, no Hospital da Beneficência Portuguesa de São Paulo.

1974 Recebe em São Paulo o Troféu Novo Mundo, conferido pelo Centro de Artes Novo Mundo. Faz sua primeira exposição de pintura em São Paulo, com quarenta telas adquiridas imediatamente. A 15 de março, o Instituto Joaquim Nabuco de Pesquisas Sociais comemora com exposição e sessão solene, os quarenta anos da publicação de *Casa-grande & senzala*. Em 20 de julho profere no Instituto Joaquim Nabuco de Pesquisas Sociais conferência sobre a Importância dos retratos para os estudantes biográficos: o caso de Joaquim Nabuco. A 29 de agosto, a Univer-sidade Federal de Pernambuco inaugura no saguão da Reitoria uma placa comemorativa dos quarenta anos de *Casa-grande & senzala*. A 12 de outubro recebe a Medalha de Ouro José Vasconcelos, outorgada pela Frente de Afirmación Hispanista do México, para distinguir, a cada ano, uma personalidade dos meios culturais hispano-americanos. O cineasta Geraldo Sarno realiza documentário de cinco minutos intitulado *Casa-grande & senzala*, de acordo com uma ideia de Aldous Huxley. O editor Alfred A. Knopf publica em Nova York a obra *The Gilberto Freyre Reader*.

1975 Diante da violência de uma enchente do rio Capibaribe, em 17 e 18 de julho, lidera com Fernando de Mello Freyre, diretor do Instituto Joaquim Nabuco, um movimento de estudo interdisciplinar sobre as enchentes em Pernambuco. Profere, em 10 de outubro, conferência no Clube Atlético Paulistano sobre O Brasil como nação hispano-tropical. Recebe em 15 de outubro, do Sindicato dos Professores do Ensino Primário e Secundário de Pernambuco e da Associação dos Professores do Ensino Oficial, o título de Educador do Ano, por relevantes serviços prestados à comunidade nordestina no campo da educação e da pesquisa social. Profere em 7 de novembro, no Teatro Santa Isabel, do Recife, conferência sobre o Sesquicentenário do *Diário de Pernambuco*. O Instituto do Açúcar e do Álcool lança, em 15 de novembro, o

Prêmio de Criatividade Gilberto Freyre, para os melhores ensaios sobre aspectos socioeconômicos da zona canavieira do Nordeste. Publicam-se no Rio de Janeiro suas obras *Tempo morto e outros tempos*, e *O brasileiro entre os outros hispanos* (José Olympio) e *Presença do açúcar na formação brasileira* (IAA).

1976 Viaja à Europa em setembro, fazendo conferências em Madri (Instituto de Cultura Hispânica) e em Londres (Conselho Britânico). É homenageado com a esposa, em Londres, com banquete pelo embaixador Roberto Campos e esposa (presentes vários dos seus amigos ingleses, como Lord Asa Briggs). Em Paris, como hóspede do governo francês, é entrevistado pelo sociólogo Jean Duvignaud, na rádio e na televisão francesas, sobre Tendências atuais da cultura brasileira. É homenageado com banquete pelo diretor de *Le Figaro*, seu amigo, escritor e membro da Academia Francesa, Jean d'Ormesson, presentes Roger Caillois e outros intelectuais franceses. Em Viena, identifica mapas inéditos do Brasil no período holandês, existentes na Biblioteca Nacional da Áustria. Na Espanha, como hóspede do governo, realiza palestra no Instituto de Cultura Hispânica, presidido pelo Duque de Cadis. Em Lisboa é homenageado com banquete pelo secretário de Estado de Cultura, com a presença de intelectuais, ministros e diplomatas. Em 7 de outubro, lê em Brasília, a convite do ministro da Previdência Social, conferência de encerramento do Seminário sobre Problemas de Idosos. A Livraria José Olympio Editora publica as 16ª e 17ª edições de *Casa-grande & senzala*, e o IJNPS, a 6ª edição do *Manifesto regionalista*. É lançada 2ª edição portuguesa de Lisboa de *Casa-grande & senzala*.

1977 Estreia em janeiro no Nosso Teatro (Recife) a peça *Sobrados e mucambos*, adaptada por Hermilo Borba Filho e encenada pelo Grupo Teatral Vivencial. Recebe em fevereiro, do embaixador Michel Legendre, a faixa e as insígnias de Comendador das Artes e Letras da França. Profere em março, no Seminário de Tropicologia, conferência sobre O Recife eurotropical, e na Câmara dos Deputados, em Brasília, conferência de encerramento do ciclo comemorativo do Bicentenário da Independência dos Estados Unidos. Exibição, na Biblioteca Municipal Mário de Andrade, em São Paulo, de um documentário cinematográfico sobre sua vida e obra, *Da palavra ao desenho da palavra*, com debates dos quais participam Freitas Marcondes, Leo Gilson Ribeiro, Osmar Pimentel e Egon Schaden. Profere conferências na Câmara dos Deputados, em Brasília, em 19 de agosto, sobre A terra, o homem e a educação, no Seminário sobre Ensino Superior, promovido pela Comissão de Educação e Cultura, e no Teatro José de Alencar de Fortaleza, em 24 de setembro, sobre O Nordeste visto através do tempo. Lançamento em São Paulo, em 10 de novembro, do álbum *Casas-grandes & senzalas*, com guaches de Cícero Dias. Apresenta, no Arquivo Público Estadual de Pernambuco, conferência de encerramento do Curso sobre o Sesquicentenário da Elevação do Recife à condição de Capital, sobre O Recife e a sua autobiografia coletiva. É acolhido como sócio honorário do Pen Clube do Brasil. Inicia em outubro colaboração semanal na *Folha de S.Paulo*. A Livraria José Olympio Editora publica *O outro amor do dr. Paulo*, seminovela, continuação de *Dona Sinhá e o filho padre*. A Editora Nova Aguilar publica, em dezembro, a *Obra escolhida*, volume em papel-bíblia que inclui *Casa-grande & senzala*, *Nordeste* e *Novo mundo nos trópicos*, com introdução de Antônio Carlos Villaça, cronologia da vida e da obra e bibliografia ativa e passiva, por Edson Nery da Fonseca. A Editora Ayacucho lança em Caracas a 3ª edição em espanhol de *Casa-grande & senzala*, com introdução de Darcy Ribeiro. As Ediciones Cultura Hispánica publicam em Madri a edição espanhola da *Seleta para jovens*, com o título de *Antología*. A Editora Espasa-Calpe publica, em Madri, *Más allá de lo moderno,* com prefácio de Julián Marías. A Livraria José Olympio Editora lança a 5ª edição de *Sobrados e mucambos* e a 18ª edição brasileira de *Casa-grande & senzala*.

1978 Viaja a Caracas para proferir três conferências no Instituto de Assuntos Internacionais do Ministério das Relações Exteriores da Venezuela. Abre no Arquivo Público Estadual, em 30 de março, ciclo de conferências sobre escravidão e abolição em Pernambuco, fazendo Novas considerações sobre escravos em anúncios de jornal em Pernambuco. Profere conferência sobre O Recife e sua ligação com estudos antropológicos no Brasil, na instalação da XI Reunião Brasileira de Antropologia, no auditório da Universidade Federal de Pernambuco, em 7 de maio. Em 22 de maio, abre em Natal a I Semana de Cultura do Nordeste. Profere em Curitiba, em 9 de junho, conferência sobre O Brasil em nova perspectiva antropossocial, numa promoção da Associação dos Professores Universitários do Paraná; em Cuiabá, em 16 de setembro, conferência sobre A dimensão ecológica do caráter nacional; na Academia Paulista de Letras, em 4 de dezembro, conferência sobre Tropicologia e realidade social, abrindo o 1º Seminário Internacional de Estudos Tropicais da Fundação Escola de Sociologia e Política. Publica-se *Recife & Olinda*, com desenhos de Tom Maia e Thereza Regina. Publicam-se as seguintes obras: *Alhos e bugalhos* (Nova Fronteira); *Prefácios desgarrados* (Cátedra); *Arte e ferro* (Ranulpho Editora de Arte), com pranchas de Lula Cardoso Ayres. O Conselho Federal de Cultura lança *Cartas do próprio punho sobre pessoas e coisas do Brasil e do estrangeiro*. A Editora Gallimard publica a 14ª edição de *Maîtres et Esclaves*, na Coleção TEL. A Livraria Editora José Olympio publica a 19ª edição brasileira de *Casa--grande & senzala*, e a Fundação Cultural do Mato Grosso, a 2ª edição de *Introdução a uma sociologia da biografia*.

1979 O Arquivo Estadual de Pernambuco publica, em março, a edição fac-similar do *Livro do Nordeste*. Participa, no auditório da Biblioteca Municipal de São Paulo, em 30 de março, da

Semana do Escritor Brasileiro. Recebe em Aracaju, em 17 de abril, o título de Cidadão Sergipano, outorgado pela Assembleia Legislativa de Sergipe. É homenageado pelo 44º Congresso Mundial de Escritores do Pen Clube Internacional, reunido no Rio de Janeiro, quando recebe a medalha Euclides da Cunha, sendo saudado pelo escritor Mário Vargas Llosa. Recebe o grau de Doutor *Honoris Causa* pela Faculdade de Ciências Médicas da Fundação do Ensino Superior de Pernambuco – Universidade de Pernambuco, em setembro. Viaja à Europa em outubro. Profere conferência na Fundação Calouste Gulbenkian, em 22 de outubro, sobre Onde o Brasil começou a ser o que é. Abre o ciclo de conferências comemorativo do 20º aniversário da Sudene, em dezembro, falando sobre Aspectos sociais do desenvolvimento regional. Recebe nesse mês o Prêmio Caixa Econômica Federal, da Fundação Cultural do Distrito Federal, pela obra *Oh de Casa!* Profere na Universidade de Brasília conferência sobre Joaquim Nabuco: um novo tipo de político. A Editora Artenova publica *Oh de Casa!* A Editora Cultrix publica *Heróis e vilões no romance brasileiro*. A MPM Propaganda publica *Pessoas, coisas & animais*, em edição não comercial. A Editora Ibrasa publica *Tempo de aprendiz*.

1980 Em 24 de janeiro, a Academia Pernambucana de Letras inicia as comemorações do octogésimo aniversário do autor, com uma conferência de Gilberto Osório de Andrade sobre Gilberto Freyre e o trópico. Em 25 de janeiro, a Codepe inicia seu Seminário Permanente de Desenvolvimento, dedicando-o ao estudo da obra de Gilberto Freyre. O Arquivo Público Estadual comemora a efeméride, em 26 e 27 de fevereiro, com duas conferências de Edson Nery da Fonseca. Recebe em São Paulo, em 7 de março, a medalha de Ordem do Ipiranga, maior condecoração do Estado. Em 26 de março, recebe a medalha José Mariano, da Câmara Municipal do Recife. Por decreto de 15 de abril, o governador do Estado de Sergipe lhe confere o galardão de Comendador da Ordem do Mérito Aperipê. Em homenagem ao autor, são realizados diversos eventos, como: Missa cantada na Catedral de São Pedro dos Clérigos, do Recife, mandada celebrar pelo governo do Estado de Pernambuco, sendo oficiante monsenhor Severino Nogueira e regente o padre Jayme Diniz. Inauguração, na redação do *Diário de Pernambuco*, de placa comemorativa da colaboração de Gilberto Freyre, iniciada em 1918. Almoço na residência de Fernando Freyre. *Open house* na vivenda Santo Antônio. Sorteio de bilhete da Loteria Federal da Praça de Apipucos. Desfile de clubes e blocos carnavalescos e concentração popular em Apipucos. Sessão solene do Congresso Nacional, em 15 de abril, às 15 horas, para homenagear o escritor Gilberto Freyre pelo transcurso do seu octogésimo aniversário. Discursos do presidente, senador Luís Viana Filho, dos senadores Aderbal Jurema e Marcos Freire e do deputado Thales Ramalho. Viaja a Portugal em junho, a convite da Câmara Municipal de Lisboa, para participar nas comemorações do Quarto Centenário da

Morte de Camões. Profere conferência A tradição camoniana ante insurgências e ressurgências atuais. É homenageado, em 6 de julho, durante a 32ª Reunião Anual da Sociedade Brasileira para o Progresso da Ciência, realizada no Rio de Janeiro, e em 25 de julho, pelo XII Congresso Brasileiro de Língua e Literatura, promovido pelas universidades estaduais do Rio de Janeiro e Universidade Federal do Rio de Janeiro. Em 11 de agosto, recebe do embaixador Hansjorg Kastl a Grã-Cruz do Mérito da República Federativa da Alemanha. Ainda em agosto, é homenageado pelo IV Seminário Paraibano de Cultura Brasileira. Recebe o título de Cidadão Benemérito de João Pessoa, outorgado pela Câmara Municipal da capital paraibana. Recebe o título do sócio honorário do Instituto Histórico e Geográfico da Paraíba. Em 2 de setembro, é homenageado pelo Pen Clube do Brasil com um painel sobre suas ideias, no auditório do Palácio da Cultura, no Rio de Janeiro. Encenação, no Teatro São Pedro de São Paulo, da peça de José Carlos Cavalcanti Borges *Casa-grande & senzala*, sob a direção de Miroel Silveira, pelo grupo teatral da Escola de Comunicação e Artes da USP. Em 10 de outubro, apresenta conferência da Fundação Luisa e Oscar Americano, de São Paulo, sobre Imperialismo cultural do Conde Maurício. De 13 a 17 de outubro, profere simpósio internacional promovido pela Universidade de Brasília e pelo Ministério da Educação e Cultura, com a participação, como conferencistas, do historiador social inglês Lord Asa Briggs, do filósofo espanhol Julián Marías, do poeta e ensaísta português David Mourão-Ferreira, do antropólogo francês Jean Duvignaud e do historiador mexicano Silvio Zavala. Recebe o Prêmio Jabuti, de São Paulo, em 28 de outubro. Recebe, em 11 de dezembro, o grau de Doutor *Honoris Causa* pela Universidade Católica de Pernambuco. Em 12 de dezembro, recebe o Prêmio Moinho Recife. São publicadas diversas obras do autor, como: o álbum *Gilberto poeta*: algumas confissões, com serigrafias de Aldemir Martins, Jenner Augusto, Lula Cardoso Ayres, Reynaldo Fonseca e Wellington Virgolino e posfácio de José Paulo Moreira da Fonseca (Ranulpho Editora de Arte); *Poesia reunida* (Edições Pirata, Recife); 20ª edição brasileira de *Casa--Grande & Senzala*, com prefácio do ministro Eduardo Portella; 5ª edição de *Olinda*; 3ª edição da *Seleta para jovens*; 2ª edição brasileira de *Aventura e rotina* (todas pela Editora José Olympio); e a 2ª edição de *O escravo nos anúncios de jornais brasileiros do século XIX* (Companhia Editora Nacional). A Editora Greenwood Press, de Westport, Conn., publica, sem autorização do autor, a reimpressão de *New world in the tropics*.

1981 A Classe de Letras da Academia de Ciências de Lisboa reúne-se, em fevereiro, para a comunicação do escritor David Mourão-Ferreira sobre Gilberto Freyre, criador literário. Encenação, em março, no Teatro Santa Isabel, da peça-balé de Rubens Rocha Filho *Tempos perdidos, nossos tempos*. Em 25 de março, o autor recebe do embaixador Jean Beliard a *rosette* de

Oficial da Légion d'Honneur. Inauguração de seu retrato, em 21 de abril, no Museu do Trem da Superintendência Regional da Rede Ferroviária Federal. Em 29 de abril, o Conselho Municipal de Cultura lança, no Palácio do Governo, um álbum de desenhos de sua autoria. Inauguração, em 7 de maio, no Museu Nacional da Quinta da Boa Vista, da edição quadrinizada de *Casa-grande & senzala*, numa promoção da Universidade Federal do Rio de Janeiro, Museu Nacional e Editora Brasil-América. Profere conferência, em 15 de maio, no auditório Benício Dias da Fundação Joaquim Nabuco, sobre Atualidade de Lima Barreto. Viaja à Espanha, em outubro, para tomar posse no Conselho Superior do Instituto de Cooperação Ibero-Americana, nomeado pelo rei João Carlos I.

1982 Recebe em janeiro a medalha comemorativa dos trinta anos do Conselho Nacional de Desenvolvimento Científico e Tecnológico (CNPq). Profere na Academia Pernambucana de Letras conferência sobre Luís Jardim autodidata?, comemorativa do octogésimo aniversário do pintor e escritor pernambucano. Na abertura do III Congresso Afro-Brasileiro, em 20 de setembro, apresenta conferência no teatro Santa Isabel. Em setembro, é entrevistado pela Rede Bandeirantes de Televisão, no programa *Canal Livre*. Recebe do embaixador Javier Vallaure, na Embaixada da Espanha em Brasília, a Grã-Cruz de Alfonso, El Sabio (outubro), e no auditório do Palácio da Cultura, em 9 de novembro, conferência sobre Villa-Lobos revisitado. Profere no Nacional Club de São Paulo, em 11 de novembro, conferência sobre Brasil: entre passados úteis e futuros renovados. A Editora Massangana publica *Rurbanização: o que é?* A Editora Klett-Cotta, de Stuttgart, publica a primeira edição alemã de *Das Land in der Stadt. Die Entwicklung der urbanem Gesellschaft Brasiliens* (*Sobrados e mucambos*) e a segunda de *Herrenhaus und Sklavenhütte* (*Casa-grande & senzala*).

1983 Iniciam-se em 21 de março – Dia Internacional das Nações Unidas Contra a Discriminação Racial – as comemorações do cinquentenário da publicação de *Casa-grande & senzala*, com sessão solene no auditório Benício Dias, presidida pelo governador Roberto Magalhães e com a presença da ministra da Educação, Esther de Figueiredo Ferraz, e do diretor-geral da Unesco, Amadou M'Bow, que lhe entrega a medalha Homenagem da Unesco. Recebe em 15 de abril, da Associação Brasileira de Relações Públicas, Seção de Pernambuco, o Troféu Integração por destaque cultural de 1982. Em abril, expõe seus últimos desenhos e pinturas na Galeria Aloísio Magalhães. Viaja a Lisboa, em 25 de outubro, para receber, do ministro dos Negócios Estrangeiros, a Grã-Cruz de Santiago da Espada. Em 27 de outubro, participa de sessão solene da Academia de Ciências de Lisboa e da Academia Portuguesa de História, comemorativa do cinquentenário da publicação de *Casa-grande & senzala*. A Fundação Calouste Gulbenkian promove em Lisboa um ciclo de conferências sobre *Casa-grande & senzala* (2 de novembro a 4 de dezembro). É homenageado pela Feira Internacional do Livro do Rio de Janeiro, em 9 de novembro. O Seminário de Tropicologia reúne-se, em 29 de novembro, para a conferência de Edson Nery da Fonseca, intitulada Gilberto Freyre, cultura e trópico. Recebe em 7 de dezembro, no Liceu Literário Português do Rio de Janeiro, a Grã--Cruz da Ordem Camoniana. A Editora Massangana publica *Apipucos:* que há num nome?, Editora Globo lança *Insurgências e ressurgências atuais* e *Médicos, doentes e contextos sociais* (2ª edição de *Sociologia da medicina*). Realiza-se na Fundação Joaquim Nabuco, de 19 a 30 de setembro, um ciclo de conferências comemorativo dos 50 anos de *Casa-grande & senzala*, promovido com apoio do governo do Estado e de outras entidades pernambucanas (anais editados por Edson Nery da Fonseca e publicados em 1985 pela Editora Massangana: *Novas perspectivas em Casa--grande & senzala*). A José Olympio Editora publica no Rio de Janeiro o livro de Edilberto Coutinho *A imaginação do real:* uma leitura da ficção de Gilberto Freyre, tese de doutoramento defendida na Universidade Federal do Rio de Janeiro. A Editora Record lança no Rio de Janeiro *Homens, engenharias e rumos sociais*.

1984 Lançamento, em 20 de janeiro, de selo postal comemorativo do cinquentenário de *Casa--grande & senzala*. Viaja a Salvador, em 14 de março, para receber homenagem do governo do Estado pelo cinquentenário de *Casa-grande & senzala*. Inauguração, no Museu de Arte Moderna da Bahia, da exposição itinerante sobre a obra. Conferência de Edson Nery da Fonseca sobre Gilberto Freyre, *Casa-grande & senzala e a Bahia*. Convidado pelo governador Tancredo Neves, profere em Ouro Preto, em 21 de abril, o discurso oficial da Semana da Inconfidência. Profere em 8 de maio, na antiga Reitoria da UFRJ, conferência sobre Alfonso X, o sábio, ponte de culturas. Recebe da União Cultural Brasil-Estados Unidos, em 7 de junho, a medalha de merecimento por serviços relevantes prestados à aproximação entre o Brasil e os Estados Unidos. Em 8 de junho, profere conferência no Clube Atlético Paulistano sobre Camões: vocação de antropólogo moderno?, promovida pelo Conselho da Comunidade Portuguesa de São Paulo. Em setembro de 1984, o Balé Studio Um realiza no Recife o espetáculo de dança *Casa-grande & senzala*, sob a direção de Eduardo Gomes e com música de Egberto Gismonti. Recebe a Medalha Picasso da Unesco, desenhada por Juan Miró em comemoração do centenário do pintor espanhol. Em setembro, homenageado por Richard Civita no Hotel 4 Rodas de Olinda, com banquete presidido pelo governador Roberto Magalhães e entrega de passaportes para o casal se hospedar em qualquer hotel da rede. Participa, na Arquidiocese do Rio de Janeiro, em outubro, do Congresso Internacional de Antropologia e Práxis, debatedor do tema *Cultura e redenção*, desenvolvido por D. Paul Poupard. É homenageado no Teatro Santa Isabel do Recife, em 31 de novembro, pelo cinquentenário do 1º

Congresso Afro-Brasileiro, ali realizado em 1934. Lê no Museu de Arte Sacra de Pernambuco (Olinda) a conferência Cultura e museus, publicada no ano seguinte pela Fundarpe. Convidado pelo Conselho da Comunidade Portuguesa do Estado de São Paulo, lê no Clube Atlético Paulistano, em 8 de junho (Dia de Portugal) a conferência Camões: vocação de antropólogo moderno?, publicada no mesmo ano pelo conselho.

1985 Recebe da Fundação do Patrimônio Histórico e Artístico de Pernambuco (Fundarpe) a Homenagem à Cultura Viva de Pernambuco, em 18 de março. Viaja em maio aos Estados Unidos, para receber, na Baylor University, o prêmio consagrador de notáveis triunfos (Distinguished Achievement Award). Profere em 21 de maio, na Harvard University, conferência sobre My first contacts with american intellectual life, promovida pelo Departamento de Línguas e Literaturas Românicas e pela Comissão de Estudos Latino-Americanos e Ibéricos. Realiza exposição na Galeria Metropolitana Aloísio Magalhães do Recife: Desenhos a cor: figuras humanas e paisagens. Recebe, em agosto, o grau de Doutor *Honoris Causa* em Direito e em Letras pela Universidade Clássica de Lisboa. É nomeado em setembro, pelo presidente da República, para compor a Comissão de Estudos Constitucionais. Recebe o título de Cidadão de Manaus, em 6 de setembro. Profere, em 29 de outubro, conferência na inauguração do Instituto Brasileiro de Altos Estudos (Ibrae) de São Paulo, subordinada ao título À beira do século XX. Em 20 de novembro, é apresentado, no Cine Bajado, de Olinda, o filme de Kátia Mesel *Oh de Casa!* Em dezembro viaja a São Paulo, sendo hospitalizado no Incor para cirurgia de um divertículo de Zenkel (hérnia de esôfago). A José Olympio Editora publica a 7ª edição de *Sobrados e mucambos* e a 5ª edição de *Nordeste*. Por iniciativa do Centro de Estudos Latino-Americanos da Universidade da Califórnia em Los Angeles, a editora da universidade publica em Berkeley reedições em brochuras do mesmo formato *The masters and the slaves*, *The mansions and the shanties* e *Order and progress*, com introduções de David H. E. Mayburt-Lewis e Ludwig Lauerhass Jr, respectivamente.

1986 Em janeiro, submete-se a uma cirurgia do esôfago para retirada de um divertículo de Zenkel, no Incor. Regressa ao Recife em 16 de janeiro, dizendo: "agora estou em casa, meu Apipucos". Em 22 de fevereiro, retorna a São Paulo para uma cirurgia de próstata no Incor, realizada em 24 de fevereiro. Recebe em 24 de abril, em sua residência de Apipucos, do embaixador Bernard Dorin, a comenda de Grande Oficial da Legião de Honra, no grau de Cavaleiro. Em maio, é agraciado com o Prêmio Cavalo-Marinho, da Empitur. Em agosto, recebe o título de Cidadão de Aracaju. Em 24 de outubro, reencontra-se no Recife com a dançarina Katherine Dunhm. Em 28 de outubro é eleito para ocupar a cadeira 23 da Academia Pernambucana de Letras, vaga com a morte de Gilberto Osório de Andrade. Toma posse em 11 de dezembro na Academia

Pernambucana de Letras. Recebe, em 16 de dezembro, o título de Pesquisador Emérito do Instituto de Pesquisas Sociais da Fundação Joaquim Nabuco. Publica-se em Budapeste a edição húngara de *Casa-grande & senzala: Udvarház es szolgaszállás*. A professora Élide Rugai Bastos defende na Pontifícia Universidade Católica de São Paulo (PUC) a tese de doutoramento *Gilberto Freyre e a formação da sociedade brasileira*, orientada pelo professor Octavio Ianni. A Áries Editora publica em São Paulo o livro de Pietro Maria Bardi, *Ex-votos de Mário Cravo*, e a Editora Creficullo lança o livro do mesmo autor *40 anos de Masp*, ambos prefaciados por Gilberto Freyre.

1987 Instituição, em 11 de março, da Fundação Gilberto Freyre. Em 30 de março, recebe em Apipucos a visita do presidente Mário Soares. Em 7 de abril, submete-se a uma cirurgia para implantação de marcapasso no Incor do Hospital Português. Em 18 de abril, Sábado Santo, recebe de d. Basílio Penido, OSB, os sacramentos da Reconciliação, da Eucaristia e da Unção dos Enfermos. Morre no Hospital Português, às 4 horas de 18 de julho, aniversário de Magdalena. Sepultamento no Cemitério de Santo Amaro, às 18 horas, com discurso do ministro Marcos Freire. Em 20 de julho, o senador Afonso Arinos ocupa a tribuna da Assembleia Nacional Constituinte para homenagear sua memória. Em 19 de julho o jornal *ABC de Madri* publica um artigo de Julián Marías: Adiós a um brasileño universal. Em 24 de julho, missas concelebradas, no Recife, por d. José Cardoso Sobrinho e d. Heber Vieira da Costa, OSB, e em Brasília, por d. Hildebrando de Melo e pelos vigários da catedral e do Palácio da Alvorada com coral da Universidade de Brasília. Missa celebrada no seminário, com canto gregoriano a cargo das Beneditinas de Santa Gertrudes, de Olinda. A Editora Record publica *Modos de homem e modas de mulher* e a 2ª edição de *Vida, forma e cor*; *Assombrações do Recife Velho* e *Perfil de Euclydes e outros perfis*; a José Olympio Editora, a 25ª edição brasileira de *Casa-grande & senzala*. O Círculo do Livro lança nova edição de *Dona Sinhá e o filho padre*, e a Editora Massangana publica *Pernambucanidade consagrada* (discursos de Gilberto Freyre e Waldemar Lopes na Academia Pernambucana de Letras). Ciclo de conferências promovido pela Fundação Joaquim Nabuco em memória de Gilberto Freyre, tendo como conferencistas Julián Marías, Adriano Moreira, Maria do Carmo Tavares de Miranda e José Antônio Gonsalves de Mello (convidado, deixou de vir, por motivo de doença, o antropólogo Jean Duvignaud). Ciclo de conferências promovido em Maceió pelo governo do Estado de Alagoas, a cargo de Maria do Carmo Tavares de Miranda, Odilon Ribeiro Coutinho e José Antônio Gonsalves de Mello. Homenagem do Conselho Latino-Americano de Ciências Sociais, na abertura de sua XIV Assembleia Geral, realizada no Recife, de 16 a 21 de novembro. A Editora mexicana Fondo de Cultura Económica publica a 2ª edição, como livro de bolso, de

Interpretación del Brasil. A revista *Ciência e Cultura* publica em seu número de setembro o necrológio de Gilberto Freyre, solicitado por Maria Isaura Pereira de Queiroz a Edson Nery da Fonseca.

1988 Em convênio com a Fundação Gilberto Freyre e sob os auspícios do Grupo Gerdau, a Editora Record publica no Rio de Janeiro a obra póstuma *Ferro e civilização no Brasil*.

1989 Em sua 26ª edição, *Casa-grande & senzala* passa a ser publicada pela Editora Record, até a 46ª edição, em 2002.

1990 A Fundação das Artes e a Empresa Gráfica da Bahia publicam em Salvador *Bahia e baianos*, obra póstuma organizada e prefaciada por Edson Nery da Fonseca. A Editora Klett-Cotta lança em Stuttgart a 2ª edição alemã de *Sobrados e mucambos* (*Das land in der Sdadt*). Realiza--se na Fundação Joaquim Nabuco o seminário O cotidiano em Gilberto Freyre, organizado por Fátima Quintas (anais publicados no mesmo ano pela Editora Massangana).

1994 A Câmara dos Deputados publica, como volume 39 de sua Coleção Perfis Parlamentares, *Discursos parlamentares*, de Gilberto Freyre, texto organizado, anotado e prefaciado por Vamireh Chacon. A Editora Agir publica no Rio de Janeiro a antologia *Gilberto Freyre*, organizada por Edilberto Coutinho como volume 117 da Coleção Nossos Clássicos, dirigida por Pedro Lyra. A Editora 34 publica no Rio de Janeiro a tese de doutoramento de Ricardo Benzaquen de Araújo *Guerra e paz: Casa-grande & senzala e a obra de Gilberto Freyre nos anos 30*.

1995 Realiza-se na Fundação Joaquim Nabuco a semana de estudos comemorativos dos 95 anos de Gilberto Freyre, com conferências reunidas e apresentadas por Fátima Quintas na obra coletiva *A obra em tempos vários*, publicada em 1999 pela Editora Massangana. A Fundação de Cultura da Cidade do Recife e a Imprensa Universitária da Universidade Federal de Pernambuco publicam no Recife *Novas conferências em busca de leitores*, obra póstuma organizada e prefaciada por Edson Nery da Fonseca. A Editora Massangana publica o livro de Sebastião Vila Nova, *Sociologias e pós-sociologia em Gilberto Freyre*.

1996 Realiza-se na Fundação Joaquim Nabuco o simpósio Que somos nós?, organizado por Maria do Carmo Tavares de Miranda em comemoração aos sessenta anos de *Sobrados e mucambos* (anais publicados pela Editora Massangana em 2000).

1997 Comemorando seu septuagésimo quinto aniversário, a revista norte-americana *Foreign Affairs* publica o resultado de um inquérito destinado à escolha de 62 obras "que fizeram a cabeça do mundo a partir de 1922". *Casa-grande & senzala* é apontada como uma delas pelo professor Kenneth Maxwell. A Companhia das Letras publica em São Paulo a 4ª edição de *Açúcar*, livro reimpresso em 2002 por iniciativa da Usina Petribu.

1999 Por iniciativa da Fundação Oriente, da Universidade da Beira Interior e da Sociedade de Geografia de Lisboa, iniciam-se em Portugal as comemorações do centenário de nascimento de Gilberto Freyre, com o colóquio realizado na Sociedade de Geografia de Lisboa, de 11 e 12 de fevereiro, Lusotropicalismo revisitado, sob a direção dos professores Adriano Moreira e José Carlos Venâncio. A Fundação Oriente institui um prêmio anual de um milhão de escudos para "galardoar trabalhos de investigação na área da perspectiva gilbertiana sobre o Oriente". As comemorações pernambucanas são iniciadas em 14 de março, com missa solene concelebrada na Basílica do Mosteiro de São Bento de Olinda, com canto gregoriano pelas Beneditinas Missionárias da Academia Santa Gertrudes. Pelo Decreto nº 21.403, de 7 de maio, o governador de Pernambuco declara, no âmbito estadual, Ano Gilberto Freyre 2000. Pelo Decreto de 13 de julho, o presidente da República institui o ano 2000 como Ano Gilberto Freyre. A UniverCidade do Rio de Janeiro institui, por sugestão da Editora Topbooks, o prêmio de 20 mil dólares para o melhor ensaio sobre Gilberto Freyre.

2000 Por iniciativa da TV Cultura de São Paulo, são elaborados os filmes *Gilbertianas I* e *II*, dirigidos pelo cineasta Ricardo Miranda com a colaboração do antropólogo Raul Lody. Em 13 de março, ocorre o lançamento nacional da produção, numa promoção do Shopping Center Recife/UCI Cinemas/Weston Táxi Aéreo. Em 21 de março é lançada, na sala Calouste Gulbenkian da Fundação Joaquim Nabuco, no Núcleo de Estudos Freyrianos, no governo do Estado de Pernambuco, na Sudene e no Ministério da Cultura. Por iniciativa do Canal GNT, VideoFilmes e Regina Filmes, o cineasta Nelson Pereira dos Santos dirige quatro documentários intitulados genéricos de *Casa-grande & senzala*, tendo Edson Nery da Fonseca como corroteirista e narrador. Filmados no Brasil, em Portugal e na Universidade de Columbia em Nova York, o primeiro, *O Cabral moderno*, exibido pelo canal GNT a partir de 21 de abril. Os demais: *A cunhã, mãe da família brasileira*, *O português: colonizador dos trópicos* e *O escravo na vida sexual e de família do brasileiro*, são exibidos pelo mesmo canal, a partir de 2001. As Editoras Letras e Expressões e Abregraph publicam a 2ª edição de *Casa--grande & senzala em quadrinhos*, com ilustrações de Ivan Wasth Rodrigues colorizadas por Noguchi. A Editora Topbooks lança a 2ª edição brasileira de *Novo mundo nos trópicos*, prefaciada por Wilson Martins. A revista *Novos Estudos Cebrap*, nº 56, publica o dossiê Leituras de Gilberto Freyre, com apresentação de Ricardo Benzaquen de Araújo, incluindo as introduções de Fernand Braudel à edição italiana de *Casa-grande & senzala*, de Lucien Febvre à edição francesa, de Antonio Sérgio a *O mundo que o português criou* e de Frank Tannembaum à edição norte-americana de *Sobrados e mucambos*. Em 15 de março, realiza-se na Maison de Sciences de l'Homme et de la Science o colóquio Gilberto Freyre e a França, organizado pela professora Ria Lemaire, da Universidade de Poitiers. Em 15 de março o arcebispo de Olinda e Recife, José Cardoso, celebra missa solene na Igreja de São Pedro dos Clérigos, com cantos do coral da Academia Pernambucana de Música. Na tarde de 15 de março, é apresentada, na sala Calouste Gulbenkian, em projeção de VHF, a Biblioteca Virtual Gilberto, disponível imediatamente na Internet: <http://prossiga.bvgf.fgf.org.br>. De 21 a 24 de março realiza-se na Fundação Gilberto Freyre o Seminário Internacional Novo Mundo nos Trópicos (anais publicados com título homônimo). De 28 a 31 de março é apresentado no Centro Cultural Banco do Brasil do Rio de Janeiro o ciclo de palestras A propósito de Gilberto Freyre (não reunidas em livro). De 14 a 16 de agosto realiza-se o seminário Gilberto Freyre: patrimônio brasileiro, promovido conjuntamente pela Fundação Roberto Marinho, pela UniverCidade do Rio de Janeiro, pelo Colégio do Brasil, pela Academia Brasileira de Letras, pela *Folha de S.Paulo* e pelo Instituto de Estudos Avançados da USP. Iniciado no auditório da Academia Brasileira de Letras e num dos *campi* da Universidade, é concluído no auditório da *Folha de S.Paulo* e na cidade universitária da USP. Em 18 de outubro, realiza-se no anfiteatro da História da USP o seminário multidisciplinar Relendo Gilberto Freyre, organizado pelo Centro Angel Rama da Faculdade de Filosofia, Letras e Ciências Humanas na mesma universidade. Em 20 de outubro realiza-se na embaixada do Brasil em Paris o seminário Gilberto Freyre e as ciências sociais no Brasil, promovido pelo Ministério das Relações Exteriores e Fundação Gilberto Freyre. Em 30 de outubro realiza-se em Buenos Aires o seminário À la busqueda de la identidad: el ensayo de interpretación nacional en Brasil y Argentina. De 6 a 9 de novembro é realizada no Sun Valley Park Hotel, em Marília (SP), a Jornada de Estudos Gilberto Freyre, organizada pela Faculdade de Filosofia e Ciências da Unesp. Em 21 de novembro, na Universidade de Essex, ocorre o seminário *The english in Brazil:* a study in cultural encounters, dirigido pela professora Maria Lúcia Pallares-Burke. Em 27 de novembro, realiza-se na Universidade de Cambridge o seminário Gilberto Freyre & história social do Brasil, dirigido pelos professores Peter Burke e Maria Lúcia Pallares-Burke. De 27 a 30 de novembro, acontece no Centro de Ciências Humanas, Letras e Artes da Universidade Federal da Paraíba o simpósio Gilberto Freyre: interpenetração do Brasil, organizado pela professora Elisalva Madruga Dantas e pelo poeta e multiartista Jomard Muniz de Brito (anais com título homônimo publicados pela editora Universitária em 2002). De 28 a 30 de novembro, ocorre na sala Calouste Gulbenkian da Fundação Joaquim Nabuco o seminário internacional Além do apenas moderno. De 5 a 7 de dezembro é apresentado no auditório João Alfredo da Universidade Federal de Pernambuco o seminário Outros Gilbertos, organizado pelo Laboratório de Estudos Avançados de Cultura

Contemporânea do Departamento de Antropologia da mesma universidade. Publica-se em São Paulo, pelo Grupo Editorial Cone Sul, o ensaio de Gustavo Henrique Tuna: Gilberto Freyre – entre tradição & ruptura, premiado na categoria "ensaio" do 3º Festival Universitário de Literatura, organizado pela Xerox do Brasil e pela revista *Livro Aberto*. Por iniciativa do deputado Aldo Rebelo a Câmara dos Deputados reúne no opúsculo *Gilberto Freyre e a formação do Brasil*, prefaciado por Luís Fernandes, ensaios do próprio deputado, de Otto Maria Carpeaux e de Regina Maria A. F. Gadelha. A Editora Comunigraf publica no Recife o livro de Mário Hélio *O Brasil de Gilberto Freyre:* uma introdução à leitura de sua obra, com ilustrações de José Cláudio e prefácio de Edson Nery da Fonseca. A Editora Casa Amarela publica em São Paulo a segunda edição do ensaio de Gilberto Felisberto Vasconcellos O xará de Apipucos. A Embaixada do Brasil em Bogotá publica o opúsculo *Imagenes*, com texto e ilustrações selecionadas por Nora Ronderos.

2001 A Companhia das Letras publica em São Paulo a 2ª edição de *Interpretação do Brasil*, organizada e prefaciada por Omar Ribeiro Thomaz (nº 19 da Coleção Retratos do Brasil). A Editora Topbooks publica no Rio de Janeiro a obra coletiva *O imperador das ideias*: Gilberto Freyre em questão, organizada pelos professores Joaquim Falcão e Rosa Maria Barboza de Araújo, reunindo conferências do seminário realizado no Rio de Janeiro e em São Paulo de 14 a 17 de agosto de 2000. A Editora Topbooks e UniverCidade publicam no Rio de Janeiro a 2ª edição de *Além do apenas moderno*, prefaciada por José Guilherme Merquior e as 3ªˢ edições de *Aventura e rotina*, prefaciada por Alberto da Costa e Silva, e de *Ingleses no Brasil*, prefaciada por Evaldo Cabral de Melo. A Editora da Universidade do Estado de Pernambuco publica, como nº 18 de sua Coleção Nordestina, o livro póstumo *Antecipações*, organizado e prefaciado por Edson Nery da Fonseca. A Editora Garamond publica no Rio de Janeiro o livro de Helena Bocayuva *Erotismo à brasileira:* o excesso sexual na obra de Gilberto Freyre, prefaciado pelo professor Luis Antonio de Castro Santos. O *Diário Oficial da União* de 28 de dezembro de 2001 publica, à página 6, a Lei nº 10.361, de 27 de dezembro de 2001, que confere o nome de Aeroporto Internacional Gilberto Freyre ao Aeroporto Internacional dos Guararapes do Recife. O Projeto de Lei é de autoria do deputado José Chaves (PMDB-PE).

2002 Publica-se no Rio de Janeiro, em coedição da Fundação Biblioteca Nacional e Zé Mário Editor, o livro de Edson Nery da Fonseca *Gilberto Freyre de A a Z*. É lançada em Paris, sob os auspícios da ONG da Unesco Allca XX e como volume nº 55 da Coleção Archives, a edição crítica de *Casa-grande & senzala*, organizada por Guillermo Giucci, Enrique Rodríguez Larreta e Edson Nery da Fonseca.

2003 O governo instalado no Brasil em 1º de janeiro extingue, sem nenhuma explicação, o Seminário de Tropicologia criado em 1966 pela Universidade Federal de Pernambuco, por sugestão de Gilberto Freyre e incorporado em 1980 à estrutura da Fundação Joaquim Nabuco. Gustavo Henrique Tuna defende, no Departamento de História do Instituto de Filosofia e Ciências Humanas da Unicamp, a dissertação de mestrado *Viagens e viajantes em Gilberto Freyre*. A Editora da Universidade de Brasília publica, em coedição com a Imprensa Oficial do Estado de São Paulo, as seguintes obras póstumas, organizadas por Edson Nery da Fonseca: *Palavras repatriadas* (prefácio e notas do organizador); *Americanidade e latinidade da América Latina e outros textos afins*, *Três histórias mais ou menos inventadas* (com prefácio e posfácio de César Leal) e *China tropical*. A Global Editora publica a 47ª edição de *Casa-grande & senzala* (com apresentação de Fernando Henrique Cardoso). No mesmo ano, lança a 48ª edição da obra-mestra de Freyre. A mesma editora publica a 14ª edição de *Sobrados e mucambos* (com apresentação de Roberto DaMatta). Publica-se pela Edusc, Editora da Unesp e Fapesp o livro *Gilberto Freyre em quatro tempos* (organização de Ethel Volfzon Kosminsky, Claude Lépine e Fernanda Arêas Peixoto), reunindo comunicações apresentadas na Jornada de Estudos Gilberto Freyre, realizada em Marília (SP), em 2000. É lançada pela Edusc, Editora Sumaré e Anpocs o livro de Élide Rugai Bastos *Gilberto Freyre e o pensamento hispânico:* entre Dom Quixote e Alonso El Bueno.

2004 A Global Editora publica a 6ª edição de *Ordem e progresso* (apresentação de Nicolau Sevcenko), a 7ª edição de *Nordeste* (com apresentação de Manoel Correia de Oliveira Andrade), a 15ª edição de *Sobrados e mucambos* e a 49ª edição de *Casa-grande & senzala*. Em conjunto com a Fundação Gilberto Freyre, a editora lança o Concurso Nacional de Ensaios – Prêmio Gilberto Freyre 2004/2005, destinado a premiar e a publicar ensaio que aborde "qualquer dos aspectos relevantes da obra do escritor Gilberto Freyre".

2005 Em 15 de março é premiado o trabalho de Élide Rugai Bastos intitulado *As criaturas de Prometeu:* Gilberto Freyre e a formação da sociedade brasileira, vencedor do Concurso Nacional de Ensaios – Prêmio Gilberto Freyre 2004/2005, promovido pela Fundação Gilberto Freyre e pela Global Editora. Esta publica a 50ª edição (edição comemorativa) de *Casa--grande & senzala*, em capadura. Em agosto, o grupo de teatro Os Fofos Encenam, sob a direção de Newton Moreno, estreia a peça *Assombrações do Recife velho*, adaptação da obra homônima de Gilberto Freyre, no Casarão do Belvedere, situado no Bairro Bela Vista, em São Paulo. Em 18 de outubro, na Livraria Cultura do Shopping Villa-Lobos, em São Paulo, é lançado *Gilberto Freyre:* um vitoriano dos trópicos, de Maria Lúcia Pallares-Burke, pela Editora da Unesp, em mesa-redonda com a participação dos professores Antonio Dimas, José de Souza Martins, Élide Rugai Bastos e a autora do livro. A Global Editora publica a 3ª edição de *Casa-grande & senzala em quadrinhos*, com ilustrações de Ivan Wasth Rodrigues colorizadas por Noguchi.

2006 Realiza-se em 15 de março na 19ª Bienal Internacional do Livro de São Paulo, sediada no Pavilhão de Exposições do Anhembi, no salão A-Mezanino, a mesa de debate 70 anos de *Sobrados e mucambos*, de Gilberto Freyre, com a presença dos professores Roberto DaMatta, Élide Rugai Bastos, Enrique Rodríguez Larreta e mediação de Gustavo Henrique Tuna. No evento, é lançado o 2º Concurso Nacional de Ensaios – Prêmio Gilberto Freyre 2006/2007, organizado pela Global Editora e pela Fundação Gilberto Freyre que aborda qualquer aspecto referente à obra *Sobrados e mucambos*. A Global Editora publica a 2ª edição, revista, de *Tempo morto e outros tempos*, prefaciada por Maria Lúcia Garcia Pallares-Burke. Realiza-se no auditório do Instituto de Filosofia e Ciências Humanas da Unicamp, nos dias 25 e 26 de abril, o Simpósio Gilberto Freyre: produção, circulação e efeitos sociais de suas ideias, com a presença de inúmeros estudiosos do Brasil e do exterior da obra do sociólogo pernambucano.

2007 Publicam-se em São Paulo, pela Global Editora: a 5ª edição do livro *Açúcar*, apresentada por Maria Lecticia Monteiro Cavalcanti; a 5ª edição revista, atualizada e aumentada por Antonio Paulo Rezende do livro *Guia prático, histórico e sentimental da cidade do Recife*; a 6ª edição revista e atualizada por Edson Nery da Fonseca do livro *Olinda: 2º guia prático, histórico e sentimental de* atualizada por Edson Nery da Fonseca do livro Olinda: *2º guia prático, histórico e sentimental de cidade brasileira*. Publica-se no Rio de Janeiro, pela Civilização Brasileira, o primeiro volume da obra *Gilberto Freyre uma biografia cultural*, dos pesquisadores uruguaios Enrique Rodrigues Larreta e Guillermo Giucci, em tradução de Josely Vianna Baptista. Publica-se no Recife, pela Editora Massangana, o livro de Edson Nery da Fonseca *Em torno de Gilberto Freyre*.

2008 O Museu da Língua Portuguesa de São Paulo encerra em 4 de maio a exposição, iniciada em 27 de novembro de 2007, *Gilberto Freyre intérprete do Brasil*, sob a curadoria de Elide Rugai Bastos, Júlia Peregrino e Pedro Karp Vasquez. Publicam-se em São Paulo, pela Global Editora: a 4ª edição revista do livro *Vida social no Brasil nos meados do século XIX*, com apresentação e índices de Gustavo Henrique Tuna; e a 6ª edição do livro *Assombrações do Recife Velho*, com apresentação de Newton Moreno, autor da adaptação teatral representada com sucesso em São Paulo. O editor Peter Lang de Oxford publica o livro de Peter Burke e Maria Lúcia G. Pallares-Burke *Gilberto Freyre: social theory in the Tropics*, versão de *Gilberto Freyre, um vitoriano nos Trópicos*, publicado em 2005 pela Editora UNESP, que em 2006 recebeu os prêmios Senador José Ermírio de Morais da ABL (Academia Brasileira de letras) e Jabuti, na categoria Ciências Humanas.

2009 A Global Editora publica a 2ª edição de *Modos de homem & modas de mulher* com texto de apresentação de Mary Del Priore. A É Realizações Editora publica em São Paulo a 6ª edição do livro *Sociologia: introdução ao estudo dos seus princípios*, com prefácio de Simone Meucci e posfácio de Vamireh Chacon. A Editora UNESP publica, em tradução de Fernanda Veríssimo, o livro de Peter Burke e Maria Lúcia G. Pallares-Burke *Repensando os trópicos: um retrato intelectual de Gilberto Freyre*, com prefácio à edição brasileira.

Índice remissivo

A

Abolição   36, 37, 39, 44, 154, 190, 228, 237, 240
Açores   74, 215, 216
Açúcar   28, 76, 79, 80, 86, 90, 92, 96, 106, 113, 114, 120, 127, 146, 147, 156, 157, 159, 160, 161, 215, 248, 267, 270
Aeronáutica   138, 195, 240, 311, 315
África   22, 31, 46, 48, 52, 61, 62, 67, 68, 75, 90, 91, 92, 96, 145, 147, 148, 151, 166, 171, 185, 186, 215, 216, 231, 233, 234, 261, 274, 282, 289, 294, 295, 296, 299, 304, 307, 308, 317
África do Sul   125, 184, 231, 232, 301
Africano
        escravo   159
        grupo primitivo   168
        negro   23, 175
        teluricamente tropical   23
Africanos
        antecedentes africanos na formação brasileira   93
        assimilação   190
        cultura transmitida aos portugueses   83
        descendentes   49, 155
        e portugueses   53
        escravos   80, 81, 179, 183, 208
        hábitos   34
        negros   190
        sofisticados   61
        tráfico   158
        vendidos ainda pequenos   234
Alemanha   38, 208, 294
Alimentação
        à europeia   96
        brasileira (festas)   114
        brasileira ajustada ao clima tropical   62
        brasileira diferente da europeia   47
        dos senhores de engenhos   100
Altaussee   272
Amazonas   41, 91, 138, 142, 146, 211, 212, 213
Amazônia   137, 174, 197
América   22, 24, 32, 35, 40, 48, 75, 76, 82, 84, 88, 89, 91, 92, 96, 97, 101, 104, 105, 107, 109, 110, 111, 123, 124, 126, 127, 129, 136, 138, 147, 149, 158, 169, 173, 175, 176, 178, 179, 186, 187, 202, 219, 222, 224, 229, 232, 234, 239, 253, 260, 261, 270, 274, 278, 282, 285, 291, 292, 293, 296, 297, 299, 302, 317
América anglo-saxônica   111, 217
América do Norte   67, 101, 145, 206, 217, 285, 296, 297, 301, 304, 309
América do Sul   46, 145, 146, 152, 173, 217, 228, 273, 293, 296, 300, 301, 309
América espanhola   28, 32, 44, 87, 109, 166, 183, 215, 298
América francesa   111, 232
América hispânica   87, 111
América indo-espanhola   215
América inglesa   120, 232
América Latina   29, 30, 31, 32, 41, 42, 45, 49, 129, 136, 152, 162, 165, 170, 176, 177, 190, 195, 204, 206, 215, 217, 219, 220, 225, 234, 239, 240, 241, 254, 285, 292, 293, 294, 295, 296, 297, 299, 300, 301, 303, 304, 305, 306, 307, 313
América portuguesa   28, 55, 67, 73, 75, 76, 79, 83, 86, 87, 88, 89, 90, 95, 98, 99, 103, 109, 131, 147, 148, 151, 157, 159, 168, 175, 183, 214, 220, 244, 257, 261, 269
América tropical   48, 85, 91, 103, 147
Apartheid   188, 192
Árabes   68, 70, 71, 85, 128, 231, 232, 233, 234, 261, 278
Arábia   231
Argentina   47, 152, 223, 239, 302, 309, 310
Arquitetura   27, 28, 32, 41, 46, 47, 49, 50, 54, 55, 56, 57, 58, 59, 60, 61, 65, 75, 90, 91, 96, 113, 176, 178, 185, 196, 260, 265, 266, 267, 268, 269, 270, 271, 272, 273, 274, 275, 276, 277, 278, 279, 280, 281, 282, 283, 284, 285, 286, 287, 288, 289, 290, 291, 312
Ásia   31, 48, 52, 75, 90, 91, 92, 96, 152, 169, 231, 234, 261, 274, 282, 295, 296, 299, 304, 308
Atlanta   124
Austrália   203

B

Bahia   34, 85, 86, 103, 110, 137, 138, 142, 148, 149, 153, 163, 183, 193, 246, 262
Bandeirantes   96, 99, 100, 101, 103, 104, 137, 174
Barcelona   286
Baviera   162
Belém (PA)   270, 275
Bélgica   193
Belo Horizonte   197, 286
Berlim   57, 255, 259
Biologia   30, 65, 70, 120, 186, 207, 235, 286, 300
Blumenau   57
Bolívia   102, 190
Brasil
   amalgamento de raças   222
   amalgamento étnico e interpretação cultural   153
   ânsia de industrialização   303
   antagonismos inter-regionais   130
   arcaísmo   40
   área cultural   129
   arquitetura   27, 41, 47, 49, 50, 54, 55, 56, 57, 58, 59, 60, 61, 65, 91, 96, 196, 265, 267, 268, 269, 270, 271, 272, 273, 274, 275, 276, 277, 278, 279, 280, 281, 282, 283, 284, 285, 286, 287, 288, 289, 290, 291, 312
   ascensão social   108
   autocolonização   101
   avançada e imperfeita democracia étnica   175
   benignidade relativa da escravidão   105, 106, 107, 208, 232
   benignidade relativa nas relações entre os vários grupos étnicos   24
   "castelhanismo"   130, 133, 135
   caudilhismo   121, 220
   civilização euro-tropical   27
   civilização moderna   19, 24, 48, 62, 89, 178
   civilização regional nos trópicos   187
   clima   47, 50, 54, 61, 62, 63, 64, 71, 80
   colonização agrária   76, 86, 104, 109
   colonização portuguesa   32, 67, 73, 75, 76, 82, 83, 85, 88, 89, 91, 92, 93, 101, 102, 136, 146, 147, 185, 188, 232, 278, 281, 285
   complexidade étnica   151
   composição étnica   147, 254
   condições étnicas e sociais   259
   condições físicas   148, 185
   condições sociais   143
   conflitos   182
   contribuição ao mundo moderno   223
   cultura   19, 20, 23, 24, 25, 28, 30, 33, 36, 40, 41, 48, 63, 64, 83, 84, 108, 120, 123, 124, 129, 130, 131, 132, 142, 166, 167, 168, 170, 171, 180, 182, 183, 185, 186, 187, 189, 191, 192, 197, 199, 203, 220, 227, 228, 247, 259, 260, 263, 284, 287, 288
   democracia étnico-cultural   24
   democracia social e étnica   99, 103, 134, 200, 241
   desenvolvimento político   241
   desenvolvimento social   227, 235, 236
   desenvolvimento social e econômico   317
   diversidade regional   71
   elite política   157
   escassez de mulheres brancas   102
   escravidão   24, 34, 36, 37, 44, 81, 100, 104, 105, 106, 107, 116, 118, 120, 147, 148, 149, 150, 154, 156, 158, 159, 162, 164, 167, 170, 171, 175, 183, 190, 208, 210, 220, 227, 228, 230, 231, 232, 233, 234, 235, 236, 237, 240, 244, 287
   estrutura lusitana   185
   ethos nacional   243
   europeização   158
   exemplo de diversidade ou de pluralidade étnica e cultural   179
   existência de uma "fronteira móvel"   104
   familismo   229
   feriados civis e religiosos bastante numerosos   43
   formação social   118, 143
   história social   77, 89, 93, 105, 107, 210
   humanização dos trópicos   35
   inclinação para democracia étnica   200
   industrialização   194, 214, 215
   influência no mundo   93
   interpenetração de culturas   222

interpenetração de etnias e de
  culturas   188, 189
interpretação   19, 20, 26, 28, 31, 52, 55,
  56, 61, 81, 142, 187, 191, 210, 229,
  231, 232, 288, 308, 317
literatura   33, 42, 60, 62, 65, 84, 165, 171,
  176, 184, 196, 216, 223, 243, 245,
  246, 247, 248, 249, 250, 251, 252,
  253, 254, 255, 256, 257, 258, 259,
  260, 261, 262, 263, 269, 288
mestiçagem   36, 83
mestiço   152
miscigenação   36, 37, 83
moderno   38
nação americana   48, 216, 223
nação culturalmente criadora   129
nação heterogênea   199
nação única   46
numerosa população mestiça   224
organização social   238
ostentação de nobreza   73
país tropical   22, 23, 47, 50, 64, 65, 80,
  127, 148, 173, 174, 179, 185, 191,
  272, 273, 279, 312
passado regional   135
passado social   269
patriarcal   116, 118
período colonial   32, 33, 34, 36, 38, 47, 48,
  49, 60, 77, 79, 81, 83, 85, 88, 90,
  92, 96, 97, 98, 99, 102, 104, 107,
  115, 119, 120, 127, 150, 183, 184,
  222, 234, 235, 243, 246, 247, 252,
  253, 255, 257, 260, 266, 267, 268,
  269, 270, 276, 280, 284, 286
período imperial   38, 39, 40, 44, 105, 106, 107,
  108, 109, 110, 114, 131, 134, 135, 142,
  148, 150, 153, 158, 159, 160, 183, 200,
  208, 209, 218, 224, 228, 229, 236, 237,
  239, 241, 250, 276, 289
período republicano   38, 40, 45, 109, 130,
  131, 133, 135, 153, 154, 155,
  156, 157, 158, 160, 167, 168, 169,
  170, 171, 190, 191, 192, 193, 194,
  202, 203, 214, 215, 224, 225, 237,
  239, 240, 241, 308, 310, 313, 314,
  316, 317
poder de absorção cultural   291
política   40, 44, 45, 48, 49, 50, 100, 107,
  108, 109, 128, 131, 132, 133, 134,
  135, 153, 154, 155, 156, 157, 159,
  160, 161, 162, 165, 167, 168, 176,
  178, 180, 181, 182, 190, 191, 192,
  193, 194, 195, 196, 199, 202, 204,
  205, 206, 210, 211, 214, 215, 216,
  217, 218, 220, 223, 224, 228, 229,
  235, 236, 237, 238, 239, 240, 241,
  247, 249, 250, 261, 288, 292, 297,
  302, 307, 308, 309, 310, 312, 313,
  314, 315, 316
política indígena   88
população mestiça   203
preconceito de cor ou de raça   36
proclamação da República   39, 45
progresso material e técnico   262
reforma agrária   314
relativa democracia étnica   35
relativo paraíso racial   181
revoluções "brancas" ou pacíficas   169
riqueza de lendas   84
ritmo das atividades   43, 44
solução democrática e cristã para sua
  complexidade étnica   151
solução para a questão racial   37
tendência para o fusionismo étnico e
  cultural   181
tendências para uma democracia étnica e
  social   87
tradicional tolerância de diferenças de
  raça   208
valores sociais e culturais   292
vida cultural   126
vida intelectual   64
vida nacional   312
vida rural   86, 112, 118
Brasil Colônia
  apreço por cavalos   119
  arquitetura   60
  arte de Aleijadinho   243, 247, 248
  aspectos da língua portuguesa   92
  atividade comercial   77
  atividade intelectual   34, 120
  brasileiros humanos e cristãos   32
  casamento   234
  clero   98
  comparação com os Estados Unidos   99
  conflitos   183, 222, 257
  conventos   36

destino de ser colônia   255
domínio comercial inglês no início do
    século XIX   127
excessos de tradição e rotina   252
família real   48
"fronteira móvel"   104
fundadores horizontais   96
herança colonial   260
hospitalidade dos engenhos   115
importação de animais   47
integração   260
literatura   243, 246, 247, 248, 253
luxos orientais   90
magnitude da escravidão   81
miscigenação   99
mosteiros   97
mulheres poderosas   38
ordens religiosas   98
pajens   266
poligamia   88, 235
preconceito racial   150
presença do português humilde   85
presença moura   83
segregação dos índios   102
tolerância   33, 49, 184
traços da casa colonial   267, 268, 269, 270,
    276, 284, 286
tradição política   107
uso da rede   280
vestuário   40
vinda de aristocratas portugueses 79

Brasil Império
    arquitetura das casas   273, 274, 276, 277,
        289
    ascensão social   40
    ascensão social de "morenos"   39
    caudilhismo   110
    condições políticas   108
    conflitos   183
    democracia social e étnica   134
    desenvolvimento industrial   42
    escravidão relativamente benigna   105,
        208
    escravos   237
    estabilidade e paz   153
    "Estado Forte"   142
    excesso de centralização do poder   131,
        134, 135

higiene pessoal   114
imigração europeia   158, 159
instrução intelectual dos africanos   209
instrução intelectual dos negros   148
mão-de-obra   158, 159
monarquia democrática   242
mulheres poderosas   38
nação independente   107
país independente e monárquico   241
paternalismo   239, 241
política externa   218, 228, 229
preconceito racial   150
sentimento público   160
tendências democráticas   109
tolerância "à gente de cor"   200
tradição política   39, 44, 236, 239, 250
tutela patriarcal   106
unidade política   228
valorização do mestiço   224

Brasil República
    caudilhismo   109
    chefes republicanos mestiços   154
    concepção sobre a escravidão   171
    desigualdade entre os estados   130
    economia   157, 203
    Estado Novo   131, 133, 191
    ética política   193
    fidelidade à tradição monárquica   40
    "ianquefobia"   308, 310, 317
    imigração europeia   168
    industrialização   194, 214, 215, 313, 314, 316
    integralismo   225
    paternalismo   237
    paternalismo ditatorial de Vargas   241
    política centralizadora   135
    política indigenista   169
    progresso material   154, 155, 156, 157, 158
    relações exteriores   38
    Revolução de 1930   170
    tradição política   45, 153, 160, 190, 191,
        192, 202, 239, 240
    tratamento dado ao índio   167
    valorização do mestiço   224

Brasileiro
    aversão à estandardização   36
    capacidade em transigir   35
    de origem africana   175
    mestiço   244

nativo 244
objeto de estudo 20
orgulho de suas raízes ameríndias 166
personalidade conhecida por meio do
    carnaval 141
"povo tão humano" 44
pré-nacional 24
situado no trópico 26
Brasileiros
    adaptadores de valores e técnicas
        europeias 59
    amigos do banho 114
    assimilação das tribos indígenas 168
    bem-nascidos 117
    civilização europeia e natureza tropical 52
    coloniais 34
    condição colonial 254
    confiança em si próprios 263
    contracolonização 128
    criadores de estilos de vida 64
    criatividade 65
    cultura 25
    da zona de açúcar 114
    de origem africana 153
    de sangue africano 141
    dependência do paternalismo 235
    diversidade de tipos regionais 102
    do Nordeste 138
    ecologistas 61
    espírito generalizado de fraternidade
        humana 36
    homens civilizados situados nos
        trópicos 178
    horror ao trabalho manual 118
    humanos e cristãos 32
    "ianquefobia" 310
    livres 237
    mestiços 104
    mulatos 224
    nacionalidade 256
    nativos ou natos 244
    negroides 171
    nostalgia 37
    nova civilização na América 176
    opção pela conservação da
        monarquia 236
    orgulho da modernização de sua
        arquitetura 280

orgulho novo 25
originalidade 47
passado traumático 171
povo patriarcal 281
psicologia 171
ritmo de trabalho 43, 44
sadismo no exercício do poder 235
tendência experimental na
    arquitetura 271
tratamento dispensado aos escravos 104
ultraeuropeus 184
valores do passado 108
valorização da carreira política 297
variada origem étnica 185
variantes psicológicas 193
vestuário 34, 62
vida cultural e social 171
vitalidade cultural 186
Brasília 269, 312, 313
Bruxelas 31

C

Cabo Verde 215, 216
Café 28, 34, 55, 92, 100, 106, 113, 119, 146, 154, 156, 157, 158, 159, 160, 161, 162, 163, 196, 215, 236, 249, 267, 270, 277
Cambridge 179
Canadá 46, 101, 102, 239
Cana-de-açúcar 76, 80, 96, 97, 98, 99, 100, 103, 113, 146, 147, 148, 158, 162, 167, 236, 276
Canudos 182
Carnaval 141
Casamento 36, 37, 81, 82, 88, 100, 115, 167, 213, 219, 234, 257
Casas-grandes 28, 56, 95, 97, 98, 99, 114, 116, 120, 222, 229, 230, 234, 235, 236, 237, 238, 267, 268, 269, 270, 276, 277, 280
Ceará 137
Ceilão 157, 316
Chicago 125
Chile 47, 152, 239
China 32, 46, 58, 65, 84, 90, 174, 202, 203, 271, 291, 302, 309, 310, 311, 312, 313, 314, 317
Cleveland 164
Clima
    aclimatação 80

adaptação do negro ao clima do
   Brasil   148
adaptação dos produtos europeus no
   Brasil   127
amazônico   173
arquitetura   274, 289
comparações   68, 282
da América do Norte   145
diversidade regional   71
do Nordeste brasileiro   180
europeu   49, 54, 80, 177
fatores   51
geografia   74
insalubre   300
português   80
quente   64
temperado   177
tropical   34, 47, 50, 54, 62, 63, 64, 80, 148, 170, 174, 177, 178, 215, 276, 277, 278, 279

Coeducação   102
Coimbra   209
Companhia de Jesus   72
Congo   54
Cooperativismo   212, 213
Cozinha
   brasileira como alvo da atenção
      estrangeira   176
   brasileira como parte do complexo
      nacional   171
   brasileira como uma das melhores do
      mundo   265
   brasileira e patriarcalismo   288
   brasileira tradicional   260
   luso-brasileira: introduzida pelos
      portugueses   91
Crianças
   brasileiras: vestuário 51
   indígenas: educação jesuística 98
   portuguesas: fascinação por lendas   82
Cristianismo no Brasil   32, 33, 67, 73, 83, 89, 97, 98, 148, 151, 169, 183, 184, 185, 188, 190, 191, 192, 200, 201, 232, 233, 234
Cuba   157, 229
Culinária   25, 27, 33, 34, 35, 36, 46, 91, 185, 248, 266, 270, 282, 287
Cultura brasileira   19, 20, 23, 24, 25, 28, 30, 33, 36, 40, 41, 48, 63, 64, 83, 84, 108, 120, 123, 124, 129, 130, 131, 132, 142, 166, 167, 168, 170, 171, 180, 182, 183, 185, 186, 187, 189, 191, 192, 197, 199, 203, 220, 227, 228, 247, 259, 260, 263, 284, 287, 288

D

Danças   75, 141
Dinamarca   152
Doenças
   ancilostomíase   17, 35
   cólera   164
   contagiosas   73
   febre amarela   35, 300
   malária   35, 170, 300
   Manson-Pirajá   170
   na América Latina   292
   peste bubônica   35
   políticas   292
   proteções previstas na legislação
      trabalhista   238
   sífilis   91, 170
   tropicais   152, 292
   tuberculose   170

E

Ecologia   19, 21, 22, 23, 24, 26, 27, 29, 52, 56, 58, 61, 62, 68, 129, 145, 146, 147, 166, 177, 179, 217, 227, 272, 273, 275, 308
Economia   24, 29, 30, 44, 77, 78, 79, 86, 89, 92, 93, 96, 97, 98, 99, 100, 126, 132, 135, 137, 147, 151, 153, 156, 157, 158, 159, 169, 175, 181, 182, 183, 188, 193, 201, 202, 203, 204, 209, 210, 212, 214, 215, 220, 221, 232, 234, 235, 240, 241, 266, 291, 293, 294, 295, 296, 297, 303, 304, 305, 306, 307, 316
Educação   50, 60, 84, 96, 98, 99, 102, 108, 116, 117, 120, 132, 148, 178, 191, 206, 209, 210, 211, 216, 275, 286, 296
Egito   105, 157, 231
Engenho Novo   86
Engenhos   28, 95, 96, 97, 99, 100 107, 108, 111, 113, 114, 115, 119, 120, 127, 147, 222, 229, 230, 231, 236, 267, 268, 270, 280, 286
Ensino   96, 98, 99, 116, 120, 132, 148, 191, 209, 216, 296

Equador   102, 119, 157, 190
Escócia   61
Escravas
   africanas   234
   mães separadas de seus filhos pequeninos   106
Escravo
   africano   159
   ascensão   24
   asiático   159
   nostálgico   37
Escravos
   africanos   80, 81, 179, 183, 208
   agrários   34
   bens   34, 95, 108, 163
   comercializados   274
   desamparados após a liberdade   237
   descendentes   156, 227, 228
   desejo de rebelião   104
   difíceis e caros   164
   distância social dos senhores   110
   do campo   112, 149
   do eito   119
   do Império   237
   domésticos   75, 83, 119, 267
   falta de mão de obra em fins do Império   158
   família   156
   fluentes na língua árabe   149
   importados para o Brasil   99, 162
   indígenas   102, 167
   industriais   34
   lutas travadas com escravos de outras propriedades   236
   maometanos   232
   negroides   152
   negros   33, 81, 100, 104, 106, 159, 163, 233, 244
   proteção por parte do Imperador   237
   razoavelmente bem tratados no Brasil   24, 208, 274
   razoavelmente bem tratados no Sul do Brasil   105
   senzalas   95
   tráfico   99, 158, 162
Escultura   41, 62, 245, 248
Esmirna   73

Espanha   26, 53, 54, 68, 69, 70, 71, 72, 73, 82, 83, 87, 129, 133, 135, 136, 139, 180, 204, 205, 217, 298
Espírito Santo   163
Estados Unidos   31, 39, 40, 43, 47, 52, 55, 56, 57, 58, 65, 84, 99, 100, 107, 110, 111, 112, 113, 114, 115, 117, 119, 120, 128, 129, 131, 133, 135, 150, 155, 157, 163, 164, 176, 180, 181, 182, 195, 203, 204, 205, 206, 207, 212, 215, 217, 218, 219, 225, 227, 228, 229, 230, 231, 233, 235, 238, 239, 240, 261, 263, 271, 272, 281, 282, 284, 293, 294, 295, 296, 297, 298, 299, 300, 301, 303, 304, 305, 306, 307, 308, 309, 310, 311, 312, 313, 317
Eugenia   233, 235
Europa   31, 33, 39, 41, 46, 48, 51, 52, 53, 61, 67, 68, 71, 74, 77, 80, 84, 85, 89, 90, 91, 92, 96, 100, 107, 117, 120, 124, 126, 145, 151, 156, 165, 168, 173, 174, 179, 184, 185, 196, 214, 215, 220, 233, 234, 240, 252, 253, 254, 255, 256, 257, 258, 259, 260, 261, 263, 268, 270, 272, 273, 274, 277, 285, 295, 296, 299, 300, 304, 307, 308, 317
Euro-tropicalismo   20
Exército   45, 46, 132, 138, 154, 167, 169, 171, 191, 195, 211, 212, 213, 240, 241, 242, 250, 256, 258, 311, 315

F

Família patriarcal
   continuidade   116
   fornecedora de membros do clero   116
   hospitalidade   266
   presença do capelão   115
   proteção   236
Festas   114, 115, 141
Filadélfia   218
Força Aérea   45
Forças Armadas   214, 240, 307
Formosa   92
França   203, 204, 205, 218, 256, 294
Futebol   35, 36, 141, 142

G

Goiás   103
Grã-Bretanha   60, 180, 217, 294

H

Hamburgo   124
Higiene
    pessoal   90, 114
    pública   108
Hispano-tropicalismo   20, 21
Hispano-tropicologia   21
Holanda   74
Holstein   162

I

Igreja Católica
    abertura à mestiçagem   49, 165
    autoridade dos frades   73
    carreira   116, 117
    conservadorismo no Brasil   154
    contestação do bispo de Maura   205
    contra o excesso sexual   89
    e a Coroa portuguesa   72
    grupo organizado no Brasil   154
    heresia   73, 79, 96
    inquisição   33, 70, 72
    moral e costumes   168
    ordens religiosas   28, 98, 200
    papel na formação da civilização brasileira   265
    poder   98
    presença de filhos e netos imigrantes   195
    presença na família   116
    separação do Estado   170
    título de conde a Afonso Celso   259
    tolerância diante de uma suave poligamia   235
Igrejas   28, 36, 42, 54, 56, 95, 96, 97, 206, 243, 247, 267, 276, 283
Ilha da Madeira   74, 312
Imigração   63, 73, 86, 149, 155, 156, 158, 159, 161, 162, 163, 169, 170, 179, 180, 184, 191, 192, 193, 194, 195, 196, 210, 211, 212, 213, 214, 312, 314
Índia   47, 52, 62, 78, 84, 92, 179, 186, 231, 234, 268, 271, 276, 316
Índias
    banho   114
    beleza   82
    e portugueses   278

Indígena
    confeitaria   247
    potencial humano   211
Indígenas
    cultura   48, 168
    direitos   88
    ensino das crianças   98
    hábitos   34, 35
    herança   261
    mulheres 100
    tratamento recebido pelos jesuítas   221
    tribos   167, 168
Índio
    assimilado e admirado   165
    "aversão constitucional ao calor"   147
    influência na formação e na cultura nacional   171
    superior ao negro   167
    teluricamente tropical   23
    valorização de seu descendente   170
Índios
    arte   166
    assimilação   190
    bravos   138
    cobiçados   96, 102, 103
    conhecedores da flora e da fauna brasileiras   166
    das Missões   140
    de outras repúblicas americanas   181
    descendentes   49, 210
    educação   87
    e portugueses   53
    escravizados   147
    escravos   81, 102, 103
    fabricantes de redes   91
    instrução e assintência   88
    nômades   147, 148, 167, 278
    orientais   75
    política de assimilação no Brasil   168
    presença na alimentação brasileira   91
    presença na cultura brasileira   166
    remanescentes   167
    segregados   87, 102
    selvagens   267
    trabalho servil   87
    tradição nômade   137
    valores míticos ou populares   84
Inglaterra   48, 61, 67, 85, 105, 107, 127, 173, 174, 175, 203, 205, 233, 238, 274

Inquisição   33, 70, 72
Itália   157, 163, 180, 195, 203

J

Jamaica   107
Japão   46, 91, 202, 203, 214, 294, 295
Jardins   49, 54, 81, 90, 146, 177, 270, 272, 273, 275, 277, 287
Jesuítas   28, 72, 87, 88, 89, 91, 97, 98, 99, 102, 138, 140, 167, 168, 174, 221, 222
Judeus   65, 70, 71, 72, 73, 74, 75, 76, 77, 79, 80, 85, 184, 192, 193, 204, 206, 223, 244, 261

L

Lendas   81, 82, 84, 108, 112, 167, 223
Língua portuguesa   19, 29, 33, 37, 48, 70, 92, 131, 136, 169, 176, 191, 196, 197, 216, 252, 260, 317
Lisboa   72, 77, 78, 139, 259
Londres   31, 59, 61, 127, 161, 255, 259
Luso-tropicalismo   20, 21
Luso-tropicologia   21

M

Macau   179
Madeira   215
Madri   72
Malásia   157, 186
Manchester   124
Mandioca   59, 307
Maranhão   86, 95
Marinha   23, 40, 45, 138, 154, 195, 240, 311, 315
Marxismo   29
Mato Grosso   100, 103
Maura   205
Medicina   65, 91, 116, 117, 118, 196
Mestiçagem   20, 23, 24, 75, 80, 83, 88, 100, 101, 104, 149, 152, 153, 154, 156, 165, 170, 200, 206, 207, 209, 210, 224, 234, 247, 256, 258
Mestiço
    afro-brasileiro   252
    potencial humano   211
    visão de José Bonifácio   168
Mestiços
    ascensão   24, 154, 234

brasileiros   104
capacidade de contribuição ao crescimento do Brasil   211
"degenerados"   300
descendentes   175
desconsiderados   222
destaque no Brasil   224
estabilização em novo tipo étnico   149
inferioridade   152
inferioridade física e constitucional   101
no Exército   256
senhores   104
tolerados   165
tolerância   83
México   28, 84, 119, 190, 200, 203
Milão   195
Milho   85, 114, 147
Minas Gerais   42, 45, 103, 117, 127, 131, 132, 138, 139, 148, 149, 153, 163, 218, 244, 262, 276
Miscigenação   36
    em Portugal   80
    no Brasil Colônia   99
    processo avançado no Brasil   209
    resultados   207
Missionários   32, 87, 158, 221, 222
Monocultura   100, 110, 116, 146, 147, 148, 158, 210, 287
Moscou   204
Mucama   112
Mucambos   289
Mulatos
    ascensão social   38, 108
    brasileiros   223
    destaque no Brasil   224
    livres   33
    recusados nas escolas jesuíticas   99
Mulher brasileira
    americanização   265
Mulheres brasileiras
    figuras de destaque no país   38
    oprimidas no Brasil   37
Música   33, 37, 41, 46, 50, 62, 76, 114, 115, 136, 142, 171, 176, 178, 185, 196, 287, 288

N

Negra
    idealização   230

Negro
    africano   23, 175
    americano   176
    brasileiro   175
    condição livre "embranquecedora"   150
    influência na formação e na cultura nacional   171
    razoavelmente bem tratado no Brasil   175
    trazido para a América portuguesa   147
    valorização de seu descendente   170
    "verdadeiro filho dos climas tropicais"   148
    vitalidade   251

Negros
    africanos   190
    ascensão social   38
    assimilação   190
    barrados no Exército brasileiro   171
    bens   118
    carregadores   119
    cultura   168
    "de cultura relativamente avançada"   149
    descendentes   168, 210
    discriminação   36
    e brancos   120
    e índios   101
    em Portugal   75
    escravos   33, 81, 100, 104, 106, 159, 163, 233, 244
    importados   76
    instrução   108
    leitores   148
    músicos   115
    recusados nas escolas jesuíticas   99
    situação no Brasil   37
    tolerados   165
    valores míticos ou populares   84

Newport   272
Nigéria   61
Nordeste   36, 54, 80, 85, 126, 127, 138, 146, 177, 180, 185, 194, 212, 251, 252, 258, 260, 261, 263, 277
Nossa Senhora do Ó   86
Nova York   54, 58, 112, 127, 195, 300
Nova Zelândia   203

O

Ocidente   68, 219, 293, 307, 311, 317
Oriente   22, 48, 54, 68, 78, 90, 91, 179, 185, 233, 265, 266, 268, 271, 278, 293, 294, 295, 311, 317
Ouro Preto   139, 286

P

Palmares   183
Panamá   212
Paquistão   231, 316
Pará   86, 100, 138, 146
Paraguai   46, 98, 221, 223, 229
Paraná   163, 185
Paris   127, 202, 209, 254, 255, 259, 296
Patriarcalismo
    arquitetura   267, 268, 269, 273, 275, 288, 289
    assistência   106, 237
    complexo   230, 231
    desintegração   154
    disciplina   235
    escravidão   227, 274
    família   115, 236
    hospitalidade   266
    importância na formação do Brasil   28
    longa duração   118
    no Brasil e nos Estados Unidos   119
    Norte do Brasil   111
    nos engenhos   120
    ortodoxia social   268
    passado   120, 265, 266, 287
    poder   97, 230, 231
    predominância   117
    sentimento dominante   106
    sistema   116, 117, 120, 154, 158, 163, 229, 233, 235, 238, 266, 268, 281, 284, 286, 288
    sociedade   228, 285
    traço do povo brasileiro   281
    valores   266
    visão   156
Pensilvânia   123
Pequim   161
Pernambuco   33, 38, 57, 58, 86, 110, 133, 137, 163, 165, 218, 246, 252, 274

Peru   28, 103, 190, 229
Petrópolis   40, 180, 272
Pintura   41, 60
Polinésia   149
Polônia   105
Pompeia   289
Porto   34, 274
Portugal   44, 47, 53, 54, 68, 69, 70, 71, 72, 73, 74, 75, 76, 77, 78, 79, 80, 82, 83, 84, 86, 87, 89, 92, 95, 96, 97, 100, 118, 151, 152, 154, 165, 179, 180, 184, 214, 215, 216, 217, 218, 233, 234, 236, 244, 246, 257, 260, 269, 270, 271, 272, 274
Português
    "civilização luso-tropical"   185
    colonizador do Brasil   278
    de classe humilde na colonização do Brasil   85
    nação quase não europeia   199
    pioneiro da moderna arquitetura funcional no Brasil   279
    povo ridicularizado por seu atraso técnico e industrial   85
    preferência pelos trópicos   185
Portugueses
    aclimatação   80
    adaptabilidade   185
    adoção de hábitos indígenas e africanos   34
    adoção de uma nova arquitetura no Brasil   54
    agricultores   87
    apego ao lar e à família   281
    aristocratas   73
    articuladores de um novo tipo de civilização nos trópicos   188
    assimilação de usos e ideias africanas   83
    assimilação de valores dos índios e dos negros   84
    assimilação de valores tropicais   278
    aventureiros   76
    aversão ao trabalho manual   33, 81
    capacidade de assimilação   179
    capacidade de harmonização   69
    comerciantes   77, 86, 90, 149
    concessão de títulos de nobreza a descendentes de índios e africanos   49
    conquistas na Ásia e na África   75
    contato com o Oriente   54, 91, 233, 234, 278
    cosmopolitismo   180
    cozinha luso-brasileira   91
    da ilha da Madeira   312
    descendentes   197, 222, 281
    descobridores e colonizadores do Brasil   67, 82
    diversidade das condições físicas   71
    diversidade de tipos antropológicos e culturais   75
    "do mais puro sangue nórdico"   81
    "do velho tronco rural"   76
    e mouros   81, 82, 178, 278
    empreendimentos marítimos e coloniais   79
    escritores   216
    êxito no Brasil   58
    experiência   261, 285
    fidalgos   88
    gosto pela poligamia   83
    habilidades no contato com povos não europeus   48
    higiene pessoal   90
    história cultural   72
    importância dada aos portos marítimos   77
    influência moura   83
    influência na arquitetura brasileira   58, 59, 60, 268, 273, 279
    introdutores da escravidão no Brasil   236
    introdutores do açúcar brasileiro na Europa   92
    introdutores do telhado oriental no Brasil   268
    lenda da moura encantada   81, 82
    mestiços   100
    miscibilidade   101, 219, 234, 257, 278
    pioneiros do comércio internacional   90
    pioneiros na floresta amazônica   173, 174
    plantadores   76, 146, 147
    plasticidade de adaptação às condições tropicais   196
    políticos   217
    povo cristão   232
    "povo de transição entre Europa e África"   151
    presença em terras tropicais   187
    professores   254

relações com os indígenas   88
relações com potências europeias rivais   97
simbiose   53
situação geográfica   74
soldados   244
tolerância   167
traços culturais e psicológicos   190
tratamento dispensado aos escravos   104
tropicalismo   276
união com índias   278
valores   130
velhos   76
vida social e cultural   69, 70
vitalidade cultural   186
Prússia   238

Q

Quito   102

R

Raças
    "a meia-raça"   156
    amalgamento   99, 222
    antagonismo   190
    antigas   152
    arianismo   38
    base ameríndia do Brasil   258
    característica   244
    casamentos inter-raciais   219
    comparações   68
    conflitos   181, 182, 201, 202
    conglomerado   256
    consciência   199, 225
    contato   151, 222
    critério   39
    cruzamentos   101
    degeneração   209
    diferenças   208, 257
    discriminação   202, 203, 204
    distinção   150, 225
    encontro   253
    grupos   189
    igualdade   203, 204, 207, 257
    igualdade social   202
    inferioridade   83, 85, 110, 181, 300
    integridade   207
    latina   281
    luso-brasileira   169
    mistura   36, 46, 151, 166, 168, 170, 174, 207, 209, 258 , 300
    nórdica   207
    ódio   223
    orgulho   111, 230
    pan-americanismo   219
    posição de minorias étnicas   190
    preconceito   36, 110, 150, 165, 168, 169, 201, 202, 204, 207, 224, 225
    problemas   202, 206
    pureza   199, 224, 230
    pureza racial   102
    racismo   38
    relações   37, 201, 202
    republicanismo   242
    solução brasileira para a questão racial   37
    superioridade   110, 200, 257
    superioridades e inferioridades biológicas   120
    tolerância   208
Recife   54, 55, 56, 57, 58, 59, 60, 62, 65, 116, 123, 149, 261, 263, 269, 289, 314
Rede   34, 35, 91, 119, 266, 276, 279, 280, 283
Regionalismo   59, 60, 123, 124, 125, 126, 129, 131, 132, 133, 261, 262
Religião
    católica   28, 32, 33, 46, 49, 67, 70, 72, 73, 79, 98, 174, 195, 200, 205, 229, 230, 231, 235, 236, 247, 248, 257
    judaica   75, 76, 77, 79, 85
Rio de Janeiro   35, 38, 41, 55, 56, 57, 62, 65, 86, 110, 133, 137, 138, 149, 153, 159, 161, 163, 197, 200, 218, 229, 236, 253, 260, 262, 269, 272, 277, 282, 283, 284, 286, 289, 310, 313, 314
Rio Grande do Sul   41, 86, 100, 131, 132, 137, 138, 140, 141, 142, 163, 185, 192, 221, 222, 252, 262, 274
Rio Pardo   86
Rios   49, 114, 127, 142, 166
Rurbanização   313
Rússia   32, 43, 46, 68, 84, 105, 151, 174, 200, 202, 203, 204, 205, 206, 207, 208, 309, 311, 315

S

Salvador   43, 55, 56, 148, 288
Santa Bárbara   164
Santa Catarina   63, 163, 185, 186, 193, 224
Santo Aleixo   57, 58
Santo Amaro   103
Santos   35, 164
São Paulo   35, 41, 62, 63, 102, 110, 116, 131, 132, 136, 137, 138, 142, 153, 162, 163, 164, 165, 177, 180, 185, 192, 258, 259, 260, 262, 265, 277, 285, 298, 308
São Petersburgo   272
São Vicente   95
Senhoras   34, 38, 112, 127
Senhores   28, 55, 95, 96, 97, 98, 100, 104, 108, 110, 113, 115, 118, 119, 120, 148, 149, 156, 159, 162, 163, 220, 222, 227, 228, 230, 244, 245, 247, 256, 268, 269, 276, 280
Senzalas   95, 276
Sergipe   153
Sexualidade
    moralidade   88
Sinimbu   86
Suécia   152
Suíça   65, 302

T

Tabaco   92, 100, 113, 147
Teatro   50
Tempo
    concepções   24, 26, 297, 298, 299
Tennessee   312
Texas   47
Toledo   139
Transporte   32, 40, 41, 56, 118, 132, 155, 177, 196, 212, 213, 214, 255, 305
Trigo   59, 157

Trópico   23, 25, 26, 27, 28, 29, 30, 32, 34, 35, 46, 47, 48, 49, 50, 51, 52, 53, 54, 58, 59, 60, 61, 62, 63, 64, 65, 173, 174, 176, 178, 179, 185, 187, 188, 190, 191, 192, 211, 268, 273, 277, 278, 279, 280, 281, 282, 285, 286, 288, 308, 309
Tropicologia   21, 52, 53, 177

U

União Soviética   143, 200, 201, 202, 203, 204, 295, 313
Urbanização   50, 60, 178, 313
Uruguai   47, 223, 239, 302

V

Venezuela   46, 298
Vestuário
    brasileiro: estandardização   128
    brasileiro: europeísmo   51
    brasileiro: humanização   34
    brasileiro: influência do Oriente   90
    brasileiro ajustado aos trópicos   62, 63
    brasileiro diferente do europeu   36, 47
    europeu: influência do Oriente   91
    judeus   73
    popular   75
Viena   31, 272

W

Washington   105, 272, 306

Y

Yalta   272

Índice onomástico

A

ABEND, Hallett   203
ABREU, Manuel de   152
ADEYEMI, Adedokum A.   61
ALBUQUERQUE, d. Brites de   38, 76
ALBUQUERQUE, Jerônimo de   88
ALEIJADINHO   243, 244, 245, 247, 248, 250
ALENCAR, José de   166
ALLEN, Charles H.   161
ALLSTON, coronel   119
ALMEIDA, irmãos   64
ALMEIDA, José Américo de   262
AMADO, Jorge   42, 245, 246, 250, 251, 252, 262, 287
AMARAL, Afrânio do   152
AMARAL, Tarsila do   262
AMARO, João   103
ANDRADE, Carlos Drummond de   42, 139, 245, 262, 287
ANDRADE, Mário de   197, 260, 262, 276, 282
ANDRADE, Oswald de   262
ANDRADE, Vera de   289, 290
ANTÔNIO, Celso   287
ARANHA, Graça   253, 255, 256, 258, 259, 262
ARNSTEIN, Hans   285
ASCOLI, Max   195
ASFORA, Permínio   42
ASSIS, Joaquim Maria Machado de   42, 196
ATKINSONS, G. Anthony   61
AYRES, Lula Cardoso   41, 245, 262, 287
AZEVEDO, João Lúcio de   77, 80

B

BAILLOU, Maturin M.   196
BAKER, Joseph E.   124
BALANDIER, Georges   22
BALDUÍNO   251
BANDEIRA, Manuel   42, 245, 262
BARBOSA, Rui   42, 235
BARRETO, Lima   42
BARROS, Monteiro de   159

BASTIDE, Roger   22
BATES, Henry Walter   52, 53, 147, 173, 174, 208
BATES, Marston   25, 52, 53, 176
BEALS, Carleton   204
BELL, Aubrey   72, 84, 85
BELLO, Júlio   261, 262
BEMIS, Albert F.   282
BENNETT, Frank   274, 275
BERGER, Peter L.   22, 23, 25
BERNARDES, Sérgio   283, 287
BEWS, J. W.   125
BILDEN, Rüdiger   208
BINGHAM, Hiram   206
BLAND, J. O. P.   47, 272
BOAS, Franz   22, 102, 232, 233
BOLÍVAR, Simón   205, 218
BONIFÁCIO, José   88, 168, 169, 170
BONN, professor   125
BOPP, Raul   197
BORGES, José Carlos Cavalcanti   262
BRAZIL, Vital   35, 64, 152
BRECHERET, Victor   262
BRENNAND, Francisco   41, 245, 262
BRYCE, James   150, 211, 212
BURLE Marx, Roberto   287
BURTON, Richard   150, 276

C

CAFÉ FILHO, João Fernandes   45
CALLADO, Antônio   42
CALVINO, João   205
CAMÕES, Luís de   102, 275
CAMPISTA, David   193
CAMPOS, Renato   262
CARDOSO, Fernando Henrique   29
CARDOSO, Lúcio   251
CARNEIRO, major Gomes   167
CARVALHO, Flávio de   62
CARVALHO, Genaro de   262
CASH, W. J.   227, 228, 229
CASTRO, Américo   26

CASTRO, Josué de   152
CAXIAS, duque de   297
CAYMMI, Dorival   262
CEDRO, Luís   261
CELSO, Afonso   259
CHAGAS, Carlos   152
CHATEAUBRIAND, Assis   43
CHATEAUBRIAND, François René de   205
CHURCH, R. J. Harrison   177
CIRILO JÚNIOR, Carlos   193
CLARK, reverendo Hamlet   105
CLIFF, José   106
CLOUGH, Shepard Bancroft   91
COELHO, Duarte de Albuquerque   76
COLQUHOUN, R. S.   60
COLTON, Walter   208
COMTE, Auguste   25, 154, 254
CONSELHEIRO, Antônio   182
CONSTANT, Benjamin   205
COOPER, James Fenimore   166
CORTESÃO, Jaime   216
COSTA, Lúcio   269, 282, 283, 287, 312
COTTERIL, R. S.   112
COUTINHO, Afrânio   123
COUTINHO, Morais   261
COUTO, Ribeiro   20, 139, 262
CRAVO, Mário   262
CREARY, reverendo   105
CRULS, Gastão   42, 196
CRUZ, Oswaldo   64, 152
CUNHA, Euclides da   42, 182, 251, 258, 259, 287
CUNHA, Vitorino Carneiro da   251

D

DALGADO, D. G.   74
DANGERFIELD, coronel   113
DANTAS, Júlio   216
DANTON, Georges J.   205
DARWIN, Charles   65
DEAN, Vera Micheles   313
DEBRET, Jean-Baptiste   289
DELGADO, Carlos   29
DEL PICCHIA, Menotti   262
DENT, Charles   180
D'EU, conde   39
DEWEY, John   128

DIAS, Cícero   41, 120, 245, 262
DIAZ, Porfírio   208
DI CAVALCANTI, Emiliano   41, 245, 262, 287
DICKENS, Charles   105
DIXON, Roland B.   102
DOMVILLE-FIFE, Charles W.   180, 270
D'ORLEANS, príncipe Gastão   39
DREW, Jane   282
DUMONT, Alberto Santos   41, 64
DUVIGNAUD, Jean   22

E

ECHAVARRÍA, José Medina   29
EDMONDS,   52
EL CID   205
EL GRECO   245, 246
ELLIOTT, L. E.   103, 162, 164, 169
ENGUIDANOS, Miguel   26
EWBANK, Thomas   148, 149, 150, 248

F

FALSTAFF   84
FAULKNER, William   251
FELÍCIA, d.   111
FERNANDES, Aníbal   261, 262
FERNANDO, D.   78, 79
FERREIRA, Ascenso   249, 262
FERREIRA, Octalles Marcondes   20
FERRERO, Guglielmo   253
FILIPE II   86, 98, 129, 130, 143
FISCHER, Eric   74, 184
FLETCHER, J. C.   57, 58, 209, 281
FLORIANO, Peixoto   240
FONSECA, Aboab da   65
FONSECA, Hermes da   250
FONTENELLE   25
FONTES, Lourival   308, 310
FRANCO, Afonso Arinos de Melo   310
FRANKLIN, Benjamin   205
FRANK, Waldo   137, 142
FREITAS, Augusto Teixeira de   64, 288
FREYRE, Gilberto   105, 114
FRONTINI   285
FRONTIN, Paulo de   155

FRY, Maxwell 282
FURNIVALL, J. S. 188
FURTADO, Celso 29
FUSS, Peter 57

G

GAINES, Francis Pendleton 112, 113
GALLOP, Rodney 270, 271
GAMA, Saldanha 195
GAMIO, Manuel 102
GANIVET, Angel 68
GANZERT, Frederic W. 196
GIDDINGS, Franklin 128
GIEDION, Siegfried 279
GILLESPIE, James Edward 91
GLADSTONE, Willian E. 205
GLICÉRIO, Francisco 155
GOBINEAU, conde de 208
GOETZ, Walter 221
GOODWIN, Philip L. 282, 284, 285, 286, 289
GOULART, João 315
GOUROU, Pierre 53
GRIFFING, John B. 117
GRIVET, Charles 65
GUENTHER, Konrad 50, 51, 52, 53, 145, 146, 166, 208
GURVITCH, Georges 298

H

HADFIELD, William 180
HALECKI, Oscar 186, 187
HANKE, Lewis 225
HARTT, Charles F. 65
HEARN, Lafcadio 64
HILL, Lawrence F. 63, 196, 229, 276, 282
HOLANDA, Aurélio Buarque de 262
HOLANDA, Sérgio Buarque de 262
HOOD, Thomas 105
HOONHOLTZ, Antônio Luís Von 195
HOOTON, E. A. 101, 102
HOUSE, coronel Edward 203

I

IHERING, Rudolf Von 146
ISABEL, princesa 39, 236, 240

J

JACINTA 149
JACKS, G. V. 177
JAIYESIMI, O. 59
JASPERS, Karl 29
JEFFERSON, Thomas 205, 218
JOÃO VI, D. 236, 250
JUÁREZ, Benito 205
JUREMA, Aderbal 290

K

KENNEDY, John F. 306, 307
KERENSKY, Alexander 315
KEYSERLING, conde de 151
KIDDER, D. P. 57, 58, 281
KIMBALL, Fiske 271, 290
KINSEY, Alfred 294, 299
KOENIGSBERGER, O. H. 59
KOHN, Hans 68, 74, 201
KONDER, Marcos 196
KOSTER, Henry 106
KUBITSCHEK, Juscelino 45, 311, 312

L

LACOMBE, Américo Jacobina 20
LAFAYETTE, marquês de 205
LAMARTINE, Alphonse de 205
LAS CASAS, Bartolomé de 87
LATTES, César 64, 196
LE BON, Gustave 254
LE CORBUSIER 282, 286
LEE, Douglas H. K. 54
LEGENDRE, Maurice 68
LENTZ, Fritz 207
LE PLAY, Pierre G. F. 125
LEWINSON, Paul 201
LIMA, Jorge de 245, 262
LIMA, Manoel de Oliveira 37, 218
LIMA, Nestor dos Santos 27
LINCOLN, Abraham 205
LINDLEY, Thomas 288, 289
LINS, Álvaro 262
LINS, Sinval 152
LIVERMORE, H. V. 276

LOBATO, Monteiro   259, 260
LOPEZ, Solano   297
LORENTE, Mariano Joaquim   253
LUÍS, Washington   250
LUND, Peter W.   65
LUTERO, Martinho   140, 205
LUTZ, Adolfo   196

M

MACHADO, António de Alcântara   103
MACHADO, Basílio   308
MACHADO, Pinheiro   109, 121
MACIEL, Paulo   254, 255, 257, 258
MAGALHÃES, Basílio de   103
MALINOWSKI, Bronislaw   22
MANN, Thomas   120
MAOMÉ   70
MARCUSE, Herbert   29, 30
MARIANO FILHO, José   289
MARIA, Rosa   41
MARIA, Virgem   229, 230, 231, 236, 238
MARINHO, Saldanha   134
MARITAIN, Jacques   30
MARTIN, Percy F.   275, 276
MARTIUS, C. F. Phil Von   208
MARX, Karl   254
MASON, O. J.   22
MATOS, Gregório de   246, 247, 248, 251
MAUÁ, Visconde de   42
MAYHEW, Henry   105
MAYO, Elton   249
MEADE, Richard Kidder   218
MEAD, Margaret   235
MELLO, J. A. Gonsalves de   290
MELO NETO, João Cabral de Melo   42
MENCKEN, Henry L.   92
MENDES, Murilo   245
MENDIETA Y NUNEZ, Lucio   102
MEYER, Augusto   196
MIALL, Bernard   145
MIGNONE, Francisco   196
MILKAU   255, 256, 257, 258
MILLIET, Sérgio   196
MILTON, John   205
MINDLIN, Henrique   59, 60, 196, 283, 287
MISTRAL, Frédéric   124
MOISÉS   70

MONTEIRO, Joaquim do Rego   41
MONTENEGRO, Olívio   262
MOOG, Viana   196, 262
MORAES NETO, Prudente de   262
MORAES, Vinicius de   245
MOREIRA, Carlos   262
MOREIRA, Juliano   219
MORGAN, Ewin   310
MORROW, Glenn R.   123
MOTA, Mauro   42, 262
MOURÃO, Noêmia   262
MUKERJEE, Radhakamal   22
MÜLLER, Fritz   65
MÜLLER, Lauro   155, 193, 224
MUMFORD, Lewis   55, 282
MURPHY, James   83

N

NABUCO, Joaquim   42, 45, 110, 120, 240
NASH, Roy   81, 82, 104, 209, 300
NASSAU, conde Maurício de   289
NESTOR, Odilon   60, 261
NEWTON, Isaac   205
NIEMEYER, Oscar   269, 282, 283, 286, 312
NORMANO, J. F.   101, 133, 215

O

OLIVEIRA, Henrique Veloso de   213
ORLANDO, Arthur   125
OROZCO, José   245
ORTEGA Y GASSET, José   26
ORTIGÃO, Ramalho   91
OTS Y CAPDEQUI, José Maria   221
OUMANSKY, Constantin A.   203, 204

P

PALMÉRIO, Mário   42, 262
PANCETTI, José   41
PARANÁ, marquês de   110
PARETO, Vilfredo   249
PATTERSON, John   65
PATTERSON, Sheila   231
PAULDING, James K.   113
PEÇANHA, Nilo   155, 224

PEDRO I, D.   236
PEDRO II, D.   39, 150, 153, 160, 205, 209, 218, 236, 238, 240, 250, 272, 275
PEDRO III, D.   40
PEDRO, Luís   267
PENA FILHO, Carlos   262
PENDLETON, Robert L.   54
PERÓN, Juan Domingo   302, 317
PESSOA, Epitácio   160
PFEIFFER, Ida   105
PHILLIPS, Ulrich B.   99, 113, 120, 121
PICCHIA, Menotti del   196
PIERSON, Donald   208
PILLA, Raul   194
PINTO, Estevão   262, 289
POMBAL, marquês de   49, 72, 275
PORTINARI, Cândido   41, 60, 196, 245
POTTER, Pitman B.   126
PRADO, Paulo   103
PRESTAGE, Edgard   91
PUTNAM, Samuel   251

Q

QUADROS, Jânio   315
QUEIROZ, Rachel de   38, 42, 245
QUIXOTE, D.   251

R

RABELO, Sílvio   262
RADOSALVLEVICH, R.   207
RAMALHO, João   88
RAMOS, Arthur   63
RAMOS, Graciliano   42
RATZEL, Friedrich   125
REBOUÇAS, André   39, 134
REBOUÇAS, Diógenes   262
REDFIELD, Robert   22
REGO, José Lins do   42, 120, 245, 250, 251, 252, 261, 262
REIS, Artur   262
REISCHWEIN, Adolphe   91
RIBEIRO, João   20, 103, 255
RICARDO, Cassiano   103, 104, 245, 262
RIOS, Fernando de los   69, 70
RIVERA, Diego   245
ROBERTO, irmãos   283, 286, 287

RODRIGUES, Nelson   42, 247
ROMERO, Carlos   29
ROMERO, Sílvio   120, 125, 170, 258, 259
RONDON, Cândido Mariano da Silva   167, 213
ROOSEVELT, Franklin D.   303, 306, 308
ROOSEVELT, Theodore   93, 131, 210
ROOT, Elihu   43
ROQUETTE-PINTO, Edgar   63, 102, 152, 210
ROSA, João Guimarães   42, 245, 262, 287
ROSAS, Juan Manuel Ortiz de   223
ROSEN, Laura   282
ROSEN, S. McKee   282
ROTHSCHILD   255
RUSSELL, Alfred R.   208

S

SAMPAIO, Teodoro   103
SANCHO II   80
SANDERSON, Dwight   89
SANTOS, Constantino José dos   78
SANTOS, Paulo   290
SARTON, George   293
SAVELLE, Max   58
SCHMIDT, Augusto Frederico   196
SCHULTEN, Adolf   68
SCHULTZ, Alfred   25
SCULLY, William   180
SÉRGIO, Antônio   77, 78
SEVERO, Ricardo   289
SHAKESPEARE, William   92
SHAW, Paul   175
SIGAUD, J. F. X.   65
SILVA, L. A. Rebelo da   75
SING, Tong King   159, 161
SMITH, Lynn   277
SMITH, Robert   60, 276
SOARES, Paulo   60
SOMBART, Werner   79, 175
SOUTHEY, Robert   106
SPENCER, Herbert   254
STALEY, Eugene   314
STALIN, Josef   204
STEPHENS, H. Morse   179
STEWART, C. S.   200, 201, 208
STOCKARD, Charles R.   151, 152
STRATFORD, Wingfield   175

SUASSUNA, Ariano   42, 245, 262
SUMNER, William Graham   138

T

TANNENBAUM, Frank   22
TAVARES, Odorico   245, 262
TAYLOR, Alfred A.   111
TAYLOR, John   302
TEILHARD DE CHARDIN, Pierre   30
THOMAS, William H.   25
THOMPSON, Edgar T.   112, 113
TOCANTINS, Leandro   262
TOLEDO   70
TORRES, Alberto   210, 259
TORRES, Antônio   38
TOYNBEE, Arnold   186, 187
TURNER, Frederick J.   101, 124, 133

U

UGARTE, Manuel   224
UNAMUNO, Miguel de   68

V

VARGAS, Getúlio   44, 45, 133, 140, 143, 191, 238, 240, 241, 308, 310, 311, 314, 315
VARNHAGEN, Francisco Adolfo de   302
VAUTHIER, Louis Léger   289, 290
VELHINHO, Moisés   262
VERISSIMO, Erico   42, 251, 262
VERÍSSIMO, José   259

VESPÚCIO, Américo   37
VIANA FILHO, Luís   262
VIEIRA, padre Antônio   42, 257
VILLA-LOBOS, Heitor   25, 41, 245
VOGT, V. Ogden   287
VOLTAIRE, François Marie Arouet   205

W

WAGLEY, Charles   277
WALKER, Eric A.   186, 189
WALLACE, Alfred R.   52, 53, 65, 105
WALSH, Robert   127
WARREN, John E.   114
WASHINGTON, George   205
WEBER, Max   310
WEBSTER, W. H.   106, 108, 109
WHETHAM, Catherine Durning   102
WHETHAM, William C. Dampier   102
WHITTLESEY, Charles R.   157
WHYTE, R. O.   177
WILLEMS, Emílio   63
WILSON, Charles Morrow   309
WILSON, Thomas Woodrow   203, 204, 205, 238, 241
WINT, Guy   48
WRIGHT, Quincy   126

Z

ZAVALA, Sílvio   86, 87
ZIMMERMAN, Carle C.   288
ZOLA, Émile   140